POBLACIÓN, DESARROLLO Y CALIDAD DE VIDA

RIALP - GEOGRAFIA

Geografía general, física, humana y económica, por ANDRÉ ALLIX, Rector de la Universidad de Lyon.

Geografía de las grandes potencias, por A. MEYNIER, A. PERPILLOU, L. FRANÇOISE y R. MANGIN.

Compendio de Geografía general, por P. GOUROU y L. PAPY. Versión castellana de JOSÉ MANUEL CASAS TORRES y ANTONIO HIGUERAS ARNAL.

Geografía descriptiva (Países). Textos GER, dos tomos.

Población, desarrollo y calidad de vida. Curso de Geografía de la población I, por JOSÉ MANUEL CASAS TORRES.

JOSÉ MANUEL CASAS TORRES

Director del Instituto de Geografía Aplicada
del Consejo Superior de Investigaciones Científicas.
Catedrático de Geografía de la Población de la Universidad Complutense de Madrid.

POBLACIÓN, DESARROLLO Y CALIDAD DE VIDA

CURSO DE GEOGRAFÍA DE LA POBLACIÓN I

EDICIONES RIALP, S. A.
MADRID

ISBN: 84-321-2195-9

Depósito legal: M. 39.315-1982

Printed in Spain

Impreso en España

Imprime: ARQUILLOS, S. A. - Alcorcón (Madrid)

A

Antonio Higueras Arnal

PRÓLOGO

Si alguien pensara que porque la primera cátedra universitaria de Geografía de la Población —la de la Universidad Complutense— se dotó en España en 1980, esta importantísima parte de la Geografía es muy niña, cometería el error de olvidar que, al menos en nuestra patria, la fecha de dotación oficial de una enseñanza en la Universidad —aunque con honrosas excepciones— suele ser directamente proporcional en la duración de la demora a su importancia y antigüedad. En este caso, desde luego se confirma la regla: la población es inseparable de la geografía regional, y, por supuesto, de todas las ramas de la Humana. Hay, pues, Geografía de la Población desde que hay Geografía. Sí cabe decir, no obstante, que desgajada de la Humana, con entidad propia, es relativamente reciente y aún no ha terminado entre sus cultivadores la fase de tanteos y de búsqueda de planteamientos originales y exclusivos —si es que son posibles planteamientos «exclusivos» en una «rama» de la Geografía—. De todas formas, en la Complutense hace ya bastantes años que se explicaba como asignatura propia dentro de las confiadas a la «Segunda Cátedra de Geografía» en la que sucedí a mi querido maestro —y hombre bueno y leal donde los haya— don Amando Melón; pero en la Universidad de Zaragoza ya por los años cincuenta no sólo explicábamos Geografía de la Población, sino que ya se publicaron dos tesis doctorales sobre la población de las provincias de Zaragoza y Navarra: las de María Pilar Pardo y Margarita Jiménez del Castillo.

Ahora que ya va siendo tiempo de volver la vista atrás para ver en cuantas ocasiones me he equivocado, arrepentirme de mis errores y pedir perdón por ellos, compruebo, un poco sorprendido, que son varias las veces en que he tenido que «abrir brecha» haciendo, como decía Machado, «camino al andar»: la primera Sección de Geografía que se *creó en las Facultades de Letras españolas fue la de Zaragoza, que «levantamos» entre Alfredo Floristán, Manuel Ferrer, Rosario Miralbés, Salvador Ménsua y yo. La primera Sección de Geografía que tuvo la Facultad de Letras de la Complutense, antes de dividirse en varias Facultades, fue hechura de Manuel de Terán y mía. En el campo del Consejo Superior de Investigaciones Científicas, el Instituto de Estudios Pirenaicos lo puso en marcha José María Albareda —¡que a tantas cosas dio vida!— apoyándose en Luis Solé Sabarís —otro gran maestro no sólo de Geología, sino de la cordialidad y la hombría de bien—; Juan Antonio Cremades —tan buen jurista como persona—, y el autor de estas líneas. La confianza y el afecto que siempre me tuvo don Amando Melón permitieron que naciera la Sección de Zaragoza del Instituto Elcano —del que fui veinticinco años vicedirector— y luego de ella el Instituto de Geografía Aplicada.*

Ahora, cuando parecía erróneamente que no había nada que comenzar —erróneamente, porque la vida es comenzar cada día, y nunca, quizá, como ahora se abren tantos caminos nuevos ante el universitario de verdadera vocación—, llega, entre tantas otras cosas, el «nacimiento oficial» de esta primera cátedra de Geografía de la Población, y como otras veces hay que volver a empezar, con la esperanza, como siempre, de que los que vengan detrás corrijan los errores, rectifiquen las desviaciones, mejoren las técnicas y los resultados en cuanto a la formación de los alumnos y, sobre todo, no «quiten la mano del arado» ni piensen en su medro personal.

La Geografía de la Población, como todas las «geografías», estará siempre amenazada por «tendencias y atracciones» que atentan directamente contra su identidad, contra su esencia misma. No es lo mismo Geografía de la Población que Demografía, ni que Estadística... ni que Sociología. Aunque parezca una perogrullada —y no olvidemos que fue Quevedo quien se creyó en el caso de defender a Pero Grullo—, para hacer Geografía de la Población hay que ser geógrafo, como para hacer Demografía se debe ser demógrafo, y ello comporta puntos de vista y enfoques muy diferentes, aunque mutuamente se intercambie información y se manejen datos comunes, que a los dos, o a los tres —si incluimos a algunos sociólogos— nos facilitan los estadísticos.

La vinculación de la Geografía de la Población con la Geografía Regional —a la escala que se quiera, mundial, nacional, comarcal...— es muchísimo mayor de lo que puede parecer a un principiante, y desde luego profundizar en su conocimiento supone siempre entrar a fondo en el análisis de todas las variables geográficas, históricas y económicas, no sólo de la región en la que se considera a la población objeto de estudio, sino, con su adecuada ponderación, de todas las que de un modo u otro entran en contacto con ella. Es éste un aspecto en el que se debe insistir mucho, pero en el que no hay que esperar que el mero aficionado llegue a comprender del todo lo que quiere decirse mientras no se haya formado en él una auténtica mentalidad geográfica, es decir —simplificando—, un hábito de contemplar los hechos preferentemente en su dimensión espacial y en relación íntima de dependencia de unos con otros.

Por otra parte, la Geografía de la Población no trata sólo de cuestiones técnicas, sino que está relacionada con temas vitales que la trascienden por completo, debiendo encontrar su justificación en una recta filosofía.

Desgraciadamente, no todos los que tienen buena formación geográfica tienen, tam-

bién, esos rectos conocimientos filosóficos, lo que significa que bastantes de los autores que se citan —por sus valiosas aportaciones técnicas— no pueden recomendarse a causa de las erróneas ideas que mantienen sobre la naturaleza y dignidad del hombre, y las conclusiones que deducen de ellas.

Esta obra la compondrán varios volúmenes, pero cada uno de ellos puede considerarse y utilizarse también como un libro independiente. No es éste un manual al modo clásico, ni se pretende, aunque ha servido de base a los cursos de la Complutense, que un posible alumno retenga lo que aquí se dice, sino, sobre todo, que piense por su cuenta —por eso se procura ponerle ante los hechos con ayuda de las Tablas, los Apéndices y los mapas— y busque completar su información con exigencia de verdad y rigor científico, por sus propios medios; aunque, por desgracia, mi experiencia de profesor me hacer temer que esto no se conseguirá siempre.

Este volumen se centra alrededor de los temas de: a) la distribución de la población —muy brevemente considerada—; b) el contrastre entre población urbana y rural, y c) sobre todo, la radical diferencia entre países desarrollados y subdesarrollados, que es, sin duda, el hecho más destacado e importante de nuestra historia contemporánea.

Se completa la obra con d) la consideración del crecimiento de la población y e) el problema de la adecuación, o desadecuación, de la población y los recursos de nuestro planeta, tema que ha entusiasmado a algunos ensayistas y escritores, no siempre dotados del buen sentido y la formación necesaria para enfrentarse con una cuestión de esta trascendencia.

El volumen II, ya redactado, versa sobre doctrinas y políticas demográficas, tanto antiguas como actuales. No es, pues, propiamente una Geografía de la Población, aunque ayude a entenderla mejor. En cambio pretende poner orden en la maraña ideológica y contestar doctrinas y políticas atentatorias a la libertad y dignidad humanas en temas tan sagrados como el derecho a formar una familia y la defensa del no nacido y su derecho a la vida.

Por supuesto, cualquiera de los capítulos de cualquiera de los dos volúmenes da materia más que suficiente para muchos libros. Pero, ¿qué tema, si se estudia con cierto detenimiento, no lo daría? Uno de los problemas de este libro ha sido precisamente el lograr no extenderse demasiado, y el autor confiesa que no cree haberlo conseguido siempre, al contrario, considera como uno de sus fallos más evidentes el desequilibrio entre unos capítulos y otros. Y quiere decir también que en su elaboración no ha tenido todo el acceso a la bibliografía que deseaba, ni tampoco el tiempo que una obra de esta naturaleza requiere.

En cuanto a los obligados agradecimientos —que muy gustosamente manifiesto—, creo que es de toda justicia comenzar por Pedro, Luis y Javier Valls Taberner, sin cuya cordialísima acogida y la de quienes colaboran con ellos nunca habría podido escribir este libro, y luego debo manifestar mi gratitud a la propia Editorial Rialp que nunca me ha decepcionado —¡todo lo contrario!— en los treinta y seis años que llevo colaborando con ella. Arturo Ortego y Francisco Javier Pascual me han ayudado en la preparación de la edición con su mejor voluntad y gran competencia profesional.

José María Sanz García es quien se empeñó en que lo escribiera y no ha cesado en su empeño hasta que lo ha conseguido. Espero que ahora —como justo castigo— no deje de leerlo.

Todos mis amigos geógrafos, y tengo la fortuna de ser uno de los hombres que tiene más y mejores amigos —obviamente no puedo citarlos a todos— me han ayudado de un modo u otro. Manolo Ferrer, de la Universidad de Navarra, criticando —¡con su gran corazón!— todas mis conferencias y artículos, Rosario Miralbés, Manuela, Solans, Alfredo Floristán, Pedro Plans y el propio Salvador Ménsua, a pesar de su ausencia, estando constantemente pendientes de la «marcha» del manuscrito.

Lógicamente, dada nuestra continua relación de trabajo en el Consejo y la Facultad en Madrid, la ayuda ha sido mayor —y ha revestido las mil formas que sabe encontrar el compañerismo— por parte de mis queridos compañeros y amigos del Instituto de Geografía Aplicada, la Complutense y la UNED.

María Asunción Martín Lou, María Isabel Bodega Fernández, Sicilia Gutiérrez Ronco, Natividad Aubá Estremera, Aranxa Hernández, Pilar González Yanci, María Teresa Palacios, Victoria Azcárate, Elena Chicharro, María Pilar Borderías, Juan Sanz Donaire, Jesús Muñoz, Elena y Ángel Navarro Madrid, Juan Córdoba, José María García Alvarado, José Sancho Comins, Javier Gutiérrez Puebla, etc., a pesar del cúmulo de quehaceres que pesan sobre ellos, supieron buscar —¡y encontraron!— tiempo y cordialidad para ayudarme en mi tarea.

En cuanto a Ángela Lalana, Maite de Francisco y María Rosa Cobos, a cuyo cuidado están la administración y la biblioteca del Instituto de Geografía Aplicada del CSIC en Madrid, todo lo que se diga en su elogio quedará siempre muy por debajo de lo que merecen: su trabajo abnegado y generosísimo, sin que se note, es el que nos permite trabajar a los demás con orden y sin distraernos en tareas complementarias que nos separarían de los objetivos asignados a cada uno. Así, como siempre que hay un verdadero trabajo en equipo, su trabajo y el nuestro resultan absolutamente inseparables.

A todos les doy las más sinceras gracias por su colaboración y me gustaría saber expresar mejor cuán agradecido les estoy.

El libro se dedica a Antonio Higueras Arnal, entrañable amigo y compañero de penas, fatigas y alegrías; hombre de anchas espaldas e inmenso corazón, con quien tengo contraída una deuda de gratitud tan grande que no podría pagarla aunque viviera mil años. Sirvan estas líneas al menos de reconocimiento de mi obligación y también de mi sincero agradecimiento. ¡Él sabe por cuantos motivos y cuán cordialmente!

ÍNDICE

	Págs.

Prólogo XI

Capítulo I. Distribución espacial de la población del mundo 1

1. A mediados de 1975 poblábamos el planeta 4.000 millones de seres humanos 3
2. Los mapas de población son el medio más expresivo y geográfico de representar su distribución espacial 4
3. La población se distribuye muy desigualmente sobre la superficie emergida de la Tierra . 7
4. Algunos modos de considerar la distribución espacial de la población 10
    4.1. Distribución de la población a escala mundial 10
    4.2. Las densidades de población globales de un país ocultan siempre grandes desigualdades regionales 18
5. Nota sobre las causas de la distribución de la población 21

Lecturas ulteriores 22

Apéndice 1.1. Población, tasa de crecimiento anual, natalidad y mortalidad, superficie y densidad en el mundo. Macro-regiones y Regiones 24
Apéndice 1.2. Países que integran las Macro-regiones y Regiones establecidas por la División de Población de las Naciones Unidas en sus publicaciones 25
Apéndice 1.3. Población (según el último censo de cada país y estimada para 1978), superficie en km^2 y densidad de la población de la mayoría de los países del mundo 29

Capítulo II. Población urbana y población rural 35

Resumen 37

1. Población urbana y población rural 38
    1.1. Entre unos países y otros hay gran diferencia de «criterios estadísticos oficiales» para clasificar a una población como urbana o como rural 38

Págs.

1.2.   Aunque el incremento constante de la población urbana es una de las características más destacadas de nuestro tiempo, todavía más del 60 por 100 de la población del mundo es rural   42

1.3.   En la parte inferior de la distribución de las poblaciones de los países, según su porcentaje de población urbana, se encuentran países abrumadoramente rurales del Tercer Mundo   43

1.4.   La población de los países incluidos en el Anuario de la ONU de 1978 en el grupo de los que tienen un porcentaje de población urbana comprendido entre el 20,1-30 ascendía al 19,90 por 100 de la población mundial considerada   46

1.5.   La población total (353 millones de habitantes) de los países reseñados por la ONU con una población urbana entre 30,1 y 50 por 100 del total de su población equivalía al 9 por 100 de la total de todos los países considerados y su población urbana (150 millones) era el 10,72 por 100 de la urbana mundial   48

1.6.   Países con población urbana entre el 50,1-60 por 100 de su población total   50

1.7.   Países con población urbana entre el 60,1-70 por 100   51

1.8.   Países con población urbana superior al 70,1 por 100   52

1.9.   Los casos de España, República Federal Alemana, Italia y China   54

1.10. La situación según las cifras disponibles en junio de 1981   61

2.   ¿Existe una correlación entre la riqueza de los habitantes de un país y el tamaño de su población con residencia urbana?   69

Lecturas ulteriores   77

Apéndice 2.1.   Población —total y de residencia urbana— y renta nacional —total y por persona— de 151 países, clasificados en nueve grupos   81
Apéndice 2.2.   Definiciones del término *urbana* (aplicado a la residencia de una población).   90
Apéndice 2.3.   Resultado de las modificaciones introducidas en los datos del Apéndice 2.1, por la información contenida en «Selected World Demographic and Population Policy Indicators», 1978, de Naciones Unidas   97

CAPÍTULO III.   PAÍSES DESARROLLADOS Y PAÍSES SUBDESARROLLADOS   103

Introducción   105

3.1.   *Algunos indicadores del subdesarrollo*   109

1.   El subdesarrollo no es un problema exclusivamente económico   110
2.   Indicadores del subdesarrollo más utilizados   112

2.1.   Sauvy   113
2.2.   Lebret   114
2.3.   Clarke y Trewartha   114
2.4.   La «geografía del bienestar»   116
2.5.   Berry y sus «escalas»   117
2.6.   Drewnowski y el UNRISD   118
2.7.   King y la relación entre progreso social y desarrollo económico   125

3.   La injusta distribución de la riqueza en los países subdesarrollados   126

3.1.   Del desarrollo «desde el lado de la oferta» a la «estrategia del desarrollo con equidad»   127

4.   Los países desarrollados y subdesarrollados en el modelo de Leontief para las Naciones Unidas   131

Págs.

Apéndice 3.1.1.   Esquema de clasificación geográfica regional, según Leontief (1977)   140

3.2. *Países subdesarrollados y países desarrollados. Contenido de estos términos. Variables que los definen*   143

Introducción   145
1. Pobres y ricos en el mundo de hoy   145
    1.1.   Al terminar la Guerra Mundial de 1939-45, se inició una nueva etapa de la historia   145
    1.2.   En 1975, 86 de 136 países que pertenecían a la ONU tenían un Producto Interior Bruto anual, per cápita, inferior a 1.000 dólares USA, y de ellos, 64 (el 47 por 100 del total) no alcanzaban los 500 dólares per cápita   147
    1.3.   Sólo 50 países, de 136 que pertenecían a la ONU, tenían, en 1975, más de 1.000 dólares de Producto Interior Bruto per cápita. De esos 50, 15 países no llegaban a los 2.000 dólares anuales y sólo 12 tenían más de 6.000   156
    1.4.   Clasificación de los países según los criterios del Banco Mundial   160
    1.5.   La Organización de Naciones Unidas clasifica a los países en más desarrollados y menos desarrollados, según las circunstancias de su población   172
2. Las expresiones: países desarrollados y países subdesarrollados son vagas e imprecisas a causa de la enorme dificultad que encierra su definición   177
    2.1.   Los datos del problema   179

Apéndice 3.2.1.   Variables indicadoras de diversos grados de desarrollo en 15 países seleccionados   187

3.3. *Países industriales y Tercer Mundo ante el año 2000*   191

1.   Nuestro mundo cambia muy de prisa   193
2.   La diferencia entre países desarrollados y subdesarrollados es el hecho más trascendental de la historia de este siglo   193
3.   Algunas precisiones cuantitativas de una injusticia incalificable   194
4.   ¿Qué es el subdesarrollo?   196
5.   Con la excusa del subdesarrollo se propugna un genocidio a escala mundial   198
6.   El caso de los países industrializados   200
7.   Paternidad responsable y familia   201
8.   La población del Tercer Mundo es una esperanza, no una amenaza   206
9.   Es inadmisible y criminal tratar de resolver el problema del hambre matando a los niños que van a nacer   207
10. Demográfica y culturalmente, el mundo futuro será muy distinto del actual   209
11. En Europa y Norteamérica ya hemos comenzado a preocuparnos del envejecimiento de nuestra población   210
12. El mundo del siglo XXI será de los hombres de color   216

Lecturas ulteriores   218

CAPÍTULO IV.   EL CRECIMIENTO DE LA POBLACIÓN MUNDIAL   219

4.1. *Los hechos*   221

Introducción   222
1.   Visión de conjunto a través de algunos autores   223
2.   Cifras estimadas de la población mundial desde hace un millón de años   225

Págs.

3. Curva aritmética, crecimiento exponencial, curva logarítmica y curva logística del crecimiento de la población 228
4. Diferencias regionales y por países en el crecimiento de la población. De nuevo se pone
   de relieve la distinción fundamental entre países desarrollados y países en desarrollo ... 236
   4.1. Países de tasas altas de incremento natural de la población y países de tasas bajas 241

Lecturas ulteriores 249

Apéndice 4.1.1. PNB por persona en dólares USA. Tasa de crecimiento anual en tanto
   por 1.000. Fertilidad en tanto por 1.000. Población menor de 15 años en tanto por 100.
   Población entre 15-64 años, por 100. Mortalidad infantil, por 1.000. Esperanza de vida
   al nacer: hombres, mujeres. De 158 países 252
Apéndice 4.1.2. Tasa de crecimiento natural anual. (Promedio 1970-75) (porcentaje sobre
   el total de la población) 256

4.2. *Enfoque trascendente y evolucionismo. Las «revoluciones» del Paleolítico* 259

1. Complejidad del tema 260
2. Antes de la prehistoria 262
   2.1. Neodarwinismo y evolucionismo 262
   2.2. Monogenismo y poligenismo 264
   2.3. El origen biológico del hombre 264
3. Las «revoluciones» del Paleolítico 267
   3.1. Precisiones del doctor Palafox 269
   3.2. ¿Cuándo apareció el hombre sobre la Tierra? 271
   3.3. Los australopitécidos 276
   3.4. La revolución de los Pitecantrópidos 277
   3.5. El hombre de Neanderthal y la cultura musteriense 279
   3.6. La gran «revolución» del Paleolítico Superior 282
4. El Mesolítico europeo 288
5. El crecimiento de la población durante el Paleolítico 289
   5.1. Natalidad, mortalidad y esperanza de vida al nacer durante el Paleolítico 291
   5.2. Las causas del crecimiento de la población paleolítica 293

Lecturas ulteriores 294

Apéndice 4.2.1. Emilio Palafox Marqués: *Sobre el origen biológico del hombre.* México,
   1976 297

4.3. *Del siglo I a nuestros días* 303

1. Introducción 304
2. Del mundo clásico del siglo I al mundo del siglo XVII 304
3. La «revolución o revoluciones científico-industriales» están en la base del formidable
   crecimiento de la población mundial en los tres últimos siglos 306
   3.1. Consideración global del crecimiento demográfico entre 1650 y 1980 309
   3.2. El crecimiento de la población considerado regionalmente 310
4. Crecimiento demográfico y crecimiento económico 314

Lecturas ulteriores 318

Págs.

4.4. *La teoría de la «transición demográfica»* .... · 319

1. Los hechos 320
2. El modelo 326
   2.1. Fases consideradas en el modelo de la transición demográfica 328
3. Críticas al modelo de la «transición demográfica» 332

Lecturas ulteriores 333

CAPÍTULO V. EL PROBLEMA DE LA ADECUACIÓN POBLACIÓN/RECURSOS 335

5.1. *La cuestión del equilibrio entre población y recursos* 337
Introducción 338
1. El desigual crecimiento de la población de los países desarrollados y de los subdesarrollados 341
2. Distintos tipos de recursos 342
3. La tierra disponible para la agricultura 343
   3.1. La «revolución verde» y sus dificultades 354
4. Hambre y malnutrición en el mundo actual 357
   4.1. Producción de alimentos y población 366
   4.2. Suministros de alimentos por persona 369
   4.3. El problema de la malnutrición 377
   4.4. La persistencia de la malnutrición 386
5. La situación actual 391

Lecturas ulteriores 393

Apéndice 5.1.1. Suministro diario de calorías y proteínas por persona y países determinados, 1961-63 y 1972-74 396
Apéndice 5.1.2. I. Suministro diario de alimentos por persona. Todo el mundo 400
    II. Todos los países desarrollados 401
    III. Todos los países en desarrollo 403

5.2. *La cuestión del desfase entre población y recursos* 405
Introducción 406
1. Las fuentes de energía 407
   1.1. El agua 409
   1.2. Los combustibles fósiles 410
   1.3. La electricidad 427
   1.4. La energía nuclear 431

2. Los metales 433
3. Otros recursos no renovables 436
4. La tecnología del incremento de la extracción y de la recuperación de recursos 437
5. El deterioro de la calidad del medio ambiente 438

Lecturas ulteriores 439

BIBLIOGRAFÍA UTILIZADA 441

BIBLIOGRAFÍA UTILIZADA: ÍNDICE ALFABÉTICO POR AUTORES 447

ÍNDICE ALFABÉTICO 477

ÍNDICE DE TABLAS, MAPAS Y GRÁFICOS 489

I

DISTRIBUCIÓN ESPACIAL DE LA POBLACIÓN DEL MUNDO

1. A mediados de 1975 poblábamos el planeta 4.000 millones de seres humanos.
2. Los mapas de la población son el medio más expresivo y geográfico de representar su distribución espacial.
3. La población se distribuye muy desigualmente sobre la superficie emergida de la Tierra.
4. Algunos modos de considerar la distribución espacial de la población.
    4.1. Distribución a escala mundial.
    4.2. La densidad de población global de un país oculta siempre grandes desigualdades regionales.
5. Nota sobre las causas de la distribución de la población.

Lecturas ulteriores

Apéndices

1.1. Población, tasa de crecimiento anual, natalidad y mortalidad, superficie y densidad en el mundo. Macro-regiones y regiones.
1.2. Países que integran las Macro-regiones y regiones establecidas por la División de Población de las Naciones Unidas en sus publicaciones.
1.3. Población (según el último censo de cada país, y estimada para 1978), superficie en Km^2 y densidad de población de la mayoría de los países del mundo.

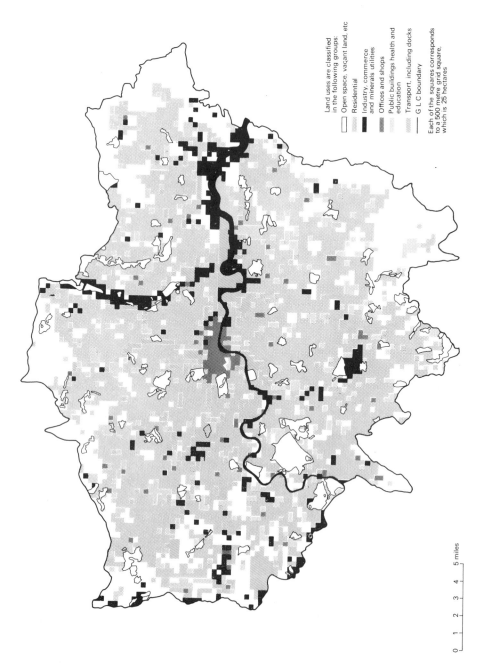

Land uses are classified
in the following groups:

☐ Open space, vacant land, etc

■ Residential

▓ Industry, commerce
and minerals utilities

▒ Offices and shops

░ Public buildings health and
education

░ Transport, including docks

— G L C boundary

Each of the squares corresponds
to a 500 metre grid square,
which is 25 hectares

0 1 2 3 4 5 miles

Mapa con ordenador de los principales usos del suelo de Londres. (El original está en dos colores: rojo y negro. Rojo: Industry; Offices; Public Transport.) De Shepherd, Westaway, Lee, «A Social Atlas of London». Oxford, 1974.

1. A mediados de 1975 poblábamos el planeta 4.000 millones de seres humanos

A mediados del año 1975, la población total de nuestro planeta la formábamos 3.967 millones de personas, según datos de la Organización de Naciones Unidas.

Nada hay más efímero que una cifra de población y, aunque también es muy cierto que las cifras estadísticas a escala del mundo sólo aproximadamente corresponden a la realidad —pues se obtienen de datos de muy distintas procedencias, fechas y garantías—, el lector puede estar seguro de que, en el momento en que sus ojos recorren estas líneas, la cifra de los pobladores de la Tierra crece y se aleja de la frontera de los 4.000 millones de seres humanos, rebasada en 1976 (4.044 millones, según el Anuario Demográfico de Naciones Unidas). En 1978 éramos ya 4.258 millones de personas.

Presento, no obstante, las cifras de 1975[1] porque en la mayoría de los países con buenos servicios estadísticos —que no son demasiados— no se dispondrá de datos mejor obtenidos hasta, por lo menos, un año después de que terminen de recogerse las hojas correspondientes al Censo de Población de 1981.

El primer desglose de esta cifra total (la población del mundo en 1975) lo da la Tabla 1.1. Son datos de Naciones Unidas a los que se han añadido los porcentajes.

TABLA 1.1

Población del mundo en 1975

Continentes	Núm. de habitantes (en millones)	% de la población del mundo	Superficie emergida (.000 Km²)	Habitantes por Km²**	% de la superficie del mundo
África	401,0	10,11	30.319	13	22,32
Norteamérica (sin México).	237,0	5,97	21.515	11	15,84
Latinoamérica	324,0	8,17	20.566	16	15,14
Asia (sin la URSS)	2.256,0	56,86	27.580	82	20,31
Oceanía	21,3	0,54	8.510	3	6,27
Europa (sin la URSS)	473,0	11,92	4.937	96	3,63
URSS	255,0	6,43	22.402	11	16,49
EL MUNDO	3.967,3	100,00	135.830*	29	

FUENTE: UNITED NATIONS, *Statistical Yearbook 1976,* Nueva York, 1977.

(*) La cifra de 135.830.000 Km² que da el *Anuario Estadístico de Naciones Unidas* no corresponde a la suma de la columna. Esta arroja 135.829.000 Km². La diferencia está en que en el Anuario se suma el total de América, 42.082.000 Km², que excede en él en un 1 Km², a la suma de las superficies de América del Norte y Latinoamérica.

(**) Las cifras están redondeadas.

[1] La cifra de 3.967 millones de personas en 1975 se ha tomado del *Anuario Demográfico de Naciones Unidas* correspondiente a 1976. En el *United Nations Statistical Pocketbook* de 1979 se da como población del mundo, en 1975, la cifra de 4.033 millones de habitantes.

El análisis personal de una tabla permite obtener al que lo realiza conclusiones que no siempre se encuentran en el texto. Digamos ahora —aunque se trata de una primera aproximación, tosquísima, en la que no se hace la menor matización— que ya en ésta se presentan muy netos unos cuantos hechos esenciales: *a)* el «peso» aplastante de Asia (56,86 por 100 de la población mundial); *b)* la equiparación en habitantes y superficie de la América anglosajona y la URSS; *c)* Europa es el continente de mayor densidad de población del mundo (96 habitantes por Km²); *d)* el «codo a codo» demográfico África-Latinoamérica, y *e)* el vacío australiano.

Los datos por países que se contienen en el Apéndice 1.3 —que va al final del capítulo—, tomados también del Anuario Estadístico de Naciones Unidas, ofrecen una información más pormenorizada, de la que procede la de la Tabla 1.1. Haremos referencia a ellos cuantas veces sea necesario.

Quizá es bueno decir ya ahora, y tenerlo presente en lo sucesivo, que detrás de las cifras, los mapas, los gráficos, los modelos y las teorías que se nos vienen encima, si se quiere entender y gustar la Geografía de la Población, hay que ver mujeres y hombres de carne y huesos viviendo, amando, sufriendo, trabajando... estructurando el mundo con sus manos; sentirse comprometidos con ellos, puesto que «ellos» somos «nosotros».

El objeto de este capítulo es presentar al protagonista de la Historia tal y como se distribuía sobre la superficie del mundo a mediados de 1975. Esa distribución era precisamente el resultado, en ese momento, de un largo pasado, pero también, y al mismo tiempo, el punto de partida de la historia futura.

2. Los mapas de población son el medio más expresivo y geográfico de representar su distribución espacial

Conocer la distribución espacial, en un momento dado, de los efectivos humanos del mundo... de un país... de una región... es conocer su localización geográfica, tenerlos situados sobre un mapa. «Localizar» es uno de los clásicos principios geográficos. El primero de todos, el que lógicamente precede a «relacionar» y «explicar». Pero la localización de una «población» —en el sentido estadístico y, en este caso, humano— en Geografía es bastante *sui generis,* porque individualmente los hombres nos estamos desplazando casi constantemente. Es obvio que lo que localizamos en Geografía no son individuos concretos, son precisamente poblaciones. Lo que tienen una relativa fijeza son las colectividades, los conjuntos de personas que habitan un municipio, una provincia, un país. Y también son relativamente estables las huellas que esas colectividades dejan sobre los espacios que pueblan superponiéndolas a las heredadas de generaciones anteriores: casas, pueblos, ciudades, paisajes agrarios, paisajes urbanos..., en definitiva, «paisajes culturales».

Localizar es el paso previo a relacionar unos hechos con otros: hombres (número, calidad, trabajo, técnicas, historia), medio ambiente (físico, biológico, actual, pretérito...). Relacionar los hechos puede permitir explicarlos. Explicar es una exigencia de todas las ciencias. Como muchas otras, la Geografía, además, siempre ha pretendido aplicar, después de formularlas, las leyes que permiten «explicar», y así la planificación urbana y regional, la ordenación del territorio, son actividades científicas multidisciplinares, en servicio de la sociedad, en las que la Geografía de esta hora tiene una decisiva participación.

Para localizar una población[2] sobre un espacio se necesita una información estadística de base, referida, en una fecha determinada, a un espacio concreto.

En casi todos los países del mundo la unidad de base mínima, espacial y jurídico-administrativa, es la equivalente a nuestros municipios. En ella se recogen las hojas de empadronamiento familiares, y a partir de ellas, por agregación, se obtienen los datos de las unidades espaciales administrativas de orden superior: comarcas, provincias, regiones, Estado...

Por desgracia, los Institutos Nacionales de Estadística no pueden publicar a escala municipal más que una pequeña parte de la información que recogen las hojas censales, aunque afortunadamente sus directivos son cada vez más consciente de la importancia científica de esa información inédita, que procuran conservar y cuya consulta facilitan a otros investigadores.

En los trabajos de investigación geográfica a escala comarcal o regional dentro de un país, los geógrafos partimos siempre de los datos de los correspondientes municipios que las integran —y en muchos casos «bajamos» hasta las propias hojas censales, como se hace casi siempre en los estudios de población urbana—, pero es evidente que para la consideración de la población del mundo meramente esbozada en sus grandes rasgos, como se hace a continuación, no puede soñarse con proceder así y basta disponer de resúmenes mucho más generales y esquemáticos elaborados por los respectivos servicios estadísticos oficiales de cada país, los grandes organismos internacionales (como la ONU o la FAO) o por los científicos que han estudiado países concretos o aspectos determinados de la distribución mundial de la población.

En cualquier caso, lo habitual es localizar primero la población sobre un mapa y luego relacionar los valores de esa población con otra, u otras, variables: espacio, simplemente expresado en Km² o en otra unidad de superficie: hectáreas, áreas, acres, millas cuadradas..., o en Km² de una determinada calidad, por ejemplo, tierra de labor, secano, regadío...

El modo más sencillo, quizá, de localizar la *población absoluta* en un mapa es llevar sobre él un sistema de puntos, círculos y esferas de dimensiones elegidas según el número de habitantes a representar y la escala del mapa, procurando en la medida de lo posible —lo que dependerá de la escala— colocar en el mapa el signo correspondiente sobre el lugar más aproximado al que corresponde al real.

La forma más habitual de representar las *densidades* de población sobre un mapa es establecer la correspondiente relación habitantes-superficie, escoger la serie de intervalos que se considere más expresiva para la finalidad del trabajo que se tiene entre manos, y llevarlos sobre las correspondientes divisiones del mapa, equivalentes a la unidad administrativa, o tan sólo espacial, elegida para el cálculo, por medio de la gama de colores o de tramas de intensidad que se considere más adecuada.

Los mapas mundiales de población absoluta, representada por medio de puntos, círculos y esferas que son normales en los atlas al alcance del público, como por

---

[2] Como la palabra población puede aplicarse estadísticamente a seres vivos, cosas o conjuntos de datos de muy diferente naturaleza, debe entenderse aquí —aunque es obvio, dado el objeto del libro— que, mientras no se indique lo contrario, nos referimos siempre a poblaciones humanas.

ejemplo el de la página 65 del excelente *Oxford Economic Atlas of the World* (4.ª ed., Oxford University Press, 1972), aunque estén muy bien hechos, como en este caso, tienen en primer lugar el inconveniente de la inevitable renuncia a toda información por debajo del límite que la escala del mapa permite[3].

En segundo lugar, aunque los diámetros de los círculos y esferas estén cuidadosa y matemáticamente calculados, resulta muy difícil, casi siempre, para el lector del mapa distinguir visualmente las diferencias entre unos círculos y otros, al menos en las categorías intermedias, que son las más numerosas; y por último, como sus mismas dimensiones desaconsejan que vayan rotulados, resulta que el tiempo y esfuerzo invertidos por los cartógrafos en su confección sólo sirven —¡y no es poco!— para dar una visión de conjunto, ya que no es raro que sea de todo punto imposible saber exactamente a qué ciudades concretas corresponden cada uno de los círculos.

No obstante, si se dedica tiempo a su lectura —y el estudiante de Geografía debe persuadirse de que leer un mapa requiere, a veces, tanto tiempo como leer un libro—, y se aceptan con sus limitaciones, estos mapas son expresivos y muy útiles.

Lo último que se acaba de decir puede aplicarse igualmente a los mapas de densidades, pero como ésta es una relación que se maneja con mucha frecuencia, conviene resumir ahora los reparos que suelen ponerles geógrafos y demógrafos.

Un demógrafo, POURSIN, subraya que la *noción de densidad* no tiene más que un interés limitado, pues la significación real de la densidad y su interpretación son muy aleatorias, y las cifras de densidad no hacen más que dar una aparente homogeneidad a realidades complejas y variadas.

Un geógrafo, TREWARTHA, ha recordado algo, por lo demás, conocido de todos: tanto los mapas de puntos como los de densidad son relativamente sencillos y sin complicaciones, precisamente porque sólo consideran el número de personas sin prestar atención a sus características, es decir, las consideran tan sólo numéricamente, sin tener en cuenta sus cualidades personales: niveles educativos, profesionales, técnicos, etc., así como tampoco su capacidad como productores de bienes y servicios y como consumidores.

Del mismo modo estos mapas no toman en cuenta que regiones de superficies comparables son muy distintas por sus recursos potenciales para sostener una población.

En una palabra, estos mapas de población tienen serias limitaciones, ya que se apoyan en el supuesto de una *standardización* de las poblaciones y las superficies que en realidad no se dan. Sin embargo, sin desconocer lo que, entre otros muchos en su misma línea, POURSIN y TREWARTHA quieren decir, podría hacérseles observar que el hecho de que regiones de la misma superficie arrojen, como es frecuente, densidades de población muy diferentes, es una prueba de cómo unos mapas tan sencillos ponen de manifiesto claramente notables diferencias estructurales de las poblaciones que cartografían.

En cambio, está TREWARTHA muy en lo cierto cuando recuerda que un *mapa de densidad aritmética,* que es precisamente el que utiliza la *ratio* por la que se compara la

---

[3] En este caso, el mapa, que tiene una escala ecuatorial aproximada de 1:88 millones, representa por un punto cada cien mil habitantes de un país no incluidos en las ciudades principales, y a éstas las cartografía por medio de círculos de distinto tamaño según cuenten entre 101.000 habitantes y más de 10 millones. Los puntos correspondientes a 100.000 habitantes están colocados procurando que coincidan con las áreas más densamente pobladas. En los grandes focos de concentración de la población mundial, los puntos se empastan formando una mancha de color, lo que hace al mapa muy expresivo, pero impide totalmente el recuento de los puntos y, por tanto, de habitantes en esas áreas, lo que por otra parte tampoco se pretende por los autores de mapas de este tipo.

población total con la superficie total, gana interés y expresividad en la misma medida que se utilizan para calcularlo áreas estadísticas administrativas —o de otro tipo— pequeñas. No cabe duda de que un mapa de densidad de España por provincias tiene un interés muy relativo, pero si el mapa de las densidades toma como base la superficie de los municipios es muchísimo más expresivo. Por esta razón, incluso en los mapas de conjunto mundiales no se representan las densidades por Estados, sino utilizando divisiones menores, aunque sea en forma simplificada. Véanse, por ejemplo, el Mapa-Mundi de Densidad de Población de las págs. 20-21 de la 2.ª ed. del *Atlas Geográfico Universal de Rand McNally-Magisterio Español* (Madrid, 1980), ó el núm. 132-133 *Bevölkerungdichte,* a escala 1/80 millones del Atlas *Unsere Welt,* dirigido por GROTELÜSCHEN, OTREMBA y WALTER PULS (Berlín, 1970).

En realidad, como muy bien hace observar TREWARTHA, el uso casi universal de estos mapas de densidad aritmética responde al hecho de que los datos necesarios para calcularlos son, con mucha diferencia, los más fáciles de obtener; a lo que podría añadirse también que este uso casi universal refleja igualmente que incluso el hombre de la calle está familiarizado con esta *ratio* y que, como decíamos antes, si se aceptan con sus limitaciones, que nadie ignora —y sin pedirles lo que no ofrecen— son expresivos y muy útiles, ya que en realidad estos mapas no quieren decir más que lo que dicen, y cuando se quieren decir otras cosas hay que acudir a otros muchos más sofisticados y empezar por explicarle al usuario cómo se han confeccionado y lo que se pretende decir con ellos.

Por otra parte, no es este el lugar ni el momento de reseñar los innumerables tipos de mapas que pueden confeccionarse para expresar la distribución de una población, y mucho menos de explicar cómo se preparan. Para estas cuestiones pueden consultarse, entre muchas otras, las obras de MONKHOUSE-WILKSON, DICKINSON y RAIZ, que se mencionan en la Bibliografía.

3. La población se distribuye muy desigualmente sobre la superficie emergida de la Tierra

Aunque tendremos ocasión de verlo con más detenimiento muy pronto, cualquier Mapa-Mundi en que se representen las diferencias de densidad de población regionales nos pone en presencia del rasgo más característico de la distribución de la población en el mundo: *su enorme desigualdad de unos lugares a otros.* Este rasgo fundamental se puede expresar de muchas formas.

Casi la mitad de la población del mundo se hacina en el 5 por 100 de las tierras emergidas. En cambio, entre el 50 y el 60 por 100 de los continentes probablemente sólo reúnen el 5 por 100 de los habitantes de nuestro planeta (TREWARTHA).

En la Tabla 1.1 hemos visto ya que Asia, sin la URSS, alberga el 56,86 por 100 de la población del mundo, pero abarca tan sólo el 20,31 por 100 de su superficie emergida, y Europa, también sin la URSS, supone casi el 12 por 100 (11,92) de la población mundial, mientras ocupa tan sólo el 3,63 por 100 del área continental. En el otro extremo de la serie, Oceanía, con el 6,27 por 100 de las tierras emergidas del globo, alberga sólo el 0,54 por 100 de su población.

TABLA 1.2

Países de mayor población del mundo en 1975

Países	Población (en millares)	Superficie (Km²)	Densidad (hab/Km²)	% de la población mundial
China	838.803*	9.596.961	87	21,14
India	598.097	3.287.590	182	15,08
URSS	254.382	22.402.200	11	6,41
USA	213.611	9.363.123	23	5,38
Indonesia	136.044	1.904.345	71	3,43
Japón	110.953	372.313	298	2,80
Brasil	107.145	8.511.965	13	2,70
Bangladesh	76.815	143.998	533	1,94
Pakistán	70.260	803.943	87	1,77
Nigeria	62.925**	923.768	68	1,59
Alemania Occidental	61.832	248.577	249	1,56
México	60.145	1.972.547	30	1,52
Reino Unido	55.962	244.046	229	1,41
Italia	55.810	301.225	185	1,41
Francia	52.786	547.026	96	1,33
España	**35.472**	**504.782**	**70**	**0,89**

FUENTE: *Anuario Estadístico de las Naciones Unidas 1976,* Nueva York, 1977 (versión en inglés y francés).

(*)   El problema de la población de China se trata más detenidamente en los capítulos que siguen. Según cifras oficiales, rebasaba los 933 millones de habitantes.

(**)   Estimación de Naciones Unidas. Los resultados preliminares del censo de 1973 arrojaban 79,8 millones de habitantes, pero el censo fue abandonado en 1975 por «no encontrar general aceptación en el país» *(The Statesman's Yearbook,* 1976-1977).

Si de la consideración de los continentes pasamos a la de los países, la Tabla 1.2, aunque sólo reúne a los quince países más poblados del mundo —España se da sólo como referencia obligada para nosotros—, basta para demostrar que las desigualdades son igualmente muy patentes: China (incluido Taiwan) tiene, por lo menos, más de 800 millones de personas, el 21,14 por 100 de la población del mundo; la India alberga más del 15 por 100 del total de su población. Entre China y la India totalizan el 36 por 100 de todos los humanos. El peso de la población española es sólo el 0,89 por 100 de la mundial.

En cuanto a densidades aritméticas de la población de los Estados, Bangladesh, que no llega —¡y es mucho!— al 2 por 100 (1,94) de la población mundial, registra la cifra más alta del mundo, 533 hab/Km², seguido, como muestra la Tabla 1.3, de Taiwan, 440 hab/Km², Corea del Sur (352) y Holanda (334), mientras otros gigantes en cifras absolutas, URSS y USA, presentan en cambio densidades muy bajas: 11 y 23 hab/Km², respectivamente.

TABLA 1.3

Países de alta densidad de población. Año 1975

Países	Densidad (hab/Km²)	Superficie (Km²)
Bangladesh	533	143.998
Taiwan	440	35.981
Corea del Sur	352	98.484
Holanda	334	40.844
Bélgica	321	30.513
Japón	298	372.313
Líbano	278	10.400
Alemania Federal	249	248.577
Reino Unido	229	244.046
Sri Lanka (Ceylán)	213	65.610
Trinidad y Tobago (1.027.000 hab. en 1970) ...	200	5.128
El Salvador	190	21.041
Italia	185	301.225
Jamaica	185	10.991
India	182	3.287.590
Haití	165	27.750
Alemania Oriental	156	108.178

FUENTE: *Anuario Estadístico de Naciones Unidas 1976.*

Simplemente, a título de anécdota y como confirmación de lo exageradas que resultan en ocasiones las cifras de densidad cuando la variable espacio considerada es muy reducida, se recogen aquí algunas cifras de densidades de población muy llamativas. En todos los casos se trata de ciudades de reducido territorio propio enclavadas en territorio ajeno.

Ciudades	Población total en 1975	Superficie (en Km²)	Hab/Km²
Macao	271.000	16,00	16.938
Mónaco	25.000	1,49	16.779
Gibraltar	27.000	6,00	4.500
Hong Kong	4.367.000	1.045,00	4.179
Singapur	2.250.000	581,00	3.872

TREWARTHA tiene razón cuando subraya que la *ratio* hombres-superficies muestra un amplio grado de variabilidad, pero es imposible reducirla a una simple fórmula. Como tantas veces, también en esto estamos muy lejos del determinismo: altas densidades de población se encuentran en países subdesarrollados y en países tecnológicamente avanzados, en el nuevo y en el viejo mundo, en latitudes tropicales y en latitudes templadas: Java, Bélgica y Holanda, Filipinas, el Reino Unido...

Ciertamente no hay grandes densidades de población en latitudes altas; como veremos enseguida las grandes densidades están en el este y sur de Asia, el oeste de Europa y el nordeste de los Estados Unidos de América. En Europa y Estados Unidos estas regiones presentan un alto grado de urbanización, pero en cambio, si exceptuamos al Japón, las grandes densidades de población asiáticas son predominantemente rurales, aunque, como es muy lógico, no carezcan de ciudades.

La indeterminación se comprueba también por el lado opuesto: los territorios muy poco poblados, con menos de 5 hab/Km², corresponden a zonas de la superficie terrestre o muy áridas, o muy frías, o muy altas, y en muchos casos también a zonas tropicales muy húmedas. Pero —aunque este aspecto se tratará en el próximo capítulo— en Estados Unidos la población de las zonas áridas de baja densidad mantiene un alto nivel de vida occidental, mientras la diseminada población de las selvas amazónicas no ha terminado aún de salir de su prehistoria.

4. Algunos modos de considerar la distribución espacial de la población

Entre los muchos modos de considerar la distribución de la población sobre la superficie de la Tierra, son muy geográficos considerar esta distribución: *a)* a escala del mundo, *b)* en el interior de cada país, *c)* distinguiendo entre población urbana y rural.

De estos tres modos, vamos a ocuparnos sólo de los dos primeros en este capítulo, en el que nos limitaremos casi siempre a presentar cifras globales sin entrar a considerar la calidad de la población a la que corresponden.

En otros capítulos abordaremos la distinción entre población urbana y rural y la distribución de la población del mundo según otro criterio de cualificación que se considera fundamental en este período histórico: la distinción entre poblaciones de países desarrollados y países en vías de desarrollo o subdesarrollados. Está muy en lo cierto POURSIN cuando afirma que ésta es la división más importante que puede establecerse hoy.

4.1. *Distribución de la población a escala mundial*

Este tema puede considerarse, según es corriente, de dos formas: poniendo en relación la población del mundo con distintos aspectos de la geografía del planeta y localizando los focos de concentración, cuantificándolos y explicando sus circunstancias.

Como una y otra forma de hacerlo no sólo no se excluyen, sino que se complementan, intentaré resumir ambas.

Sobre la distribución de la población —y también sobre su propia estructura— influyen conjuntamente todas las circunstancias físicas, biológicas, históricas y culturales, presentes y heredadas del pasado. En el orden temporal la distribución de la población es resultado de todas ellas, y a su vez motor y causa de todas las modificaciones futuras, en sí misma y en el medio ambiente en que vive, en sus ecosistemas. Si se entiende bien, se puede decir que a escala planetaria, en el orden temporal, la población y su distribución espacial —una distribución siempre fluida y cambiante que sólo podemos considerar fija en un momento dado (aquí 1975) para describirla— es causa y efecto de sí misma.

No se trata ahora de considerar la influencia sobre la distribución de la población del relieve, el clima, los suelos, las actividades económicas, la historia, la cultura...; se trata tan sólo de decir dónde están preferentemente los hombres sobre la superficie de la Tierra:

a) En una primera aproximación debemos recordar que *Eurasia* aloja a más del 75 por 100 de la humanidad.

b) *Más del 90 por 100 de la población mundial vive al norte del Ecuador.* Dentro del hemisferio norte, menos del 1 por 100 habita al norte del paralelo 60°; alrededor del 30 por 100 se encuentra entre los 40-60° N, principalmente en Europa; el 50 por 100, sobre todo en Asia, vive entre los 20-40° N, y un poco más del 10 por 100 de la población mundial, en especial también en Asia, habita entre el Ecuador y los 20° N.

c) Un geógrafo polaco, J. STASZEWSKI, ha demostrado que —como ocurre también en España— la población tiende a concentrarse en las *proximidades de los litorales*. Según sus cálculos, recogidos por CLARK y TREWARTHA, 3/4 partes de la población del mundo viven a menos de 1.000 Km de la costa y 2/3 a menos de 500 Km.

d) El mismo autor polaco ha estudiado cómo *disminuye la densidad de población con la altitud*. Según sus datos, el 56 por 100 de los habitantes de la Tierra tienen sus viviendas a menos de 200 m de altitud, y casi las 4/5 partes de la población mundial habitan lugares a menos de 500 metros sobre el nivel del mar.

Por supuesto, estas cifras no contradicen que en los climas tropicales la población se concentre muy por encima de las «tierras calientes»: México capital, 2.355 m sobre el nivel del mar, 10 millones de habitantes en 1974; Bogotá, 2.650 m sobre el nivel del mar, 2.978.300 hab en 1972; Quito, 2.850 m, 557.113 hab en 1974; Cuzco, 3.500 m, 100.000 habitantes; La Paz, 3.640 m, 697.480 hab en 1973.

Cuatro son los focos principales de máxima concentración de la población mundial: dos se encuentran en Asia, uno en Europa y el más pequeño en América del Norte. Los tres primeros cuentan con más de 500 millones de personas cada uno. Entre los cuatro reúnen más de las 3/5 partes del total de la población de la Tierra.

Estas grandes concentraciones humanas se encuentran en:

a) Asia oriental.
b) Asia meridional.
c) Europa y el occidente de la URSS.
d) El noroeste de América del Norte.

a) La concentración de *Asia Oriental* es con mucho la mayor. Sus principales unidades políticas son: China (con Taiwan), 838 millones de habitantes —por lo menos—; Japón, 110 millones; Corea del Norte, 15 millones, y Corea del Sur, 35 millones de habitantes. Pero en realidad las grandes densidades de población se encuentran aquí sólo en las grandes llanuras aluviales y deltas de los ríos chinos y en las costas y valles montañosos de Corea y el Japón. Son tierras de poblamiento muy antiguo, cuna de una de las principales etnias de la humanidad, pobladas de gentes cuyas tradiciones y religión son favorables a las familias numerosas. Una agricultura intensiva sostiene, con niveles de vida bajos, altas densidades de población rural. Sólo el Japón se ha industrializado a fondo y esto le permite sostener sobre un archipiélago montañoso, más pequeño (372.313 Km²) que España, una población tres veces superior a la nuestra.

b) La concentración demográfica del *Sur de Asia* la forman la India, 558 millones de personas; Pakistán, 70 millones; Bangladesh, 76 millones; la isla de Sri Lanka (Ceylán), 14 millones, y, aunque distantes, y más meridionales, Java y Madura, 76 millones en 1971, más algunas zonas de Birmania (Birmania totalizaba, en 1975, 31 millones). Si se incluyeran en el cómputo Vietnam y Thailandia, habría que añadir 45 millones más.

Las grandes densidades de población están aquí en las áreas de pleno dominio de los monzones. El único límite a la estación vegetativa es la disponibilidad del agua, ya que las temperaturas son constantemente altas durante el año. Las grandes densidades rurales y las grandes ciudades se encuentran en los deltas de los ríos, las grandes llanuras aluviales y las llanuras costeras, pero también en zonas más secas del interior de la India se encuentran altas densidades. La agricultura sigue siendo el principal soporte de la vida humana, a pesar de la pobreza de muchos suelos y a pesar también de los esfuerzos estatales para industrializar a los respectivos países.

c) La tercera gran concentración mundial la forman las poblaciones de *Europa y el oeste de la Unión Soviética.* En conjunto, con la conocida excepción de los países mediterráneos y los nórdicos, el clima es muy favorable para la agricultura; de todos los continentes Europa tiene la mayor proporción de tierras cultivadas, y algunas de sus producciones suponen rendimientos por hectárea muy altos, pero su población activa agraria es muy escasa en comparación con la que se emplea en la industria y los servicios. Es lógico, pues, que su grado de urbanización sea muy alto.

Aunque es posible quizá que, al lado de la antigüedad del poblamiento africano y asiático, Europa resultara relativamente joven, lo cierto es que «la pequeña península de Asia», en la expresión de Paul VALERY, está sembrada en muchos puntos de yacimientos paleolíticos.

d) La realmente joven, al menos en lo que se refiere a su actual población, es la *concentración demográfica norteamericana,* muy emparentada por su origen y características con la europea. Comprende la «megalópolis» que forma el «empastamiento» de ciudades sin solución de continuidad de la costa central atlántica (prolongada hacia la región de los Grandes Lagos de Middle West), y la zona meridional de las «provincias» canadienses de Ontario y Quebec.

A pesar de su dinamismo económico, totaliza menos de la cuarta parte de la población de cualquiera de las otras grandes concentraciones.

TREWARTHA ha resumido magistralmente algunas otras características de estas cuatro grandes concentraciones demográficas.

La concentración europea se centra alrededor de los 50° N, la norteamericana alrededor de los 40° N y la del este de Asia alrededor de los 35° N. Sólo la del sur de Asia es netamente tropical en su localización.

Mucho más importante es la diferencia de actividades económicas en unas y otras concentraciones.

La europea y norteamericana abarcan a una gran parte de los países desarrollados, en ellas el 27 por 100 de la población del mundo controla el 80 por 100 de su riqueza total. La población de estas dos áreas es, con mucha diferencia, la más avanzada en ciencia y tecnología, el nivel de vida es alto, la especialización regional está bien desarrollada y el grado de urbanización es muy grande, acorde con sus formidables industria y comercio.

En contraste con todo ello en las dos grandes concentraciones asiáticas nos encontramos con el mundo del subdesarrollo. Predomina una población rural de campesinos pobres que practican una agricultura intensiva de subsistencia; la pobreza y la desnutrición son endémicas, las tasas de crecimiento de la población muy altas y la población urbana, aunque existen grandes ciudades, es tan sólo una pequeña fracción del total. La única excepción, como repetidamente se ha dicho, es el Japón.

Precisamente la gran originalidad de estas concentraciones humanas de Asia es que sean tan grandes y con densidades tan altas mientras siguen siendo tan abrumadoramente rurales. El contraste con los países ribereños del Atlántico Norte es formidable. TREWARTHA cree que el origen de esta situación excepcional de Asia puede parcialmente estar en el hecho de que su agricultura intensiva está casi completamente orientada a la producción de vegetales, y estos productos, directamente consumidos por los hombres, pueden sostener a una población varias veces superior a la que puede sostener una agricultura mixta de productos vegetales para el consumo directo y otros destinados a nutrir animales para la producción de carne. Según esto, sería precisamente esa dieta vegetal la que, con otros factores complementarios, permitiría las grandes densidades rurales de Asia.

Indudablemente el tema es muy complejo y, en cuanto se le presta un poco de atención, aparecen otra gran cantidad de factores a tomar en cuenta para explicar el fenómeno.

Junto a estas cuatro grandes concentraciones demográficas —las mayores del mundo—, los mapas de población permiten distinguir otras también importantes, aunque más pequeñas.

Mapa I/2.—*Densidades de población en el Hemisferio Oriental.* Basado en un mapa de «The Times Atlas of the World. Comprehensive edition». (Londres, 1980). Muy simplificado.

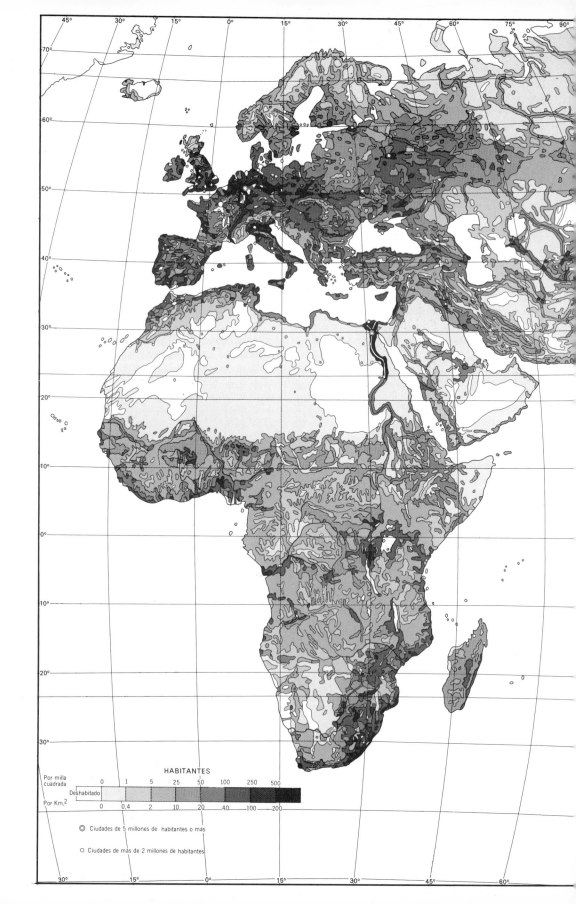

HABITANTES

Por milla
cuadrada

| 0 | 1 | 5 | 25 | 50 | 100 | 250 | 500 |

Deshabitado

Por Km.²

| 0 | 0,4 | 2 | 10 | 20 | 40 | 100 | 200 |

◎ Ciudades de 5 millones de habitantes o más

○ Ciudades de más de 2 millones de habitantes

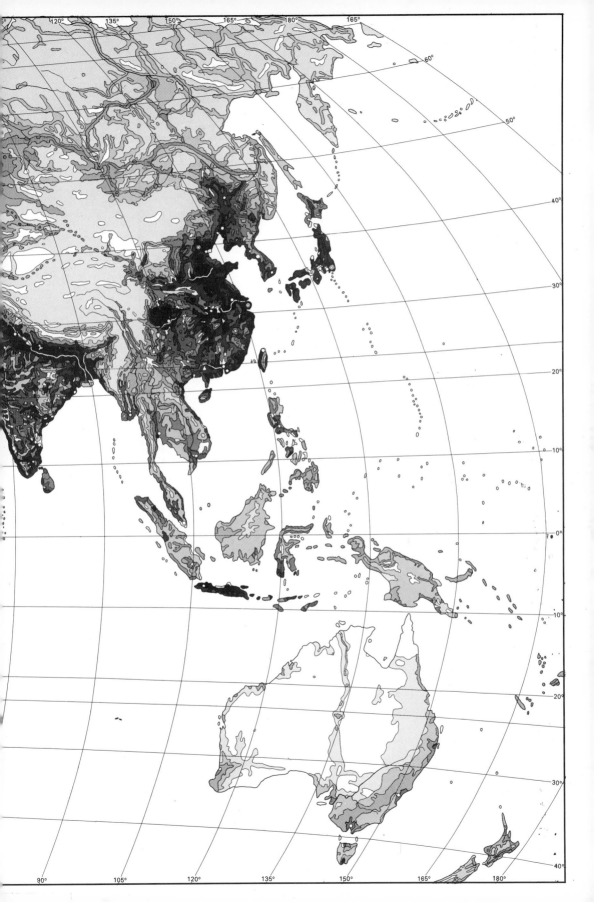

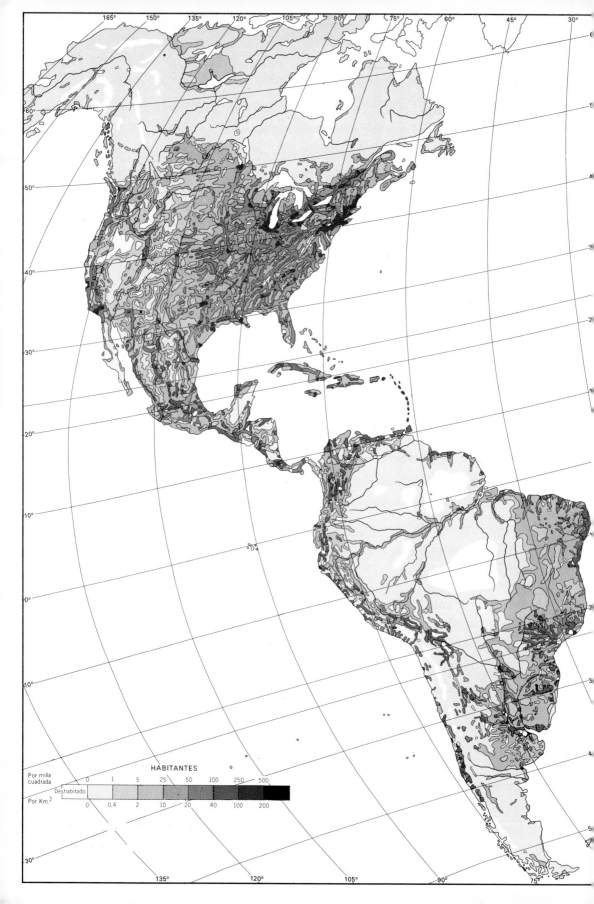

HABITANTES

Por milla
cuadrada

| 0 | 1 | 5 | 25 | 50 | 100 | 250 | 500 |

Deshabitado

Por Km.²

| 0 | 0,4 | 2 | 10 | 20 | 40 | 100 | 200 |

Desde una óptica norteamericana B. J. L. BERRY, E. C. CONKLING y D. M. RAY han identificado catorce:

1. *Los Ángeles-Central Valley-San Francisco,* una zona de California que hasta los años 70 presentó las tasas de crecimiento más rápidas de los Estados Unidos.

2. *El área de Vancouver-Puget Sound-Río Fraser.*

3. *La ciudad de México y su región urbana,* que se ha convertido en un distrito industrial y atrae a gran cantidad de habitantes.

4. Los *valles* de las tierras altas de Centroamérica.

5. Las *islas del Caribe,* que si bien están muy distantes para que se pueda hablar de «concentración» figuran, en cambio, entre las zonas del Hemisferio Occidental de más altas densidades de población.

6. *La meseta central y la costa noroeste de Brasil* (Sao Paulo-Río) es la mayor concentración demográfica de toda América del Sur, su principal área industrial y una de sus más importantes regiones agrícolas.

7. *La región del Río de la Plata,* foco de máxima concentración de las poblaciones de Argentina y Uruguay, que contiene la mayor parte de la industria y es el centro de su agricultura comercial.

8. *Chile central,* con un clima excelente, concentra la mayor parte de la población del país.

9. *Focos aislados de la costa pacífica* de Perú, Ecuador y Colombia, y *los altiplanos andinos,* desde La Paz a Bogotá y Venezuela.

10. *El valle bajo del Nilo,* donde se registra una de las más altas densidades rurales del mundo dentro de los márgenes de las llanuras aluviales regadas y el asombroso delta del río Nilo, el cual, alimentado en las montañas de África oriental, alcanza el Mediterráneo después de atravesar el desierto mas seco del mundo. Egipto tiene un millón de Km^2 y 37 millones de habitantes. Esto supone 37 hab/Km^2, pero si se tiene en cuenta que toda la población se concentra y vive sobre tan sólo 35.000 Km^2 de regadío, la densidad resulta ser de 1.057 hab/Km^2.

11. *La costa del Golfo de Guinea,* en África occidental, que en Ghana y Nigeria alberga importantes masas de población que se mantienen gracias a una agricultura de subsistencia.

12. *África central oriental,* potencialmente capaz de sostener una importante masa de habitantes, aunque perturbada por guerras entre tribus.

13. La *República Sudafricana,* cuyo cinturón costero goza de un clima mediterráneo y cuyas tierras interiores contienen importantes yacimientos minerales.

14. *El este de Australia y Nueva Zelanda.* Las llanuras costeras sudorientales de Australia, en contraste con el interior, tienen lluvias suficientes y temperaturas benignas. La población se concentra en ellas.

Esta somera relación de BERRY y sus colaboradores, aunque podría ser mucho más matizada, completa el esquema de la distribución de las zonas más pobladas del mundo.

◀ **Mapa I/3.**—*Densidades de población de América.* Base: la misma que para el mapa I/2.

Veamos ahora dónde se encuentran las *zonas menos pobladas* o totalmente vacías.

En Norteamérica, un extenso territorio prácticamente vacío lo forman las *regiones árticas continentales* de Canadá y Alaska, junto con *Groenlandia* y las islas árticas canadienses. También son áreas de muy escasa población en América del Norte *las tierras áridas del oeste central* de USA y las *Rocosas*, y *el desierto mexicano* de la meseta de Chihuahua, Durango y Cohahuila.

En Sudamérica las áreas prácticamente vacías son la *selva ecuatorial amazónica, los desiertos costeros de Perú y Chile*, y la *Patagonia* argentina.

África tiene tres grandes regiones mínimamente pobladas: el *Sahara*, la *selva ecuatorial* y los *desiertos de Kalahari y Namib*.

Eurasia tiene dos grandes zonas vacías: las *tierras polares* escandinavas y soviéticas y *los grandes desiertos* fríos de Asia central.

En cuanto a Australia sería el continente con mayor porcentaje de su territorio inhabitado de no ser porque la Antártida es un continente totalmente vacío, si se hace la salvedad de las escasas dotaciones de las misiones científicas o militares que periódicamente ponen los pies en ella.

4.2. *Las densidades de población globales de un país ocultan siempre grandes desigualdades regionales*

Quizá lo dicho hasta aquí puede bastar para obtener una sumaria idea de la distribución de la población del mundo. A nadie se le oculta, sin embargo, que mirando los hechos de más cerca, cambiando simplemente la escala (el denominador), las diferencias espaciales de distribución se hacen mucho mas evidentes. Lo excepcional es que la distribución de la población en un país o región sea homogénea, o que se ordene alrededor de un solo foco urbano de concentración, lo normal es precisamente todo lo contrario. Acabamos de citar el caso de Egipto, un país de un millón de Km² en el que sus 37 millones de habitantes se concentran sobre los 35.000 Km² que fecunda el Nilo. Cuando se contempla la población china apiñada, con densidades rurales superiores a los mil habitantes por kilómetro cuadrado, en las llanuras aluviales costeras, mientras los territorios occidentales del gran país están casi vacíos, se comprende que decir que la densidad media de la China es de 87 hab/Km² enmascara, debajo de esa cifra, una gran diversidad regional.

Acabamos de ver que geógrafos eminentes, como B. J. BERRY, ven a Europa desde el otro lado del Atlántico como un pequeño continente homogéneamente poblado. Quizá fuera más exacto decir, porque no desconocen la realidad, que simplemente se limitan a presentar a Europa así para compararla con los otros grandes focos de concentración de las masas humanas en el mundo.

Mapa I/4.—*España: Densidad de población y núcleos urbanos superiores a 50.000 habitantes en 1970*. Base: Mapa de M.ª Asunción Martín Lou en la 2.ª ed. del «Atlas Mundial EMESA» (Modificado por la autora). ►

Pero cuando se mira de cerca —sólo un poco más cerca basta—, se ve que Europa está muy lejos de estar homogéneamente poblada. Las grandes concentraciones humanas *a lo largo del Rin* (Basilea, 375.200 habitantes; Mülhausen, 199.037; Freiburg, 175.377; Estrasburgo, 333.668; Karlsruhe, 280.448; Ludwigshafen, 170.347; Mannheim, 314.086; Mainz, 183.880; Wiesbaden, 250.592; Frankfurt [sobre el Main], 636.197; Coblenza, 118.394; Bonn, 283.711; Colonia, 1.013.771; München-Gladbach, 261.367; Düsseldorf, 664.338; Solingen, 171.810; Wuppertal, 405.367; Krefeld, 228.463; Arnhem, 279.679; Amsterdam, 988.998; Rotterdam, 1.031.778; La Haya, 680.679), *del Ruhr* (Duisburgo, 591.685 habitantes; Essen, 677.508; Bochum, 414.842; Dortmund, 630.309; Gelsenkirchen, 322.584; Böttrop, 101.495), el *S. E. de Inglaterra* (con Londres, 7.167.600 habitantes, en primer lugar; el área de Birmingham, 1.086.500; Manchester; 516.100; Liverpool, 561.100), *la cuenca de París* (9.863.000), *el valle del Po* (Milán, 1.731.281; Turín, 1.202.215; Ferrara, 155.175; Padua, 240.013), el sur de *Alemania oriental y Polonia*... y la *región urbana de Moscú* (7.734.000), contrastan brutalmente con las bajas densidades de la llanura ruso-polaca, y de la mayoría de las montañas europeas, por no citar las vastas soledades de la península escandinava.

El propio caso de nuestra patria ilustra muy bien esta diversidad en la distribución de la población dentro de un país, que conviene tener siempre presente. La densidad de población española, en 1975, era de 70 hab/Km^2, pero tan solo la ciudad de Madrid albergaba en esa fecha más del 10 por 100 de la población de la nación —3.634.007 hab la capital; la provincia de Madrid, sin la capital, 809.117—. La población de la provincia de Barcelona, incluida la ciudad condal, rebasaba con mucho otro 10 por 100 —4.472.963 hab.—), y sobre la costa cantábrica las provincias vascongadas litorales sumaban 1.901.920 habitantes. Es decir, la población de cuatro provincias (Barcelona, Guipúzcoa, Madrid, Vizcaya) equivalía en 1975 al 30,50 por 100 de la población española total.

La población se concentraba, y por supuesto se concentra —empleo el pasado porque utilizo cifras correspondientes a 1975—, también en otros lugares: área Santander-Torrelavega, el famoso «ocho asturiano»; los municipios en torno a La Coruña-El Ferrol en las Rías Altas, y Vigo-Pontevedra, en las Bajas.

En las orillas del Mediterráneo las mayores aglomeraciones están: en la costa catalana en torno a Barcelona y se prolongan por los ríos fabriles jalonados de establecimientos industriales; más al sur, en las huertas —convertida en el caso de la valenciana en territorio industrial— de Castellón, Valencia, Gandía, Alicante, Orihuela-Murcia; en las hoyas litorales malagueñas, y en el bellísimo conjunto Cádiz-Jerez-los puertos.

En el interior peninsular, omitiendo ahora a Madrid, ya mencionado, las zonas de altas densidades de población se presentan en las zonas de mejor agricultura y en el entorno de algunas ciudades que son capitales regionales. Así, por ejemplo: las Hoyas de Loja, Antequera, Granada, Baza, Guadix, Ronda; las altas densidades rurales a lo largo de las Vegas del Guadalquivir y del Ebro, señoreadas por Sevilla y Zaragoza, y algunos enclaves urbanos: Valladolid, Burgos, Mérida, Badajoz.

Pero con estas excepciones, las densidades son muy bajas en el interior de la Península: las grandes llanadas de las cuencas del Duero, Tajo, Guadiana y Ebro, y las montañas (Pirineo, Sistema Ibérico, Cordillera Cantábrica, Sistema Central —donde no es post-país y parque de Madrid—, Sierra Morena...) tienen densidades muy por debajo de la media nacional y han conocido en años muy cercanos aún a nosotros un formidable éxodo campesino que las ha despoblado.

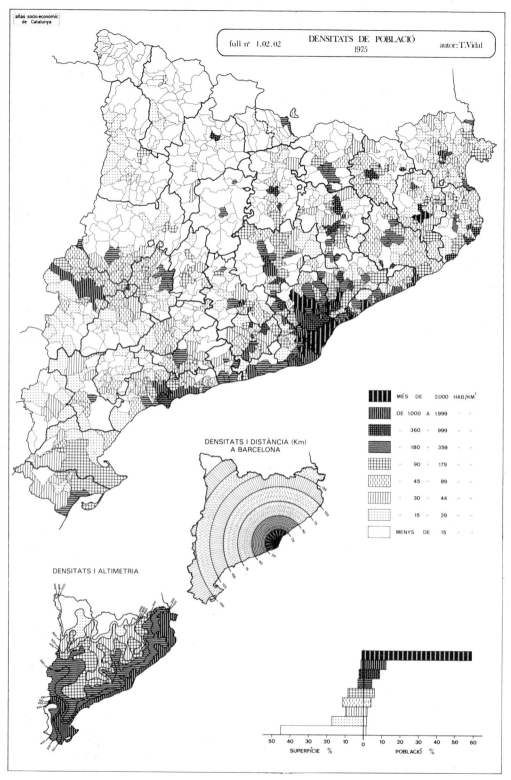

**atlas sòcio-econòmic
de Catalunya**

full nª 1.02.02

DENSITATS DE POBLACIÓ
1975

autor: T.Vidal

DENSITATS I DISTÀNCIA (Km)
A BARCELONA

DENSITATS I ALTIMETRIA

MÉS DE 2.000 HAB./KM²

DE 1.000 A 1.999 ··· ··

" 360 " 999 ·· ··

" 180 " 359 ·· ··

" 90 " 179 ·· ··

" 45 " 89 ·· ··

" 30 " 44 ·· ··

" 15 " 29 ·· ··

MENYS DE 15 ·· ··

50 40 30 20 10 0 10 20 30 40 50 60
SUPERFÍCIE % POBLACIÓ %

Mapa I/5.—*Densidad de Población de Cataluña*. Mapa base: «Atlas Sòcio-econòmic
de Catalunya». «Densitats de Població. 1975» (Reducido). Autor: Tomás Vidal Bendito.

5. Nota sobre las causas de la distribución de la población

La distribución de una población en un momento preciso es el resultado de toda su historia anterior, es decir, los factores que la determinan y condicionan son complejísimos y muy variados. Como hemos dicho, la historia del mundo se refleja en la composición y distribución espacial de su población.

Si ahora pretendiéramos explicar la distribución de la población mundial, nos desviaríamos del objetivo de este capítulo que es, simplemente, presentar los hechos. Algunas de las causas se irán insinuando en los capítulos siguientes, y el lector podrá deducirlas por su cuenta; no obstante, podemos ahora recordar que tradicionalmente los factores que determinan la distribución se suelen agrupar en tres categorías a) *factores geográficos:* clima, relieve, suelos, hidrografía, vegetación..., relaciones espaciales...; b) *económico-sociales:* en los que se incluyen la herencia cultural, ideologías, técnicas que dominan, organización económica, política y social de las respectivas poblaciones..., y c) *factores demográficos:* natalidad, mortalidad, estructura por edades de la población, movimientos migratorios...

Evidentemente, las variables que en cada caso toman estos factores se combinan entre ellas, y correlacionan de forma muy compleja, cada vez más compleja —y también más próxima a la realidad—, cuanto más variables se consideran conjuntamente. Pero el resultado final se refleja siempre, por un inevitable proceso de adaptación, en la composición y distribución de la población, tanto a escala regional como a escala mundial. Es evidente también que, como la combinación de estas variables es continua, la adaptación a las circunstancias se está reflejando también constantemente en los cambios en la distribución de la población. Dicho de otro modo: nada está más alejado de la realidad que considerar que una distribución de población es estática e inmutable.

En la actualidad, los factores que influyen en la distribución de la población han sufrido cambios importantes y no se comportan del mismo modo en los países desarrollados que en los países en vías de desarrollo. En primer lugar, la revolución industrial y tecnológica, que toma cada día formas nuevas, liberó y sigue liberando —¡si es que puede considerarse eso una liberación!— de su vinculación a la tierra a una buena parte de la población agraria de los países industrializados, lo que ha provocado, y sigue provocando en los países que sucesivamente se industrializan, un éxodo rural muy considerable que concentra la población en las grandes ciudades. También las tasas de natalidad y mortalidad han experimentado importantes cambios en los dos últimos siglos y, como consecuencia de ello, mientras en los países desarrollados los índices de crecimiento se han reducido —o se han hecho negativos— con el consiguiente envejecimiento de sus poblaciones, en los países en vías de desarrollo la reducción de la mortalidad ha supuesto un incremento considerable en sus coeficientes de crecimiento natural, lo que les confiere una composición de su población con predominio de los adultos jóvenes y los niños.

Otra novedad es que las grandes migraciones internacionales que fueron tan importantes durante el siglo XIX, y tanto influyeron en la redistribución de la población de los europeos sobre la totalidad del mundo, se han visto notablemente reducidas después de la Segunda Guerra Mundial, una vez que las migraciones forzosas impuestas tiránicamente por los beligerantes llegaron a su término.

La tierra y los recursos naturales de cualquier tipo tienen ahora mucha menor influencia sobre la localización de las poblaciones gracias a las tecnologías actuales.

Cuatro son las circunstancias más importantes que, en opinión de los demógrafos de las Naciones Unidas, contribuyen a la concentración de la población: 1) el perfeccionamiento de los medios de transporte, con el consiguiente abaratamiento de los costos de acarreo —alterados, por supuesto, como una prueba más de lo fluctuante de las variables, por la crisis del petróleo desencadenada en 1973—; 2) el progreso técnico que acrecienta las economías que resultan de la aglomeración y concentración de las empresas, tanto en países capitalistas como comunistas; 3) la creciente aportación de las manufacturas y, sobre todo, de los servicios a la formación del PNB, y 4) la movilidad de la fuerza de trabajo dentro de cada país o, en el caso de las Comunidades Europeas, dentro de sus límites.

Todos estos cambios han traído consigo alteraciones en los sistemas de producción que exigen concentraciones cada vez mayores de capitales y población en sitios muy concretos, pero ninguno de estos cambios ha tenido lugar con la misma intensidad y simultáneamente en todos los países del mundo, y son precisamente estos desfases los responsables, con múltiples factores más, de las diferencias entre unos lugares y otros, en lo que atañe a la distribución, cantidad y calidad de sus respectivas poblaciones.

Lecturas ulteriores

No se suelen mencionar aquí los Manuales y Tratados incluidos en la Bibliografía, ya que, obviamente, son utilizables para casi todos los temas.

La cita de los autores, con indicación del lugar y año de edición de la obra que interesa, remite al Índice alfabético de autores de la Bibliografía, que se recoge al final de este volumen.

VIDAL DE LA BLACHE (Lisboa, 1954).—SORRE (París, 1961).—STAMP (Barcelona, 1966).

WITT, W. (Hannover, 1971) (citado por NOIN, 1979).

HOOSON, J. M. (1960) (en *Canadian Geographer,* núm 17) (citado por ZELINSKY).

SAUVY (París, 1966) y (Londres, 1969).—PITIÉ (París, 1973).—REES y WILSON (Londres, 1977).

BOGUE.—ROBINSON y BRYSON.—ANDERSON.—STEWARTZ y WARNTZ.—GIBBS (todos en DEMKO y otros, 1970).

BERRY, CONKLING y RAY (1976).—ZELINSKY (1977).

Sobre los métodos de análisis de la distribución espacial: NOIN (1979).

Para representación cartográfica: MONKHOUSE-WILKINSON (Barcelona, 1968).—DICKINSON (Londres, 1973).

CRAIG (Londres, 1975 y 1980).

JONES (*Oxford Economic Atlas,* 1972).—GROTELÜSCHEN y otros (1980).—Atlas Mundial *EMESA* (Madrid, 1980).

The Times: Concise Atlas (Edimburgo, 1979); Atlas of the World: Comprehensive edition (Londres, 1980).

Dierke Weltatlas (Braunschweig, 1980); *Mayer* (Braunschweig, 1980).

VIDAL BENDITO, PLANA CASTELLVI (Barcelona, 1980).

HOYOS SAINZ.—REY BALMACEDA.—ROGERS.

APÉNDICES

1.1. Población, tasa de crecimiento anual, natalidad y mortalidad, superficie y densidad en el mundo. Macro-regiones y Regiones.

1.2. Países que integran las Macro-regiones y Regiones establecidas por la División de Población de las Naciones Unidas en sus publicaciones.

1.3. Población (según el último censo de cada país y estimada para 1978), superficie en Km^2 y densidad de población de la mayoría de los países del mundo.

APÉNDICE 1.1

Población, tasa de crecimiento anual, natalidad y mortalidad, superficie y densidad en el Mundo, Macro-regiones y Regiones

Macro-regiones y Regiones	Estimaciones de la población en mitad del año (millones)					Tasa de crecimiento anual (por 100)	Nata-lidad (por 1.000)	Morta-lidad (por 1.000)	Super-ficie (Km²) (miles)	Densi-dad
	1950	1960	1970	1975	1978	1970-75	1970-75	1970-75	1970-75	1978
EL MUNDO	2.513	3.027	3.678	4.033	4.258	1,8	31	12	135.849	31
EUROPA	392	425	460	474	480	0,6	16	10	4.937	97
Occidental	122	135	148	152	153	0,6	14	11	995	154
Meridional	109	118	128	134	137	0,9	18	9	1.315	104
Oriental	89	97	103	106	108	0,6	17	10	990	109
Septentrional ..	72	76	80	82	82	0,3	15	11	1.636	50
URSS	180	214	244	254	262	0,8	18	8	22.402	12
ASIA	1.380	1.683	2.091	2.319	2.461	2,1	34	13	27.580	89
Oriental	673	816	981	1.063	1.108	1,6	26	9	11.756	94
China	557	682	826	895	933	1,6	26	9	9.597	94
Japón	84	94	104	112	115	1,3	19	7	372	309
Otros países ...	33	39	51	57	60	2,2	30	9	1.786	34
Meridional	706	867	1.111	1.255	1.353	2,5	41	16	15.825	85
Central	486	590	750	845	910	2,4	40	16	6.785	134
Oriental	177	221	286	325	350	2,5	41	15	4.498	78
Occidental	43	57	74	85	93	2,8	41	14	4.542	20
ÁFRICA	219	275	354	406	442	2,7	46	19	30.338	15
Occidental	62	79	104	121	133	3,0	49	21	6.142	22
Oriental	61	76	100	115	126	2,8	48	20	6.357	20
Septentrional ..	52	65	83	94	103	2,5	43	16	8.525	12
Central	29	34	41	47	50	2,4	45	22	6.613	8
Meridional	16	20	25	29	31	2,6	39	12	2.701	11
AMÉRICA	330	414	509	559	591	1,9	27	9	42.082	14
Norteamérica ...	166	199	226	236	242	0,9	16	9	21.515	11
Latinoamérica ..	164	215	283	323	349	2,6	36	9	20.566	17
Del sur tropical .	86	115	154	177	193	2,8	37	10	14.106	14
Central continen-tal	36	49	67	79	87	3,2	42	9	2.496	35
Del sur templada	25	31	36	38	40	1,3	23	9	3.726	11
Caribe	17	20	25	28	30	2,1	32	9	238	126
OCEANÍA	12,6	15,8	19,3	21,2	22,1	1,8	25	9	8.510	3
Australia y Nue-va Zelanda ...	10,1	12,7	15,4	16,7	17,4	1,7	21	8	7.956	2
Melanesia	1,8	2,2	2,8	3,1	3,4	2,5	42	17	524	6
Polinesia y Mi-cronesia	0,7	0,9	1,2	1,3	1,4	2,1	35	8	30	47

Fuente: UNITED NATIONS: *Demographic Yearbook 1978*. Nueva York, 1979.

APÉNDICE 1.2

Países que integran las Macro-regiones y Regiones establecidas por la División de Población de las Naciones Unidas en sus publicaciones

EUROPA

Europa occidental

Alemania (República Federal), Austria, Bélgica, Francia, Holanda, Liechtenstein, Luxemburgo, Mónaco, Suiza.

Europa meridional

Albania, Andorra, España, Gibraltar, Grecia, Italia, Malta, Portugal, San Marino, Vaticano (Estado del...), Yugoslavia.

Europa oriental

Alemania (República Democrática), Bulgaria, Checoslovaquia, Hungría, Polonia, Rumanía.

Europa septentrional

Dinamarca, Finlandia, Irlanda, Islandia, Islas del Canal, Islas Faeroe, Isla de Man, Noruega, Reino Unido, Suecia.

UNIÓN DE REPÚBLICAS SOCIALISTAS SOVIÉTICAS

ASIA

Asia oriental

China, Japón, Hong-Kong, Corea Popular Democrática, República de Corea, Macao, Mongolia.

Asia meridional

Asia meridional y central:

Afghanistán, Bangladesh, Bhutan, India, Irán, Maldivas, Nepal, Pakistán, Sri Lanka.

Asia meridional oriental:

Brunei, Birmania, Campuchea Democrática, Timor oriental, Indonesia, República Democrática Popular de Laos, Malasia, Filipinas, Singapore, Thailandia, Viet Nam.

Asia meridional occidental:

Bahrain, Chipre, Franja de Gaza (Palestina), Iraq, Israel, Jordania, Kuwait, Líbano, Omán, Qatar, Arabia Saudita, República Arabe, Siria, Turquía, Emiratos Árabes Unidos, Yemen, Yemen Democrático.

ÁFRICA

África occidental

Benin, Cabo Verde, Gambia, Ghana, Guinea, Guinea-Bissau, Costa de Marfil, Liberia, Mali, Mauritania, Niger, Nigeria, Santa Helena, Senegal, Sierra Leona, Togo, Alto Volta.

África oriental

Territorios Británicos del Océano Índico, Burundi, Comores, Djibouti, Etiopía, Kenya, Madagascar, Malawi, Màuricio, Mozambique, Reunión, Ruanda, Seychelles, Somalia, Rodesia del Sur, Uganda, República Unida de Tanzania, Zambia.

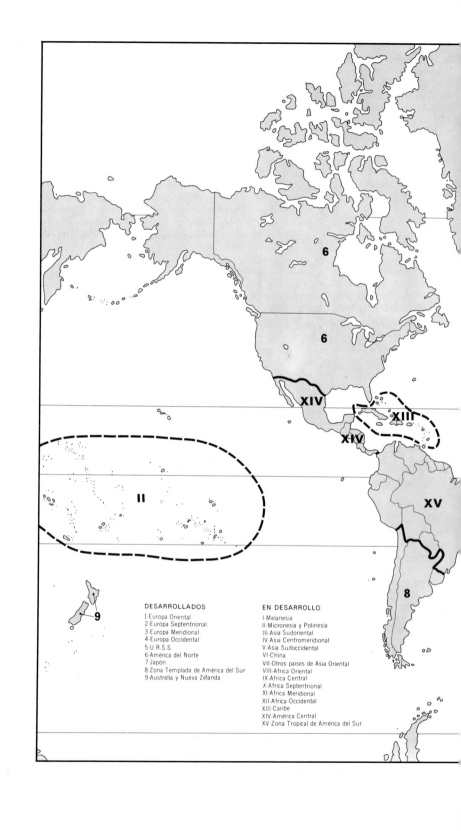

DESARROLLADOS

1-Europa Oriental
2-Europa Septentrional
3-Europa Meridional
4-Europa Occidental
5-U.R.S.S.
6-América del Norte
7-Japón
8-Zona Templada de América del Sur
9-Australia y Nueva Zelanda

EN DESARROLLO

I-Melanesia
II-Micronesia y Polinesia
III-Asia Sudoriental
IV-Asia Centromeridional
V-Asia Sudoccidental
VI-China
VII-Otros países de Asia Oriental
VIII-Africa Oriental
IX-Africa Central
X-Africa Septentrional
XI-Africa Meridional
XII-Africa Occidental
XIII-Caribe
XIV-América Central
XV-Zona Tropical de América del Sur

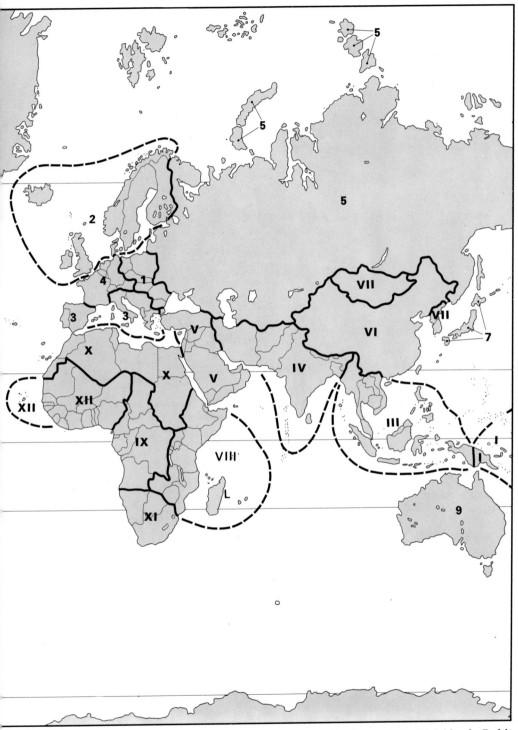

Mapa I/6.—*Países que integran las Macro-regiones y Regiones de la División de Población de las Naciones Unidas.*

África septentrional

Argelia, Egipto, Libia, Marruecos, Sudán, Túnez, Sahara Occidental.

África central

Angola (incluida Cabinda), República Centro Africana, Chad, Congo, Guinea Ecuatorial, Gabón, Sao Tomè y Príncipe, República Unida del Camerún, Zaire.

África meridional

Bostwana, Lesotho, Namibia, África del Sur, Swazilandia.

AMÉRICA

Norteamérica

Bermuda, Canadá, Groenlandia, San Pedro y Miguelón, Estados Unidos (incluyendo Hawai).

Latinoamérica

América del Sur Tropical:

Bolivia, Brasil, Colombia, Ecuador, Guayana Francesa, Guyana, Paraguay, Perú, Surinam, Venezuela.

América Central (continental):

Belice, Zona del Canal (Panamá), Costa Rica, El Salvador, Guatemala, Honduras, México, Nicaragua, Panamá.

América del Sur Templada:

Argentina, Chile, Islas Falkland (Malvinas), Uruguay.

Caribe

Antigua, Bahamas, Barbados, Islas Virgen Británicas, Islas Caimán, Cuba, Dominica, República Dominicana, Grenada, Guadalupe, Haití, Jamaica, Martinica, Montserrat, Antillas holandesas, Puerto Rico, St. Kitts-Nevis y Anguila, Santa Lucía, San Vicente, Trinidad y Tobago, Islas Turcos y Caicos, Islas Virgen (USA).

OCEANÍA

Australia y Nueva Zelanda

Australia, Nueva Zelanda.

Melanesia

Nueva Caledonia, Nuevas Hébridas, Islas Norfolk, Papua Nueva Guinea.

Micronesia

Islas Canton y Enderbury, Islas Christmas, Islas Cocos (Keeling), Islas Gilbert, Guam, Isla Johston, Isla Midway, Nauru, Niue, Islas del Pacífico, Islas Pitcairn, Tokelau, Tuvalu, Isla Wake.

Polinesia

Samoa Americana, Islas Cook, Fiji, Polinesia Francesa, Tonga, Islas Wallis y Futuna, Samoa.

FUENTE: NACIONES UNIDAS, *Demographic Yearbook 1978,* pág. 13.

APÉNDICE 1.3

Población (según el último censo de cada país y estimada para 1978), superficie en Km^2 y densidad de población de la mayoría de los países del mundo.

(La densidad se ha obtenido siempre dividiendo la población de fecha más reciente por la superficie)

PAÍS	POBLACIÓN			Superficie en 1978 Km^2	Hab/ Km^2 en 1978
	Fecha del últ. censo	Según el último censo	Estima-da (en millares) en 1978		
EUROPA					
Albania	1960	1.626.315	2.608	28.748	91
Alemania R. Dem.	1975	17.068.318	16.756	108.178	155
Alemania R. Federal ..	1970	60.650.599	61.310	248.577	247
Andorra	1954	5.664		453	66
Austria	1971	7.456.403	7.508	83.849	90
Bélgica	1970	9.650.944	9.840	30.513	322
Bulgaria	1975	8.727.771	8.814	110.912	79
Canal (Islas del)	1971	123.063	131	195	672
Checoslovaquia	1970	14.344.986	15.138	127.869	118
Dinamarca	1970	4.937.579	5.104	43.069	119
España	1970	33.956.376	37.109	504.782	74
Islas Faeroe	1970	38.612		1.399	29
Finlandia	1970	4.598.336	4.752	337.009	14
Francia	1975	52.655.802	53.278	547.026	97
Gibraltar	1970	26.833	29	6	4.891
Grecia	1971	8.768.640	9.360	131.944	71
Holanda	1971	13.045.785	13.936	40.844	341
Hungría	1970	10.322.099	10.685	93.030	115
Islandia	1970	204.930	224	103.000	2
Irlanda	1971	2.978.248	3.236	70.283	46
Isla de Man	1976	60.496		588	109
Italia	1971	53.744.736	56.697	301.225	188
Liechtenstein	1970	21.350		157	159
Luxemburgo	1970	339.841	356	2.586	138
Malta	1967	315.765	340	316	1.075
Mónaco	1975	25.029	26	1	17.450
Noruega	1970	3.874.133	4.059	324.219	13
Polonia	1970	36.642.270	35.010	312.677	112
Portugal	1970	8.568.703	9.798	92.082	106
Reino Unido de Gran Bretaña e Irlanda del Norte	1971	55.506.131	55.822	244.046	229
Inglaterra y Gales	1971	48.749.575	49.104	151.126	325
Irlanda del Norte	1971	1.527.593	1.539	14.148	109
Escocia	1971	5.228.963	5.179	78.772	66
Rumanía	1977	21.559.416	21.855	237.500	92

PAÍS	POBLACIÓN			Superficie en 1978 Km²	Hab/ Km² en 1978
	Fecha del últ. censo	Según el último censo	Estima-da (en millares) en 1978		
San Marino	1947	12.100	21	61	344
Santa Sede	1948	890	1		
Svalbard y Juan Mayen	1960	3.431		62.422	
Suecia	1975	8.208.544	8.278	449.964	18
Suiza	1970	6.269.783	6.337	41.288	153
Yugoslavia	1971	20.522.972	21.914	255.804	86
U.R.S.S.	1970	241.720.134	261.569	22.402.200	12
En Asia		59.245.000		16.831.000	
En Europa		182.503.000		5.571.000	
Bielorrusia		9.002.338		207.600	
Ucrania		47.126.517	49.478	603.700	82
ASIA					
Afghanistan			17.855	647.497	28
Arabia Saudí	1974	7.012.642	7.866	2.149.690	4
Bahrein	1971	216.078	345	622	555
Bangladesh	1974	71.479.071	86.655	143.998	588
Bhutan	1969	1.034.774	1.240	47.000	26
Brunei	1971	136.256	179	5.765	31
Birmania	1973	28.885.867	32.500	676.552	48
Corea (R. Popular) ...	1944		17.072	120.538	142
Corea	1975	36.678.972	37.019	98.484	376
China	1953	590.194.715	933.032	9.596.961	97
Chipre	1973	631.778	616	9.251	67
Emiratos Ár. Unid. ...	1968	179.126	711	83.600	9
Campuchea D.	1962	5.728.771	8.574	181.035	47
Filipinas	1975	41.831.045	46.351	300.000	155
Hong-Kong	1971	3.948.179	4.606	1.045	4.408
India	1971	548.159.652	638.388	3.287.590	194
Indonesia	1971	119.140.504	145.100	2.027.087	72
Irán	1976	33.591.875	35.213	1.648.000	21
Irak	1977	12.171.480	12.327	434.924	28
Israel	1972	3.147.683	3.689	20.770	178
Japón	1975	111.939.643	114.898	372.313	309
Jordania	1961	1.706.226	2.984	97.740	31
Kuwait	1975	994.837	1.199	17.818	67
Laos (Rep. Pop.)			3.546	236.800	15
Líbano	1970	2.126.325	3.012	10.400	290
Macao	1970	248.636	276	16	17.265
Malasia	1970	10.319.324	12.960	329.749	39
Maldivas	1978	143.046	141	298	473
Mongolia	1969	1.197.600	1.576	1.565.000	1
Nepal	1971	11.555.983	13.421	140.797	95
Omán			839	212.457	4
Pakistán	1972	64.979.732	76.770	803.943	95

PAÍS	POBLACIÓN			Superficie en 1978 Km²	Hab/ Km² en 1978
	Fecha del últ. censo	Según el último censo	Estima- da (en millares) en 1978		
Palestina	1931	1.035.821		27.090	
Zona de Gaza	1967	356.261		378	
Qatar			201	11.000	18
Singapur	1970	2.074.507	2.334	581	4.018
Sri Lanka	1971	12.689.897	14.346	65.610	219
Siria (Rep. Árabe)	1970	6.304.685	8.088	185.180	44
Thailandia	1970	34.397.374	45.100	514.000	88
Timor oriental	1970	610.500	720	14.925	48
Turquía	1975	40.347.719	43.210	780.576	55
En Asia	1965	28.735.653		756.953	
En Europa	1965	2.655.768		23.623	
Viet Nam............			49.890	329.556	151
Yemen	1975	5.237.893	5.648	195.000	29
Yemen Democrático ..	1973	1.590.275	1.853	332.968	6
ÁFRICA					
Argelia	1966	11.821.679	18.515	2.381.741	8
Angola	1970	5.646.166	6.732	1.246.700	5
Benin	1961	2.106.000	3.377	112.622	30
Bostwana	1971	608.656	726	600.372	1
Burundi	1970-71	3.350.000	4.256	27.834	153
Camerún (Rep. U.) ...	1976	7.663.246	8.058	475.442	17
Cabo Verde	1970	272.571	314	4.033	78
Centroafricana (Rep.) .				622.984	
Chad	1964	3.254.000	4.309	1.284.000	3
Comores	1966	243.948	320	2.171	147
Congo	1974	1.300.120	1.459	342.000	4
Costa de Marfil	1975	6.709.600	7.613	322.463	24
Djibuti	1960-61	81.200	113	22.000	5
Egipto	1976	36.656.180	39.636	1.001.449	40
Etiopía			29.706	1.221.900	24
Gabón	1960-61	448.564	538	267.667	2
Gambia	1973	493.499	569	11.295	50
Ghana	1970	8.559.313	10.969	238.537	46
Guinea	1955	2.570.219	4.763	245.957	19
Guinea-Bissau	1970	487.488	553	36.125	15
Guinea Ecuatorial	1960	245.989	346	28.051	12
Kenya	1969	10.942.705	14.856	582.646	26
Lesotho	1976	1.213.960	1.279	30.355	42
Liberia	1974	1.503.368	1.742	111.369	16
Libia	1973	2.052.372	2.748	1.759.540	2
Madagascar	1966	6.200.000	8.289	587.041	14
Malawi	1977	5.571.567	5.669	118.484	48
Mali	1976	6.035.272	6.290	1.240.000	5
Mauritania	1976	1.481.000	1.544	1.030.700	1

PAÍS	POBLACIÓN			Superficie en 1978 Km²	Hab/ Km² en 1978
	Fecha del últ. censo	Según el último censo	Estima- da (en millares) en 1978		
Mauricio	1972	851.334	925	2.045	452
Marruecos	1971	15.379.259	18.906	446.550	42
Mozambique	1970	8.168.933	9.935	801.590	12
Namibia				824.292	
Niger	1966	2.501.800	4.994	1.267.000	4
Nigeria	1963	55.670.055	72.217	923.768	78
Reunión	1974	476.675	496	2.510	198
Rodesia del Sur	1969	4.846.930	6.930	390.580	18
Rwanda	1970	3.572.550	4.508	26.338	171
Santa Elena	1976	5.147	5	122	41
Sahara occidental	1970	76.425	152	266.000	
Sao Tomé y Príncipe ..	1970	73.811	83	964	86
Senegal	1976	5.085.388	5.381	196.192	27
Seychelles	1971	53.096	62	280	221
Sierra Leona	1974	2.735.159	3.292	71.740	46
Somalia			3.443	637.657	5
Sudáfrica	1970	21.794.328	27.700	1.221.037	23
Sudán	1973	14.113.590	17.376	2.505.813	7
Swazilandia	1976	499.046	544	17.363	31
Togo	1970	1.997.109	2.409	56.000	43
Túnez	1975	5.588.209	6.077	163.610	37
Uganda	1969	9.548.847	12.780	236.036	54
Tanzania	1967	12.313.469	16.553	945.087	18
Tanganika	1967	11.958.654	16.100	942.626	17
Zanzíbar	1967	354.815	453	2.461	184
Alto Volta	1975	6.144.013	6.554	274.200	24
Zaire	1955-58	12.768.706	27.745	2.345.409	12
Zambia	1969	4.056.995	5.472	752.614	7
NORTEAMÉRICA					
Antigua	1970	62.525	74	442	167
Antillas holandesas ...	1971	218.390	246	961	255
Bahamas	1970	175.192	225	13.935	16
Barbados	1970	237.701	250	431	580
Belice	1970	120.936	153	22.965	7
Bermudas	1970	58.525	58	53	1.094
Canadá	1976	22.992.605	23.499	9.976.139	2
Caimanes (Islas)	1970	10.460	12	259	46
Costa Rica	1973	1.871.780	2.111	50.700	41
Cuba	1970	8.569.121	9.728	114.524	84
Dominica	1970	70.513	81	751	108
Rep. Dominicana	1970	4.006.405	5.124	48.734	105
El Salvador	1971	3.554.648	4.354	21.041	207
Estados Unidos	1970	203.235.298	218.059	9.363.123	23
Grenada	1970	93.858	97	344	282

PAÍS	POBLACIÓN			Superficie en 1978 Km²	Hab/ Km² en 1978
	Fecha del últ. censo	Según el último censo	Estima- da (en millares) en 1978		
Groenlandia	1970	46.531	51	2.175.600	
Guadalupe	1974	324.530	329	1.779	185
Guatemala	1973	5.160.221	6.621	108.889	61
Haití	1971	4.329.991	4.833	27.750	174
Honduras	1974	2.656.948	3.439	112.088	31
Jamaica	1970	1.848.512	2.133	10.991	195
Martinica	1974	324.832	325	1.102	295
México	1970	48.225.238	66.944	1.972.547	34
Montserrat	1970	11.698	11	98	115
Nicaragua	1971	1.877.952	2.395	130.000	18
Panamá	1970	1.428.082	1.826	75.650	24
Zona del Canal	1970	44.198	45	1.432	31
Puerto Rico	1970	2.712.033	3.317	8.897	373
San Cristóbal, Nieves y Anguila	1970	64.000	67	357	188
Santa Lucía	1970	100.893	113	616	183
San Pedro y Miguelón .	1974	5.840	6	242	25
San Vicente	1970	87.305	96	388	247
Trinidad y Tobago	1970	940.719	1.133	5.130	221
Turcos y Caicos (Is.) ..	1970	5.607	6	430	14
Islas Vírgenes (USA) ..	1970	62.468	104	344	302
Is. Vírgenes (británicas)	1970	9.825	12	153	78
Santa Cruz	1970	31.779		207	
San Juan	1970	1.729		52	
Santo Tomás	1970	28.960		83	
SUDAMÉRICA					
Argentina	1970	23.362.204	26.393	2.766.889	10
Bolivia	1976	4.647.816	5.137	1.098.581	5
Brasil	1970	92.341.556	115.397	8.511.965	14
Chile	1970	8.884.768	10.857	756.945	14
Colombia	1973	22.551.811	25.645	1.138.914	23
Is. Falkland (Malvinas).	1972	1.957	2	12.173	
Guayana Francesa	1974	55.125	66	91.000	
Guyana	1970	701.885	820	214.969	4
Paraguay	1972	2.357.955	2.888	406.752	7
Surinam	1971	384.903	374	163.265	2
Uruguay	1975	2.781.778	2.864	176.215	16
Venezuela	1971	10.721.522	13.122	912.050	14
OCEANÍA					
Australia	1976	13.548.472	14.249	7.686.848	2
Isla Christmas	1971	2.691		135	
Islas de los Cocos	1971	618		14	
Islas Cook	1976	18.127	26	236	110
Fidji	1976	588.068	600	18.274	33

PAÍS	POBLACIÓN			Superficie en 1978 Km²	Hab/ Km² en 1978
	Fecha del últ. censo	Según el último censo	Estima- da (en millares) en 1978		
Islas Gilbert	1973	57.813	63	886	71
Guam	1970	84.996	113	549	206
Is. Johnston	1970	1.007		1	
Is. Midway	1970	2.220		5	
Nauru	1966	6.057		21	381
Nueva Caledonia	1976	133.233	144	19.058	8
Nueva Zelanda	1976	3.129.383	3.107	268.676	12
Nuevas Hébridas	1967	77.988	104	14.763	7
Niué	1976	3.483	6	259	23
Is. Norfolk	1971	1.683	2	36	56
Is. del Pacífico	1973	115.251	134	1.779	75
Papúa Nueva Guinea .	1971	2.489.935	3.000	461.691	6
Polinesia francesa	1977	137.382	146	4.000	37
Samoa	1976	151.515	154	2.842	54
Samoa americana	1970	27.159	30	197	152
Is. Salomón	1976	196.823	215	28.446	8
Tokelau	1972	1.599		10	
Tonga	1976	90.085	93	699	133
Is. de Wake	1970	1.647		8	
Is. Walus y Futuna....	1969	8.546	9	200	45

FUENTE: NACIONES UNIDAS, *Demographic Yearbook 1978,* Nueva York, 1979.

II

POBLACIÓN URBANA Y POBLACIÓN RURAL

Resumen

1. Población urbana y población rural.
   1.1. Entre unos países y otros hay gran diferencia de «criterios estadísticos oficiales» para clasificar a una población como urbana o como rural.
   1.2. Aunque el incremento constante de la población urbana es una de las características más destacadas de nuestro tiempo, todavía más del 60 por 100 de la población del mundo es rural.
   1.3. En la parte inferior de cualquier escala de distribución de las poblaciones de los países según su porcentaje de población urbana se encuentran, como es lógico, países abrumadoramente rurales del Tercer Mundo.
   1.4. La población de los países incluidos en el *Anuario Demográfico de la ONU,* en el grupo de los que tienen un porcentaje de población urbana comprendido entre el 20,1 y el 30, ascendía al 18,4 por 100 de la población considerada en 1975.
   1.5. La población total de los países reseñados por la ONU, con una población urbana entre 30,1 y 50 por 100, equivalía al 12,70 por 100 de la total de todos los países considerados, pero su población urbana era sólo el 5,28 por 100 de ese total.
      1.5.1. Países que tienen entre el 30,1 y el 40 por 100 de su población en residencia urbana.
      1.5.2. Países entre el 40,1 y el 50 por 100 de su población urbana.
   1.6. Países con población urbana entre el 50,1 y el 60 por 100 de su población total.
   1.7. Países con población urbana entre el 60,1 y el 70 por 100.
   1.8. Países con población urbana superior al 70,1 por 100.
   1.9. Los casos de España, República Federal Alemana, Italia y China.
      1.9.1. España.
      1.9.2. Los casos de la República Federal Alemana e Italia.
      1.9.3. China.
   1.10. La situación según los datos disponibles en junio de 1981.

2. ¿Existe una correlación entre la riqueza de los habitantes de un país y el porcentaje de su población con residencia urbana?

Lecturas ulteriores

Apéndices

2.1.   Población —total y de residencia urbana— de 151 países, clasificados en nueve grupos.

2.2.   Definición del término *urbana* (aplicado a la residencia de una población). Lista por países.

2.3.   Resultado de las modificaciones introducidas en los datos del Apéndice 2.1 por la información contenida en «Selected World Demographic and Population Policy Indicators», 1979, de Naciones Unidas.

Resumen

En el capítulo anterior se ha esquematizado la distribución de la población sobre la Tierra, según cifras absolutas, y también referida a la superficie que ocupan sus efectivos, es decir, por densidades (número de habitantes por unidad de superficie escogida, en este caso Km²).

Todas estas consideraciones y cálculos se apoyan en datos estadísticos nacionales de distintas fiabilidades, e incluso de distintas fechas, hasta el punto de que la propia ONU, que se esfuerza constantemente para mejorar su información, se ve obligada a indicar en las claves de sus cuadros y tablas estadísticas qué grado de confianza puede otorgarse a cada cifra.

Se ha insistido también en que las cifras sólo reflejan un instante de un proceso vivo, continuo y siempre mudable, la composición y distribución sobre el globo terrestre de los seres humanos vivos en ese instante.

Es obvio igualmente, y no parece necesario insistir más en ello, que cuando en este y otros libros semejantes se habla de distribución, estructura, movimientos, etc., de la población del mundo, el tema se considera a través de unidades o «poblaciones» menores escogidas según el fin que se persigue en cada caso. Por eso, dado que la tarea de acopiar periódicamente los datos demográficos es cometido de cada gobierno soberano, las «poblaciones» de las que se parte corresponden prácticamente siempre a las respectivas unidades políticas en que está dividido el mundo en la fecha que se considera.

En este y en sucesivos capítulos se trata de considerar la distribución de los hombres sobre el planeta tomando en consideración algunas de sus características más importantes.

No hay duda de que la distribución planetaria de los hombres, según sus etnias y sus religiones, son realidades trascendentes cuyo estudio corresponde, al menos parcialmente, a la Geografía de la población, aunque, por supuesto, dada su entidad, son también objeto de estudio preferente de ciencias particulares; pero por ahora no vamos a ocuparnos de ellas, sino que nos limitaremos a considerar la primera diferencia fundamental en la manera de distribuirse la población: la que existe entre poblaciones urbanas y rurales, sin perder de vista, no obstante, la creciente tendencia de la población mundial a concentrarse en las ciudades y abandonar el campo.

Es opinión de bastantes autores que el grado de urbanización de una población es una variable dependiente del nivel de vida o grado de desarrollo de esa población, por eso en las tablas que constituyen el Apéndice 2.1, del que se han sacado la mayor parte de las cifras manejadas en este capítulo, se incluye una columna que indica la renta per cápita (en dólares USA) de cada país.

De todas formas, quiero decir ya que considero que el grado de desarrollo de una nación no es sólo, ni principalmente, un problema de renta per cápita —o de PIB, PNB o VAN—, sino «un estadio cultural», lo que es mucho más complejo y se refleja en la estructura de la población, sus movimientos naturales, su distribución urbana y rural y su nivel de vida, todo lo cual, aunque no es fácil de medir y menos de valorar, es siempre mucho más cuantificable que un «estadio cultural», en sí mismo, que es algo que, aunque engloba todo lo anterior, es mucho más complejo y además tiene mucho de heredado y de espiritual.

Por último, ya que se ha hablado del Apéndice estadístico 2.1 y del uso preferente que se.ha hecho para confeccionarlo de las informaciones de la Organización de Naciones Unidas, a través de sus publicaciones y sobre todo sus Anuarios, debo decir —y una vez dicho, valga también para todo el libro y los sucesivos— que esta garantía de la fuente lleva también consigo sus limitaciones, ya que la ONU, como es lógico, no da los datos que no posee, y es normal por eso que sus cuadros y tablas no abarquen el mundo completo. Por ejemplo, en las tablas en que se dan los porcentajes de población urbana y rural de cada país no figuran ni China, ni la República Federal Alemana, ni Italia, ni España, y tampoco es completa la información sobre la renta per cápita de los países que integran la ONU, en la que hay omisiones tan lamentables como las de China, la URSS y todas las «democracias populares». Afortunadamente, una publicación periódica reciente —«Notas Económicas», de la Unión de Bancos Suizos— da información referida a 1977 y 1978 sobre el PNB per cápita de muchos de los países sin datos en los Anuarios de la ONU.

1. Población urbana y población rural

1.1. *Entre unos países y otros hay gran diferencia de «criterios estadísticos oficiales» para clasificar a una población como urbana o como rural*

Como ocurre con todos los temas aparentemente sencillos, definir lo que es una ciudad no resulta precisamente fácil, pero sin saber con precisión a qué llamamos «ciudad» y a qué llamamos «campo» está claro que no podemos decir cuánta gente de un país, o de una región, vive en sus ciudades (es *población urbana* o, más bien, tiene *residencia urbana*) y cuánta vive en núcleos menores que una ciudad o dispersa en el campo (es *población rural* o, mejor, tiene *residencia rural*).

Conviene reparar en que al hablar así aceptamos llamar urbana a la población que vive en «ciudades» y rural a la que vive en el «campo». Esta asignación por el lugar de residencia tiene valor para simplificar las cosas y dejar claro lo que se quiere decir cuando se habla, como en este capítulo, de población urbana y rural, según criterios estadísticos, pero en modo alguno debe caerse en la confusión de pensar que los términos «urbano» y «rural» empleados en este sentido son siempre sinónimos de formas de actividades económicas distintas, son simplemente un criterio de clasificación por el lugar del domicilio, pero es sabido que en las grandes ciudades de Extremo Oriente una parte de su población trabaja la tierra, es población agraria por su forma de actividad, son parte del sector primario; en cambio, en los países industriales gran número de obreros, empresarios y funcionarios tienen su domicilio fuera de la ciudad donde trabajan y, en el caso sobre todo de altos ejecutivos y funcionarios, es hasta probable que tengan su domicilio en municipios que no poseen la condición administrativa de ciudad. Viven, pues, en el campo. Pueden ser considerados en un censo, a mi modo de ver, desde luego, erróneamente, como población rural, pero no son parte del sector primario, sino del terciario o del cuaternario.

En éste, como en muchos otros temas geográficos, hay, pues, unos criterios oficiales por una parte y una realidad científica por otra. El problema es que el acopio de datos a escala mundial y su posterior tratamiento suele hacerse, salvo excepciones, según los criterios oficiales de cada país, que no siempre tienen en cuenta lo complejo de las realidades geográficas.

Los geógrafos tendemos a considerar como ciudades a los núcleos de población compactos que, por poseer una serie de funciones centrales, organizan, con más o menos intensidad y en competencia con otras ciudades —dentro de una red jerárquica urbana—, un territorio bastante más extenso que su casco urbano..

Ya no estamos todos tan de acuerdo en considerar una sola ciudad a un conglomerado urbano compacto físicamente, pero formado por entidades administrativas —municipios y sus equivalentes— distintas. En estos casos pueden decidir: el criterio de cada científico, los fines que persiga con su trabajo o, incluso, un vago sentimiento colectivo. Por ejemplo, muchos de los que trabajamos en Geografía urbana sobre Madrid no separamos nunca en nuestro enfoque —excepto por conveniencias de distribución del trabajo— de Madrid, en sentido estricto, a Leganés, Getafe o Alcorcón, que son, administrativamente, ciudades diferentes; y es seguro que les sucede lo mismo a nuestros colegas barceloneses con Barcelona y Hospitalet, por ejemplo. En cambio, ya no está tan claro que todos los geógrafos consideren una sola ciudad al complejo urbano que va desde Galdácano a El Abra de la ría bilbaína, aunque para este autor constituye una sola y clara unidad urbana.

Es evidente que estos criterios y vacilaciones no permitirían la confección de los censos de población con la rapidez con que se necesitan. Por eso, en la mayoría de los países los criterios estadísticos para clasificar la población aceptan casi siempre los límites administrativos y se apoyan en unas cifras de habitantes que permiten la clasificación del núcleo y de su población, dentro de categorías netamente definidas. Es cierto que en algunos países sus servicios estadísticos luchan por lograr una mayor precisión, por ejemplo la Oficina del Censo de los Estados Unidos ha querido aquilatar mucho más y ha establecido varios criterios —en mi opinión no tan claros como sería deseable— para clasificar a las ciudades. Pero éste es un punto que se ve detenidamente en los cursos de Geografía urbana [1] y, a los efectos de lo que ahora interesa, debemos quedarnos con que los servicios estadísticos de cada país fijan en distintos topes cuantitativos la diferencia entre población urbana y población rural, y operan siempre con unidades administrativas completas, como base de la información estadística que recogen.

Este segundo aspecto —el que se refieran a «realidades administrativas» exclusivamente—, lógico por supuesto, no tiene importancia para nuestros fines cuando se trabaja, como ahora, con cifras globales que resumen la información, pero el primero presenta varios inconvenientes:

1)   En primer lugar, no todos (ni mucho menos) los países pueden confeccionar sus censos con regularidad y suficientes garantías de veracidad.

Dos ejemplos: En el *Anuario Demográfico de las Naciones Unidas* correspondiente a 1976 hay un signo + junto al nombre de algunos países de la tabla 3 (págs. 118 y siguientes), que corresponde a esta aclaración: «No se ha calculado la tasa porque las estimaciones 1970-76 no parecen comparables.»

En el Mapa de Porcentajes Anuales de Crecimiento de la Población Mundial del *Penguin World Atlas,* cuyo geógrafo editor es Peter HALL, se lee textualmente: «Los

---

[1] En «Lecturas ulteriores» de este capítulo se da como orientación la referencia de algunos conocidos libros sobre Geografía urbana.

datos correspondientes a buena parte de Asia, África, Latinoamérica y Oceanía son de dudosa verosimilitud», y es una advertencia que honra al editor, aunque un lector no profano no la necesitaba.

2) No todos los países confeccionan sus censos en las mismas fechas. Es lógico, pues, que las cifras que se contienen en las tablas mundiales de las Naciones Unidas correspondan a años distintos, lo que hace aún más impreciso el cotejo entre las de unos países y otros. Esto es particularmente grave en cuestiones de población y niveles de vida, pues algunos países, sobre todo entre los «en vías de desarrollo», han experimentado cambios espectaculares en los últimos años. Es sobradamente sabido también que el poder adquisitivo de las distintas monedas cambia con demasiada frecuencia.

3) Tampoco la cifra crítica y otros criterios posibles, a partir de los cuales se considera «estadísticamente» que un núcleo de población es urbano, son las mismas en todos los países, ¡muy al contrario!; las diferencias son muy grandes.

Para que el lector sepa a qué atenerse en este punto, los *Anuarios Demográficos de las Naciones Unidas* correspondientes a 1976 y 1977 recogen al final de la tabla VI los criterios de cada país para considerar un núcleo de población como urbano.

Como la cuestión interesa, aunque sólo sea para hacer ver qué lejos están de ser exactos los datos oficiales que se barajan con tan buena fe en libros y periódicos, se ha confeccionado con la información de los *Anuarios Demográficos* mencionados el *Apéndice 2.2* de este capítulo y CARTER, entre otros autores, resume la cuestión en su conocido libro.

Los estudiantes de Geografía de la población y Geografía urbana pueden sacar sus propias conclusiones de la atenta lectura del libro de CARTER y, sobre todo, de las advertencias a la tabla VI del *Anuario de Naciones Unidas*. Aquí, y como ilustración de las dificultades que tiene esta clasificación, se acompaña la traducción de algunos párrafos comentando la tabla VI: «Población total y urbana por sexos entre 1967-1976», del tantas veces citado *1976 Demographic Year-Book. United Nations.*

«Fiabilidad de los datos.—Las estimaciones que se consideran de fiabilidad dudosa... se han impreso en caracteres itálicos en lugar de romanos... La población *urbana se define en cada caso de acuerdo con las definiciones nacionales* que se recogen al final de la tabla» (véase el Apéndice 2.2).

«Una... importante y específica limitación se debe a las diferencias que se han encontrado entre distintos países acerca de lo que entienden por *urbano*. Precisamente porque la diferencia entre urbano y rural se establece de tantas formas distintas ha habido que recoger las definiciones al final de la tabla. Las definiciones son necesariamente breves y, en los casos en que la clasificación como *urbano* (de un núcleo de población) corresponde o implica divisiones civiles administrativas, se han dado con frecuencia con la terminología propia del país o región en que esto ocurre. Como consecuencia de esas variaciones terminológicas puede parecer que las diferencias entre países o regiones son mayores de lo que realmente son. No obstante, términos similares o idénticos pueden también tener significados muy distintos según los países o zonas en que se empleen.»

«De un examen de las definiciones dadas por los distintos países se deduce que más o menos puede hacérselas corresponder a uno de estos tres grandes grupos: 1) se clasifican como urbanas a las localidades de un tamaño determinado; 2) se clasifican como urbanos a algunos centros de las unidades territoriales de base (o inferiores) en la escala administrativa (municipios) y al resto de ellos se les clasifica como *rurales;* 3) se clasifica a las divisiones administrativas de base (municipio, commune, county...) con arreglo a criterios preestablecidos que pueden incluir, por ejemplo, el tipo de gobierno local, el número de habitantes o la proporción de la población dedicada a la agricultura.»

«Así resulta que la condición de *urbanos* puede otorgarse a lugares con menos de 400 habitantes en Albania, mientras en Austria el límite inferior son 5.000 personas. En Bulgaria, *urbano* significa entidades de población con *status* urbano, sin tener en cuenta cuáles sean sus dimensiones; en Israel quiere decir fundamentalmente centros «no agrarios»; en Suecia áreas edificadas con menos de 200 metros entre unos edificios y otros... La imposibilidad de comparar unas definiciones con otras se pone inmediatamente de manifiesto.»

«La designación de unos lugares como urbanos o rurales está tan vinculada a consideraciones históricas, políticas, culturales y administrativas que los esfuerzos para alcanzar definiciones y criterios uniformes avanzan tan sólo muy lentamente. No sólo difieren las definiciones unas de otras, sino que de hecho, en la actualidad, pueden no seguir reflejando la intención que en su origen tenían de distinguir entre urbano y rural. Una vez sentados los criterios sobre la base de subdivisiones administrativas —como ocurre en la mayoría de los casos— éstas se hacen fijas y resistentes al cambio. Por esta causa, con el tiempo, la comparación de los datos correspondientes a unos lugares con los de otros puede no tener ya ningún valor por la inaplicabilidad de las definiciones respectivas a las circunstancias actuales. Debe tenerse mucho cuidado al comparar los datos correspondientes a auténticos censos con los obtenidos de muestras o estimaciones, porque probablemente las definiciones de lo *urbano* en unos y otras pueden no ser compatibles.»

«Sin embargo, a pesar de sus limitaciones, las estadísticas de población urbana y rural son útiles para comparar en líneas generales el grado de urbanización de unos países con otros, o de unas y otras regiones. Se defina como se defina, lo *urbano* es probable que implique una gran concentración de población netamente urbana...» «En fin, si los contrastes entre población urbana y rural no se miden aún de modo muy preciso, tienen de todas formas su reflejo en las estadísticas.»

Procurando que el texto quedase muy claro, aunque temo que sin conseguirlo por completo, lo he traducido con mucha libertad.

El Apéndice 2.2 completa y amplía muchos puntos apenas insinuados en el texto.

Ante posibles decepciones por parte de un lector que se acerca a estos temas por primera vez, quiero recordarle que esta sinceridad de los redactores del *Anuario Demográfico de NU* debe agudizar en él su espíritu crítico, y es más útil para su formación científica que muchas brillantes y vanas generalizaciones.

4) A todo lo dicho hay que añadir que no todos los países publican oficialmente cifras sobre sus poblaciones urbana y rural. Estas importantes «ausencias» (China, Italia, República Federal Alemana, entre otras) dejan aún más incompleto el tema, aunque, por fortuna, algunas de éstas se han resuelto recientemente.

Los *Anuarios Demográficos de 1976, 1977 y 1978 de la ONU* sólo publican los datos sobre población urbana y rural correspondientes a 151 territorios —entre países independientes y áreas con distintos *status* dentro de ellos, por ejemplo: Reino Unido; Escocia, Irlanda del Norte; URSS, Bielorrusia y Ucrania; Península de Malasia, Sabah, Sarawak...—. Esta información será en gran parte la base de lo que se comenta a continuación.

1.2. *Aunque el incremento constante de la población urbana es una de las características más destacadas de nuestro tiempo, todavía más del 60 por 100 de la población del mundo es rural*[2].

Hechas todas las advertencias que preceden y con las aclaraciones, a veces dignas de Perogrullo, que se recogen en los Apéndices, se puede admitir que es posible esbozar al menos un esquema de la distribución de las poblaciones del mundo según su *residencia* urbana o rural.

La tabla 2.1, confeccionada con los datos de 151 países, permite una primera ojeada de conjunto.

TABLA 2.1

1 Países con población urbana entre	*2* Número de países de cada grupo	*3* Población total de cada grupo .000	*4* Población urbana de cada grupo .000	*5* Población urbana sobre 3	% de la población del grupo respecto a la total de todos los países	% de la población urbana del grupo respecto a la urbana total
0,1-10 por 100	11	134.287	10.206	7,60	3,42	0,73
10,1-20 por 100	27	1.308.529	158.796	12,14	33,37	11,37
20,1-30 por 100	19	780.318	171.712	22,01	19,90	12,30
30,1-40 por 100 (sin Alemania Federal)	20	116.409	40.790	35,04	2,97	2,92
40,1-50 por 100 (sin Italia ni España)	21	236.484	108.846	46,03	6,03	7,80
50,1-60 por 100 (sin Ucrania, ni Bielorrusia, ni España) ..	13	118.400	66.583	56,24	3,02	4,77
60,1-70 por 100 (incluida Italia)	14	561.331	352.724	62,84	14,32	25,26
70,1-80 por 100 (incluidas España y Alemania Federal) .	14	607.012	453.469	74,71	15,48	32,48
Más de 80, 1 por 100	12	58.020	51.052	87,99	1,48	3,66
TOTALES	151	3.920.790	1.396.178	35,61	99,99	101,29

Base: *Apéndice 2.1.* Sin tomar en cuenta los datos de • [ ].
Elaboración: J.M.C.T.

---

[2] Es importante hacer constar que esta primera parte del tema se ha elaborado dos veces, con datos de los sucesivos *Anuarios demográficos de Naciones Unidas* de 1977 y 1978 —que se envían al mercado con un retraso de un año o año y medio—, y sólo luego de ello ha llegado a manos del autor la información contenida en el *Boletín de Población de las Naciones Unidas,* núm. 12, 1979, (Nueva York, 1980). Debido, como se hace constar más adelante, a que los datos de los Anuarios demográficos son más fiables y precisos, he preferido actualizar el tema, sin alterar esta parte, añadiendo a continuación el punto: 1.10 «La situación según los datos disponibles en junio de 1981», incorporando también estos datos al Apéndice 2.1, con una indicación para distinguirlos.

Por otra parte me alegro de poder hacerlo, porque creo que al lector que se esté iniciando en estos temas le son muy útiles ejemplos como éstos para comprender la «fluidez» de los datos que se manejan en Geografía de la Población.

La cifra de 3.920.790.000 habitantes, que totalizan los 151 países sobre los que se disponía de datos, equivale al 92,08 por 100 de la población mundial en 1978 (4.258 millones). No debe perderse de vista que para obtener ese 92,08 por 100 se han utilizado con frecuencia cifras correspondientes a años bastante anteriores a 1978, como se hace constar en cada caso en el Apéndice 2.1.

Si se hubiera tomado la población del mundo en 1975 (4.033 millones), que es el año alrededor del cual se disponen los correspondientes a las cifras recogidas en la tabla 2.1, el porcentaje correspondiente a su cifra total de población sería 97,22.

Una primera conclusión destaca con gran fuerza: la población urbana del mundo no es aún más que el 35 por 100 de la mundial. Desde cualquier punto de vista, ésta es una realidad importante y más si recordamos que el crecimiento de la población urbana mundial en las últimas décadas ha sido muy rápido y esta cifra, que casi acabamos de alcanzar, ya la estamos rebasando muy deprisa. Por supuesto la «urbanización» de la población del mundo es uno de los más importantes fenómenos sociales de nuestra época.

Pero no nos conviene olvidar, sobre todo a quienes vivimos inmersos en una «cultura urbana», que, a pesar del grandioso éxodo campesino y la constante afluencia de hombres y mujeres a las ciudades, todavía más del 60 por 100 de la humanidad tiene una residencia campesina, y esto significa que en buena parte vive, trabaja y piensa de un modo muy distinto de nosotros.

La civilización industrial y su fruto, la cultura urbana, van, sin duda alguna, homogeneizando en mentalidad y niveles de vida a sus gentes, pero las civilizaciones rurales, aunque cuenten, como cuentan, con grandes ciudades millonarias, son mucho más originales, variadas y diferentes unas de otras, y es bueno no olvidarlo ni olvidar su todavía enorme peso demográfico, para no caer en falsas simplificaciones.

Resumiendo el contenido de la tabla 2.1, resulta que de los 151 países considerados, sólo 40 tienen más del 60 por 100 de su población residiendo en ciudades, y en cambio los otros 111 no llegan a ese porcentaje.

Los 40 países citados en primer lugar, con la parte de su población que es urbana (857.245.000 hab), totalizan el 61,40 por 100 de la población urbana del mundo, pero su población total (1.226.363.000 hab) no es más que el 31,28 por 100 de la mundial, mientras que los 27 países de población urbana entre el 10,1-20 por 100 de su población total, que suman 1.308 millones de seres humanos —el 33,37 por 100 de la población mundial—, sólo significan con su población urbana el 11,37 por 100 de la población urbana total. (No obstante, como se verá muy pronto, en este mismo capítulo, las cifras correspondientes a este y otros grupos quedan muy modificadas si se toman en cuenta las que publicó la Secretaría de las Naciones Unidas en 1980.)

1.3. *En la parte inferior de la distribución de las poblaciones de los países según su porcentaje de población urbana se encuentran países abrumadoramente rurales del Tercer Mundo.*

Once países (Apéndice 2.1): Burundi, Ruanda, Barbados, Nepal, Alto Volta, Tanzania, Uganda, Swazilandia, Bangladesh, Islas Salomón y Kenia, no llegan a tener un 10 por 100 de población viviendo en núcleos urbanos. Con dos excepciones (Swazilandia y Nepal), son países intertropicales, pero de condiciones muy variadas.

En el corazón del África ecuatorial, los pequeños Burundi y Ruanda, que constituyen el escalón inferior, tienen altas densidades de población (139 y 163 hab/Km², respectivamente), muy poco africanas. Su vecina Uganda aún tiene una densidad relativamente alta (50 hab/Km²), pero que no llega a la mitad de ellos. Los otros países africanos con porcentajes de población urbana en esta primera categoría, Tanzania, Kenia y Swazilandia, tienen ya densidades inferiores. Son todos países negros y, como tendremos ocasión de recordar, con altas tasas de crecimiento vegetativo y rentas per cápita muy bajas.

Los territorios insulares de este grupo son muy distintos.

La pequeña Barbados es una isla inglesa del Caribe, declarada Estado soberano independiente, dentro de la Commonwealth, en 1966, que tiene la mayor densidad de población del grupo y también la mayor renta per cápita, en cambio su tasa de crecimiento vegetativo anual no llega al 1 por 100. Todas estas circunstancias hacen anómala su situación en este grupo. La anomalía se confirma si se tiene en cuenta que su capital, Bridgetown, tiene, en efecto, 8.789 habitantes (es decir, la cifra que la ONU da como población urbana de la isla), pero los suburbios de Bridgetown (según *The Statesman's Year-Book 1976-77)* albergan a 88.097 personas. Si se sumaran, pues, estos habitantes a los de la capital, la población urbana ascendería a 96.886 habitantes, lo que supondría el 40,71 por 100 de su población. Esta adición permitiría incluir a Barbados en el grupo de países entre 40,1 y 50 por 100 de población urbana en condiciones mucho más parecidas a las suyas.

Las otras islas del grupo, las Salomón, en plena zona ecuatorial, son completamente distintas por superficie, densidad de población, tasa de crecimiento y nivel de vida.

· Por último, en el continente asiático, Nepal y Bengala (Bangladesh) tienen muy pocas cosas en común, salvo su condición de países subdesarrollados. Nepal es un país de alta montaña con una densidad de población (91 hab/Km²) anormalmente elevada para un país montañoso. Bengala es un país monzónico de una dramática pobreza, con una densidad de población cercana a los 500 hab/Km².

En el Apéndice 2.1 se precisa lo dicho.

Veintisiete países —algunos de ellos tan sólo regiones bien diferenciadas de Estados soberanos más extensos— constituyen el número de los que tienen entre el 10,1 y el 20 por 100 de su población total asentada en ciudades. Quince de ellos son africanos; el resto, excepto las islas de Montserrat, Grenada y Cabo Verde, asiáticos.

Son (véase Apéndice 2.1): Malawi, Kampuchea Democrática, Angola, Montserrat, Maldivas, Etiopía, Botswana, Papúa-Nueva Guinea, Thailandia, China, Benin, Congo (Brazz.), Chad, Madagascar, Laos, Afghanistán, Grenada, Togo, Gambia, Nigeria, Sabah, Mali, Sarawak, Indonesia, Zimbabwe, Zanzíbar y Cabo Verde. Todos son países en vías de desarrollo, de niveles de vida muy bajos y, en algunos casos, con enormes desequilibrios regionales internos.

Entre los países africanos, dos, Etiopía y Chad, rebasan 1.200.000 Km² de superficie, pero Etiopía tiene, a pesar de su pobreza, 23 hab/Km² y Chad sólo tres. Les siguen en superficie Botswana, Madagascar y, a bastante distancia, Zimbabwe (Rodesia del Sur). Bostwana, con sus principales y modestos núcleos de población en el Este de su territorio (en la margen izquierda del río Limpopo), la zona endorreica de Okavango y Makgadikgad, y el desierto de Kalahari, sólo tiene en conjunto un habitante por Km², Madagascar tiene 14 y Rodesia del Sur 17. Los problemas de Zimbabwe son motivo de constante atención de la prensa, sobre todo la británica.

El catálogo africano de países cuya población urbana no llega al 20 por 100 de la total lo completan Malawi, a orillas del lago Nyasa, Benin, la antigua Dahomey, Togo y Gambia. Los dos primeros de una superficie bastante semejante (118.484 y 112.622 Km²), pero Malawi con un millón de habitantes más. Togo y Gambia, en cambio, son de una densidad de población parecida (41 y 48 hab/Km²), pero Togo, el guineano, es cinco veces mayor (56.000 Km² y 2.170.000 hab) que Gambia (11.295 Km² y 493.000 hab) en superficie y población.

Los «grandes personajes» de este grupo, sin embargo, no son africanos, sino asiáticos; son China e Indonesia.

Indonesia cuenta con 127.000.000 de habitantes, de los cuales 23 millones viven en ciudades (18,2 por 100). La densidad media del Estado son 69 hab/Km². No obstante, esto quiere decir muy poco, porque es sabido que los desequilibrios regionales son formidables. En el censo de 1971 (no en la estimación de la ONU de 1974) las islas de Java y Madura solas (137.171 Km² en conjunto) reunían 76 millones de personas de los 118 millones censados en esa fecha, lo que significaba una densidad de 554 hab/Km², mientras la isla de Sumatra, mucho mayor en superficie (473.607 Km²), sólo contaba con 20.813.000 habitantes, lo que representa una densidad de 44 hab/Km². Los 23 millones restantes se distribuían en las otras «famosas» islas del Estado indonesio: Célebes, Borneo —central y meridional— (Kalimantan), Sonda, Molucas, Bali, Irian Jaya (mitad oeste de Nueva Guinea) y las tres mil islas e islotes más que lo constituyen *(Statesman's Year-Book),* a las que correspondían aún 1.416.309 Km².

Thailandia y Laos forman, asimismo, parte de este grupo número dos. Laos, mucho más montañoso, sólo tiene 14 hab/Km². Thailandia, 84.

La isla de Montserrat introduce un factor anecdótico en esta relación. Es una pequeña isla de la Corona británica cuyos datos ha recogido la ONU en sus publicaciones, por alguna razón que, de momento, ignoro.

Las Maldivas es lógico que figuren, pues desde 1965 son completamente independientes y desde 1968 constituyen la República de Maldivas, pero los datos referentes a ellas sólo sirven para demostrarnos, una vez más, qué poco expresiva puede ser una cifra; porque esta República la forman unas 2.000 islas coralinas, de las cuales sólo 220 están habitadas.

Aunque durante muchos años hubo serias dudas, parecía, según varios autores, que en este grupo de países con menos del 20,1 por 100 de su población viviendo en ciudades debía incluirse a China. Es un hecho —al que demógrafos, economistas y geógrafos no podemos acostumbrarnos— que China es muy parca en publicar estadísticas propias. El último censo conocido es de 1953. En este censo, incluyendo Formosa (Taiwan), China registraba 601.938.000 habitantes, de los cuales 77.300.000 constituían la población urbana (13,3 por 100 del total).

En 1967 se estimó *(Statesman's Year-Book 1976-77)* la población urbana de China en 150 millones, pero desconozco en cuanto se estimó la población total. Los autores del Anuario inglés creen que el éxodo de la población ciudadana al campo, impuesto por las autoridades, debió de reducir la cifra de su población urbana.

A partir de esto, y hasta 1980, todo lo que se podía ofrecer eran conjeturas más o menos bien basadas e ingeniosas, de las que volveremos a ocuparnos por lo que tienen de ilustrativas; pero ya el volumen correspondiente a 1980-1981 del *Statesman's Year-Book* asegura que, según fuentes oficiales, la población de China (incluyendo Taiwan) en 1979 era de 975.230.000 habitantes, de los cuales 110 millones residían en núcleos urbanos.

Esto significa que la población del segundo grupo —la de los países en los cuales del

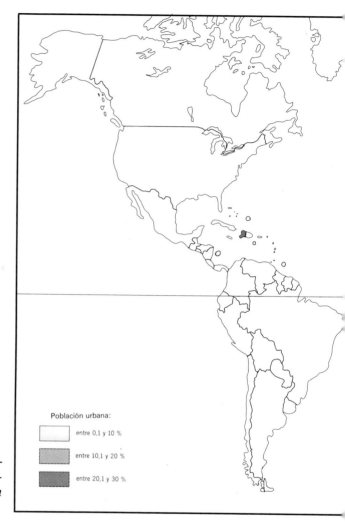

Población urbana:

entre 0,1 y 10 %

entre 10,1 y 20 %

entre 20,1 y 30 %

Mapa II/1.—*Países con un porcentaje de población de residencia urbana inferior al 30,1 según los datos del Apéndice 2.1.*

10,1-20 por 100 de población reside en núcleos urbanos— es con mucho la mayor de todos los grupos, nada menos que el 33,37 por 100 de la mundial, aunque sólo es el 11,37 por 100 de la urbana.

1.4.   *La población de los países incluidos en el Anuario de la ONU de 1978 en el grupo de los que tienen un porcentaje de población urbana comprendido entre el 20,1-30, ascendía al 19,90 por 100 de la población mundial considerada*

El grupo lo forman: Camerún, Sudán, India, I. Niue, Samoa, Kuwait, Sri Lanka, Nuevas Hébridas, Haití, Mauritania, Pakistán, Guam, Seychelles, Portugal, Liberia, Is. Faeroe, Malasia Peninsular, Zaire, Gilbert y Libia.

De los 780 millones de personas que formaban este grupo núm. 3, 172 millones residían en núcleos de población considerados urbanos.

Con la excepción de Portugal estamos aún plenamente en el Tercer Mundo, o mundo del subdesarrollo; pero como se deduce, con sólo mirar el croquis cartográfico, bajo esta rúbrica se alinean sobre todo cuatro tipos de países: asiáticos monzónicos; africanos ecuatoriales; africanos desérticos, e islas tropicales.

El Apéndice 2.1 recoge los datos seleccionados de todos ellos.

Los que contribuyen de modo decisivo a que este grupo tenga tan gran población son, por supuesto, los países asiáticos. El coloso en este caso es la India, que aporta 625 millones de habitantes, y en su línea están, con arreglo a sus dimensiones, Ceilán (Sri Lanka), Pakistán y Malasia Peninsular. Con la parte meridional de China estos países monzónicos son muy distintos de los países negros africanos que hemos mencionado dentro de los grupos anteriores en el escalón inferior del subdesarrollo. Ahora se trata de países de cultura milenaria, con una riquísima tradición no sólo agraria, sino urbana, embarcados a otro nivel en la «modernización» de su economía y de sus sociedades respectivas, aunque no han salido aún del subdesarrollo.

En África los países de este grupo en el área ecuatorial son Liberia, Camerún y Zaire (que complica el modelo con sus áreas mineras); y los «desérticos»: Sudán (desértico hasta cierto punto sólo, 6 hab/Km²), Mauritania y Libia (1,3 hab/Km²) que es un país, de los que desde hace poco comienzan a llamarse «petroleros», que gracias al petróleo han pasado a constituir un caso aparte entre los del Tercer Mundo.

Las islas clasificadas por su porcentaje de población urbana dentro de este grupo presentan como en casos anteriores una casuística muy variada y en algunos meramente anecdótica. Las Faeroe, con Portugal, son las tierras europeas de más bajo porcentaje de población urbana. Haití es tan grande (27.750 Km²) como Galicia, pero le falta poco para doblarla en población (4.668.000 hab).

La oceánica isla Niue, si los datos son ciertos, cuenta con una de las más altas tasas de crecimiento natural del mundo (4,6 por 100 al año).

1.5. *La población total (353 millones de habitantes) de los países reseñados por la ONU con una población urbana entre los 30,1 y 50 por 100 del total de su población equivalía al 9 por 100 de la total de todos los países considerados, y su población urbana (150 millones) era el 10,72 por 100 de la urbana mundial.*

Los croquis de mapas y, sobre todo, la atenta lectura de las páginas correspondientes de los Apéndices 2.1 y 1.1 permiten formarse una idea esquemática de la distribución sobre la Tierra de estas poblaciones.

Componen el Grupo 4 (30,1-40 por 100 del total de su población residiendo en ciudades): Honduras, Ghana, Senegal, Filipinas, Gabón, Yemen Democrático, Albania, Antigua, San Cristóbal, Nieves y Anguila, Surinam, Zambia, Guatemala, Jamaica, Fidji, Paraguay, Marruecos, Yugoslavia, El Salvador, Polinesia Francesa y Guyana.

Forman el Grupo 5 (40,1-50 por 100): Túnez, Costa Rica, Ecuador, Jordania, Chipre, Rumanía, Mauricio, Is. del Pacífico, Egipto, Irán, Turquía, Noruega, Sahara Occidental, Mongolia, Siria, R. Dominicana, África del Sur, R. de Corea, Nicaragua, Trinidad y Tobago y Panamá.

Explicar con minuciosidad las peculiaridades de cada caso exige depurar mucho más los datos y entrar a fondo en el análisis geográfico de cada país, ya que la distribución de la población es siempre resultado de la convergencia de una serie de circunstancias geográficas e históricas, en el más amplio sentido; por eso, estudiar pormenorizadamente una población requiere una constante puesta al día y una serie de trabajos monográficos, de los que no siempre se dispone.

1.5.1. *Países entre el 30,1-40 por 100 de su población urbana*

África presenta cinco países en esta categoría. Cuatro litorales: Marruecos, Senegal, Ghana y Gabón, y uno interior: Zambia.

El caso de Gabón merece un pequeño comentario porque demuestra que pronto pueden hacerse viejos los datos estadísticos. En primer lugar, los datos de Naciones

Unidas y los de *Statesman's Year-Book* no coinciden. El *Anuario de la ONU* da a Gabón una población de 468.564 habitantes en el censo de 1960-61, una estimación de 500.000 en 1979 (que es la que se ha hecho constar en el Apéndice) y otra de 530.000 en 1976.

The Statesman's Year-Book 1976-77 asigna a Gabón 950.007 habitantes en 1970 —de ellos 12.000 europeos— y precisa que la capital, Libreville, tenía 75.000 habitantes. La última estimación (1978) es de 1.300.000 habitantes *(T. St. Y. B. 1980-1981)*.

Gabón ha dado un formidable «salto adelante» en lo económico en los últimos años, pero en este campo es difícil comparar ambas fuentes, ya que sus cifras de población son tan distintas.

The Statesman's Year-Book 1976-77 cifra su Producto Interior Bruto per cápita, en 1972, en 828 dólares USA, y en 1978 (edición para 1980-81) en 3.580. El *Anuario Estadístico para 1976 de Naciones Unidas* no tiene datos para 1972, pero la serie que ofrece demuestra muy bien la rapidez de la evolución económica y cómo un retraso de dos años nos dejaría muy mal informados en este caso. Las cifras hablan por sí solas:

Gabón:

PIB per cápita en:
- 1960: 284 dólares USA
- 1963: 391 dólares USA
- 1970: 670 dólares USA
- 1973: 1.391 dólares USA
- 1974: 2.972 dólares USA

Renta per cápita en:
- 1963: 372 dólares USA
- 1970: 468 dólares USA
- 1973: 1.069 dólares USA
- 1974: 2.425 dólares USA

El *Anuario Estadístico de Naciones Unidas,* correspondiente a 1977 (último publicado hasta el momento de cerrar este capítulo), da a Gabón una renta per cápita de 3.225 dólares USA.

Aunque las cifras pueden inspirar dudas, hay, no obstante, un espectacular progreso en la economía de este país y la razón, como dice R. J. HARRISON CHURCH, es que «desarrolla ahora la explotación de sus muy ricos depósitos minerales».

En 1974 Gabón extrajo 2.129 Tm de manganeso, 1.713 Tm de concentrados de uranio, 45,6 millones de metros cubicos de gas natural y 10,4 millones de Tm de madera de okoume. La refinería de petróleo de Port Gentil entró en servicio en 1967. En 1971 Gabón produjo 5,8 millones de Tm de petróleo crudo.

Yendo ahora a la consideración de otros países con población urbana entre 30,1 y 40 por 100, en Asia encontramos dos muy distintos: Yemen Democrático (160.295 Km², 1.500.000 hab, 9,4 hab/Km²), en la Península de Arabia, y Filipinas, con 36 millones de habitantes hacia 1975. Evidentemente, el parecido grado de urbanización de estos dos países no tiene ninguna significación geográficamente hablando.

Tres países ístmicos de Centroamérica: Honduras, Guatemala, El Salvador, y una isla de habla inglesa y población de color, Jamaica, completan la serie de América del Norte. En la del Sur dos muy distintos: Guyana y Paraguay.

En Europa, Yugoslavia, Albania y —si aceptáramos los datos de la ONU, lo que en modo alguno es posible en este caso— Alemania Federal; y en Oceanía, las islas de la

Polinesia Francesa (4.000 Km²) —con una sospechosamente elevada renta per cápita— cierran con Guyana la relación de países correspondientes al grupo núm. 4 sobre los que poseemos datos de la ONU. Del caso de Alemania Federal nos ocupamos más adelante.

1.5.2. *Países entre el 40,1-50 por 100 de su población residiendo en áreas urbanas*

Excepto, obviamente, la República Federal Alemana, los países del grupo anterior, aunque con distintos matices, en especial en el caso de Yugoslavia, son todos países subdesarrollados. En esta nueva categoría las peculiaridades individuales son aún más acusadas y la necesidad de matizar es mayor, porque en la serie ya hay países, como Noruega, de renta per cápita entre las mayores del mundo (5.928 dólares USA en 1975, alrededor de 8.000 en 1977); otros (Costa Rica, Panamá, Irán... Chipre, Turquía) de rentas per cápita bajas pero rondando, en más o en menos, los 1.000 dólares USA; unos terceros (Ecuador, Rep. Dominicana, Corea, Nicaragua) con rentas per cápita más o menos de 500 dólares USA, y otros, por último (Jordania, Egipto, República Árabe Siria), que sólo en el caso de Siria rebasaban los 500 dólares USA anuales per cápita, en 1974.

Es decir, aunque por los datos de este grupo pudiera parecer confuso, no obstante teniendo en cuenta las circunstancias de los países de los grupos anteriores, y lo que de algunos de este grupo puede deducirse, parece que se puede adelantar que hay una correlación positiva entre nivel de vida de un país y su porcentaje de población urbana. La demostración más palpable nos la van a dar los países que falta por considerar; el único problema (de solución casi imposible mientras no se unifiquen más los criterios para definir lo que son poblaciones urbanas y rurales y metamos otras variables para depurar la correlación) es determinar con exactitud el grado de esa correlación.

De los casos de España e Italia, incluidas según una publicación de la ONU en este grupo, hablaremos en su momento oportuno.

1.6. *Países con población urbana entre el 50,1-60 por 100 de su población total*

Dieciséis países, que totalizan 118 millones de almas, el 3,02 por 100 de la población considerada, forman el grupo: Hungría, Bielorrusia, Austria, Argelia, Irlanda, Suiza, Irlanda del Norte, Polonia, Isla de Man, Bahamas, Arabia Saudita, Puerto Rico, Bulgaria, Finlandia, Colombia y Ucrania.

Sesenta y seis millones de habitantes de estos 16 países tienen residencias consideradas urbanas. Esta cifra es el 4,77 por 100 de la población urbana total.

En esta categoría (como puede hacerse utilizando los datos del Apéndice 2.1) si se comparan las rentas per cápita y los porcentajes de población urbana, la conclusión es que hay gran diversidad entre los países que quedan comprendidos dentro de ella. De renta per cápita alta, y hasta muy alta, son Austria (4.823 dólares USA, en 1976, 51,9 por 100 población urbana), Suiza (8.248 dólares USA, en 1976, y 54,6 por 100 p. urbana 1970) y Finlandia (535 dólares USA, en 1976, 59,1 p. urbana). De renta per cápita bajísima era Argelia (291 dólares USA, en 1970, 52 por 100 p. urbana), aunque, no obstante —sin olvidar, por supuesto, la inflación, y los cambios de poder adquisitivo de la moneda en fechas recientes—, subió a 1.102 dólares USA en 1978.

De la renta per cápita de Polonia (55,3 por 100 p. urbana) y Bulgaria (58,4 por 100 población urbana) no dan datos las NU; para 1977 la Unión de Bancos Suizos da el Producto Nacional Bruto per cápita de ambos países: Polonia 2.860 dólares USA, Bulgaria, 2.310.

1.7. *Países con población urbana entre el 60,1-70 por 100*

Catorce países tienen una población urbana entre el 60,1-70 por 100 de la población total, 561 millones de personas los poblaban hacia 1975-78 (el 14,32 por 100 de la población total del mundo considerada), 353 millones, de sus 561 millones de habitantes vivían en ciudades, el 25,26 por 100 de la población urbana total. Sin embargo, a pesar de estos porcentes, la correlación «renta alta» = «alto porcentaje de población urbana» no se hacía indiscutible más que más allá del umbral del 65 por 100 de población urbana. Por debajo de ese porcentaje, aunque con rentas per cápita no tan bajas como las de los países de gran predominio de población rural, aparecen en esta categoría países con renta baja: Irak (64,8 por 100 p. urbana, 483 dólares USA renta per cápita en 1973, pero gracias al petróleo 1.155 en 1975), Líbano (60,1 por 100 p. urbana, 589 dólares USA), México (63,6 por 100 p. urbana, 1.130 dolares USA, per cápita en 1976).

Los países en cuestión eran: Líbano, Cuba, Brasil, URSS, Nueva Caledonia, Perú, México, Brunei, Irak, Grecia, Italia, Dinamarca, Checoslovaquia y Luxemburgo.

Junto a las rentas, que apuntan a un tipo de ciudades y de urbanización del Tercer Mundo distintas del nuestro, Dinamarca (66,9 por 100 p. urbana, 6.803 dólares USA en 1976 y 10.948 en 1978) representa el modelo de Europa del noroeste.

En realidad, en lo que al Tercer Mundo se refiere hay en la serie otra anomalía, aunque más bien anecdótica: la de Brunei.

Brunei es un sultanato independiente muy vinculado a Gran Bretaña, limitado por ambos lados por Sarawak. Su población estimada son 150.000 personas. La capital es Bandar Seri Begawan. El pequeño país depende fundamentalmente de la extracción del petróleo. Los crudos representan el 93 por 100 del valor total de las exportaciones y reexportaciones. Su segunda exportación es el gas natural licuado.

Considerando el tamaño de las poblaciones de que tratamos tiene poco interés que el 63,6 por 100 de 150.000 personas tengan su residencia en núcleos urbanos y tampoco puede sorprendernos que la renta per cápita (1.178 dólares USA en 1970) se haya «disparado» (10.640 en 1978). De sobra se ha dicho, y sabemos, que la asignación a cada habitante de la cantidad que resulta de dividir la renta nacional de un país por su población en un año concreto no pasa de ser un modo de tomar en cuenta la población para poder comparar la riqueza de unos países con otros, pero en modo alguno significa que, efectivamente, la renta se distribuya homogéneamente entre sus habitantes, y en un caso como éste es muy de temer que les corresponda mucho menos de esa cantidad a mucho de ellos. Tampoco puede olvidarse que en los países en vías de desarrollo se consumen muchos productos que no se adquieren en el mercado, es decir, esta economía de autoabastecimiento dificulta el cálculo de las rentas per cápita reales; pero, aunque sean «teóricos», 10.640 dólares por persona en 1978 reflejan perfectamente la repercusión en un pequeño país petrolero de la crisis del petróleo que padecemos en Occidente desde 1973.

Un caso parecido es el de Nueva Caledonia y sus «dependencias» (19.103 Km²). Que el 61,7 por 100 de su población sea urbana no tiene trascendencia, puesto que el total de su población en 1974 lo formaban 131.665 personas (de ellas, 51.500 europeas), pero se

Mapa II/2.—*Países con porcentajes de población de residencia urbana entre el 30,1 y el 60, según los datos del Apéndice 2.1.*

entre 30,1 y 40 %

entre 40,1 y 50 %

entre 50,1 y 60 %

explica que su renta per cápita sea buena (3.079 dólares USA ya en 1970) porque su reducido número de habitantes explota un territorio de gran riqueza minera, donde abundan minerales de níquel, cromo, hierro, plata, oro, cobalto, plomo, manganeso y cobre.

1.8. *Países con población urbana superior al 70,1 por 100*

Según la información facilitada por el *Anuario Demográfico de las Naciones Unidas* para 1978, y las estimaciones que hemos establecido para los casos de Alemania Federal y España, 14 de los países sobre los que se poseen datos acerca de la composición de su población urbana figuran en el grupo entre el 70,1 y el 80 por 100 y otros 12 más rebasan el 80,1 por 100.

Los países con porcentajes entre 70,1-80 por 100 de población urbana (Francia, Es-

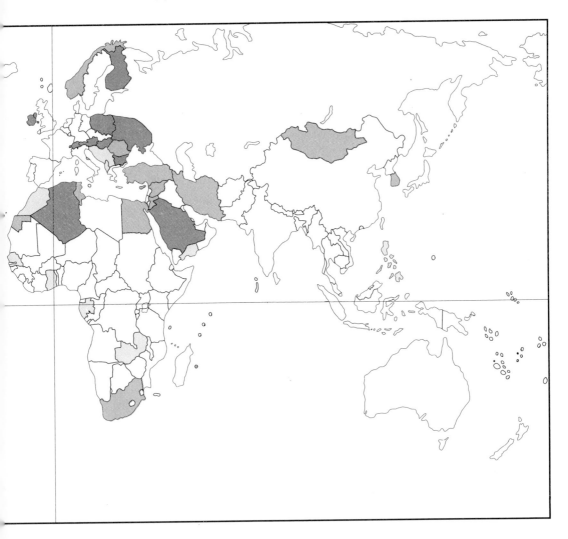

cocia, Argentina, Groenlandia, España, USA, Venezuela, República Democrática Alemana, Alemania República Federal, Japón, Canadá, Inglaterra y Gales, Bahrein y Chile) contaban con 607 millones de habitantes —el 15,48 por 100 de la población total considerada—. De ellos, 453 millones vivían en ciudades —32,48 por 100 de la población urbana total—. Los habitantes de los países que se insertan en los porcentajes superiores a 80,1 —Holanda, Nueva Zelanda, Israel, Suecia, Uruguay, Australia, Islandia, Bélgica, San Marino, Malta, Mónaco y Singapur— son muchos menos: 58 millones, pero de ellos, ¡eso sí!, 51 millones residen en ciudades.

Unos y otros, no hay duda, son los países económicamente más adelantados del mundo; USA, Canadá, Holanda, Suecia, Australia, Nueva Zelanda, Reino Unido, Japón... El país con más alta tasa de urbanización en estas fechas (1975) era Bélgica —94,6 por 100, 5.851 dólares per cápita— porque las tasas superiores de Macao y Singapur pueden tomarse como anecdóticas, dadas las reducidas dimensiones de estos territorios.

Otra anomalía fácilmente explicable es la de Bahrein —78,1 por 100 p. u.; 6.219 dólares per cápita en 1978—, un archipiélago del Golfo Pérsico formado de cinco islas y varios islotes. En total, 662 Km² de superficie; la capital es Manamá (88.785 hab). Vive del petróleo. En 1976 extrajo casi tres millones de toneladas.

1.9. *Los casos de España, República Federal Alemana, Italia y China*

En los datos del *Anuario Demográfico de Naciones Unidas* no aparecen cifras que indiquen la población urbana de estos cuatro países. España nos interesa directamente. Los otros dos por su cercanía, el cuarto interesa por su inmensidad.

1.9.1. *España*

El *Anuario Demográfico de Naciones Unidas* para 1976 recoge (pág. 224) la clasificación de nuestra población según el censo de 1970.

España (1970)	Habitantes
Población urbana	18.632.482
Población semiurbana	6.689.322
Población rural	8.718.811
Total	34.040.615

Esta distinción entre urbana y semiurbana es, sin duda, lo que motivó que no se incluyeran cifras españolas en una relación de países en que sólo se distinguía entre poblaciones urbanas y rurales.

Si no estoy equivocado, España es el único país que distingue entre zona urbana (entidades singulares de población con más de 10.000 hab), zona intermedia (entidades singulares de población de 2.001 a 10.000 hab) y zona rural (entidades singulares de población con menos de 2.001 hab).

El criterio del INE responde evidentemente, por una parte, a un conocimiento muy real de la complejidad de la distribución de la población española y, por otra, a la ineludible necesidad de deslindar netamente las categorías. Pero, ya que ningún otro país lo hace, sería bueno unificar criterios con ellos y quedarse en las dos categorías más frecuentemente aceptadas.

Para respetar el criterio de dar cabida a las cifras de Naciones Unidas, he recogido las que se refieren a nuestra nación en el *World Statistics in Brief* de 1979. Según ellas, en 1960 la población urbana española era el 42,9 por 100 de la total. Aceptando este porcentaje para 1978 —lo que claramente es quedarse muy por debajo de la realidad— resultan casi 16 millones de españoles viviendo en ciudades. Estas cifras las he hecho constar en su lugar correspondiente —el grupo núm. 5—, pero sin contabilizarlas, como ya se indica, en los totales del grupo.

Sin embargo, para preparar el Apéndice 2.1, he considerado urbana toda la superior a 2.000 habitantes. Lo cual nos sitúa con el 74,39 por 100 de población urbana (25.321.804 habitantes) en el grupo núm. 8, único al que se han incorporado las cifras correspondientes a España.

Si hubiera puesto el límite inferior en los 10.000 habitantes, nuestro porcentaje de población urbana (18.532.482) sería del 54,74. (Lo que también se hace constar en el grupo núm. 6, pero sin incluir las cifras correspondientes a nuestro país en los totales del grupo.)

Conviene subrayar bien que el censo español se refiere a «entidades singulares» de población superiores a 2.000 habitantes e inferiores a 10.000 y no a municipios de más de 2.000 habitantes, para incluirlas en lo que llama zona intermedia, lo cual es muy lógico, pues no sólo en Galicia, también en otras regiones, hay muchos municipios que totalizan poblaciones superiores a 2.000 habitantes, pero que en realidad están compuestos de entidades singulares de población en su mayoría claramente rurales, bien diferenciadas, y con pocos habitantes cada una.

He insistido ya, por otra parte, en este mismo capítulo en que hay lugares centrales minúsculos, que no llegan a 2.000 habitantes, pero que desempeñan funciones urbanas, aunque sean de orden inferior. Pienso ahora en los casos de Albarracín, Daroca, Sepúlveda, Pedraza, Molina de Aragón y tantas otras ciudades por su historia, morfología y funciones, a pesar de sus pequeñas cifras de población.

Es cierto que la mejora de las comunicaciones y la «revolución del automóvil» han quitado muchas funciones urbanas a los pequeños núcleos de población, que han bajado de categoría en la jerarquía urbana nacional y se han ruralizado. Éste es un hecho bien conocido y demostrado en los estudios de María Asunción MARTÍN LOU, María I. BODEGA, A. M. SOLÁNS, Andrés PRECEDO, etc. Pero no es menos cierto que sólo el conocimiento concreto de cada núcleo de población permite dilucidar si se trata o no de un núcleo urbano.

1.9.2. *República Federal Alemana e Italia*

El hecho de que la ONU no dé datos sobre su población urbana y rural es prueba de que tampoco los servicios estadísticos de estos países los han dado previamente.

Los anuarios de uso frecuente tampoco son muy explícitos. Para Alemania Federal, el conocido *Atlante de Agostini* da una población urbana del 38,3 por 100 (en 1970), pero este cálculo parece difícilmente aceptable. En 1974 la población de Alemania occidental residente en ciudades de más de 100.000 habitantes (68 ciudades mencionadas en *The Statesman's Year-Book 1976-77*) ascendía a 20.989.121 habitantes, es decir, el 33,86 por 100 de la población total (61.991.500). En 1978 *(The Statesman's Year-Book 1980-81)* esta cifra había bajado a 20.567.892 habitantes, pero como también la población total había disminuido (61.300.000 hab), el porcentaje de población residiendo en ciudades de más de 100.000 habitantes era aún el 33,5.

La cifra aproximada de sus poblaciones urbana y rural hay que buscarla en publicaciones alemanas no oficiales; aquí se ha calculado —con los mismos reparos que en el caso de España— la población urbana alemana occidental con arreglo al único dato de la ONU contenido también en el pequeño *World Statistics in Brief, 1979* (38,4 por 100 p. u. en 1969), y tampoco se ha incluido este dato en los totales del grupo núm. 4.

Por analogía con los porcentajes de la Alemania Oriental, hemos estimado para Ale-

Mapa II/3.—*Países con porcentajes de población de residencia urbana superiores al 60,1, según los datos del Apéndice 2.1.*

Población urbana:

entre 60,1 y 70 %

entre 70,1 y 80 %

más del 80 %

mania Occidental una población urbana equivalente al 75 por 100 de la total, y todas las cifras en relación con esta estimación se han incluido, como se indica, en los totales del grupo núm. 8.

En cuanto a Italia, tampoco he encontrado por ahora ninguna cifra oficial sobre sus poblaciones urbana y rural. La suma de sus ciudades de más de 100.000 habitantes arrojaba en diciembre de 1974 la cifra de 16.086.303 personas (el 29,88 por 100 de la población italiana en 1971, y el 28,53 por 100 de la estimada en 1976).

El doctor BIELZA DE ORY, que conoce bien la geografía urbana de Italia, me ha comunicado verbalmente que su población residiendo en ciudades es el 65 por 100 de la total, y este valor es el que he incluido en el Apéndice 2.1 [3] en su lugar correspon-

_____

[3] En un artículo aparecido en *Geographicalia,* mayo 1977, págs. 97 a 123, precisa BIELZA DE ORY la evaluación de la población urbana italiana: 1) Aplicando el criterio de los 10.000 hab. Exis-

diente, pero también he hecho constar —aunque sin contabilizarlo— el que da WSB para 1961 = 47,7 por 100.

1.9.3. *China*

Vamos a ocuparnos un poco más del tema de la población urbana china, no porque no tengamos ya una información oficial quizá definitiva (975 millones en 1978), sino

---

ten en Italia 875 *comuni* con 10.000 o más habitantes, que suponen un total de 35.011.048 hab. de los 54.025.311 que pueblan la nación. Es decir, la población urbana sería el 64,8 por 100 del total.

Con un criterio geográfico que toma en cuenta cinco funciones urbanas muy características, COSTA, DA POZZO y BARTALETTI (citados por BIELZA en este artículo) calculan que el 53 por 100 de la población italiana es urbana.

porque la misma dificultad del tema es muy ilustrativa de los obstáculos que han encontrado hasta ahora los expertos en temas chinos, tal vez porque, como humorísticamente afirma WILLCOX (citado por GLASS), la población de China ha sido estudiada sólo por dos clases de científicos: los que saben mucho sobre estadísticas y poco sobre China, y los que saben mucho sobre China y poco sobre estadísticas.

Bromas aparte, los autores que se han manejado para este punto no invalidan lo que ya se reprodujo de *The Statesman's Year-Book* (1976-77, pág. 829): el último censo chino es de 1953. Según él, China continental contaba con 574.205.940 habitantes. Taiwan estaba poblada por 7.591.298 habitantes. Residiendo y «estudiando» en el extranjero había 11.743.000 chinos, y en las «remotas regiones fronterizas» se encontraban 8.397.477.

La población urbana en esta fecha ascendía a 77 millones de habitantes (el 13,3 por 100) y la rural a 574 millones. El censo daba englobados los datos de China y Taiwan («que aún ha de ser liberada»).

En 1967 la población urbana se estimaba en 150 millones, pero la emigración forzosa de la ciudad al campo pudo haber rebajado esa cifra según *The Statesman's Year-Book*. (Otros autores opinan, en seguida lo veremos, que de hecho frenó sólo el crecimiento urbano, y no en todas las ciudades, sino en las mayores.)

Por último, el Anuario británico de 1976-77 decía que, según fuentes chinas, en 1974 la población del país debía estar alrededor de los 800 millones de habitantes, mientras fuentes occidentales la calculaban entre 900 y 920 millones, pero en su edición de 1980-81 se dice ya que «según fuentes oficiales», la población de China (incluyendo Taiwan) era en 1979 de 975.230.000 hab, de los cuales 110 millones componían la población urbana. Estas cifras son las que se aceptan en el Apéndice 2.1, aunque —francamente— la cifra de 110 millones de población urbana nos parece demasiado «redonda».

En este libro habíamos aceptado hasta este momento la estimación de las Naciones Unidas para 1975: China, 838 millones de habitantes; y también habíamos recogido la estimación para 1978 del *Population Reference Bureau,* organismo privado con sede en Washington: China, 1978: 930 millones de habitantes[4], sin desconocer que el *Bureau of Census* norteamericano estimaba la población de China, en 1977, en 966 millones de habitantes[5]; pero como decimos, la publicación con posterioridad a estas estimaciones del *SYB* correspondiente a 1980-81 nos ha permitido zanjar —aunque sólo sea de momento— la cuestión aceptando las *cifras oficiales* para 1979.

Es obvio, no obstante, que estos bruscos cambios en los datos suministrados obedecen a cambios de criterio —por parte de las autoridades— sobre los datos a facilitar, y no a cambios de comportamiento demográfico, pero eso precisamente explica el escepticismo de ciertos «expertos». KLATT[6], comentando la cifra de 700 millones de habitantes que durante muchos años se daba por las autoridades chinas, escribió: «Probablemente nadie, dentro o fuera de China, conoce el verdadero tamaño de la población del país», y ésta era también la opinión de tres colegas suyos: Irene TAEUBER, después de examinar el censo de 1953, concluía que China seguía siendo un país sin estadísticas; Leo A.

---

[4] En *Population et Sociétés,* núm. 115, julio 1978. Publicación del Institut National d'Études Démographiques, París.

[5] En la misma publicación de la nota 4.

[6] KLATT, W., «China's economy in 1970» (De «A review of China's economy in 1970» en *China Quaterly,* 43, 1970, 100-120). Reproducido en DWYER, D. J., *China now,* Londres, Longman, 1974, 510 págs. De donde se ha tomado aquí.

ORLEANS opinaba que China era un enigma y un tema para el juego de la adivinación académica, aun cuando consideraba aceptable el censo de 1953, y John S. AIRD, tras analizar todas las estadísticas chinas disponibles, concluía que contenían un 15 por 100 menos de la población real, mientras que el propio KLATT (obra citada, pág. 346) consideraba que en el censo de 1953 la población rural parece haber sido exagerada por los propios campesinos para beneficiarse de los racionamientos y la redistribución de fincas.

Alain PEYREFITTE[7], que durante tres meses recorrió China al frente de una misión oficial francesa con un buen número de xinologos asesores, ha descrito las dificultades de quien deseaba conocer con precisión la población de China, pero ni siquiera ha tocado el tema del porcentaje de su población urbana.

«En este país, dieciocho veces mayor que Francia, vive una población dieciséis veces más numerosa que la francesa.»

«¿Dieciséis veces? O catorce, o dieciocho. La demografía no es el menor de los misterios chinos. Nadie ha podido darnos cifras exactas. Entre las que se dan, la diferencia es de doscientos millones.»

«Se han publicado "censos" desde el siglo XVI. En 1661 se declararon 104 millones; en 1746, 192; en 1792, 333... Ciento ochenta años más tarde no se ha avanzado mucho más (en fiabilidad). El primer censo que parece digno de ese nombre (data de 1953) registraba 582 millones (574 millones en las provincias continentales)... La tasa de natalidad era de un 2 por 100... Desde entonces habría continuado aumentando más que disminuir sensiblemente. Los demógrafos americanos no ven cómo la población china podría no aumentar por lo menos entre 15 y 20 millones un año con otro. Así se habría elevado... para sobrepasar los 800 millones hacia 1968, 900 hacia 1973 y, si se mantenía el ritmo, alcanzar los mil millones antes de 1980.»

«Las cifras que adornan los discursos de los dirigentes sólo deben ser metáforas retóricas. El poder central parece poco dispuesto a suministrar datos serios, si los tiene...»

Si no había precisión sobre cifras globales es lógico que aún hubiera menos precisión en cuanto a la proporción entre población urbana y rural.

GENTELLE dice, sin duda como uno de los resultados de la lectura de la bibliografía que cita al final de su libro, que, «según cálculos un tanto imprecisos, el número de ciudades en China es el siguiente: 1.500 de más de 5.000 habitantes, 300 de más de 20.000, 150 de más de 100.000 y 22 de más de un millón»[8]. Ignoro a qué llama el autor, en este caso, «cálculos un tanto imprecisos» cuando da unas cifras tan concretas, pero indudablemente el carácter compendiado de su obra le obliga a sentar afirmaciones aparentemente rotundas, que son sin duda fruto de muchas apreciaciones de matices que previamente tuvo en cuenta, aunque las omita al presentar sus resultados. Así, en el capítulo V de su libro dice: «China, país rural, posee la más importante población urbana que haya tenido jamás Estado alguno. En 1953, ésta ascendía a 77 millones de personas y sólo representaba el 13,2 por 100 del total. En 1960, estas cifras eran de 130 millones y representaban el 18,5 por 100 del total de la población. Si se tiene en cuenta que en 1972 uno de cada cinco chinos vivía en poblaciones urbanas, puede estimarse ésta entre 170 y 180 millones.»

Sin embargo, esto no casa bien con lo que el mismo GENTELLE dice más adelante

[7] PEYREFITTE, A., *Cuando China despierte... el Mundo temblará,* Barcelona, Plaza-Janés, 1977, 4.ª ed. (1.ª ed. francesa, 1973), 500 págs.

[8] GENTELLE, Pierre, *La China,* Barcelona, Ariel, 1977, 305 págs. (1.ª ed. francesa, 1974).

(ob. cit., pág. 241): «Durante la revolución cultural, concretamente en 1969, el movimiento de migración hacia los campos se animó nuevamente. Se pretendia disminuir la población urbana entre 25 y 30 millones de personas en los próximos años, es decir, entre la cuarta y la quinta parte del total».

Está claro que si 30 millones era la quinta parte del total de la población urbana, ésta ascendía en esa fecha a 150 millones. Aun suponiendo que la política de impulsar la vuelta al campo fuera un completo fracaso, que no debió serlo, ¿cómo se puede explicar que en tres años, entre el crecimiento vegetativo y la inmigración campesina, la población urbana creciera entre 20 y 30 millones de personas cuando, además, no sólo se pretendía impedir la inmigración, sino que se impulsaba la vuelta al campo de los ciudadanos?

Otros autores ven el problema con otros ojos. SEN DOU CHANG[9] cree que en 1960 China tenía alrededor de 120 millones de residentes urbanos. Entre 1950 y 1960, según los datos que este autor ha manejado[10], la población urbana de China creció con un promedio anual del 7,6 por 100. Tres veces más que la tasa de crecimiento global de China.

De ese crecimiento, el 4 por 100 fue crecimiento vegetativo y el resto por inmigración de campesinos.

Durante el primer Plan Quinquenal (1953-57) los campesinos inmigrados en las ciudades —continúa este autor— fueron más de ocho millones. Desde 1960 hay muy poca información sobre el crecimiento de las ciudades y es muy probable —concluye— que dada la política oficial su crecimiento se haya hecho mucho más lento.

AIRD, a quien nos hemos referido antes, puede ser quien por el momento resume mejor la situación, introduciendo una precisión que ya se hace también en *The Statesman's Year-Book:* la diferencia entre China continental y Formosa.

«En Taiwan, en 1969, el 62 por 100 de la población vivía en áreas urbanas y más del 35 por 100 en ciudades de más de 100.000 habitantes. Las cifras correspondientes a la República China Popular no se conocen, pero al final del primer Plan Quinquenal, en 1957, los datos oficiales daban tan sólo el 14 por 100 de la población como urbana, y los que habitaban en ciudades de más de 100.000 personas probablemente no pasaban del 8 ó 9 por 100. Desde esa fecha, la política oficial ha sido impedir el crecimiento de las ciudades y se han hecho grandes esfuerzos para reinstalar permanentemente en ambientes rurales a los jóvenes de las ciudades. Posiblemente estos esfuerzos no han detenido por completo el crecimiento urbano, pero probablemente la población urbana no está aún muy por encima del 15 por 100 total y desde luego no rebasa el 20 por 100»[11].

Los datos que hasta ahora poseíamos (1978, p. u. 110 millones, 11,18 por 100 de la total) confirmarían la estimación de AIRD, pero a mediados de 1981 las Naciones Unidas aportaron otros nuevos.

---

[9] SEN DOU CHANG, *Problems of urbanization* (de China), reproducido en DWYER *(China now)* de «The million city of mainland China», en *Pacific Viewpont,* 9, 1968, 128-153.

[10] CHAO KANG (1966), «Industrialization and urban housing in Communist China», en *Journal of Asian Studies,* 25, núm. 3, págs. 381-396. Citado por SEN DOU CHANG (ob. cit.).

[11] AIRD, J. S., «Population Policy». De «Population policy and demographic Prospects in the People's Republic of China», en Joint Economic Commitee, Congress of the United States, *People Republic of China: An Economic Assesment,* Washington, 1972, págs. 220-221 y 311-331. Reproducido en DWYER *(China now,* págs. 181-214).

1.10. *La situación según las cifras disponibles en junio de 1981*

A fines de mayo de 1981 se pudo disponer en España del núm. 12, 1979 (aunque publicado en 1980), del *Boletín de Población de las Naciones Unidas* que, en relación con el tema de este capítulo, contiene dos importantes informes de la Secretaría de las Naciones Unidas —preparadas por la División de Población del Departamento de Cuestiones Económicas y Sociales Internacionales—: el «Informe sucinto sobre la observación de las Tendencias demográficas»[12], y el «Informe conciso de la observación continua de las políticas en materia de población»[13], y sobre todo contiene, además, un gran encarte de 0,725 m × 1,120 m, en inglés, «Selected World Demographic and Population Policy Indicators, 1978».

En este «encarte», preparado para completar el texto de los «Informes», se incluyen, entre otros datos, el tamaño de la población de los países miembros de la ONU, a mediados de 1975, y estimaciones de la misma para 1980, 1990 y el año 2000, así como los tantos por ciento de las respectivas poblaciones urbanas de cada país. Es decir, que aun cuando la gran tabla informativa confeccionada por la ONU tiene una finalidad distinta de la que ahora perseguimos, se ha convertido —¡de momento, claro!— en la más reciente información a nuestro alcance, con la grata novedad de que en ella se contienen datos sobre la población urbana de Alemania Federal y China.

Debo confesar que esta publicación me habría obligado a modificar por tercera vez los datos y las conclusiones aportadas si no fuera por estas razones:

TABLA 2.1 (bis)

1 *Países con población urbana entre*	*2* *Número de países de cada grupo*	*3* *Población total de cada grupo .000*	*4* *Población urbana de cada grupo .000*	*5* *% de la población urbana sobre 3*	*% de la población del grupo respecto a la total de todos los países*	*% de la población urbana del grupo respecto a la ur- bana total*
0,1-10 por 100	10	123.192,40	9.116,66	7,40	3,14	0,59
10,1-20 por 100	23	328.580,60	48.175,65	14,66	8,39	3,14
20,1-30 por 100	21	1.748.039	396.486,86	22,68	44,62	25,80
30,1-40 por 100	20	137.908	48.179,25	34,94	3,52	3,14
40,1-50 por 100	19	234.444	107.890,86	46,02	5,98	7,02
50,1-60 por 100	16	121.330	67.754,13	55,84	3,10	4,41
60,1-70 por 100	11	557.626	350.078,80	62,78	14,23	22,79
70,1-80 por 100	15	522.084	389.383,82	74,58	13,33	25,35
Más de 80,1 por 100	14	144.398	119.248,71	82,58	3,69	7,76
TOTALES	149	3.917.601,40	1.536.314,74	39,22	100	100

BASE: Apéndice 2.1   *Elaboración:* J.M.C.T.

Tomando en cuenta los datos • [ ] y omitiendo la información de regiones incluidas en un Estado que ya figura en el documento* [ ].

[12] Págs. 1 a 26 del núm. 12 del *Boletín de Población de las Naciones Unidas.*
[13] Págs. 27 a 50, del mismo Boletín que en nota 12.

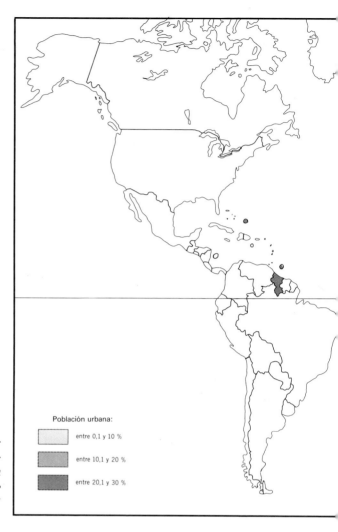

Mapa II/4.—*Países con un porcentaje de población de residencia urbana inferior al 30,1 según los datos del Apéndice 2.3, que dan lugar a los de la Tabla 2.1 (bis).*

Población urbana:

entre 0,1 y 10 %

entre 10,1 y 20 %

entre 20,1 y 30 %

a) Los datos de la tabla sobre población parecen promedios menos afinados, pues se refieren sin más precisiones a mediados de 1975, que los publicados por las mismas Naciones Unidas en sus *Anuarios Demográficos,* mucho más precisos en cuanto a fechas —que se indican en cada caso y también se recogen en el Apéndice 2.1— y grado de fiabilidad.

b) Los tantos por ciento de población urbana en cada país se dan en el «encarte» sin mencionar la cifra total de habitantes de residencia urbana, ni la fuente ni el año a que corresponden; así pues, cabe pensar que es una cifra también estimada para ± mediados de 1975, muy presumiblemente facilitada por cada uno de los países miembros.

Mi primera tarea al recibir esta información fue compulsar estas cifras con las que ya se habían recogido en el Apéndice 2.1, a cuyo efecto se han añadido al mismo en la forma* 18,2 y cuando el dato no corresponde al grupo en el que el país estaba incluido, encerrándolo dentro de un paréntesis [84,2].

Como puede comprobarse con la lectura de esta nueva información del Apéndice 2.1,

no son demasiados los países que hay que «sacar» del grupo en que se encontraban antes de que se dispusiera de esta publicación, pero no hay duda de que al «colocarlos en su sitio» el peso de cada uno de los grupos se altera sustancialmente, y por eso se ha confeccionado la tabla 2.1 (bis) que toma en cuenta esta nueva información de Naciones Unidas.

Considerando más fiables las cifras de población contenidas en el Apéndice 2.1 (que las toma de los Anuarios de Naciones Unidas que en cada caso se indican), la nueva tabla 2.1 (bis) se ha confeccionado restando de cada grupo la población total y urbana de los países que según el «encarte» del Boletín núm. 12 tienen un porcentaje de población urbana que no corresponde al grupo en el que, según los datos hasta entonces disponibles, se le había incluido.

Como es lógico, después de deducir las poblaciones —total y urbana— de los países que ya no presentan los porcentajes del grupo en el que estaban, se suman a la población de este grupo las de los países que, según el «encarte» del *Boletín de Población...*,

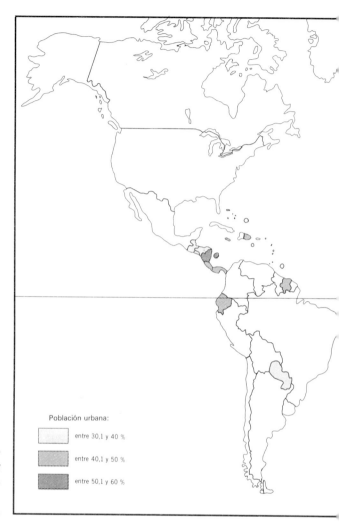

Mapa II/5.—*Países con porcentajes de población de residencia urbana entre el 30,1 y el 60, según los datos del Apéndice 2.3, que dan lugar a los de la Tabla 2.1 (bis).*

número 12, tienen un porcentaje de población urbana, que se incluye en el intervalo correspondiente al grupo que se está considerando. En este caso se ha calculado la cifra de población urbana según el porcentaje dado por el «encarte», referido a la población total del país recogida en el Apéndice 2.1, es decir, aunque resulte reiterativo, procedente de fuentes de las mismas Naciones Unidas a las que otorgamos más confianza. De todas formas, aunque, según la tabla 2.1 (bis), la población de los países de que se pudo disponer de datos totalizaba 3.917.601.400 habitantes, y los datos, recogidos en el «encarte», eran los correspondientes a 1975, es decir, 4.033.183.000 habitantes; sin «ponernos de acuerdo» previamente, el «encarte» daba para el mundo un 39,3 por 100 de población urbana y la tabla 2.1 (bis) un 39,22 por 100.

Con objeto de no hacer demasiado pormenorizada esta puesta al día, se deja para el

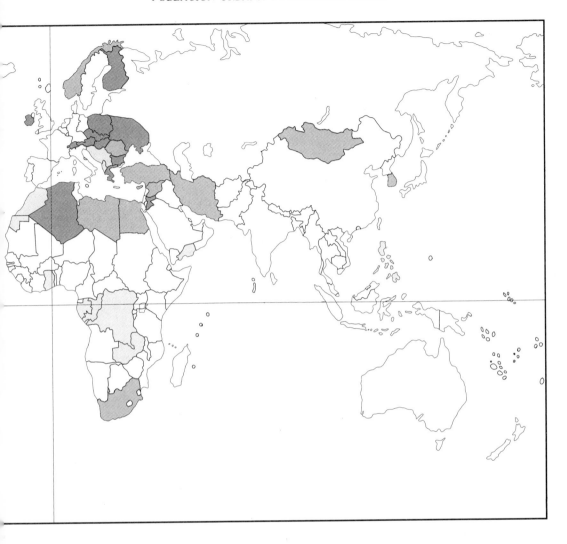

Apéndice 2.3 la mención concreta de las «altas y bajas» de países que figuran en la tabla 2.1, que han dado como resultado la tabla 2.1 (bis)[14].

Son muy interesantes las modificaciones en el «peso» de los grupos que resultan de los «cambios» impuestos por los porcentajes que se dan a China y Alemania Federal.

A China, el «Selected World Demographic...» del Boletín, núm. 2, le asigna 895.339.000 habitantes y una población urbana equivalente al 23,3 por 100, lo que daría 208.613.990 habitantes de residencia urbana; pero ya he dicho que en éste, como en todos los casos, he dado más fe a los datos del Apéndice. Operando con la cifra aceptada, 975.230.000 habitantes, los habitantes de «residencia urbana» que corresponden a ese 23,3 por 100 son

---

[14] Véase el Apéndice 2.3: Resultados de las modificaciones introducidas en los datos del Apéndice 2.1 por la información contenida en *Selected World Demographic and Population Policy Indicators,* 1978, de Naciones Unidas.

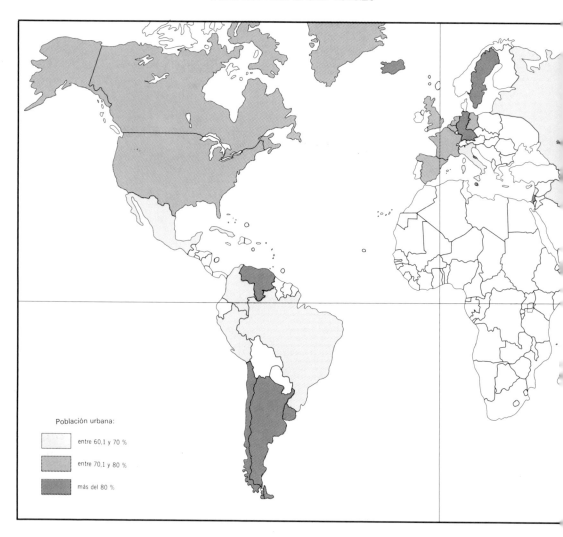

Población urbana:

entre 60,1 y 70 %

entre 70,1 y 80 %

más del 80 %

227.228.590. Así el enorme potencial humano de China pasa a sumarse al ya muy considerable del grupo 3 (población urbana del 20,1 al 30 por 100 del total) y con ello resulta
que este grupo totaliza el 44,62 por 100 de la población mundial, y en cifras absolutas, a
pesar de que sólo el 22,68 por 100 de su población es urbana, este 22,68 por 100 equivale
a 396.486.860 habitantes, es decir, todavía más que la población urbana (389.382.820
habitantes) del grupo 8, que reúne a los países con porcentajes de población urbana entre
el 70,1-80 por 100 de su población total.

Alemania Federal, con 83,1 por 100 de población urbana, pasa ahora al grupo 9,
mientras curiosamente Bélgica sale de él, aunque como se ha indicado, las cifras que se
registran en el «encarte» del Boletín, núm. 12, no tienen más autoridad que la garantía de
la División de Población de la Secretaría de las Naciones Unidas, que, según las circunstancias, fines y premisas «produce», como es lógico, documentos de distinta fiabilidad.

Indicados ya los cambios en el «peso» de los grupos, y la indudable primacía en

Mapa II/6.—*Países con porcentajes de población de residencia urbana superiores al 60,1, según los datos del Apéndice 2.3, que dan lugar a los de la Tabla 2.1 (bis).*

cuanto a cifras globales del grupo 3: 44,62 por 100 de la población mundial considerada, 25,80 por 100 de toda la urbana; debe llamarse la atención, para terminar, sobre el hecho de que, a pesar de ello, «las líneas de tendencia» son muy estables: 35,61 por 100 población urbana, según los datos del Apéndice 2.1, sin tomar en consideración los datos del «encarte» del Boletín, núm. 12, y 39,22 por 100, incorporándolos en la tabla 2.1 (bis); por una parte, se confirma la constante tendencia actual al incremento de la concentración urbana de la población mundial, pero al mismo tiempo se pone de manifiesto, sin lugar a dudas, que más de la mitad de la Humanidad —el 60,78 por 100, eso sí, con todas las advertencias que se han hecho al comenzar el capítulo— si no es población rural, por lo menos tiene una residencia rural.

La consideración de las dos últimas columnas de las dos tablas (2.1 y 2.1 bis) nos muestra un hecho muy significativo: A partir del grupo núm. 5 (40,1-50 por 100 de población urbana) cambia el signo de la relación: del grupo 1 al 4, inclusive, es mayor el porcentaje de la población del grupo respecto al total de todos los países, que el porcentaje de la población urbana del grupo respecto a la urbana total; del grupo 5 en adelante es mayor el segundo porcentaje que el primero y la diferencia proporcional aumenta a medida que se avanza en la escala.

Entre otras muchas consideraciones posibles digamos, para terminar este punto, que no debe nadie sorprenderse de que en el mismo año casi, diversas publicaciones de las Naciones Unidas, y no sólo de las Naciones Unidas sino de la misma División de Población de Naciones Unidas, contengan cifras distintas sobre las mismas cuestiones y países. En realidad, nadie que esté un poco metido en el tema se sorprendería, pero para quienes se inician en la Geografía de la población esta circunstancia, tal y como se recoge en los apéndices y tablas de este capítulo, puede ser enormemente aleccionadora. La verdad y la vida (¡maravillosas!, ¡complejísimas! y, a la vez, ¡tan simples!) son una cosa y las tablas, los datos, las cifras, la cuantificación... otra, necesaria, inevitable, útil, desde luego, pero... ¡muerta!

Si esto escandaliza a alguien, conviene que recuerde que los geógrafos —al menos algunos geógrafos— hace ya mucho tiempo que hemos tomado partido por la vida.

Los histogramas 2.1 y 2.2, basados en las columnas 6 y 7 de la tabla 2.1 (bis), reflejan, con relación a los nueve grupos de países que hemos establecido en atención a sus porcentajes de población con residencia urbana, la distribución, en tantos por ciento, de la población de cada grupo con relación a la mundial (H. 2.1) y de la población con residencia urbana de cada grupo respecto a la totalidad de la población urbana mundial (H. 2.2). En ambos casos se trata de una distribución multimodal, de hecho bimodal, con predominio de los grupos 3, a la izquierda, y 7 y 8 a la derecha; pero como de la

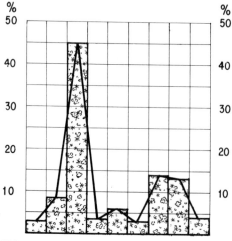

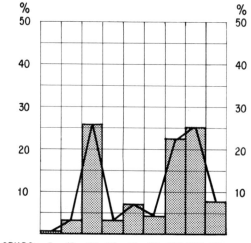

Histograma 2.1.—*Porcentajes de la población total de cada grupo con respecto a la total mundial.*

Histograma 2.2.—*Porcentajes de la población urbana de cada grupo con respecto a la población urbana mundial.*

propia tabla 2.1 (bis) se deduce también en el caso de la población total, el predominio del grupo 3, 44,62 por 100 de la población mundial considerada, es manifiesto, pues los otros grupos 7 y 8, juntos, sólo totalizan el 27,56 por 100 de la población mundial; en cambio, en el segundo caso, aunque el grupo 3 reúne el 25,80 por 100 de la población urbana mundial, los grupos 7 y 8 totalizan juntos el 48,15 de ella.

2. ¿Existe una correlación entre la riqueza de los habitantes de un país y el tamaño de su población con residencia urbana?

Es ahora frecuente oír hablar de nivel de vida, e incluso de calidad de vida, relacionándolo, con carácter positivo o negativo sobre todo, si hemos de creer a la mayoría de los habitantes de las grandes ciudades, con el grado de urbanización de un país. Sin embargo, se ha evitado aquí plantear la cuestión en esos términos por varias razones muy simples: la dificultad de ponerse de acuerdo sobre lo que se quiere decir cuando se habla de «calidad de vida», el enorme peso de la apreciación personal, de lo psicológico, cuando se trata de valorarla y, sobre todo, la falta de un indicador, de una variable, disponible para todos los países que se trata de comparar.

Todavía más: en el enunciado se habla deliberadamente de «riqueza» de los habitantes para indicar, con esta vaguedad, la dificultad de obtener una información homogénea. En el Apéndice 2.1 se habla con más precisión de renta nacional total y por persona, pero se ha dicho ya y se repetirá, por desgracia, hasta la saciedad, que las cifras que se dan bajo esta denominación no tienen más que un tosco valor indicativo, porque:

a) Los criterios empleados por los servicios estadísticos de los países que han facilitado su información a la ONU son distintos de unos a otros, y corresponden también con frecuencia a fechas diferentes.

b) Unas veces se refieren a PIB, otras a PNB... y otras, en efecto, a Renta Nacional; sin olvidar que los países comunistas dan sus estadísticas en PMN (Producto Material Neto) o no los dan.

c) Cada país da sus estadísticas en la moneda propia, y luego hay que convertirlas en una común (normalmente dólares USA) para poder comparar unos países con otros[15].

---

[15] Unión de Bancos Suizos, *Notas Económicas,* julio 1978, Zurich, 1978, 24 págs.

Como una prueba más de la dificultad de utilizar datos a escala internacional y pensando que son muy oportunas para todo cuanto digamos, se copian a continuación unas líneas de este folleto. «La comparación a nivel internacional del rendimiento económico a través del Producto Nacional Bruto nominal presenta serias dificultades. Independientemente de que ya de hecho la recopilación estadística del Producto Nacional Bruto va unida a un gran número de problemas, tanto las oscilaciones de los cambios de divisas como los distintos tipos de inflación pueden tener como consecuencia notables variaciones. El incremento en valor del Producto Nacional Bruto de cualquier país puede estar condicionado parcial o totalmente por el factor carestía, de manera que no existe un incremento real correspondiente de la producción de mercancías y tampoco un bienestar económico.

«También resulta muy problemático el hecho de efectuar el cambio necesario de las monedas nacionales en otra moneda —el cálculo en dólares USA se efectuó al cambio medio de 1977—, toda vez que no siempre refleja el poder real adquisitivo del país correspondiente. Así pues, con el Producto Nacional Bruto per cápita todavía no se ha dicho nada sobre la distribución efectiva de la renta y del nivel de vida. Ahora bien, a pesar de esto, el Producto Nacional Bruto nominal, tomando, claro está, en consideración estas limitaciones, continúa siendo el mejor barómetro para efectuar una comparación del poder económico de los distintos países.»

d) Es obvio, además, que el poder adquisitivo de cada población se ajusta a las condiciones de sus respectivos mercados y, por último —por no alargar más la enumeración—, a nadie se le oculta que la renta per cápita no significa una distribución equitativa de la riqueza, sino un mero valor promedio, meramente indicativo.

Por eso se han indicado en el Apéndice 2.1, que sirve de base a los diagramas de dispersión, las fuentes de donde proceden los datos y los años a los que corresponden.

En la confección de ambos diagramas se ha tomado el dato correspondiente al año más próximo al nuestro y, en caso de duda, o a falta de otra fuente, el porcentaje de población urbana asignado al país, en el «encarte estadístico» (del núm. 12, 1979, del *Boletín de Población de las Naciones Unidas*), que identificamos por su título en inglés: «Selected World Demographic and Population Policy Indicators», 1978.

Los diagramas de dispersión 2.1 y 2.2 —el primero sobre papel semilogarítmico, y el segundo sobre papel cuadriculado— ponen de manifiesto en la disposición de las nubes de puntos una moderada covariación entre ambas variables —población urbana, renta per cápita—, sin que se pueda decir, con plena certeza, no obstante, que la variable dependiente es la población urbana y la independiente la renta per cápita. Está claro que la relación es positiva o directa, si bien a medida que nos separamos de los niveles más bajos de renta per cápita la dispersión es cada vez mayor, hasta el punto de que si sólo se hiciera caso del diagrama 2.2 parecería que la relación sería curvilínea o por lo menos no lineal.

Hemos recordado tantas veces las diferencias de criterio que existen entre los países a la hora de clasificar sus poblaciones en urbanas y rurales, que no puede sorprendernos ahora verlas reflejadas —con otras circunstancias geográficas particulares— en los datos recogidos por la ONU que sirven de base a estos gráficos. Esto explica algunas «anomalías» de la nube de puntos:

Trinidad y Tobago (núm. 97) aparece en el «Selected World...» con una población urbana de sólo el 21,1 por 100 de sus 1.130.000 habitantes, en lugar del 49,4 por 100 que le otorga el *Demographic Year-Book* de 1979, pero en cambio su renta per cápita es superior a la de los países de este grupo: 3.145 dólares USA.

Gabón (núm. 62) presenta sólo el 30,6 por 100 de población urbana, pero gracias a sus industrias extractivas está —por supuesto, teóricamente— en 3.225 dólares por persona.

Libia (núm. 57), con su petróleo, está en 4.868 dólares USA, y por su carácter desértico concentra su población, que ya en un 43,7 por 100 es urbana.

Todavía se puede decir esto de *Arabia Saudí* (núm. 107 bis), donde el 58,7 por 100 de sus 7.180.000 habitantes tienen residencia urbana, y la renta per cápita, gracias a sus yacimientos, es una de las más altas del mundo: 9.330 dólares USA por persona en 1978.

El país de más alta renta per cápita del mundo en 1978, *Suiza* (núm. 103), 13.853 dólares USA por persona, no tiene, sin embargo, más que el 56,1 por 100 de población urbana. Este valor se comprende perfectamente si se tienen en cuenta las características de su relieve y la circunstancia de que los servicios estadísticos helvéticos sólo consideran urbanos los municipios de 10.000 o más habitantes, con sus arrabales.

Las peculiares características de su duro clima y su relieve explican que *Noruega* (núm. 89), cuyos habitantes tienen una renta per cápita de 9.849 dólares USA, no tenga más que un 47,4 por 100 de su población con residencia urbana, a pesar de que sus estadísticas clasifican como urbanos todos los núcleos de población de 200 habitantes en adelante.

En la línea de Suiza está también *Austria* (núm. 100), que considera urbanas a sus comunidades *(Gemeinden)* de más de 5.000 habitantes. Su renta per cápita (7.656 dólares USA) es clara muestra de la capacidad de trabajo y el talento de sus gentes, pero su población urbana se queda en el 52,7 por 100 de la total.

El tratamiento estadístico de los valores de las dos variables de los 137 países de que se ha podido disponer de información, en este caso, da los siguientes resultados:

Renta per cápita, media, $\bar{x}$	=	2.353,42 dólares USA.
Porcentaje de población urbana, media, $\bar{y}$ =		43,54 dólares USA.
Desviaciones estándar -	Sx =	3.237,99 dólares USA.
	Sy =	24,30 por 100.
	Sx' =	3.225,61 dólares USA.
	Sy' =	24,33 por 100.
Coeficientes de variación, Vx	=	137,59.
Vy	=	56,11.
Coeficiente de correlación,	=	0,66.

Lo que esto significa, como inmediatamente se trasluce, es que sobre todo la variabilidad de las rentas per cápita es muy grande, y que la misma media es muy poco indicativa. Los coeficientes de variación, que como es sabido son la desviación estándar expresada como porcentaje de la media, nos lo dicen otra vez. El coeficiente de correlación entre las dos variables —en este caso 0,66— es positivo e indica una correlación sólo moderadamente alta, que podemos matizar con dos observaciones de valor general de GARCÍA BARBANCHO[16]: «para definir el coeficiente de correlación no se exige una dependencia causal entre las variables como en el análisis de la regresión...», «el coeficiente de correlación da una medida de la intensidad de la relación lineal entre dos variables, pero esta medida no es cuantitativa, sino *cualitativa*».

Por otra parte, no conviene olvidar que el problema de la urbanización de los países subdesarrollados es quizá en muchos casos distinto por completo al de los países industriales; GUILLAUME y POUSSOU, como otros autores, han hecho observar que «la urbanización del mundo subdesarrollado no es en modo alguno un índice de evolución económica, la ciudad no da trabajo, da a veces los recursos de los socorros públicos o de la mendicidad» (pág. 362). Aunque tal vez, como con casi todas las afirmaciones rotundas, se pueden encontrar ejemplos que demuestran lo contrario, lo que no puede negarse a estos autores, como ellos mismos se apresuran a manifestar (pág. 363), es que la industrialización, la modernización económica de los países subdesarrollados se presenta como singularmente difícil: HOSELITZ —citado por ellos, pero se pueden aducir muchas más autoridades— estima que una industrialización demasiado rápida, e impulsada, que matara la artesanía tradicional no haría más que empeorar las cosas. KEYFITZ, hablando de Indonesia, dice que sólo se puede pensar en industrializar cuando la producción de alimentos va por delante del crecimiento de la población.

STAMP (Barcelona, 1966, pág. 195) lo dijo también, con su buen sentido habitual: «Es equivocado afirmar —como suele hacerse— que una industrialización creciente y una agricultura decreciente son la panacea para todos los males asociados al subdesarrollo.»

---

[16] 1978, págs. 240-243.

Diagrama 2/1.—*Diagrama de dispersión de los países reseñados en el Apéndice 2.1, según el porcentaje de su población urbana (yi) y la renta por persona (xi) en dólares USA.*

Escala semilogarítmica. Base Apéndice 2.1. Los números corresponden a los de los países en el Apéndice:

1	Burundi
21	China
35	Indonesia
41	India
44	Kuwait
52	Portugal
55	Zaire
57	Libia
62	Gabón
87	Irán
89	Noruega
97	Trinidad y Tobago
103	Suiza
107 bis	Arabia Saudí
117	Perú
119	Brunei
120	Irak
123	Dinamarca
126	Francia
131	USA
134	República Federal Alemana
135	Japón
137 bis	Reino Unido e Irlanda del Norte
138	Bahrein
139	Chile
142	Israel

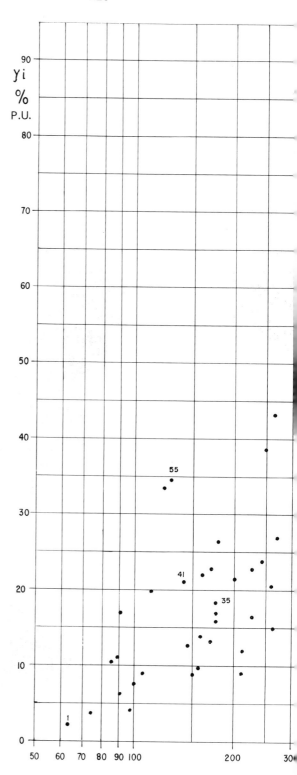

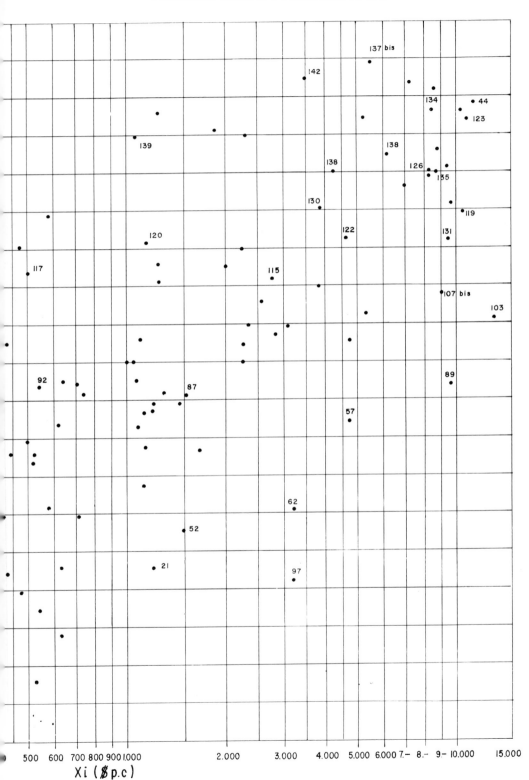

Xi ($ p.c)

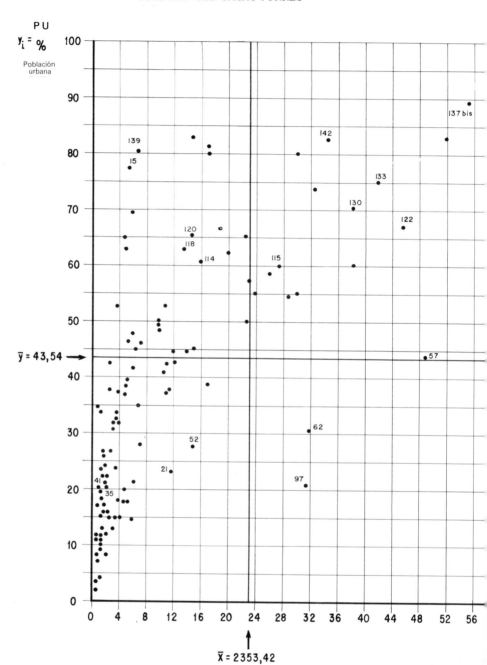

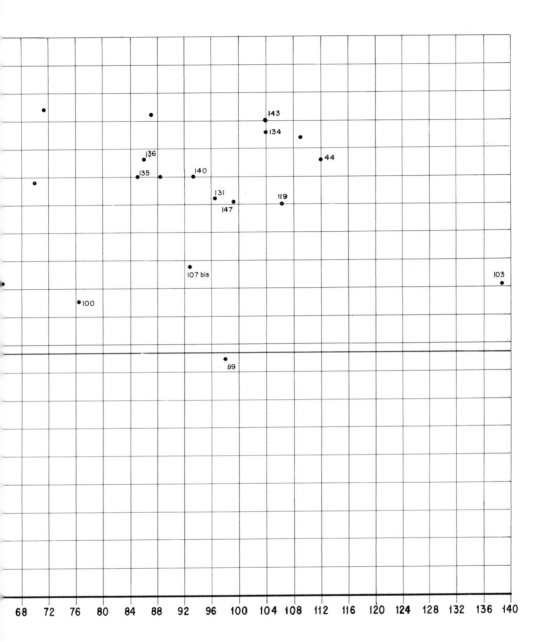

multiplicando por cien), renta por persona en dólares USA.

Diagrama 2/2.—*Diagrama de dispersión de los países reseñados en el Apéndice 2.1, sobre una retícula cuadrada.*

Base Apéndice 2.1. Los números corresponden a los de los países en el Apéndice.

En conclusión, a pesar de las dificultades e imprecisiones que lleva consigo el manejar cifras de fechas distintas y que responden a criterios diferentes, a pesar sobre todo de la heterogeneidad de esos criterios y sabiendo, por supuesto, que ni el Producto Nacional Bruto por persona, ni la renta per cápita significan que todos los ciudadanos de un país tienen los mismos ingresos —muy al contrario: las más irritantes e injustas desigualdades se encuentran precisamente en los países menos desarrollados—, puede admitirse, para entendernos, a los niveles de renta per cápita como un muy dudoso indicador que refleja de algún modo el grado de desarrollo económico de un país, y llegados aquí puede quizá aceptarse también que entre desarrollo económico y población urbana hay una correlación positiva moderadamente alta.

Esta correlación se presentaría, en mi opinión, con más nitidez y probablemente más intensidad, si de la relación de países se quitaran los que de alguna manera son anómalos; por ejemplo: los países subdesarrollados de climas muy áridos que precisamente por eso concentran su población en zonas fértiles y presentan, ya lo hemos visto, una tasa anormalmente alta de población urbana.

Otra anomalía, de signo contrario, es la de los países subdesarrollados, pero con rentas per cápita muy altas debidas a la exportación del petróleo y a su menguada población. Los crecimientos del PNB per cápita en estos países han sido espectaculares, pero por lo que conozco no han ido siempre ni remotamente acompañados de una elevación parecida de las posibilidades de consumo de sus súbditos (Irán, 1960: 204 dólares USA per cápita; 1974: 1.635; 1977: 1.930; 1978: 2.080. Libia, 1960: 143 dólares USA per cápita; 1970: 1.869; 1974: 5.236; 1977: 6.000; 1978: 6.680).

En cualquier caso el buscar esta correlación, en la que es posible que ambas variables dependan de una tercera mucho más compleja y difícil de definir (como podría ser el nivel cultural-económico y los bienes y técnicas que una población detenta en competencia con todas las demás), nos aproxima ya a una forma de distribuirse las poblaciones del mundo a la que los hombres de nuestro tiempo prestamos una atención preferente y como nunca concedieron nuestros antecesores: la distinción entre países subdesarrollados y en vías de desarrollo, dicho piadosamente, o subdesarrollados, dicho sin eufemismos.

Sobre el tema del desarrollo y sus grados, desde los años 50, se han escrito cientos de libros y artículos. En este momento, dentro del contexto de este libro, ha quedado claro ya que los países en vías de desarrollo son aún fundamentalmente rurales [aunque posean grandes, inmensas ciudades: Calcuta (en 1971), 7.041.382; Bombay: 5.970.575; Shanghai (1974), 10.820.000; Jakarta Raya (1971), 4.600.000; Lima (1972), 3.317.648 (25,7 por 100 de la población total del Perú en esa fecha); El Cairo (1966), 4.961.000 (la ciudad sola); Gran Cairo (1974), 7.067.000; Teherán (1972), 3.150.000; México capital, 11.700.000 hab] y los países desarrollados con poderosas industrias y servicios son, precisamente por ello, preferentemente urbanos.

De todas formas, en 1978 todavía más del 60 por 100 de la población del mundo era rural.

Con la reserva del cambio en la distribución de la población, y al consiguiente planeamiento urbano, que pudiera desencadenar una futura guerra nuclear, la tendencia actual, sin embargo, como sabemos muy bien, es claramente de crecimiento acelerado de la población urbana en todo el mundo, pero no nos ocuparemos ahora de ello, a pesar del enorme interés del asunto, al que B. J. L. BERRY, FERRER REGALES[17] y tantos geó-

---

[17] Cfr. «Lecturas ulteriores» de este y otros capítulos.

grafos dedican, muy justamente, una creciente atención, ni tampoco entraremos, de momento, en juicios de valor, aun cuando es obvio que no todos ven la concentración urbana como un progreso, ni la vida rural como un atraso.

Hay, para terminar, algunas cosas que de momento sólo pueden insinuarse: las ciudades del Tercer Mundo son en muchos casos distintas —¡aunque también maravillosas!— de las ciudades de los países industriales (y dentro de las ciudades del mundo subdesarrollado, ¿quién lo duda?, hay también notables diferencias), pero las diferencias en lo rural entre Tercer Mundo y países industriales son muchísimo mayores e infinitamente más variadas que en el campo de lo urbano.

Por otra parte, en los países industriales, sobre todo los muy extensos, quizá puede hablarse aún con toda propiedad de diferencia entre *naturaleza pura* (la alta montaña, el bosque boreal, las zonas glaciares...) y *ciudades,* pero en estos mismos países la diferencia entre ciudad y áreas rurales es cada vez más difícil de establecer. ¿No busca acaso la «ciudad-dispersa» o diseminada, de miles y miles de viviendas aisladas, un espacio rural? ¿No se prolongan las ciudades compactas en las áreas suburbanas donde se dispersan las nuevas plantas industriales, las instituciones científicas, escolares, asistenciales, recreativas... las segundas residencias? ¿No residen en estas áreas, cada vez más extensas y pobladas, miles y miles de «secundarios», «terciarios» y «cuaternarios», que trabajan cotidianamente en la ciudad? ¿No congestionan todos los fines de semana las carreteras —de la ciudad al campo del campo a la ciudad— los automóviles de turismo de los residentes en las ciudades centrales?

En esta civilización nuestra: industrial, técnica, de servicios... apoyada en las ciudades metropolitanas y su cortejo jerárquico de satélites de orden sucesivo y decrecientemente inferiores, ¿dónde termina lo urbano y dónde empieza lo rural?

Lecturas ulteriores

Algunos estudios sobre *Geografía urbana:*
   CHABOT (París, 1948).—CARTER (Londres, 1981).—HALL (Madrid, 1965).—BAUER y ROUX (París, 1976).—BERRY (Nueva York, 1972; Madrid, 1975) (con GILLARD, 1977, con KASARDA, 1977).—CHANDRASEKHARA y otros (Calcuta, 1971).—CHIAO-MIN (Calcuta, 1971).—BREESE (Madrid, 1974).—GINSBURG (Chicago, 1961).—BERRY (Beverly Hill, 1976).—BERRY, SIMMONS-TENNANT (en DEMKO y otros, 181-193).—GUILLAUME y POUSSOU (París, 1970).

Naciones Unidas

— *Crecimiento de la población urbana y rural del mundo,* 1920-2000, Nueva York, 1970.
— *The Determinants and Consequences of Population Trends,* Nueva York, 1973. Versión castellana, Nueva York, 1978.
— Manual VIII.—*Métodos para hacer proyecciones de la población urbana y rural,* Nueva York, 1975.
— *Informe conciso sobre la situación demográfica en el mundo en 1970-1975.*
— *Informe conciso sobre la situación económica en el mundo en 1977.*

— «Selected World Demographic and Population Policy Indicators», 1978. Encarte de 0,725 metros × 1,120 m. En *Boletín de Población de las Naciones Unidas,* núm. 12, 1979, Nueva York, 1980.
— *Patterns of Urban and Rural Population Growth,* Nueva York, 1980.
— «Informe sucinto sobre la observación de las tendencias demográficas», en *Boletín de Población de las Naciones Unidas,* núm. 12, 1979, págs. 1 a 26.

APÉNDICES

2.1. Población —total y de residencia urbana— y Renta Nacional —total y por persona— de 151 países, clasificados en nueve grupos.

2.2. Definición del término *urbana* (aplicado a la residencia de una población).

2.3. Resultado de las modificaciones introducidas en los datos del Apéndice 2.1 por la información contenida en «Selected World Demographic and Population Policy Indicators», 1978, de Naciones Unidas.

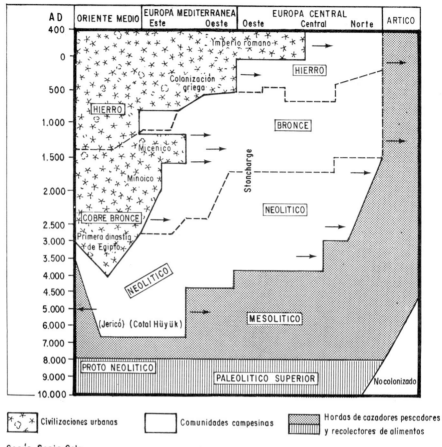

Civilizaciones urbanas y comunidades campesinas, en el Neolítico y otras culturas antiguas de Europa y el Próximo Oriente. En «The Neolithic Revolution» (Cole. Londres, 1970).

APÉNDICE 2.1

Población —total y de residencia urbana— y Renta Nacional —total y por persona— de 151 países, clasificados en nueve grupos.

(Elaboración: J. M. C. T.)

FUENTES:

DYB: UNITED NATIONS, *Demographic Year-Book, 1978,* Nueva York, 1979.
SYB: UNITED NATIONS, *Statistical Year-Book, 1977,* Nueva York, 1978.
WSB: UNITED NATIONS, *World Statistics in Brief,* Nueva York, 1979.
ABM: WORLD BANK, 1978, *World Bank Atlas,* Washington (*ABM* = Atlas del Banco Mundial, 1978).
TSY: *The Statesman's Year-Book,* 1980-1981, Londres, 1980.
UBS: UNION DE BANCOS SUIZOS, *Notas Económicas* (julio 1978, julio-agosto 1979).
INEE: INSTITUTO NACIONAL DE ESTADISTICA ESPAÑOL.

• Dato tomado de: N. U. *Selected World Demographic and Population Policy Indicators, 1978.*

[ ] La cifra dentro del paréntesis procede igualmente de N. U. *Selected World...* El paréntesis indica que con esta cifra el país pertenece a un grupo distinto del que le corresponde por la cifra anteriormente tomada en cuenta.

PAÍS	POBLACIÓN Fuente	Año	Total .000	Urbana .000	% de la tot.	RENTA NACIONAL Fuente	Año	Total millones dólares USA	Per cápita dólares USA
1/1 Burundi	DYB	1970	3.544	78	2,2	SYB	1970	210	62
2/2 Ruanda	DYB	1974	4.123	144	3,5	SYB	1974	297	72
3/3 Barbados	DYB	1970	238	8	• 3,7				
					[38,6]	SYB	1970	158	656
4/4 Nepal	DYB	1971	11.555	462	4,0	SYB	1974	280	1.165
					• SD	SYB	1970	829	70
5/5 Alto Volta	WSB	1978	6.550	(En 1959, 347)	5,3	SYB	1974	1.211	98
					• 7,5	WSB	1975	610	101
6/6 Tanganika	DYB	1975	14.734	1.011	6,9				
Tanzania				• (Tanzania)	• 9,2	SYB	1975	2.550	158
7/7 Uganda	DYB	1972	10.461	747	7,1	SYB	1970	1.242	127
					• 9,8	SYB	1974	1.683	151
8/8 Swazilandia	DYB	1973	463	37	7,9	SYB	1970	89	212
					• 8,1				
9/9 Bangladesh	DYB	1974	71.479	6.274	8,8	SYB	1974	13.855	185
					• 9,3	SYB	1975	8.039	105
10/10 Islas Salomón	DYB	1976	197	18	9,1	WSB	1975	65	341
					[15,5]				
11/11 Kenia	DYB	1969	10.943	1.080	9,9	SYB	1970	1.431	127
					[12,0]	SYB	1975	2.799	209
Grupo núm. 1			**134.287**	**10.206**	**7,60**				
12/1 Malawi	DYB	1970	4.119	414	10,1	SYB	1970	286	64
		1972			[19,6]	SYB	1972	554	113
13/2 Kampuchea Dem.	WSB	1978	8.570	(En 1962, 882)	10,3				
					• 12,6	WSB	1975	1.192	147
14/3 Angola	WSB	1978	6.730	(En 1960, 713)	10,6				
					• 17,8	WSB	1975	2.701	434
15/4 Montserrat	DYB	1970	11,4	1,3	11,1				
					[7,7]	SYB	1970	6	517
16/5 Maldivas	WSB	1978	140	(En 1967, 15)	11,3	SYB	1970	10	89
					• 10,9				
17/6 Etiopía	DYB	1978	29.339	3.794	12,9	SYB	1975	2.476	89
					• 11,7				
18/7 Bostwana	DYB	1974	661	81	12,3	SYB	1974	ʹ324	107
					• 17,2	SYB	1975	540	174
19/8 Papúa-Nueva Guinea ..	WSB	1976	2.760	356	12,9	WSB	1975	1.385	502
	WSB	1978	3.000(ns)	—	• 17,8	WSB	1978	1.518	536
20/9 Thailandia	DYB	1970	34.397	4.553	13,2	SYB	1970	6.065	167
					• 13,6	SYB	1976	15.059	351
21/10 China		1953	601.938(ns)	77.300(ns)	13,3				
		1967		150.000(ns)					
	WSB	1965	754.450(ns)						
	WSB	1975	895.339		[23,3]				
	WSB	1978	933.030(ns)			ABM	1977		1.180
	TSY	1979	975.230	110.000	11,28				
22/11 Benin	DYB	1978	3.377	465	13,8	SYB	1975	540	174
					[23,0]				
23/12 Congo (Brazzaville) ...	WSB	1965	1.070(ns)	(En 1961, 146)	13,7	WSB	1965	172	161
	WSB	1978	1.460		[35,8]	WSB	1975	784	581

PAÍS	POBLACIÓN				% de la tot.	RENTA NACIONAL			
	Fuente	Año	Total .000	Urbana .000		Fuente	Año	Total millones dólares USA	Per cápita dólares USA
24/13 Chad	DYB	1970	3.567(ns)	372	11,3	SYB	1970	256	70
	DYB	1978	4.308	792	18,4	WSB	1976	651	158
					• 14,4				
25/14 Madagascar	DYB	1970	6.750	950	14,1	SYB	1970	854	123
					• 16,1	SYB	1974	1.367	175
26/15 Laos, R. D. P.	DYB	1970	2.962(ns)	444	15,0	SYB	1970	210	71
	DYB	1973	3.181	466	14,7	WSB	1975	300	91
					• 11,4				
27/16 Afghanistán	WSB	1973			15,0	WSB	1970	1.713	115
	WSB	1975	16.670		• 13,0	WSB		2.809	168
28/17 Grenada	WSB	1960			14,8	WSB	1970	32	342
	WSB	1975	100		• SD	WSB	1975	39	375
29/18 Togo	DYB	1970	1.956(ns)	255	13,0	SYB	1970	245	125
	DYB	1974	2.170	330	15,2	WSB	1975	577	259
					• 15,1				
30/19 Gambia	DYB	1973	493	78	15,9	SYB	1970	46	101
	WSB	1975	520(ns)	(En 1963,	• 16,5	WSB	1975	118	226
31/20 Nigeria	WSB	1965	48.680(ns)	7.837)	16,1	WSB	1965	4.707	97
	WSB	1975	65.660		• 18,2	WSB	1975	25.120	399
32/21 Sabah (Malasia)	DYB	1970	651	107	16,4				
				• (Malasia)	[27,9]				
33/22 Malí	DYB	1970	4.120(ns)	414(ns)	10,1	SYB	1970	267	53
		1972							
	WSB	1976	5.810	964	16,6	WSB	1975	507	89
					• 17,2				
34/23 Sarawak (Malasia)	DYB	1970	887	148	16,7				
35/24 Indonesia	DYB	1971	118.309(ns)	20.614(ns)	17,4	SYB	1970	8.414	70
	DYB	1974	127.586	23.246	18,2	SYB	1974	23.186	175
					• 18,4				
36/25 Zimbabwe	TSY	1977	6.820	1.260	18,5	TSY	1978		480
				• (Rodesia del Sur)	• 19,8				
37/26 Zanzíbar	DYB	1970	377	73	19,5				
38/27 Cabo Verde	DYB	1970	272	54	19,7				
					[5,8]				
Grupo núm. 2			1.308.529	158.796	12,14				
39/1 Camerún	DYB	1970	5.836	1.185	20,3	SYB	1970	1.047	179
					• 27,2	SYB	1974	1.929	307
40/2 Sudán	DYB	1976	16.126	3.288	20,4	SYB	1974	3.965	258
					• 20,4				
41/3 India	DYB	1974	586.056(ns)	120.581(ns)	20,6	SYB	1974	79.851	136
	DYB	1977	625.818	132.924	21,2	WSB	1976	89.152	141
					• 20,7				
42/4 Niue	DYB	1971	5	1	20,9				
					• 20,0				
43/5 Samoa	DYB	1971	147(ns)	30(ns)	20,6	SYB	1970	29	201
	DYB	1978	154	33	21,3				
					• 21,3				
44/6 Kuwait	WSB	1975	1.000	(En 1965, 221)	22,1	SYB	1975	11.431	11.431
					[83,8]				

PAÍS	POBLACIÓN					RENTA NACIONAL			
	Fuente	Año	Total .000	Urbana .000	% de la tot.	Fuente	Año	Total millones dólares USA	Per cápita dólares USA
45/7 Sri Lanka	DYB	1971	12.690	2.848	22,4	SYB	1970	2.056	164
					• 24,0	SYB	1976	2.936	351
46/8 Nuevas Hébridas	DYB	1976	97	22	23,1 SD				
47/9 Haití	DYB	1974	4.513(ns)	992(ns)	22,0	SYB	1974	715	158
	DYB	1978	4.832	1.174	24,3				
					• 22,1				
48/10 Mauritania	DYB	1974	1.290	280	21,7	SYB	1974	286	222
					• 23,1				
49/11 Pakistán	DYB	1972	64.980	16.558	25,5	SYB	1974	10.516	154
					• 26,4	SYB	1975	12.603	179
50/12 Guam	DYB	1970	85	22	25,5				
					• 26,3				
51/13 Seychelles	DYB	1971	53	14	26,1	SYB	1970	14	269
					• 27,1				
52/14 Portugal	WSB	1978	9.800	(En 1970, 2.587)	26,4	SYB	1970	5.894	681
					• 28,2	SYB	1975	14.024	1.484
53/15 Liberia	DYB	1970	1.523(ns)	399(ns)	26,2	SYB	1970	287	189
	DYB	1971	1.571	434	27,6	SYB	1976	739	422
					• 29,4				
Is. Faroe	DYB	1976	41(ns)	13(ns)	31,1				
	DYB	1970	39(ns)	11(ns)	27,8				
					• 30,0				
54/16 Malasia peninsular	DYB	1970	8.781	2.525	28,8	SYB	1970	3.748	361
• (Malasia: 27,9)						SYB	1975	8.547	718
55/17 Zaire	DYB	1975	24.902	6.911	27,8	SYB	1975	3.158	127
	DYB	1977	26.376(ns)	7.977(ns)	30,3 [34,9]				
56/18 Isla Gilbert	DYB	1973	58	17	29,7 [31,8]				
57/19 Libia	DYB	1974	2.240	668	29,8	SYB	1974	11.419	4.868
	DYB	1969	1.869(ns)	509(ns)	27,2 [43,7]	SYB	1960	185	137
Grupo núm. 3			708.318	171.712	22,01				
58/1 Honduras	DYB	1974	2.657	833	31,4	SYB	1974	927	346
					• 32,0	SYB	1976	1.110	392
59/2 Ghana	DYB	1974	9.607	3.017	31,4	SYB	1974	3.789	394
					• 32,3	SYB	1960	1.232	182
60/3 Senegal	DYB	1970	3.620	1.149	31,7	SYB	1970	740	171
		1971			[24,2]	SYB	1974	1.169	246
61/4 Filipinas	DYB	1970	36.684	11.678	31,8	SYB	1970	6.327	172
					• 34,3	SYB	1976	15.903	364
62/5 Gabón	DYB	1970	500	160	32,0	SYB	1970	234	468
	DYB	1975	1.709(ns)		• 30,6	SYB	1975	1.709	3.225
63/6 Yemen Dem.	DYB	1973	1.590	529	33,3	SYB	1974	133	111
					• 34,3	SYB	1975	206	122
64/7 Albania	DYB	1971	2.188	740	33,8				
65/8 Antigua	DYB	1970	65	22	33,8	SYB	1970	21	322
					• 31,5				

PAÍS	POBLACIÓN					RENTA NACIONAL			
	Fuente	Año	Total .000	Urbana .000	% de la tot.	Fuente	Año	Total millones dólares USA	Per cápita dólares USA
66/9 San Cristóbal-Nieves y Anguila	DYB	1970	45	15	34,1 • 37,9	SYB	1970	15	248
67/10 Surinam	WSB	1975	360	(En 1964, 123)	34,2 [44,8]	WSB	1975	503	1.194
68/11 Zambia	DYB	1975	4.981(ns)	1.806(ns)	36,3	SYB	1975	1.947	391
	DYB	1978	5.472	2.153	39,3 • 33,9	SYB	1960	482	150
69/12 Guatemala	DYB	1975	6.242	2.220	35,6 • 37,0	SYB	1975	3.145	517
						SYB	1960	984	250
70/13 Jamaica	DYB	1970	1.861	690	37,1 [45,7]	SYB	1970	1.228	657
						SYB	1976	2.670	1.296
71/14 Fidji	DYB	1976	588	218	37,2 • 38,8	SYB	1975	646	1.133
72/15 Paraguay	DYB	1975	2.647	1.049	39,6 • 37,9	SYB	1975	1.421	536
						SYB	1976	1.560	574
73/16 Marruecos	DYB	1974	16.880	6.392	37,9 • 37,4	SYB	1974	6.240	370
						SYB	1975	7.617	440
[Alemania Federal]	WSB	1978	61.310(ns)	(En 1969, 23.666(ns)	38,4 [83,1]	WSB	1977	516.150	8.406
						UBS	1978	638.554	10.415
74/17 Yugoslavia	DYB	1971	20.523	7.914	38,6 • 38,4	UBS	1977	36.170	1.680
75/18 El Salvador	DYB	1974	3.980	1.545	38,8 • 39,9	SYB	1974	1.486	382
						SYB	1976	2.074	503
76/19 Polinesia Francesa	DYB	1973	120	47	39,2 [62,5]	SYB	1970	220	2.001
77/20 Guyana	DYB	1970	700(ns)	205(ns)	29,4	SYB	1970	230	328
	WSB	1975	780	(En 1973, 296)	40,0 [21,9]	WSB	1975	504	638
Grupo núm. 4			116.409	40.790	35,04				
78/1 Túnez	WSB	1978	6.080	(En 1966, 2.438)	40,1 • 47,6	SYB	1976	4.089	712
	WSB	1965	4.620(ns)			SYB	1963	1.024	236
79/2 Costa Rica	DYB	1973	1.872	760	40,6 • 41,3	SYB	1974	1.532	798
						SYB	1976	2.149	1.064
80/3 Ecuador	DYB	1976	7.306	3.066	42,0 • 41,9	SYB	1976	4.532	620
						SYB	1970	1.515	254
81/4 Jordania	DYB	1974	2.618	1.099	42,0 [52,9]	SYB	1974	1.132	432
82/5 Chipre	DYB	1974	639	270	42,2 • 43,9	SYB	1974	815	1.293
						SYB	1976	776	1.212
[España]	WSB	1978	36.780(ns)	(En 1960, 15.779(ns)	42,9 [70,5]	SYB	1976	95.779	2.663
						WSB	1978	115.590	3.152
						UBS	1978	142.702	3.845
83/6 Rumanía	DYB	1977	21.559	10.237	47,5 • 44,3	UBS	1977	31.070	1.450
84/7 Mauricio	DYB	1975	856	374	43,7 [14,3]	SYB	1975	541	629
85/8 Islas del Pacífico	DYB	1973	115	50	43,9 SD				

PAÍS	POBLACIÓN					RENTA NACIONAL			
	Fuente	Año	Total .000	Urbana .000	% de la tot.	Fuente	Año	Total millones dólares USA	Per cápita dólares USA
86/9 Egipto	DYB	1974	36.417(ns)	15.862(ns)	43,6	SYB	1974	9.596	263
	DYB	1977	38.741	17.070	44,1				
					• 43,7				
87/10 Irán	DYB	1975	33.375(ns)	14.687(ns)	44,0	SYB	1975	50.502	1.529
	DYB	1976	33.592	15.715	46,8				
					• 45,4				
88/11 Turquía	DYB	1970	35.605(ns)	13.691(ns)	38,5	SYB	1970	12.200	350
	DYB	1977	42.134	18.774	44,6	WSB	1977	47.790	1.134
					• 42,9				
89/12 Noruega	DYB	1976	4.026	1.791	44,5	SYB	1976	26.241	6.511
					• 47,4	UBS	1978	39.978	9.849
90/13 Sahara Occidental	DYB	1974	108	48	45,1				
					[34,7]				
91/14 Mongolia	DYB	1973	1.359	630	46,4				
					• 47,5				
92/15 Siria	DYB	1974	7.121(ns)	3.266(ns)	45,9	SYB	1974	3.892	547
	DYB	1978	8.102	3.950	48,8				
					• 46,7				
[Italia]	WSB	1965	51.940(ns)	(En 1961	47,7	SYB	1960	31.954	637
	WSB	1978	56.700(ns)	27.045(ns)	[66,9]	SYB	1975	154.003	2.758
93/16 República Dominicana .	DYB	1976	4.835(ns)	2.264(ns)	46,8	UBS	1978		4.583
	DYB	1978	5.124	2.514	49,1	SYB	1976	3.557	735
					• 45,8				
94/17 África del Sur	DYB	1972	22.987	11.018	47,9	SYB	1970	15.402	663
					• 48,4	SYB	1976	29.122	1.077
95/18 R. de Corea	DYB	1975	34.679	16.770	48,4	SYB	1975	17.207	488
					• 48,1	SYB	1976	23.025	642
96/19 Nicaragua	DYB	1972	1.988	966	48,6	SYB	1970	720	646
					[50,2]	SYB	1976	1.815	1.055
97/20 Trinidad y Tobago	DYB	1970	931	459	49,4	WSB	1970	867	844
	WSB	1978	1.130(ns)		[21,1]	WSB	1977	3.509	3.147
98/21 Panamá	DYB	1976	1.668	827	49,6	SYB	1976	1.815	1.055
Grupo núm. 5			236.484	108.846	46,03				
99/1 Hungría	DYB	1977	10.648	5.517	51,8	UBS	1977	24.140	2.280
					• 50,1				
Bielorrusia	DYB	1977	9.441(ns)	5.086(ns)	53,9				
					• 51,0				
100/2 Austria	DYB	1971	7.456	3.866	51,9	SYB	1970	12.785	1.721
					• 52,7	SYB	1976	36.218	4.823
101/3 Argelia	DYB	1970	14.330(ns)	6.120(ns)	44,0	UBS	1978	57.499	7.656
	DYB	1974	16.275	8.467	52,0	SYB	1970	4.173	291
					• 53,7	WSB	1978	19.738	1.102
102/4 Irlanda	DYB	1971	2.978	1.556	52,2	SYB	1970	3.647	1.240
103/5 Suiza	DYB	1970	6.270	3.243	• 54,7	SYB	1975	7.444	2.378
					54,6	SYB	1970	19.017	3.072
					• 56,1	SYB	1976	52.376	8.248
104/6 Irlanda del Norte	DYB	1973	1.547	847	54,7	UBS	1978	87.785	13.853
[España] (urb. n. p. 10.000 y +)	INEE	1970	34.040(ns)	18.532(ns)	54,74 [70,5]				

PAÍS	POBLACIÓN				% de la tot.	RENTA NACIONAL			
	Fuente	Año	Total .000	Urbana .000		Fuente	Año	Total millones dólares USA	Per cápita dólares USA
105/7 Polonia	DYB	1977	34.697	19.772	57,0 54,2	UBS	1977	98.130	2.860
106/8 Isla de Man (U. K.) ..	DYB	1976	60	31	51,8 55,2				
107/9 Bahamas	DYB	1970	175	101	57,9 54,4				
107 bis •Arabia Saudí	[ ]	1975	7.180		• 58,7	UBS	1978	65.623	9.330
180/10 Puerto Rico	DYB	1970	2.712	1.576	58,1 [65,0]	SYB SYB	1970 1976	4.848 7.252	1.784 2.259
109/11 Bulgaria	DYB DYB	1977 1978	8.804 8.813(ns)	5.231 5.332	59,4 60,5 • 58,6	UBS UBS	1977 1978	20.270 22.780	2.310 2.590
110/12 Finlandia	DYB	1976	4.726	2.786	59,0 • 56,6	SYB UBS	1976 1978	25.310 31.168	5.351 6.548
111/13 Colombia	DYB	1973	22.552	13.410	59,5 [65,4]	SYB	1974	10.970	477
Ucrania	DYB DYB	1976 1977	49.075 49.300(ns)	29.341 29.844	59,8 60,5 [59]				
Grupo núm. 6			118.400	66.583	56,24				
112/1 Líbano	DYB	1970	2.126	1.278	60,1 • 69,8	SYB	1970	1.454	589
113/2 Cuba	DYB	1970	8.569	5.169	60,3 • 62,8				
114/3 Brasil	DYB	1976	112.239	68.662	60,4 • 60,7	SYB UBS	1976	135.239 187.400	1.239 1.624
115/4 URSS	DYB	1977	258.931	161.043	62,2 • 60,9	UBS	1976	708.170	2.760
116/5 Nueva Caledonia	DYB DYB	1970 1976	112(ns) 133	62(ns) 80	55,4 60,7 [55,2]	SYB	1970	339	3.079
117/6 Perú	DYB	1975	15.615	9.759	62,5 • 62,8	SYB	1975	8.078	517
118/7 México	DYB DYB	1976 1978	62.329(ns) 66.944	39.622(ns) 43.643	63,6 65,2 • 63,0	SYB UBS	1976 1978	70.454 92.207	1.130 1.377
119/8 Brunei	DYB TSY	1971 1978	136(ns) 201	87(ns) 128	63,6 [70,1]	SYB TSY	1970 1978	153	1.178 10.640
120/9 Irak	DYB	1975	11.124	7.083	63,7 • 65,7	SYB SYB UBS	1975 1970 1978	12.846 2.831	1.155 300 1.470
121/10 Grecia	DYB	1971	8.769	5.686	64,8 [57,4]	SYB	1970	9.585	1.090
122/11 Italia	DYB	1978	56.700	36.855	65,0 • 66,9	SYB	1976	21.308	2.324
123/12 Dinamarca	DYB	1970	4.937	3.301	66,9 [82,1]	SYB SYB UBS	1970 1976 1978	14.286 34.491 55.892	2.898 6.803 10.948
124/13 Checoslovaquia	DYB	1974	14.686	9.795	66,7 [59,1]	UBS	1977	57.250	3.840

PAÍS	POBLACIÓN					RENTA NACIONAL			
	Fuente	Año	Total .000	Urbana .000	% de la tot.	Fuente	Año	Total millones dólares USA	Per cápita dólares USA
125/14 Luxemburgo	DYB	1974	357	242	67,9 [73,7]	UBS	1977	2.500	7.020
Grupo núm. 7			561.331	352.724	62,84				
126/1 Francia	DYB	1975	52.599	38.388	73,0 • 75,0	SYB UBS	1975 1978	298.678 471.437	5.658 8.848
127/2 Escocia	DYB	1974	5.226	3.658	70,0				
128/3 Argentina	WSB	1978	26.390	(En 1960)	73,8 [80,5]	SYB SYB	1960 1975	12.129 47.042	588 1.840
129/4 Groenlandia	DYB	1970	46	34	73,3 SD				
130/5 España (n. p. 2.000 hab y más)	INEE	1970	34.040	25.321	74,3 70,0 73,5 • 71,3	UBS SYB SYB	1978 1970 1976	42.702 877.860 1.504.776	(+)3.845 4.285 6.995
131/6 USA	DYB	1970	203.211	149.324	74,7 75,1 [80,2]	UBS SYB UBS	1978 1976 1978	2.107.600 29.127 40.000	9.646 2.357 3.000
132/7 Venezuela	DYB DYB	1976 1977	12.361(ns) 12.736	9.235 9.559	75,5 • 75,2	UBS	1976	70.880	4.220
133/8 R. Dem. Alemana ...	DYB	1976	16.786	12.679	75,0 (est.) [83,1]	UBS		638.554	10.415
134/9 Alemania R. Federal ..	WSB	1978	61.310	45.982 (estimada)	75,9 • 75,1	SYB UBS	1975 1978	449.134 980.064	4.026 8.531
135/10 Japón	DYB	1975	111.939	84.967	75,5 • 78,0	SYB UBS	1976 1978	169.852 203.235	7.340 8.648
136/11 Canadá	DYB	1976	22.993	17.367	77,9 • 89,8	SYB UBS	1974 1978	174.390 309.375	3.116 5.542
137/12 Inglaterra y Gales	DYB	1972	49.038	38.209	78,1	SYB	1970	195	888
137 bis Gran Bretaña	(Reino Unido e Irlanda del N.)				• 78,1	WSB	1977	1.655	6.129
138/13 Bahrein	DYB	1971	216	168	78,7	SYB	1976	7.178	687
139/14 Chile	DYB DYB	1976 1978	10.454(ns) 10.857	8.226(ns) 8.661	79,8 [80,5]	WSB	1977	11.487	1.078
Grupo núm. 8			607.012	453.469	74,71				
140/1 Holanda	DYB DYB	1976 1975	13.772 13.664(ns)	12.177 10.488(ns)	88,4 76,8 [76,3]	SYB UBS	1976 1978	81.180 130.581	5.890 9.367
141/2 Nueva Zelanda	DYB	1976	3.125	2.593	83,0 • 83,1	SYB UBS	1975 1978	12.183 16.242	3.969 5.222
142/3 Israel	DYB	1977	3.613	3.150	87,2 • 87,0	SYB UBS	1976 1978	11.607 12.813	3.355 3.471
143/4 Suecia	DYB	1975	8.208	6.789	82,7 • 84,6	SYB UBS	1975 1978	61.639 86.420	7.526 10.440
144/5 Uruguay	DYB	1975	2.782	2.308	83,0 • 83,0	SYB UBS	1975 1978	3.422 4.400	1.231 1.500

PAÍS	POBLACIÓN				% de la tot.	RENTA NACIONAL			
	Fuente	Año	Total .000	Urbana .000		Fuente	Año	Total millones dólares USA	Por persona dólares USA
145/6 Australia	DYB	1976	13.548	11.650	86,0 • 87,2	SYB WSB	1975 1978	85.199 100.533	6.311 7.145
146/7 Islandia	DYB	1977	222	194	87,4 • 86,6	WSB	1977	1.917	8.715
147/8 Bélgica	DYB	1975	9.813	9.281	94,6 [71,4]	SYB UBS	1975 1978	57.338 97.890	5.851 9.939
148/9 San Marino	DYB	1970	19	18	92,4 • 95,0				
149/10 Malta	WSB	1978	340	(En 1967, 321)	94,3 [80,9]	WSB	1977	568	1.722
150/11 Macao	DYB	1970	248	241	97,1 • 97,8	UBS	1978	7.654	3.285
151/12 Singapur	TSY	1978	2.330	2.330	100,0 • 74,1	TSY	1978		3.260
Grupo núm. 9			58.020	51.052	87,99				

Elaboración: J.M.C.T.

NOTAS:

  [1] ns. Indica, junto a una cifra, que ésta no se incluye en la suma de los totales parciales del grupo.
  [2] (En 1959 = 5,3.) La cifra debajo del año se ha calculado sobre la población total del año que se indica junto a la Fuente (en este caso: 1978).

347

  [3] Las cifras en dólares, tanto las referentes a cifras globales como por persona, cuando proceden del WSB no corresponden a Renta Nacional, sino a Producto Interior Bruto.
  [4] Además del «despegue» que se registra entre 1960 y 1978 en las rentas de varios países «petroleros», es obvio que la inflación desencadenada a partir de 1973 se refleja en el incremento de las cifras, que lógicamente no va acompañado, ni mucho menos, de un incremento equivalente del poder adquisitivo de las respectivas poblaciones.

APÉNDICE 2.2

— Definiciones del término *urbana* (aplicado a la residencia de una población).
— Resumen y traducción del *78 Demographic Year-Book* (págs. 140 y ss.), completado con el Anexo I del libro *Patterns of urban and rural population growth* (ambas publicaciones de Naciones Unidas).

EUROPA

Albania.—Ciudades y centros industriales de más de 400 habitantes.

Austria.—Municipios *(gemeinden)* de más de 5.000 habitantes.

Bélgica.—Ciudades y aglomeraciones urbanas y municipios urbanos. Municipios con 5.000 o más habitantes.

Bulgaria.—Localidades legalmente consideradas urbanas.

Checoslovaquia.—*a)* Ciudades importantes de 5.000 habitantes y más, poseyendo una densidad mínima de 100 personas por hectárea edificada y, por lo menos, el 15 por 100 de las viviendas con tres habitaciones o más, con la mayor parte de las viviendas dotadas de agua corriente e instalaciones de evacuación. Estas ciudades deben contar, por lo menos, con cinco médicos, una farmacia, una escuela secundaria que abarque nueve años de estudios, un hotel que disponga de un mínimo de 20 camas, una red comercial y de servicios de distribución que abastezca varias villas y ofrezca puestos de trabajo a la población de los alrededores; debe además ser la terminal de una red de autobuses de línea, y la población dedicada a la agricultura no debe superar el 10 por 100 del total. *b)* Ciudades pequeñas, de 2.000 habitantes y más, con una densidad de más de 75 habitantes por hectárea edificada, y en las que al menos el 10 por 100 de las viviendas tenga tres habitaciones, con un sistema de agua corriente y evacuación en una parte de la ciudad; con dos médicos y una farmacia como mínimo, y presentando los demás caracteres urbanos en menor grado que antes. La población dedicada a la agricultura no puéde rebasar el 15 por 100 de la total. *c)* Comunidades agrupadas que tienen carácter de pequeñas ciudades en cuanto a dimensiones, densidad de población, alojamientos, abastecimiento de agua y vertidos, y porcentaje de población agraria, pero que carecen de otras funciones urbanas, educativas, culturales, sanitarias, comerciales y de distribución de servicios que les son prestados por otra ciudad próxima.

Dinamarca.—Aglomeraciones de 200 habitantes y más.

España.—Municipios de 10.000 habitantes. (Véase el comentario en el lugar correspondiente del texto.)

Finlandia.—Los municipios urbanos.

Francia.—Municipios *(communes)* que comprenden una aglomeración de 2.000 o más habitantes, habitando en viviendas contiguas o que no distan unas de otras más de 200 metros, y también comunas en las cuales la mayor parte de su población vive en una aglomeración multicomunal de esta clase.

Gibraltar.—La ciudad de este nombre.

Grecia.—*a) Regiones urbanas:* municipios de 10.000 habitantes y más en la aglomeración principal, así como 12 aglomeraciones urbanas: Gran Atenas, Salónica, Patras, Volos, Heraklion, Canea, Calamata, Katerini, Agrinion, Chio, Aegion, Hermoupolis, en su totalidad, es decir, independientemente del número de habitantes de la aglomeración principal. b) *Regiones semi-urbanas:* Municipios y entidades de 2.000 a 9.999 habitantes en la aglomeración principal.

Holanda.—a) *Urbana:* Municipios de 2.000 habitantes y más. b) *Semiurbana:* Municipios de menos de 2.000 habitantes, donde no más del 20 por 100 de su población activa masculina se dedica a la agricultura, y algunos municipios de carácter residencial cuyos habitantes trabajan fuera de ellos.

Hungría.—Budapest y las demás localidades reconocidas oficialmente como urbanas.

Irlanda.—Ciudades, incluyendo sus suburbios, desde 1.500 habitantes en adelante.

Islandia.—Localidades de 200 habitantes y más.

Islas del Canal.—*Guernsey:* parroquia civil de St. Peter Port; *Jersey:* parroquia civil de St. Helier.

Islas Faeroe.—La capital: Thorshavn.

Isla de Man.—Ciudades de Castletown, Douglas, Peel y Ramsey.

Italia.—Municipios de 10.000 o más habitantes.

Liechtenstein.—La capital: Vaduz.

Luxemburgo.—Municipios con más de 2.000 habitantes en su centro administrativo.

Malta.—Áreas edificadas no agrícolas y sus suburbios. Aglomeración urbana de La Valletta.

Mónaco.—La ciudad de Mónaco.

Noruega.—Localidades de 200 habitantes en adelante.

Polonia.—Localidades y poblaciones de tipo urbano, por ejemplo: residencias de obreros o de pescadores, estaciones climáticas, de reposo...

Portugal.—Aglomeraciones de 10.000 habitantes y más.

República Democrática Alemana.—Municipios de más de 2.000 habitantes.

República Federal Alemana.—Municipios de más de 2.000 habitantes.

Reino Unido.—*Inglaterra y Gales:* Áreas clasificadas como urbanas a efectos del gobierno local: «County boroughs», «municipal boroughs» y distritos urbanos. *Irlanda del Norte:* «County boroughs» administrativas, «municipal boroughs» y distritos urbanos. *Escocia:* «Cities» y todos los «burghs» (información del *1978 Demographic Year-Book*). *Reino Unido:* Población urbana de *facto:* «wards» o parroquias de 3.000 o más habitantes (2.000 o más en algunos casos), una densidad de población de 0,6 por acre; o áreas contiguas a áreas urbanas con 750 habitantes y una densidad de 0,6 personas por acre. (Información en Naciones Unidas, *Patterns of Urban and Rural Population Growth,* pág. 124).

Rumanía.—Ciudades y otras 183 localidades que tienen características socioeconómicas urbanas.

San Marino.—Sin datos.

Suecia.—Áreas edificadas de al menos 200 habitantes y normalmente de edificios a menos de 200 metros unos de otros.

Suiza.—Municipios de más de 10.000 habitantes, con sus suburbios.

Yugoslavia.—*a)* Localidades de 15.000 o más habitantes. *b)* Localidades de 5.000 a 14.999 habitantes, de los cuales lo menos el 30 por 100 no se dedican a la agricultura. *c)* Localidades de 3.000 a 4.999 habitantes, de los cuales por lo menos el 70 por 100 no practican la agricultura. *d)* Localidades de 2.000 a 2.999 habitantes, en donde el 80 por 100 de ellos no se dedica a la agricultura.

Unión de Repúblicas Socialistas Soviéticas.—Localidades de tipo urbano, oficialmente designadas como ciudades por cada una de las repúblicas federadas, generalmente basándose en el número de habitantes y el predominio de los trabajadores agrícolas o no agrícolas con sus familias.

ASIA

Afganistán.—Localidades de 2.000 y más habitantes.

Arabia Saudí.—Ciudades de 5.000 y más habitantes.

Bahrein.—Manamá, Muharraq (incluidos los suburbios), Hedd, Jiddhafs, Sitra, Rifa's y Awali.

Bangladesh.—Centros con una población de 5.000 o más habitantes, con características urbanas, tales como: calles, plazas, abastecimiento de aguas, saneamientos, alumbrado eléctrico...

Birmania.—301 ciudades.

Bhutan.—Sin datos.

Brunei.—Sin datos.

China.—Ciudades (incluyendo suburbios) y núcleos urbanos (basado sobre estimaciones preparadas en la División de Población del Departamento de Asuntos Económicos y Sociales Internacionales del Secretariado de las Naciones Unidas).

Chipre.—Seis distritos urbanos y los suburbios de Nicosia.

Corea (República de).—Seúl y los municipios de 5.000 y más habitantes *(shi)*.

Corea (República Popular).—Sin datos.

Emiratos Árabes Unidos.—Dubai.

Filipinas.—*a)* Ciudades y municipios con densidad de población igual o superior a 1.000 hab/km². *b)* Distritos centrales de los municipios y ciudades con densidades de por lo menos 500 hab/km². *c)* Distritos centrales, que, sea cual sea su población, cuentan con una malla de calles y, por lo menos, seis establecimientos comerciales o recreativos y algunos equipamientos característicos de una ciudad: ayuntamiento, iglesia pública, mercado, escuela, hospital. *d)* «Barrios», respondiendo a las condiciones mencionadas, y con 1.000 habitantes por lo menos que no viven ni de la agricultura ni de la pesca.

Hong-Kong.—Isla de Hong-Kong, Kowloon, Nuevo Kowloon y área de Tsuen Wan de los «New Territories».

India.—*a)* Localidades dotadas de una corporación municipal, un comité municipal, un comité de zona declarada urbana, o un comité de zona de acantonamiento. *b)* Asimismo, todas las localidades que tienen al menos 5.000 habitantes, una densidad de población de por lo menos 1.000 habitantes por milla cuadrada (o 390 hab/km²), acusadas características urbanas y las tres cuartas partes, por lo menos, del número de adultos masculinos tienen una ocupación no agrícola.

Indonesia.—Municipalidades, capitales de regencia y otras localidades que presentan características urbanas.

Irán.—Todos los centros del Shahrestan, cualquiera que sea su tamaño y todas las aglomeraciones a partir de los 5.000 habitantes.

Iraq.—La zona dentro de los límites de los Concejos Municipales (Al-Majlis Al-Baldei).

Israel.—Todos los poblados de más de 2.000 habitantes, excepto aquellos en los que al menos un tercio de los cabezas de familia que forman parte de la población civil activa viven de la agricultura.

Japón.—Ciudades *(shi)* con 50.000 o más habitantes, y donde el 60 por 100 al menos de las viviendas están situadas en las principales zonas edificadas, y donde también el 60 por 100 al menos de la población (incluyendo a sus dependientes) está empleado en la industria, el comercio u otro tipo de actividad urbana. Por otra parte, todo *shi* que posea los equipados y presente los caracteres definidos como urbanos por la administración prefectural es considerado zona urbana (Información del *Anuario demográfico de las Naciones Unidas*). La segunda fuente utilizada, también como se ha repetido de Naciones Unidas, dice «municipalidades urbanas (*shi* y *ku* de Tokyo) normalmente de 30.000 o más habitantes, y que pueden incluir alguna aglomeración tanto rural como urbana».

Jordania.—Capitales de distrito; localidades de 10.000 y más habitantes (no incluyendo los campos de refugiados palestinos en las regiones rurales), así como las localidades de 5.000 a 9.000 habitantes y los arrabales de Amman y Jerusalén, en donde los dos tercios al menos de la población activa masculina no se dediquen a la agricultura.

Kampuchea Democrática.—Municipios de Pnhom-Penh, Bokor, Kep y 13 centros urbanos.

Kuwait.—Ciudades con 10.000 o más habitantes.

Laos (República Democrática Popular).—Suma de cinco grandes ciudades: Vientiane, Luang Prabang, Savannakhet, Khammouane, Paksé.

Líbano.—Localidades de 5.000 o más habitantes.

Macao.—*Concelho* de Macao, incluyendo el área marítima.

Malasia.—*Malasia peninsular:* Zonas declaradas urbanas y que tienen por lo menos 10.000 habitantes. *Sabah y Sarawak:* Lo mismo que Malasia peninsular.

Maldivas.—La capital: Malé.

Mongolia.—La capital y las capitales de distrito.

Nepal.—Áreas con 5.000 o más habitantes, poseyendo características urbanas (escuelas secundarias, colegios universitarios, oficinas privadas o gubernamentales, factorías, medios de transporte y comunicaciones).

Omán.—Muscate y Matrah.

Pakistán.—Municipalidades, zonas civiles, zonas de acantonamiento no comprendidas en los límites municipales y otros conjuntos urbanos contiguos, agrupando al menos 5.000 habitantes, así como algunas zonas de carácter urbano, pero de menos de 5.000 habitantes.

Qatar.—Doha, la capital.

Singapur.—La ciudad de este nombre.

Sri Lanka (Ceylán).—Municipios, concejos urbanos y ciudades.

Siria (República Árabe).—Ciudades centro de distrito *(Mohafaza)* y centros de subdistritos *(Manatik).*

Thailandia.—Zonas municipales: *Nakhon* (grandes ciudades); *Muang* (ciudades), de 10.000 habitantes y más, y *Tambon* (municipios).

Timor oriental.—Dili, la capital.

Turquía.—Población de las localidades contenidas en el interior de los límites municipales de los centros administrativos (capitales) de las provincias y los distritos.

Vietnam.—Sin datos actuales. Para la parte que constituyó Vietnam del Sur, la estimación de las grandes ciudades se facilitó a Naciones Unidas en un escrito de 1974 de la Oficina de Estadística, que se utilizó para las estimaciones de Naciones Unidas de 1960 y 1970. Para la antigua República Democrática de Vietnam se tienen datos para 1960 y 1970, pero las autoridades no dieron ninguna definición de población urbana.

Yemen (República del).—Seis ciudades principales.

Yemen Democrático.—La antigua colonia de Adén, por completo, excluyendo la refinería de petróleo y las aldeas de Bureika y Fugun.

ÁFRICA

Alto Volta.—La suma de la población de 14 ciudades.

Argelia.—Todas las *communes* que tienen como capital a una ciudad, una ciudad-rural *(ville rurale)* o una aglomeración urbana.

Angola.—Localidad con 2.000 habitantes o más.

Benin.—Las ciudades de Cotonou, Porto-Novo, Ovidah, Parakou y Djougou.

Botswana.—Las ciudades de Gaberone y Lobatsi y la aglomeración urbana de Francistown.

Burundi.—La *commune* de Bujumbura.

República Centroafricana.—Veinte centros principales con una población de más de 3.000 habitantes.

Chad.—Diez centros urbanos.

Comores.—Dzoubgi y Moroni.

Congo.—Brazzaville, Pont-Noire y Dolisie.

Costa de Marfil.—Localidades definidas como urbanas.

Djibouti.—La capital.

Egipto.—Las capitales de los gobiernos de El Cairo, Alejandría, Port Said, Ismailía, Suez, gobiernos fronterizos, así como las capitales de distrito *(Markaz).*

Etiopía.—Las localidades de 2.000 y más habitantes.

Gabón.—Las entidades de población superiores a 2.000 habitantes.

Gambia.—Banjul tan sólo.

Ghana.—Las localidades de 5.000 habitantes en adelante.

Guinea.—Los centros urbanos.

Guinea Bissau.—Los dos puertos principales: Bissau y Cacheu.

Guinea Ecuatorial.—Bata y Santa Isabel.

Kenia.—Los núcleos de 2.000 habitantes o más.

Lesotho.—La capital.

Liberia.—Las entidades de 2.000 habitantes y más.

República Árabe Libia.—El total de la población de Trípoli y Benghazi más las áreas urbanas de Beida y Derna.

Madagascar.—Los centros que tienen más de 5.000 habitantes.

Malawi.—Todas las ciudades y zonas urbanizadas y todas las capitales de distrito.

Malí.—Sin datos.

Marruecos.—117 centros urbanos.

Mauritania.—Los centros urbanos.

Mauricio.—Las ciudades que tienen límites oficialmente.

Mozambique.—*Concelho* de Marques y Beira.

Namibia.—Localidades lo suficientemente grandes para ser consideradas como unidades separadas, tengan o no gobiernos locales.

Níger.—Veintisiete centros urbanos.

Nigeria.—Núcleos de población de 20.000 habitantes y más, cuyas ocupaciones no sean predominantemente agrarias.

Reunión.—Los centros administrativos de los municipios de más de 2.000 habitantes.

Rhodesia.—Las principales ciudades incluyendo sus suburbios.

Ruanda.—Kigali, la capital. Las capitales de las prefecturas, aglomeraciones importantes y sus inmediaciones.

Sao Tomé y Príncipe.—La capital.

Senegal.—Todas las aglomeraciones de 10.000 habitantes y más.

Seychelles.—Port Victoria, la capital.

Sierra Leona.—Localidades con más de 2.000 habitantes.

Somalia.—Núcleos de 5.000 o más habitantes.

Sudáfrica (África del Sur).—Todas las áreas de 500 o más habitantes y las zonas suburbanas anejas, con exclusión de los poblados predominantemente rurales y agrícolas, así como excluyendo igualmente los poblados temporales para trabajos de construcción en regiones rurales o para la prospección de diamantes en depósitos aluviales. Se consideran también urbanos los núcleos de población permanentes con características específicamente urbanas y menos de 500 habitantes, siempre que tengan por lo menos alrededor de 100 habitantes blancos; y también las porciones rurales de algunos distritos donde se encuentran grandes zonas metropolitanas y en las que el porcentaje de la población rural es pequeño comparado con el urbano y una considerable proporción de los trabajadores tiene una ocupación de carácter urbano.

Sudán.—Sesenta y ocho ciudades. Localidades de importancia administrativa o comercial, con 5.000 o más habitantes.

Swazilandia.—Núcleos de población declarados urbanos.

Togo.—Localidades erigidas en *communes*.

Túnez.—La población viviendo en *communes*.

Uganda.—La población de los núcleos que son centros comerciales, con por lo menos 100 habitantes.

República Unida del Camerún.—Centros urbanos.

República Unida de Tanzania.—Dieciséis ciudades por acuerdo administrativo.

Tanganika.—Quince ciudades de las dieciséis.

Zanzíbar.—1967: declarada oficialmente ciudad: Zanzíbar.

Zaire.—Aglomeraciones de 2.000 habitantes en adelante en las que la actividad económica predominante es de tipo no agrícola y también las aglomeraciones mixtas que son consideradas urbanas a causa de su actividad económica, pero que son de hecho rurales por su tamaño.

Zambia.—Localidades que tienen 5.000 o más habitantes, la mayoría de los cuales no depende de actividades agrícolas.

AMÉRICA DEL NORTE

Antillas Holandesas (Curaçao).—Sin datos.

Antigua.—La isla de New Providence.

Barbados.—Bridgetown.

Belice.—Lugares declarados por ley ciudades.

Canadá.—*Incorporated cities* (grandes ciudades), ciudades y lugares de 1.000 habitantes o más, que no constituyen un municipio, que tienen una densidad de población por lo menos de 1.000 habitantes por milla cuadrada, o 390 hab/km², y sus franjas urbanas.

Costa Rica.—Capitales administrativas de los cantones, excepto los de Coto Brus, Guatuso, Los Chiles, Sarapiquí y Upala.

Cuba.—Población viviendo en núcleos de 2.000 o más habitantes.

Dominica.—Ciudades de Roseu y Portsmouth y área suburbana de Goodwill, que es una extensión de Roseu.

República Dominicana.—Las capitales de los municipios y distritos municipales, algunos de los cuales incluyen zonas urbanas de carácter rural.

El Salvador.—Las capitales de los municipios.

Estados Unidos de América.—*a)* Lugares de 2.500 habitantes o más declarados oficialmente ciudades, «boroughs» (excepto en Alaska), «villages» y «towns» (excluyendo «towns» de Nueva Inglaterra, Nueva York y Wisconsin), pero excluyendo las personas que viven en porciones rurales de las ciudades diseminadas. *b)* Franjas de densa población urbana estén o no incorporadas a áreas urbanizadas. *c)* Lugares no incorporados con 2.500 habitantes o más.

Groenlandia.—Localidades declaradas urbanas.

Grenada.—Núcleos de más de 1.000 habitantes.

Guadalupe.—Todos los municipios con un centro administrativo de 2.000 habitantes o más.

Guatemala.—1964: El municipio del Departamento de Guatemala y los centros oficialmente reconocidos de otros departamentos y municipios.

Haití.—Las capitales de las *communes*.

Honduras.—Localidades de 1.000 y más habitantes que poseen características esencialmente urbanas.

Islas Virgen USA.—Localidades de 2.500 habitantes o más.

Jamaica.—El área metropolitana de Kingston y algunas ciudades principales seleccionadas.

Martinica.—La población total del municipio Fort-de-France, más las aglomeraciones de los otros municipios que tienen más de 2.000 habitantes.

México.—Localidades de 2.500 habitantes en adelante.

Montserrat.—Ciudad de Plymouth.

Nicaragua.—Capitales de los departamentos y los municipios.

Panamá.—Localidades de 1.500 o más habitantes con características esencialmente urbanas. Desde 1970, localidades de 1.500 o más habitantes con características urbanas, tales como: calles, sistemas de suministro de agua, vertido, alumbrado eléctrico. *Zona del Canal:* Localidades de 2.500 y más habitantes.

Puerto Rico.—Lugares de 2.500 habitantes o más, y franjas densamente pobladas de las áreas urbanizadas.

Trinidad y Tobago.—Puerto España, Arima y San Fernando.

AMÉRICA DEL SUR

Argentina.—Centros de 2.000 o más habitantes.

Bolivia.—Se supone son las ciudades de La Paz, Oruro, Potosí, Cochabamba, Sucre, Tarija, Santa Cruz, Trinidad y Cobija.

Brasil.—Zonas urbanas y suburbanas de los centros administrativos de los «municipios» y distritos.

Chile.—Centros de población que tienen características urbanas bien definidas por ciertos servicios públicos y municipales.

Colombia.—Las poblaciones que viven en núcleos de 1.500 habitantes o más.

Ecuador.—Las capitales de provincia y los cantones.

Islas Falkland o, mejor, **Malvinas.**—La ciudad de Stanley.

Guayana francesa.—*Communes* de Cayenne y Saint-Laurent-du-Maroni.

Paraguay.—Ciudades y centros administrativos de departamentos y distritos.

Perú.—Lugares de población con 100 o más viviendas habitadas.

Surinam.—Gran Paramaribo.

Uruguay.—Las ciudades.

Venezuela.—Los centros con una población de 2.500 o más habitantes.

OCEANÍA

Australia.—Aglomeraciones de 1.000 o más habitantes, y algunas áreas de población menor (por ejemplo, áreas recreativas) si contienen 250 o más viviendas, de las cuales estén ocupadas por lo menos 100.

Islas Cook.—Avarue.

Fidji.—Suva, Lautoka, Nadi, Labasa, Nausori y Ba, y las localidades urbanas.

Islas Gilbert.—La suma de Tarawa y Ocean Island.

Guam.—Localidades de 2.500 habitantes o más.

Nueva Caledonia.—La ciudad de Noumea.

Nuevas Hébridas.—Ciudades de Vila y Santo.

Nueva Zelanda.—Veinticuatro áreas urbanas, más todos los «boroughs», «town districts», «townships» y «county towns», con poblaciones superiores a 1.000 habitantes.

Isla Niue.—Alofi.

Islas del Pacífico.—Áreas del distrito central, más Ebeye en el atolón Kwajelein, de las islas Marshall, y Rota, en las islas Marianas.

Papúa y Nueva Guinea.—Centros con una población de 500 habitantes o más, excluyendo si están separadamente emplazadas: escuelas, hospitales, misiones, plantaciones, núcleos rurales... cualquiera que sea su tamaño.

Polinesia Francesa.—Aglomeración urbana de Papeete.

Samoa.—Área urbana de Apia, comprendiendo Vamauga Oeste y Folezta Este, que son distritos de Faipule.

Samoa Americana.—La suma de Pago-Pago y Leone.

Islas Salomón.—Centros con población de 2.000 o más habitantes.

Tonga.—Los lugares mayores de 1.400 habitantes.

APÉNDICE 2.3

Resultado de las modificaciones introducidas en los datos del Apéndice 2.1 por la información contenida en «Selected World Demographic and Population Policy Indicators», 1978, de Naciones Unidas

| **GRUPO I** | | **TABLA 2.1** | |

(0,1-10 por 100 población urbana)

	En miles		*En miles*
Población total	134.287	Población urbana	10.206
Menos:		*Menos:*	
Barbados	238	Barbados	8
Islas Salomón	197	Islas Salomón	18
Más:		*Más:*	
Montserrat (7,7)	11,40	Montserrat (7,7)	0,88
Cabo Verde (5,8)	272	Cabo Verde (5,8)	15,78
Tabla 2.1 (bis)	123.192,40	**Tabla 2.1 (bis)**	9.116,66

| **GRUPO II** | | **TABLA 2.1** | |

(10,1-20 por 100 población urbana)

	En miles		*En miles*
Población total	1.308.529	Población urbana	158.796
Menos:		*Menos:*	
Montserrat	11,40	Montserrat	1,30
China	975.230	China	110.000
Benin	3.377	Benin	465
Congo (Brazzaville)	1.460	Congo (Brazzaville)	146
Sabah	651	Sabah	107
Cabo Verde	272	Cabo Verde	54
Más:		*Más:*	
Islas Salomón (15,5)	197	Islas Salomón (15,5)	30,54
Mauricio (14,3)	856	Mauricio (14,3)	122,41
Tabla 2.1 (bis)	328.580,60	**Tabla 2.1 (bis)**	48.175,65

GRUPO III   **TABLA 2.1**

(20,1-30 por 100 población urbana)

	En miles		En miles
Población total	780.318	Población urbana	171.712
Menos:		*Menos:*	
Kuwait	1.000	Kuwait	221
Zaire	24.902	Zaire	6.911
Islas Gilbert	58	Islas Gilbert	17
Libia	2.240	Libia	668
Más:		*Más:*	
China (23,3)	975.230	China (23,3)	227.228,59
Benin (23)	3.377	Benin (23)	776,71
Malasia (27,9)	11.983	Malasia (27,9)	3.343,26
Senegal (24,2	3.620	Senegal (24,2)	876,04
Guyana (21,9)	780	Guyana (21,9)	170,82
Trinidad y Tobago (21,1) . . .	931	Trinidad y Tobago (21,1) . . .	196,44
Tabla 2.1 (bis)	1.748.039	**Tabla 2.1 (bis)**	396.486,86

GRUPO IV   **TABLA 2.1**

(30,1-40 por 100 población urbana)

	En miles		En miles
Población total	116.409	Población urbana	40.790
Menos:		*Menos:*	
Senegal	3.620	Senegal	1.149
Surinam	360	Surinam	123
Jamaica	1.861	Jamaica	690
Polinesia Francesa	120	Polinesia Francesa	47
Guyana	780	Guyana	296
Más:		*Más:*	
Barbados (38)	238	Barbados (38)	90,44
Congo (Brazzaville) (35,8) . .	1.460	Congo (Brazzaville) (35,8) . .	522,68
Zaire (34,9)	26.376	Zaire (34,9)	9.205,22
Islas Gilbert (31,8)	58	Islas Gilbert (31,8)	18,44
Sahara Occidental (34,7)	108	Sahara Occidental (34,7)	37,47
Tabla 2.1 (bis)	137.908	**Tabla 2.1 (bis)**	48.179,25

GRUPO V   **TABLA 2.1**

(40,1-50 por 100 población urbana)

	En miles		*En miles*
Población total	236.484	Población urbana	108.846
Menos:		*Menos:*	
Jordania	2.618	Jordania	1.099
Mauricio	856	Mauricio	374
Sahara Occidental	108	Sahara Occidental	48
Nicaragua	1.988	Nicaragua	966
Trinidad y Tobago	931	Trinidad y Tobago	459
Más:		*Más:*	
Libia (43,7)	2.240	Libia (43,7)	978,88
Surinam (44,8)	360	Surinam (44,8)	161,28
Jamaica (45,7)	1.861	Jamaica (45,7)	850,70
Tabla 2.1 (bis)	234.444	**Tabla 2.1 (bis)**	107.890,86

GRUPO VI   **TABLA 2.1**

(50,1-60 por 100 población urbana)

	En miles		*En miles*
Población total	118.400	Población urbana	66.583
Menos:		*Menos:*	
Puerto Rico	2.712	Puerto Rico	1.576
Colombia	22.552	Colombia	13.410
Más:		*Más:*	
Jordania (52,9)	2.618	Jordania (52,9)	1.384,92
Nicaragua (50,2)	1.988	Nicaragua (50,2)	997,97
Nueva Caledonia (55,2)	133	Nueva Caledonia (55,2)	73,41
Grecia (57,4)	8.769	Grecia (54,7)	5.033,40
Checoslovaquia (59,1)	14.686	Checoslovaquia (59,1)	8.679,43
Tabla 2.1 (bis)	121.330	**Tabla 2.1 (bis)**	67.754,13

GRUPO VII   **TABLA 2.1**

(60,1-70 por 100 población urbana)

	En miles		En miles
Población total	561.331	Población urbana	352.724
Menos:		*Menos:*	
Nueva Caledonia	133	Nueva Caledonia	80
Brunei	201	Brunei	128
Grecia	8.769	Grecia	5.686
Dinamarca	4.937	Dinamarca	3.301
Checoslovaquia	14.686	Checoslovaquia	9.795
Luxemburgo	357	Luxemburgo	242
Más:		*Más:*	
Polinesia Francesa (62,5) ...	120	Polinesia Francesa (62,5) ...	75
Puerto Rico (65)	2.712	Puerto Rico (65)	1.762,80
Colombia (65,4)	22.552	Colombia (65,4)	14.749
Tabla 2.1 (bis)	557.626	**Tabla 2.1 (bis)**	350.078,80

GRUPO VIII   **TABLA 2.1**

(70,1-80 por 100 población urbana)

	En miles		En miles
Población total	607.012	Población urbana	453.469
Menos:		*Menos:*	
Argentina	26.390	Argentina	19.475,82
Venezuela	12.736	Venezuela	9.559
Alemania Federal	61.310	Alemania Federal	45.982
Chile	10.857	Chile	8.661
Más:		*Más:*	
Singapur (74,1)	2.330	Singapur (74,1)	1.726,53
Brunei (70,1)	201	Brunei (70,1)	140,90
Luxemburgo (73,7)	357	Luxemburgo (73,7)	263,10
Holanda (76,3) (en 1975) ...	13.664	Holanda (76,3) (en 1975) ...	10.425,63
Bélgica (71,4)	9.813	Bélgica (71,4)	7.006,48
Tabla 2.1 (bis)	522.084	**Tabla 2.1 (bis)**	389.383,82

GRUPO IX   **TABLA 2.1**

(80,1 por 100 población urbana)

	En miles		En miles
Población total	58.020	Población urbana	51.052
Menos:		*Menos:*	
Holanda	13.772	Holanda	12.177
Bélgica	9.813	Bélgica	9.281
Singapur	2.330	Singapur	2.330
Más:		*Más:*	
Kuwait (83,8)	1.000	Kuwait (83,8)	838
Argentina (80,5)	26.390	Argentina (80,5)	21.243,95
Venezuela (80,2)	12.736	Venezuela (80,2)	10.214,27
Alemania Federal (83,1)	61.310	Alemania Federal (83,1)	50.948,61
Chile (80,5)	10.857	Chile (80,5)	8.739,88
Tabla 2.1 (bis)	144.398	**Tabla 2.1 (bis)**	119.248,71

III

PAÍSES DESARROLLADOS Y PAÍSES SUBDESARROLLADOS

Introducción

3.1. Algunos indicadores del subdesarrollo.
Pequeña muestra de la literatura sobre el tema.

3.2. Países subdesarrollados y países desarrollados.
Contenido de estos términos.
Variables que los definen.

3.3. Países industriales y Tercer Mundo ante el año 2000.

Introducción

El tema del desarrollo y subdesarrollo de los países del mundo se abarca en las tres partes de este capítulo III. En realidad, se trata de tres aproximaciones al tema desde otros tantos ángulos.

La primera parte (3.1) se escribió la última y pretende simplemente ser fiel a su enunciado; es una pequeña muestra —creo que interesante y útil— de la ingente literatura que cada día se acumula sobre el tema.

Las otras dos (3.2 y 3.3) guardan entre sí una relación mucho más estrecha que con la primera.

En 3.2 se atiende, en primer lugar, a la distribución de los países según sus rentas, con datos de 1975, un poco más antiguos, por tanto, que los utilizados al reelaborar el capítulo sobre población urbana y rural. (Los datos de los *Anuarios demográficos de Naciones Unidas* son, es lógico, más fiables que los de sus estimaciones y promedios, más ajustados a la actualidad, pero inevitablemente menos seguros). Por otra parte, no deja de tener interés —¡y es muy aleccionador!— comprobar qué de prisa «envejecen» las cifras estadísticas, incluso las de un organismo tan serio como la propia División de Población de las Naciones Unidas.

La parte 3.3 es, por un lado, un resumen de la anterior en forma de conferencia[1], pero luego se orienta hacia las nefastas conclusiones de las políticas demográficas que pretenden encontrar en el crecimiento de la población de los países nuevos la justificación moral para el suicidio de los países industriales y para un genocidio a escala planetaria. El autor de este libro cree, como muchas otras personas, que ha llegado el momento de llamar a las cosas por su nombre, y que callar y no confesar la verdad y la fe no es ya sólo cobardía, sino un crimen contra la humanidad y las nuevas generaciones.

Es evidente que detrás de los problemas que lleva consigo el desarrollo o subdesarrollo de los pueblos hay siempre —como detrás de todo lo humano— un profundo contenido religioso y, por supuesto, cristiano. No cabe desarrollo verdaderamente humano y pleno si no se cuenta con Dios. El hombre que prescinde de Dios vuelve a la más empobrecedora soledad y se hunde en su impotencia.

En la segunda parte de este capítulo se insiste en esta verdad de base; séame permitido ahora recordar tan sólo que la única y verdadera revolución es la que realiza el cristianismo —a pesar de los pecados, caídas y miserias de nuestras pobres vidas, y de quienes nos han precedido—. Bajo la dura sociedad romana, Cristo anuncia que todos somos hermanos, y tenemos a Dios por Padre, bendice a los niños, cura a los enfermos, defiende a las mujeres (la hemorroisa, la adúltera, la pecadora...) y da su sangre para redimirnos y ganarnos una vida imperecedera...

Desde entonces lo más importante de la historia es considerar cómo los hombres de cada generación han encarnado el mensaje cristiano, lo que es ciertamente una dramática sucesión de luces y sombras, de heroísmo y de bajezas.

Como ha recordado Juan Pablo II en su Encíclica *Laborem exercens*, (I, 3) de 14 de noviembre de 1981: «la doctrina social de la Iglesia tiene su fuente en la Sagrada Escritura, comenzando por el libro del Génesis y, en particular, en el Evangelio y en los escritos apostólicos. Esta doctrina perteneció desde el principio a la enseñanza de la Igle-

---

[1] Se leyó en el ciclo-homenaje al gran geógrafo catalán Pau Vila, en el *Institut de Estudis Catalans* de Barcelona, el 17 de diciembre de 1980.

sia misma, a su concepción del hombre y de la vida social y, especialmente, a la moral social elaborada según las necesidades de las distintas épocas. Este patrimonio tradicional ha sido después heredado y desarrollado por las enseñanzas de los pontífices...»

En relación con el tema que ahora nos ocupa, ya en la primera hora Santiago increpa a los ricos[2], San Pablo defiende al esclavo Onésimo ante su dueño Filemón[3]... luego, con los altibajos que es misión de los historiadores presentarnos, la evangelización —el anuncio de nuestra condición de hijos de Dios— se continúa a través del tiempo y del espacio. Las etapas actuales las conocen todos los hombres de buena voluntad y son: en primer lugar, el esfuerzo de las mujeres y hombres de recta intención por vivir de acuerdo con su fe, sirviendo y ayudando a los demás con su trabajo y amistad; las tareas misioneras, docentes, asistenciales, hospitalarias en todos los países, nuevos o viejos, que las aceptan; las jóvenes iglesias africanas, asiáticas, y la constante defensa de los pueblos subdesarrollados por parte de los papas, en especial los últimos, Juan XXIII, Pablo VI, Juan Pablo II, sin olvidar lo más importante: la administración de los Sacramentos, el perdón de los pecados, la Eucaristía.

Junto a estos aspectos luminosos, no obstante, la situación es grave, la ofuscación de muchas personas terrible. El olvido de su condición espiritual sume a unos en la noche de la desesperación y la náusea, y lleva a otros a una febril búsqueda del placer a toda costa. ¿Qué desarrollo plenamente humano cabe esperar de una sociedad sin conciencia de la condición trascendente de los hombres? ¿De una sociedad que no sabe que tiene que vivir según los designios amorosos de su Creador?

Ante una situación que en los países industriales parece extenderse sin cesar, palabras como las de Juan Pablo II, en Washington[4], adquieren todo su significado de grave advertencia y toda su grandeza de amorosa invitación a no traicionar a los hombres de nuestro tiempo: «Por tanto, reaccionaremos cada vez que la vida humana esté amenazada. Cuando el carácter sagrado de la vida antes del nacimiento sea atacado, nosotros reaccionaremos para proclamar que nadie tiene jamás el derecho a destruir la vida antes del nacimiento. Cuando se hable de un niño como de una carga, o se le considere como medio para satisfacer una necesidad emocional, nosotros intervendremos para insistir en que cada niño es un don único e irrepetible de Dios, que tiene derecho a una familia unida en el amor. Cuando la institución del matrimonio esté abandonada al egoísmo o reducida a un acuerdo temporal y condicional que se puede rescindir fácilmente, nosotros reaccionaremos afirmando la indisolubilidad del vínculo matrimonial. Cuando el valor de la familia esté amenazado por presiones sociales y económicas, nosotros reaccio-

---

[2] «Y vosotros los ricos... Habéis atesorado para los últimos días. El jornal de los obreros que han segado vuestros campos, defraudado por vosotros, clama, y los gritos de los segadores han llegado a los oídos del Señor de los ejércitos. Habéis vivido en molicie sobre la tierra, entregados a los placeres, y habéis cebado vuestros corazones para el día del degüello. Habéis condenado al justo, le habéis dado muerte sin que él se resistiera» (Epístola de Santiago 5, 1-6).

[3] «Siendo el que soy, Pablo anciano y ahora prisionero de Cristo Jesús, te suplico por mi hijo a quien entre cadenas engendré, por Onésimo... que te remito; a él, es decir, mis entrañas... Tal vez se te apartó por un momento, para que por siempre le tuvieras, no ya como siervo; antes más que siervo, hermano amado, muy amado para mí, pero mucho más para ti, según la carne y según el Señor. Si me tienes, pues, por compañero acógele como a mí mismo...» (Epístola de San Pablo a Filemón, 8-17). Las versiones castellanas de la Biblia son las de la traducción de Nacar-Colunga (38.ª ed., Madrid, BAC, 1978).

[4] «Homilía en el *Capitol Mall*» (Washington, 7-X-1979). En «Juan Pablo II a las familias», Pamplona, Eunsa, 1980, págs. 169-170.

naremos afirmando que la familia es necesaria no sólo para el bien privado de cada persona, sino también para el bien común de toda sociedad, nación y Estado... Cuando la libertad, pues, se utilice para dominar a los débiles, para dilapidar riquezas naturales y energía, y para negar a los hombres las necesidades esenciales, nosotros reaccionaremos para reafirmar los principios de la justicia y del amor social. Cuando a los enfermos, los ancianos y los moribundos se los deje solos, nosotros reaccionaremos proclamando que son dignos de amor, de solicitud y de respeto.»

Una última advertencia: el título que posiblemente le hubiera ido mejor a este capítulo es «La población de los países desarrollados y la población de los subdesarrollados», pero no se ha adoptado porque eso hubiera exigido ver ahora todas las características y diferencias entre ambas poblaciones, lo que evidentemente podría haberse intentado, pero se ha preferido otro planteamiento. La trascendencia de esta división entre unos países y otros es tan grande, su peso tan acusado en todos los aspectos demográficos que, como veremos, esta dicotomía —con todos sus matices— se pone inmediatamente de manifiesto en todos y cada uno de los capítulos de la Geografía de la población —índices vitales, índices cualitativos, composición y estructura, crecimiento, distribución...— y por eso se ha preferido dejar que en cada momento nos acompañe como un motivo de fondo, como una constante reiteración que no hace más que confirmarnos más y más en su realidad, importancia y urgencia de solución.

3.1

ALGUNOS INDICADORES DEL SUBDESARROLLO

Pequeña muestra de la literatura sobre el tema

1. El subdesarrollo no es un problema exclusivamente económico.
2. Indicadores del subdesarrollo más utilizados.
   - 2.1. Sauvy.
   - 2.2. Lebret.
   - 2.3. Clarke y Trewartha.
   - 2.4. La «geografía del bienestar».
   - 2.5. Berry y sus escalas.
   - 2.6. Drewnowski y el UNRISD.
   - 2.7. King y la relación entre progreso social y desarrollo económico.
3. La injusta distribución de la riqueza en los países subdesarrollados.
   - 3.1. Del desarrollo desde «el lado de la oferta» a la estrategia del «desarrollo con equidad».
4. Los países desarrollados y subdesarrollados en el modelo de Leontief para las Naciones Unidas.

Apéndice

3.1. Esquema de clasificación geográfica regional, según Leontief (1977).

1. El subdesarrollo no es un problema exclusivamente económico

El tema anterior, la consideración de la población según su residencia urbana o rural, nos ha llevado directamente a lo que es hoy en el mundo la distinción fundamental en cuanto a población: la gran división entre población de los países o regiones económicamente prósperos, y de los países o regiones pobres; en una palabra: de los países desarrollados y de los países subdesarrollados, o, si se prefiere, desarrollándose, en vías de desarrollo, menos desarrollados, etc., pero en definitiva pobres, muy lejos en lo económico de los más desarrollados.

Apresurémonos a decir que la diferencia esencial entre países desarrollados y subdesarrollados no es sólo, ni principalmente, económica, aunque es innegable que lo económico refleja muy bien este antagonismo. Las diferencias son mucho más profundas, sutiles y difíciles de aprehender. Hay, desde luego, muchas diferencias culturales y de mentalidad, como hay muchos grados de desarrollo. A la hora de valorar lo que es desarrollo y subdesarrollo, lo subjetivo toma, pues, una parte totalmente decisiva.

En sí misma, la palabra subdesarrollo tiene un origen y un contenido puramente occidentales. Dudley Stamp[1] ha recordado que fue el presidente Truman, en el famoso Punto IV, de su toma de posesión el 29 de enero de 1949, el que acuñó el término: «Cuarto: Debemos embarcarnos en un atrevido programa para lograr que los beneficios de nuestros progresos científicos e industriales sean asequibles para el crecimiento de las áreas subdesarrolladas. Más de la mitad de las personas del mundo están viviendo en condiciones cercanas a la miseria. Su alimentación no es adecuada. Son víctimas de las enfermedades. Su vida económica es primitiva. Su pobreza es un obstáculo y una amenaza tanto para ellos como para zonas más ricas. Por primera vez en la historia, la humanidad posee el conocimiento y la capacidad para aliviar el sufrimiento de estas personas.»

Este «famoso» Punto IV contiene una serie de simplificaciones, vaguedades y exageraciones que impiden tomarlo como una definición de lo que son áreas subdesarrolladas: En muchas de ellas su vida económica no es primitiva, a no ser que se considere primitiva toda vida económica que no sea la del modelo norteamericano, y tampoco es la primera vez en la historia que la humanidad posee la capacidad de poder aliviar el sufrimiento de otras personas y, sobre todo, que lo ha hecho. Subrayemos también algo que tomó en seguida un derrotero inadmisible y criminal: «su pobreza es un *obstáculo* y una *amenaza* tanto para ellas *como para zonas más ricas*».

En cualquier caso, los que redactaron el discurso de Truman apuntaban ya que el subdesarrollo no es solamente una cuestión meramente económica. Tal vez pudiera buscarse más la solución del problema, o el enmarcamiento de lo que lleva consigo, por el camino de la *calidad de vida*... si consiguiéramos ponernos de acuerdo sobre lo que entendemos por «calidad de vida»[2].

Más adelante se recordará que fue SAUVY quien acuñó el término «Tercer Mundo» para los países subdesarrollados que nacían a su independencia política —nominal o

---

[1] Barcelona, 1966, pág. 216.
[2] Una reciente aportación española al tema de la «calidad de la vida» se encuentra en CARRE-TERO ALBA, E., y otros autores (Madrid, 1981), en especial: LLEÓ DE LA VIÑA, J., *Planificar para el hombre* (págs. 219 a 328); y también en CEOTMA-ASELCA-ASITEMA (Madrid, 1981). Casi un clásico del tema —sobre el que se vuelve más adelante— es DREWNOWSKI (The Hague, París, 1974).

real— en un mundo aterrado por el miedo a la guerra nuclear entre dos poderosos rivales y sus correspondientes cortejos de países aliados[3].

Encontrar la causa del subdesarrollo y definirlo no es precisamente una tarea sencilla. Las desigualdades económicas, y todas sus secuelas: altas mortalidad y morbilidad, menor esperanza de vida, analfabetismo, paro encubierto, falta de calificación personal, dependencia del exterior... son innegables y objetivas, pero se pueden interpretar mucho más como una consecuencia del subdesarrollo que como su causa. Y en cualquier caso, consideradas como causa y efecto a la vez, estamos ya en presencia del famoso «círculo vicioso de la pobreza».

Hay también un hecho objetivo innegable: la población de los países capitalistas y de los países comunistas desarrollados, con poderosa industria, se aproxima cada vez más —como demuestran una serie de índices— en el terreno del comportamiento demográfico y los ideales de la sociedad de consumo. Desde el punto de vista demográfico —índices vitales, composición y estructura de las poblaciones...—, el antagonismo no se produce entre Estados Unidos y la URSS, sino entre países industrializados ricos y países rurales pobres. Entre Estados Unidos, con la URSS juntos, en una parte, y los países africanos o latinoamericanos —por no citar los asiáticos— de otra. ¿Que del país más pobre al más rico se puede hablar de «un continuo» y representar su distribución en un diagrama de dispersión? Claro. Pero eso no impide el enorme contraste entre el más o menos 75 por 100 de la población del mundo que no detenta más que un 25 por 100 del PNB y el exiguo número de países y de habitantes que monopolizan la riqueza mundial.

No es menos cierto que nunca como hoy se ha tenido una tan clara y extendida conciencia de esta injusta situación, y es también innegable que nunca el desequilibrio económico entre gentes y países ha sido tan acusado y sangrante como ahora, porque hasta la revolución industrial —que no cesa de acelerarse—, las diferencias en la capacidad de consumo y esperanza de vida entre el Emperador Carlos V y un indio americano eran indudablemente muchísimo menores que las que ahora existen entre un niño de clase media norteamericano y un niño pobre bengalí. Y estas diferencias se ahondan en lugar de reducirse, porque aun cuando los países en vías de desarrollo progresen realmente —lo que no siempre puede decirse—, la distancia en lo material entre los países desarrollados y subdesarrollados no hace más que ensancharse.

Las nociones de desarrollo y subdesarrollo, hemos dicho, corresponden a la óptica occidental, materialista —trátese de capitalismo y comunismo—, que da prioridad a lo económico. Desde este punto de vista la diferencia entre unos y otros países es palmaria e innegable. Pero, desde el lado de los países subdesarrollados, ¿podemos decir que comparten los puntos de vista de la población de los países industriales? Indudablemente no se puede contestar de un modo simplista, pero puede creerse que una buena parte de sus habitantes miran las cosas y la vida con ojos muy distintos.

Por otra parte, en nuestros países industriales la descristianización de la sociedad, el deterioro o la ruina de la familia, la droga, el culto al sexo y a las aberraciones del sexo, la violencia, el vandalismo..., ¿pueden considerarse por nadie en su sano juicio como indicadores de un progreso, de un desarrollo? ¿O no son más bien los síntomas del fin de una civilización, de una cultura?

Hay, pues, que tomar posiciones previamente para clasificar los posibles grados de

---

[3] CLARKE (1971-77, *Population Geography and the Developing Countries*, pág. 4) dice que quien usó el término Tercer Mundo por primera vez fue Franz FANON.

subdesarrollo, y siempre el peso de lo subjetivo, de nuestros pensamientos y deseos, influirá en nuestra cualificación y en nuestras conclusiones.

Insistamos una y mil veces en que no es sólo lo económico lo que caracteriza el subdesarrollo de los pueblos y las regiones, aunque quizá, a pesar de sus enormes dificultades, lo económico es lo más fácil de detectar y medir.

El tema del subdesarrollo es, ante todo y esencialmente, profundamente humano: tres cuartas partes de la humanidad padecen sus consecuencias, y eso se refleja en todos sus aspectos demográficos. Por todos los lados del análisis de las características de la población mundial —tasas de natalidad y mortalidad, índices de crecimiento, estructura por edades, composición profesional de la población, esperanza de vida, condición de la mujer, grado de instrucción, renta per cápita...— encontraremos —con todas las gradaciones y matices que dan las diferencias entre pueblos y economías— la formidable, la abrumadora diferencia entre las poblaciones de los países ricos y las poblaciones de los países pobres, entre los países desarrollados y los subdesarrollados. Es lógico —lo contrario sería imperdonable— que el interés humano del tema —es la vida de millones de otros hombres lo que está en juego— atraiga no sólo la atención de los científicos, sino de todos cuantos por vocación se sienten llamados a servir y ayudar —sacerdotes, religiosas, pensadores, hombres de accion, médicos, educadores, voluntarios sociales...—, y también resulta muy doloroso comprobar —aunque nadie que conozca un poco la historia puede sorprenderse— cómo las grandes potencias emplean a estos países como peones, y cabezas de puente, en el trágico juego de la estrategia universal, condicionando su ayuda a que se muevan según su conveniencia.

Es igualmente irritante, ofensivo y muy torpe que autores que presumen de científicos y objetivos utilicen sus escritos para falsear la verdad, insultar y calumniar a personas e instituciones, que no han cometido más delito que decir la verdad y ayudar a los más débiles, sin distinción de credos o de partidos[4].

2. Indicadores del subdesarrollo más utilizados

Hace ya más de 30 años que los economistas regionales y muchos otros científicos se esfuerzan por encontrar índices de una serie de factores que les permitan cuantificar la intensidad del subdesarrollo —sus grados— y comparar unos países con otros, si bien es verdad que cuanta más información, y sobre aspectos más concretos, quieren reunir, la dificultad de acopiarla es infinitamente mayor, porque las estadísticas, si existen, no son fiables y los criterios para valorar un mismo factor varían muchísimo de

---

[4] Como ejemplo de lo que se dice se trae aquí la triste cita de un conocido autor: «De hecho, esas referencias a la lucha contra el imperialismo, para justificar unas políticas de desarrollo, de industrialización o de alza de precios o de las materias primas, no son solamente el objeto de dirigentes revolucionarios o de personalidades de "izquierda", sino que cada vez más —aunque a primera vista parezca paradójico— lo son también de soberanos teocráticos, emires y hombres de política pertenecientes a gobiernos de extrema derecha, o estrechamente ligados a las grandes firmas multinacionales.

Es importante estar alerta ante tales razonamientos que, como veremos, cubren las nuevas estrategias de las minorías privilegiadas.»

Como se ve: tras el insulto, la calumnia, se niega la buena fe, la recta intención, no se llega ni a comprender ni aceptar que existen en quien no milita en la propia «facción».

unos países a otros. La misma cuantificación de la renta nacional per cápita deja mucho que desear en todos estos países[5].

2.1. *Sauvy*

Ya en 1951, SAUVY[6] decía que los «tests» del subdesarrollo son:

— Alta mortalidad (en especial la mortalidad infantil).
— Alta fecundidad.
— Alimentación insuficiente.
— Gran proporción de analfabetos.
— Gran proporción de cultivadores y pescadores.
— Paro encubierto, a causa de la insuficiencia de los medios de trabajo.
— Servidumbre y discriminación de la mujer.
— Masivo empleo de niños como fuerza laboral.
— Falta o escasez de clases medias.
— Régimen autoritario, sin instituciones democráticas.

En su *Teoría general de la población*[7] publicada en francés en 1952, puesta al día en 1966 y reeditada en inglés en 1969 y 1974, resume SAUVY su pensamiento sobre el subdesarrollo, que identifica con el Tercer Mundo en tres breves párrafos. Los países del Tercer Mundo —dice— se caracterizan por: 1) Altas tasas de natalidad, superiores al 4 por 100. 2) Rápido crecimiento de la población, del orden del 2-3,5 por 100 anual. 3) Pequeña renta nacional por habitante, entre 100 y 350 dólares USA al año. 4) Economía predominantemente agraria.

Estos países se diferencian de los agrícolas clásicos... a causa del rápido crecimiento de su población motivado por la reducción de las tasas de mortalidad. Difieren asimismo de las sociedades industriales por sus altas tasas de natalidad y sus pequeñas rentas nacionales. Por una parte, están evolucionando como las sociedades industriales, pero, por otra, a causa del predominio de la agricultura y de los bajos niveles de renta, son similares a las sociedades agrarias.

A causa de su perentoria necesidad de dinero y bienes y de su pobreza de medios, estos países se encuentran en una difícil situación y claman por nuevas políticas de desarrollo. Hay así como un tercer tipo de economías: la de los países con pocos recursos, pero enfrentados a la necesidad de grandes transformaciones que les permitan hacer frente a las exigencias de un gran crecimiento demográfico.

El tiempo transcurrido y la información acumulada desde que se escribieran estas líneas —muy libremente pasadas al español— nos permiten matizar estas afirmaciones de SAUVY —comenzando por el desfase actual de las cifras que da como características—, pero es indudable que constituyen un resumen magistral de *algunos* de los *caracte-*

---

[5] Es muy ilustrativo y claro, para valorar la «renta per cápita» como elemento de comparación entre diversos países, el artículo de CARBAJO, A. y ROJO, Luis A., que recomienda «Lecturas ulteriores» de este mismo capítulo.
[6] *Population*, oct.-dic. 1951, pág. 604 (citado por LEBRET).
[7] *Theorie Générale de la Population*, París, PUF, 1952.

res más destacados de las poblaciones de los países subdesarrollados, sin que de eso se pueda por ello deducir que sean *efectos,* y mucho menos *causas,* del subdesarrollo, como pretenden muchos autores anglosajones.

2.2. *Lebret*

No en la misma línea de SAUVY, con quien no mantuvo en estos años una absoluta identificación, pero sí muy inspirado por él, LEBRET[8] señala como indicadores del subdesarrollo: *a*) Baja renta nacional por habitante. *b*) Déficit alimentario de una parte importante de la población y gran extensión de las enfermedades endémicas. *c*) Agricultura primitiva, rutinaria y no mecanizada. *d*) Débil densidad de infraestructuras. *e*) Escasa industrialización. *f*) Analfabetismo. *g*) Falta o insuficiencia de cuadros científicos y técnicos.

Y añade otros criterios que considera menos demostrativos, tales como: *h*) Gran predominio del sector agrícola y de la población rural, paro encubierto importante. *i*) Débil capacidad financiera, tasas de ahorro y de inversión poco elevadas, capitales pequeños. *j*) Alta fecundidad.

Cada uno de estos apartados es objeto, en su obra, de una explicación pormenorizada de su contenido y esto le permite luego expresar gráficamente, en sus conocidas «rosas de los vientos», los «niveles de consumo» y de «producción-productividad-desarrollo» de las diez zonas —USA-Oceanía-Europa occidental-Europa oriental-América latina-Oriente Próximo-China y Sudeste asiático-y África— en las que resumió su distribución mundial de los países desarrollados y subdesarrollados.

2.3. *Clarke y Trewartha*

Con más criterio geográfico —puesto que son geógrafos—, aunque no con mejor buena voluntad que LEBRET, TREWARTHA y CLARKE insisten en los caracteres ya reconocidos de la población de los países subdesarrollados, los matizan y enriquecen y añaden otros no mencionados, aunque implícitos.

CLARKE recuerda que el fenómeno demográfico más notable de nuestro mundo es el rápido crecimiento de la población de los países en vías de desarrollo, que *grosso modo* pueden considerarse: Latinoamérica, África y Asia (con la excepción de la URSS y el Japón). Este rápido crecimiento demográfico se refleja, lógicamente, en una estructura por edades de base muy ancha, muy juvenil, y en muy altas tasas de población dependiente que, en casos concretos, puede contribuir a retrasar, o impedir, el crecimiento de la renta per cápita. La presión demográfica en algunos países —por supuesto, no en todos— es, por tanto, muy grande, aunque eso no justifica nunca el aborto, la esterilización o el uso de anticonceptivos orales, diafragmas, esterilets, etc., para evitar la concepción.

A las características internas de la población de los países subdesarrollados se añaden tensiones y transformaciones importantes como resultado del brusco contacto de las formas de vida y actividades modernas con los modos de vida tradicionales de estos países.

Uno de los más espectaculares resultados de este impacto, como hemos visto ya, es la

---

[8] París, 1963, págs. 49 a 75.

creciente urbanización, la creciente concentración de la población en las ciudades. Acabamos de ver que éste es un fenómeno característico de nuestro tiempo con independencia del grado de desarrollo de un país, pero tiene mucha razón CLARKE cuando recuerda que en los países subdesarrollados el proceso actual de urbanización es perturbador, económicamente no justificable, parasitario. Está igualmente en lo cierto cuando subraya que la rápida urbanización es, asimismo, demostrativa de la disminución de la influencia del medio físico sobre la distribución espacial de la población.

Obviamente, los grados del subdesarrollo y las combinaciones de matices que presentan tanto los países del mundo como, dentro de cada uno de ellos, sus regiones son variadísimos; por eso, aunque en los otros dos capítulos que en este libro se dedican al tema se recogen algunos índices y se pretende clasificar a los países, en lo sucesivo —como iremos viendo— las diferencias entre países desarrollados y subdesarrollados se pondrán inmediatamente de manifiesto en el contenido de cualquier tema que se aborde: crecimiento de la población, regímenes alimentarios, disponibilidad y uso de los recursos, etc.

Una cosa hay cierta y ahora aceptada por la mayor parte de los tratadistas: la situación es grave, y en muchos casos resulta muy difícil salir del subdesarrollo. Los ingenuos optimismos de los años cincuenta han pasado ya como lo que eran, una vaga ilusión; ahora se sabe que el camino es trabajar duro y administrar mejor, y aun así muchos países no podrán superar su postración sin una ayuda exterior mucho más generosa y respetuosa de su independencia de la que ahora reciben.

En los capítulos que siguen se habla de algunas clasificaciones de los países del mundo según su grado de desarrollo; aquí conviene recordar, para resumir el pensamiento de CLARKE —que en este caso sintetiza el de muchos autores—, que en esencia los países subdesarrollados son los países más pobres del mundo, que en diverso grado tienen una serie de caracteres comunes que ya se han mencionado: bajos niveles de vida, bajas rentas por persona, bajo consumo de alimentos, bajo consumo de energía, gran analfabetismo, mucho paro y mucho subempleo, alta morbilidad, rápido crecimiento de población, predominio de la población infantil y juvenil, altos índices de dependencia, gran mayoría de la población dedicada a la agricultura, infrautilización de los recursos, limitado capital, limitada industrialización, pocas y malas comunicaciones y monoproducción de alimentos o de minerales.

Evidentemente, aunque muchas veces se utilice la renta per cápita, u otra variable indicadora, ningún criterio singular es satisfactorio para definir los grados de subdesarrollo. JOHN I. CLARKE está muy en lo cierto al recordar que todas las variables mencionadas están interrelacionadas y forman una matriz de factores socioeconómicos y demográficos, de tal forma que si un factor se modifica se modificarán también los demás en un momento o en otro.

No basta, pues, un solo criterio —aunque por comodidad se recurra a ello en ocasiones—, sino que es preferible —cuando se puede— considerar una combinación de criterios, como SCHEILD[9], que sugiere siete:

1) Rápido crecimiento de la población; 2) explotación unilateral de los recursos; 3) falta de capitales, y de administraciones sociales y políticas, capacitadas y efectivas; 4) tradiciones y actitudes antiguas y conservadoras; 5) pobre y limitado desarrollo industrial; 6) costosos y complicados sistemas de distribución, y 7) bajas rentas per cápita y bajos niveles de vida.

---

[9] Citado por CLARKE, 1971-77, pág. 5.

TREWARTHA, cuyos criterios morales en materia de planificación familiar son totalmente inadmisibles, coincide, en cuanto a las variables a considerar para definir el subdesarrollo, con las ideas de SAUVY y CLARKE expuestas anteriormente, y las desarrolla y presenta con un enfoque totalmente geográfico.

2.4. La «geografía del bienestar»

David M. SMITH, que es un excelente geógrafo cuantitativo y un hombre de muy buena intención, aunque también un ofuscado militante marxista, enfoca el tema del subdesarrollo desde el punto de vista de lo que llama «geografía del bienestar» que, aunque le parece una gran novedad, resulta, a la postre, un nuevo descubrimiento del Mediterráneo que tiene, sin embargo, el interés de apuntar también la dirección de que el problema del desarrollo de los pueblos desborda ampliamente el marco de lo económico, y al tomar en cuenta circunstancias subjetivas y personales se hace cada vez más difícil de definir y de materializar, a pesar de las más complicadas matrices de datos.

El mismo SMITH escribe: «El bienestar humano, cualquiera que sea, es en la actualidad imposible de medir de un modo aceptable por la mayoría y posiblemente no podrá ser medido nunca. El sistema que lo genera nunca puede ser exactamente, ni tampoco aproximadamente, especificado en un futuro cercano; en cualquier momento está en un constante estado de cambio...»

No obstante, partiendo de esta inestable base, SMITH resume algo de lo más esencial sobre el subdesarrollo, e insiste, como se ha dicho, sobre las dimensiones humanas del problema, y éste es lógicamente un aspecto que nos acerca a los geógrafos «aplicados» de todas las tendencias, radicales o no radicales, pues es indudable que los diagnósticos se dan para luego prescribir los tratamientos, y en este caso una vez diagnosticadas la pobreza y la injusticia, es lógico que los geógrafos —en ese momento y no antes— busquemos con otros colegas, en el ámbito científico y también en el social, la solución de esta tremenda situación de nuestro tiempo. Evidentemente, quienes amamos la libertad y sabemos que el hombre es también espíritu no podemos coincidir en todo con los «tratamientos» que recomiendan nuestros colegas radicales, pero ellos y nosotros buscamos la curación del enfermo, y podemos suscribir juntos la bella cita de LÖSH, que recoge SMITH, «El verdadero deber... no es explicar nuestra triste realidad, sino mejorarla...», aunque sin olvidar nunca que sin diagnóstico previo no hay tratamiento, no hay medicación: en todo caso puede haber curandería.

SMITH recuerda que, entre los autores que él maneja, desde 1970 al menos, la consideración del subdesarrollo como una cuestión exclusivamente económica está superada. Los trabajos de DREWNOWSKI, en el *United Nations Research Institute for Social Development,* rechazan como parcial el enfoque económico e incluso social, y hacen hincapié en la unidad esencial del proceso de desarrollo de un país. «Es necesario examinar el impacto de los recursos de un país sobre la vida de sus habitantes», escribe DREWNOWSKI. Ni la renta per cápita ni sus tasas de crecimiento pueden mostrar si las condiciones en que vive la gente han mejorado de verdad. Estos indicadores no reflejan lo que DREWNOWSKI llama *desarrollo frustrado* (mala distribución, derroche y efectos negativos secundarios) ni tampoco los integrantes del bienestar que en modo alguno son resultado del crecimiento económico.

Es evidente que en la evaluación de lo que se considera bueno para el desarrollo de un país entra un juicio previo de valor —un concepto normativo dice SMITH— que, con gran frecuencia, se hace según criterios occidentales, pero como recuerda GOULET (citado por SMITH), aunque el desarrollo implica transformaciones económicas, políticas y culturales, éstas no son fines en sí mismas, sino medios indispensables para enriquecer la calidad humana de la vida.

El término «geografía del bienestar» se va abriendo camino. Con un criterio diferente de SMITH, pero lleno de enfoques interesantes, se ocupa de él BAILLY en un libro aparecido en el tercer trimestre de 1981 (París, PUF).

2.5. *Berry y sus «escalas»*

Como final del *Atlas of Economic Development* de GINSBURG[10], publicó B. J. BERRY un análisis estadístico, acompañado de las tablas, matrices y gráficos que tan gratos resultan a este autor. La obra es de 1961 y la aportación de BERRY en este trabajo, ya clásico, es una brillante demostración de su modo de trabajar, en una época en que en él pesaban aún tanto lo geográfico como los métodos cuantitativos.

BERRY reunió datos sobre 43 variables de 95 países, atendiendo con preferencia a las que tenían que ver con transportes, comercio, comunicaciones y uso de energía. Las 43 variables, ordenadas cada una de ellas según su rango en los 95 países, dieron una matriz de datos que se sometió al análisis de los componentes principales (el mayor de los factores resultantes se encontró en el 86,1 por 100 de todas las variantes en la matriz de datos) de donde BERRY obtuvo un índice compuesto, y dedujo que en cuanto a desarrollo económico de los países «se sugiere una simple estructura en virtud de la cual los países tienden a ordenarse según su rango de un modo similar en todas las cuestiones de transporte y comercio, producción y consumo de energía, producto nacional, comunicaciones y urbanización».

De su análisis se deducían *cuatro caracteres básicos.*

En el *primero* se resume un poderoso efecto promedio, que está presente en los 43 índices, que manifiesta la asociación en una única nueva dimensión de los índices de accesibilidad, transporte, comercio, relaciones externas, tecnología, industrialización, urbanización, producto nacional y organización de la población.

En opinión de BERRY este índice refleja el rango original de los países, pero lleva también a la conclusión de que no existen grupos «naturales» de países «desarrollados» o «subdesarrollados» con series de «rangos» semejantes, sino que lo que hay es más bien una distribución de países a lo largo de un continuo. Este continuo es precisamente lo que BERRY designa como la «escala tecnológica».

El *segundo rasgo* abarca primero un grupo de índices, menos representados por la «escala tecnológica», y que se refieren a la población de los países —tasas de natalidad y mortalidad, tasas de mortalidad infantil, tasas de crecimiento de población, densidades de población por unidad de superficie cultivada—, más otros dos índices positivamente asociados, cosechas de arroz y tanto por ciento sobre el total de las exportaciones comerciales de las que se mantienen con los países del Norte del Atlántico. A estos índices se añaden otros negativamente asociados con el desarrollo: comercio internacional por per-

---

[10] Chicago, 1961.

sona, consumo de energía por persona, circulación de periódicos por persona, producto nacional per cápita, teléfonos por persona y automóviles por persona o, si se quiere decir mejor, número de personas por automóvil.

Este aspecto lleva a BERRY a considerar que las gentes que viven en países con altas presiones demográficas son pobres, tanto en términos de sus tasas de crecimiento de población cuanto por el gran número de personas cuyo limitado «stock de energías...» debe ser mejorado.

Ésta es en esencia la «escala demográfica» del desarrollo de BERRY.

El *tercer aspecto* asocia inversamente el producto nacional total, el consumo de energía y la intensidad de los portes por ferrocarriles con las tasas de crecimiento de la población, las tasas de natalidad, el comercio exterior per cápita y los flujos del correo internacional per cápita. Esto le permite, como en los casos anteriores, confeccionar un interesante gráfico de distribución de los países, desfasado, por supuesto, dados los años transcurridos desde su publicación.

En definitiva, es un modo de materializar el *contraste entre la renta y las relaciones externas.*

El *cuarto* y último de los rasgos de la distribución de países en cuanto a su desarrollo presentados por BERRY hace referencia a la palmaria diferencia entre países *grandes* y países *pequeños*. Los países grandes tienen bajos índices por unidad de superficie —densidades, porcentajes de tierra cultivada, población por hectárea de tierra de labor, vehículos de motor, carreteras y ferrocarriles por unidad de superficie—; tienen, en cambio, altos índices per cápita —carreteras, vías férreas, etc.— y grandes recursos de energía, tanto por persona como en total. El contraste, pues, con los países pequeños es total. Éstos tienen índices muy altos por unidad de superficie, bajos índices per cápita. y pequeños recursos de energía.

Utilizando la distribución de los países según los datos de la escala económico-demográfica, concluye BERRY que:

a) Los países menos desarrollados tienden a tener localizaciones y, consiguientemente, climas tropicales, mientras los más adelantados se localizan en latitudes medias con climas templados.

b) Los países menos desarrollados tienen economías de subsistencia, mientras las crecientes especializaciones y comercialización van asociadas con países desarrollados y más altos niveles de vida.

2.6. *Drewnowski y el UNRISD*

2.6.1. *McGranahan y otros*

El recurso a la ayuda de los análisis factoriales permite indudablemente obtener indicadores del desarrollo partiendo también de variables no económicas, es decir, sociales, institucionales, políticas... SMITH cita en su libro algunas aportaciones en este sentido, y resume la de ALDEMAN y MORRIS (1965 y 1967), que es una de las muchas que cada día se ensayan.

De mayor interés son los trabajos del UNRISD (United Nations Research Institute for Social Development) para elaborar un *índice de niveles de vida*. SMITH ha resumido esta línea de investigación y los resultados alcanzados en ella por DREWNOWSKI y SCOTT

(1968), y McGRANAHAN (1970), pero hay un informe mucho más completo porque el propio DREWNOWSKI, que era director del Instituto de Estudios Sociales de La Haya en 1974, publicó en esta fecha un pequeño libro —*On Measuring and Planning the Quality of Life*— donde explica su metodología con el pormenor necesario para ensayar su aplicación a nivel regional, o incluso —si se dispone de información suficiente y acomodada al caso— urbano.

Ya en 1970 McGRANAHAN construyó un indicador general compuesto incorporando aspectos económicos y sociales del desarrollo. Utilizando el banco de datos del UNRISD (en 1960) acumuló una reserva de 42 variables de 115 países. Esta reserva se redujo luego a 18 indicadores centrales, o, si se prefiere, fundamentales o nucleares.

En opinión de McGRANAHAN, estos indicadores centrales —*core indicators*— considerados en grupo identifican el «desarrollo socioeconómico» y en combinación ofrecen un *índice general de desarrollo*.

El procedimiento seguido por McGRANAHAN para obtener su índice compuesto consistió en identificar empíricamente unos «puntos de correspondencia» entre indicadores

TABLA 3.1.1.—Indicadores fundamentales empleados en el Índice de Desarrollo, para 1960, del UNRISD

Indicadores	*Promedio de la correlación (r) con otros indicadores*
1. Esperanza de vida al nacer	0,744
2. Población en localidades de 20.000 y más habitantes (tanto por ciento del total)	0,730
3. Consumo de proteínas animales por persona y día	0,791
4. Escolaridad primaria y secundaria combinadas (tanto por ciento de los efectivos, entre 5-19 años)	0,777
5. Escolaridad en formación profesional (tanto por ciento entre los de 5-19 años)	0,788
6. Número medio de personas por habitación	0,783
7. Número de ejemplares de periódicos en circulación por 1.000 habitantes	0,823
8. Teléfonos por cada 10.000 habitantes	0,762
9. Receptores de radio por 1.000 habitantes	0,769
10. Población económicamente activa en servicios, transportes, etc. (tanto por ciento)	0,769
11. Producción agrícola por obrero agrícola varón (en dólares USA)	0,839
12. Trabajadores adultos en agricultura (tanto por ciento del total)	0,809
13. Consumo de electricidad por persona (Kwh)	0,687
14. Consumo de acero por persona (kg)	0,769
15. Consumo de energía por persona (equivalente kg carbón)	0,760
16. PIB derivado de las manufacturas (tanto por ciento del total)........	0,752
17. Comercio exterior (suma de importaciones y exportaciones por persona) (en dólares USA)	0,737
18. Jornaleros y asalariados (tanto por ciento de la población económica activa)	0,750

(Según McGRANAHAN, tomado de SMITH).

individuales del desarrollo económico-social y el PNB añadido por persona, considerado como medida convencional del desarrollo económico. Así, empíricamente, una esperanza de vida al nacer de 59 años, correspondería en ese mismo país a una escolaridad del 47 por 100 y ambas a un PNB por persona de 300 dólares USA anuales.

Luego los datos de cada indicador se distribuyeron de 0 a 100, dando el 0 a los valores más bajos y 100 a los más altos. Por ejemplo, a una esperanza de vida al nacer de 40 años se le asignó el valor 0 y a las de 71 años el valor 100. Dos personas y media por habitación se valoraron con 0, y 0,7 personas por habitación con 100.

Los puntos intermedios de estas escalas se establecieron para reflejar la relación no lineal entre las distintas condiciones, de aquí que el punto 50 no equidista necesariamente de los dos extremos.

Una vez transformado cada indicador de este modo, el problema final hace referencia a su peso en el índice compuesto. El promedio de la correlación con los otros indicadores se consideró el mejor método empírico disponible. La puntuación alcanzada por cada país en este índice final del desarrollo se obtiene con la suma de sus valores en cada uno de los 18 indicadores de la escala de 0 a 100, a la que se da un peso de acuerdo con su respectiva intensidad de asociación con todos los restantes indicadores.

Con los datos de que se disponía se calculó entonces un índice de desarrollo para 58 países.

2.6.2. *Drewnowski*

Como ya se ha adelantado, DREWNOWSKI dedica su libro de 1974 a explicar cómo se confecciona su *Índice de Niveles de Vida*.

La construcción del mismo se hace asignando *indicadores* a los *componentes* y determinando los puntos *críticos* de los indicadores.

En su plan se asignan *tres indicadores,* por término medio, a cada componente, lo que permite obtener en su opinión un índice muy sencillo aplicable a muchos más.

Naturalmente la selección de los indicadores es inevitablemente un compromiso entre los considerados óptimos conceptualmente y aquellos de los que realmente hay posibilidad de obtener datos sobre ellos. DREWNOWSKI aclara, como buen científico, que este modo de construir sus índices es perfectible y no definitivo.

Su Índice lo forman *nueve componentes* clasificados en tres grupos.

El primer grupo abarca cinco componentes básicos, que son los más evidentes cuando se trata de niveles de vida: 1) Nutrición; 2) Vestido; 3) Vivienda; 4) Salud; 5) Educación.

Estas cinco necesidades humanas se satisfacen a través del *consumo* de bienes y servicios ofertados por las actividades económicas y sociales de la sociedad-economía.

El segundo grupo contiene dos componentes: 6) Descanso, y 7) Seguridad. La seguridad, aclara, se refiere a la necesidad de *protección* que la población espera recibir de la sociedad. Protección del exceso de trabajo y la explotación y de los peligros que amenazan a las gentes y sus niveles de vida. ·

El tercer grupo se refiere al *medio ambiente* en el que vive la gente. Lo forman dos componentes: 8) *Medio ambiente social,* que incluye esparcimiento (recreo), y 9) *Medio ambiente físico.*

Los nueve componentes se miden por medio de 27 indicadores. En el grupo básico de componentes hay 15 indicadores —es decir, tres indicadores para cada componente—.

Desarrollo y subdesarrollo. Colegio en Maisons-Lafitte (Francia). Escuela en un «bidon-ville» de Calcuta. (De «La Documentation Photographique», núm. 6.041. Junio 1979. Editada por La Documentation Française.)

Descanso tiene un indicador y *Seguridad* dos. Los dos componentes medio ambientales tienen nueve indicadores entre los dos.

Todo esto se materializa en la *Tabla de Computación del Índice de Niveles de vida*, preparada por el mismo DREWNOWSKI, cuya traducción se reproduce a continuación.

TABLA. 3.1.2.—Índice de niveles de vida: tabla de computación
Según DREWNOWSKI (1974).

Puntos críticos de los indicadores	*0*	*100* *M*		*A*
Designación de las categorías de los indicadores fundamentales, expresando sus respectivos niveles de satisfacción de necesidades.	Intolerable	Inadecuada	Adecuada	Abundante
Grados de correspondencia de los indicadores ordinales.	IV	III	II	I
Valores del índice indicador intermedio para los indicadores fundamentales.	0	$0 \ 0 < I' < 100$	$100 \ 100 < I' < I'_A \ I'_A$	I'_A
Valores del índice convencional intermedio para los indicadores ordinales.	0	0 50 100	150	200 200

Componentes	Indicadores	Unidades de medida	Determinación de las categorías de los indicadores fundamentales y grados de los indicadores ordinales			
1. Nutrición (ingesta de alimentos)	a) Calorías.	Ingesta de calorías por día y persona, % de lo normal.	Menos del 60 % de lo normal.	Más del 60 % pero menos del 100 % de lo normal.	100 % y más pero menos del 133 % de lo normal.	133 % y más de lo normal.
	b) Proteínas.	Ingesta de proteínas por día y persona, % de lo normal.	Menos del 60 %.	60 % y más, pero menos del 100 %.	100 % y más, pero menos del 200 % de lo normal.	200 % y más.
	c) % de calorías no procedentes de hidratos de carbono.	% de calorías en la ingesta de alimentos no procedentes de hidratos de carbono.	Menos del 10 %.	10 a 40 %.	40-60 %.	60 % y más.
2. Vestido (uso de la ropa)	a) Consumo de telas.	Telas usadas para trajes a la medida, o hechos, vendidos a los consumidores, por año y persona.	Ninguna.	Menos de 15 m².	Más de 15 m² pero menos de 50 m².	50 m² y más.
	b) Consumo de calzado.	Pares de zapatos vendidos a los consumidores por año y persona.	Ninguno.	Menos de 3 pares.	3 pares y más, pero menos de 6.	6 pares y más.
	c) Calidad del vestido.	Ind. ord.	Muy primitiva.	Pobre.	Satisfactoria.	Suntuosa.

Componentes	Indicadores	Unidades de medida	Determinación de las categorías de los indicadores fundamentales y grados de los indicadores ordinales			
3. Vivienda (ocupación de las viviendas)	a) Servicios de las viviendas.	Ind. ord.	Ninguna vivienda permanente.	Habitación rústica o mal equipada.	Equipado convencional por habitación.	Convencional con todas las comodidades.
	b) Densidad de ocupación.	Habitaciones por habitante.	Menos de una cuarta parte.	Una cuarta parte y más, pero menos de una.	Una y más, pero menos de una y media.	Una y media y más.
	c) Uso independiente de las viviendas.	Número de familias por vivienda.	Unidad de vivienda imposible de identificar o menos de media vivienda por familia.	Menos de una, pero más de media unidad de vivienda por familia.	Una vivienda por familia.	Más de una unidad de vivienda por familia.
4. Salud (servicios sanitarios recibidos)	a) Acceso a los cuidados médicos.	Ind. ord.	Ninguno.	Limitado.	Adecuado.	Todas las necesidades de cuidados médicos plenamente satisfechas.
	b) Prevención de enfermedades infecciosas y parasitarias.	Porcentaje de fallecimientos no debidos a enfermedades infecciosas o parasitarias.	Menos del 66 %.	66 % y más, pero menos del 96 %.	96 % y más, pero menos del 99 %.	99 % y más.
	c) Tasa proporcional de mortalidad.	Porcentaje de fallecimientos a la edad de 50 y más años con respecto al número total de fallecimientos.	0 %.	Menos del 80 %.	80 % y más, pero menos del 90 %.	90 % y más.
5. Educación (educación recibida)	a) Tasa de escolaridad.	Escolaridad como porcentaje de la norma.	Ninguna escolaridad.	Menos del 100 %.	100 % o más, pero menos del 150 %.	150 % y más.
	b) Tasa de asistencia escolar.	Asistencias como porcentaje de la matrícula total.	Ninguna asistencia.	Menos del 90 %.	90 % y más, pero menos del 100 %.	100 %.
	c) Ratio profesor/alumno.	Ratio profesor/alumno como porcentaje de la norma.	No se reciben enseñanzas.	Ratio profesor/alumno inferior al 100 % de la norma.	Ratio profesor/alumno en o por encima del 100 % de la norma, pero por debajo del 200 %.	Ratio profesor/alumno en o por encima del 200 % de la norma.
6. Descanso (protección del exceso de trabajo)	a) Tiempo libre.	Horas libres de trabajo al año.	Menos de 3.640 horas libres de trabajo por año. (Muy duramente sobrecargado.)	3.640 horas y más, pero menos de 6.336 horas libres de trabajo por año. (Exceso de trabajo.)	6.336 horas y más, pero menos de 6.816 horas libres de trabajo por año. (No sobrecargado.)	6.816 horas o más libres de trabajo por año. (Confortable.)

Componentes	Indicadores	Unidades de medida	Determinación de las categorías de los indicadores fundamentales y grados de los indicadores ordinales			
7. Seguridad (seguridad asegurada)	a) Seguridad de la persona.	Ind. ord.	Ausencia de la ley y el orden (guerra, guerra civil, régimen de terror).	Ley y orden penosamente mantenidos (algaradas, gangsterismo, vandalismo).	Ley y orden adecuadamente mantenidos.	Ley y orden bien mantenidos.
	b) Seguridad del nivel de vida.	Ind. ord.	Caos económico.	Sin seguros de paro o enfermedad, ni plan de pensiones ni ahorros suficientes.	Seguros de paro y enfermedad, pensiones y jubilaciones o ahorros suficientes para mantener un nivel de vida mínimo.	Cobertura completa, por seguros, pensiones y/o suficientes ahorros para mantener el nivel actual de vida.
8. Medio Ambiente Social (contactos sociales y diversiones)	a) Relaciones laborales.	Ind. ord.	Algaradas. Huelgas frecuentes y lock-outs.	Tensiones en las relaciones laborales. Huelgas ocasionales.	Relaciones laborales satisfactorias.	Buenas relaciones laborales.
	b) Condiciones para la actividad económica y social.	Ind. ord.	Opresión política. Prejuicios sociales muy fuertes.	Condiciones difíciles para la actividad económica y social.	Condiciones satisfactorias para la actividad económica y social.	Buenas condiciones para la actividad económica y social.
	c) Información y comunicación.	Ind. ord.	Aislamiento dentro de una comunidad aldeana.	Información y comunicación restringidas.	Información y comunicación satisfactorias.	Amplias información y comunicación.
	d) Diversiones: actividades culturales (música, teatro, artes plásticas, lectura de libros).	Ind. ord.	Carencia de actividades culturales.	Rudimentos de actividades culturales. Limitada participación.	Actividades culturales adecuadamente desarrolladas. Participación popular.	Actividades culturales bien desarrolladas. Participación entusiasta y activa.
	e) Esparcimiento: viajes.	Ind. ord.	Inmovilidad.	Viajes ocasionales de ámbito reducido.	Frecuentes viajes por varios medios de transporte, preferentemente dentro del propio país.	Frecuentes viajes de distinto valor educativo y cultural dentro del país y por el extranjero.
	f) Esparcimiento: deportes y ejercicios físicos.	Ind. ord.	Ningún tipo de participación.	Participación ocasional.	Sistemática práctica de algún tipo de ejercicio.	Sistemática práctica de muchos tipos de ejercicio.
9. Medio ambiente físico	a) Limpieza y serenidad ambientales.	Ind. ord.	Condiciones insoportables.	Condiciones insatisfactorias.	Condiciones satisfactorias.	Buenas condiciones.
	b) Parques y otros espacios públicos en la vecindad.	Ind. ord.	No los hay.	Inadecuados.	Adecuados.	Buenos.
	c) Belleza del entorno.	Ind. ord.	De una fealdad deprimente.	Mediocre.	Aceptable.	Inspiradora.

El texto de DREWNOWSKI aclara el sentido de algunos indicadores y expresiones en los que no es el momento de detenerse ahora —el lector interesado puede acudir directamente al original—. Una atenta lectura de la tabla permite ver también que los indicadores son de muy distinta calidad y en muchos casos muy difíciles de puntuar objetivamente, pero en conjunto, si se pueden recoger bien, no hay duda de que resultan enormemente expresivos.

2.7. *King y la relación entre progreso social y desarrollo económico*

KING[11] ha buscado la relación posible entre progreso social y desarrollo económico por métodos matemáticos, añadiendo para ello a su análisis la comparación, entre 1951 y 1969, de los valores de las variables que ha tomado en cuenta para conocer esa posible relación.

Los indicadores de que pudo disponer en ambas fechas fueron 17; por desgracia, sólo para 20 países desarrollados.

Este tipo de trabajos puede prodigarse cuanto se quiera y depende, por supuesto, de los datos de que se disponga en cada caso, tanto como de los medios y los fines que se persigan. En esta ocasión KING manifestó que hubiera deseado disponer de información sobre medio-ambiente, distribución de las rentas, crimen, diversiones, etc.

TABLA 3.1.3.—**Indicadores del progreso social**

	Indicador	*Signo*
1.	Tasa bruta de reproducción	—
2.	Densidad de población	—
3.	Tasa de dependencia	—
4.	Tasa de ilegitimidad	—
5.	Gastos públicos en educación como tanto por ciento del PNB	+
6.	Estudiantes por 100.000 habitantes	+
7.	Porcentaje de estudiantes femeninos	+
8.	Camas hospitalarias por 1.000 habitantes	+
9.	Médicos por 10.000 habitantes	+
10.	Consumo de proteínas por persona y día	+
11.	Tasa de mortalidad infantil	—
12.	Tasa de mortalidad fetal	—
13.	Tasa de mortalidad por úlcera de estómago	—
14.	Tasa de suicidios	—
15.	Tasa de mortalidad por accidentes de circulación	—
16.	Teléfonos por cada 100 habitantes	+
17.	Receptores de radio por 1.000 habitantes	+

FUENTE: KING (1974), citado por SMITH.

---

[11] «Economic Growth and Social Development. A Statistical Investigation», en *Review of Income and Wealth,* 1974, series 20 (3), 251-72, citado por SMITH (1977).

Nosotros hubiéramos deseado que su estudio abarcara a todos los países de la ONU, lo que evidentemente no le fue posible. Limitado a 20 países desarrollados y de economía capitalista sus conclusiones finales casi llegan a decepcionantes por obvias, «aunque la relación entre ambos es positiva y moderada, el progreso social no marcha en paralelo con el desarrollo económico en las naciones más ricas».

3. La injusta distribución de la riqueza en los países subdesarrollados

Un aspecto realmente importante, vital, en lo que atañe al desarrollo de los pueblos subdesarrollados es que el crecimiento económico, si lo hay, y, en cualquier caso, la poca riqueza generada, no se distribuye homogéneamente a escala nacional, ni mucho menos a la social. Dentro de cada país hay inevitablemente desequilibrios regionales, locales y entre grupos sociales en lo que afecta a la *distribución* de los bienes, sean rentas en metálico, tierras o participación en la vida ciudadana. Dentro de ciertos límites moderados es lógico que sea así; pero llevados a la exacerbación son un síntoma más de la situación de injusticia y pobreza típicas de los países subdesarrollados.

El uso de modelos y correlaciones ha permitido a varios autores —y permitirá a muchos otros— intentar valorar estas desigualdades en la *distribución* de los bienes generados por la actividad económica. SMITH sugiere que en las primeras fases del desarrollo de un país puede esperarse una acentuación de las divergencias de los niveles de renta, seguida de una convergencia ulterior.

WILLIAMSON[12] buscó establecer las desigualdades regionales de renta dando un peso a los respectivos coeficientes de variación según el volumen de la población de la región con relación a la población total del país. El cálculo se hizo para 24 países, aplicando la fórmula

$$V_w = \frac{\sqrt{\sum_i (y_i - \bar{y})^2 \, (f_i/n)}}{\bar{y}}$$

Siendo: f_i la población de la región *i*.
n la población de la nación.
y_i la renta per cápita de la región *i*.
$\bar{y}$ la renta nacional per cápita

Otra aproximación empírica a las desigualdades en la distribución de la renta es la de considerar la parte correspondiente a cada grupo de población que inició KUZNETZ[13] utilizando datos sobre la distribución de la renta por sectores de la economía.

TAYLOR y HUDSON[14] insistieron en esta línea de investigación ampliando los cálculos

---

[12] 1965: «Regional Inequality and the Process of National Development: A Description of the Patterns», en *Needleman,* ed. Regional Analysis, Penguin Book.
[13] CALMAN-LÉVY, 1972.
[14] 1972, *World Handbook of Political and Social Indicators,* New Haven and London, Yale University Press. Citado por SMITH.

de KUZNETZ a los siete mayores sectores de la economía: 1) agricultura, bosques, caza y pesca; 2) minas y canteras; 3) manufacturas; 4) construcción; 5) agua, gas, electricidad y servicios sanitarios; 6) transportes, etc.

Midieron la desigualdad con el coeficiente de GINI y reunieron datos sobre 52 países. Otras formas de expresar las relaciones entre desigualdad de renta y desarrollo económico son las establecidas por AHLUWALIA[15] y CURTRIGHT[16].

En lo que a España se refiere, entre otros, trabajamos en esa línea MIRALBÉS, HIGUERAS y CASAS[17].

ADELMAN y MORRIS presentaron un análisis estadístico de las desigualdades de renta dentro de 44 países relativamente subdesarrollados. Para ello acopiaron datos sobre varias medidas de la desigualdad de renta y buscaron explicaciones estadísticas por medio de análisis de la varianza que revelaban cuál de las condiciones de rango económico, social y político eran más significativas para diferenciar a los países por la desigualdad de los grupos.

Según este estudio —por desgracia no exento de cierta previa toma de posiciones partidistas—, la primera variable dependiente es la proporción de la renta total, que va al 60 por 100 más bajo de la población. (En los países analizados la oscilación iba del 39 por 100 en Israel al 2 por 100 en Libia.)

La segunda variable considerada es la proporción de la renta que fluye al 5 por 100 más rico de la población. (En los años de su estudio, 1973, estas proporciones iban del 60 por 100 en Rodesia al 11 por 100 en Israel.) Parte de las conclusiones de estos autores son aceptables para el de este libro: la aterradora conclusión del trabajo de ADELMAN y MORRIS —como de los muchos otros autores— es que cientos de millones de gentes tremendamente pobres en todo el mundo han sido más bien perjudicadas que ayudadas por las consecuencias del desarrollo económico, y hay que evitar a toda costa que siga produciéndose esa injusticia social. Pero afirmar, como ADELMAN, MORRIS y SMITH[18] hacen, que la responsabilidad de esta situación es exclusivamente del materialismo capitalista es una ofuscación que no resiste un análisis científico serio. El propio SMITH declara muy pocas páginas más adelante[19] que también «China y la URSS han estado practicando sus propias modalidades de neocolonialismo en los territorios vecinos más débiles».

3.1. *Del desarrollo «desde el lado de la oferta» a la «estrategia del desarrollo con equidad»*

Esta situación ha sido detectada por los economistas del desarrollo tercermundistas, algunos de los cuales han dado marcha atrás en sus planteamientos, y ha motivado también que economistas norteamericanos, como KENNETH P. JAMESON, hablen ahora de estrategias de «crecimiento con equidad»[20]. La causa de este viraje parece estar en que

---

[15] En CHENERY, H. y otros, *Redistribución con crecimiento,* publicado para el Banco Mundial por Editorial Tecnos. Madrid, Tecnos, 1976.

[16] Citado por SMITH.

[17] CASAS TORRES, MIRALBÉS e HIGUERAS, 1968, Madrid.

[18] Citados por SMITH.

[19] Página 236 de la versión inglesa utilizada.

[20] JAMESON, K. P., «Supply-side Economics: for Rich and Poor», *Economic Impact,* núm. 34, 1981-82, Washington, págs. 54 a 58.

en muchos países subdesarrollados el crecimiento económico innegable del país globalmente considerado ha ido, no obstante, acompañado de un empobrecimiento de los ya pobres y un enriquecimiento de los ya ricos.

JAMESON parte, para presentar la cuestión, de la sincera confesión de culpa de un eminente economista paquistaní, Mahbub UL HAQ, que en un libro reciente deplora haber creído y utilizado el incremento de las ofertas *(Supply-side Economics)* como pieza fundamental para impulsar el desarrollo económico de los países pobres.

Lo interesante del caso es que cuando UL HAQ recomendaba esta política económica estaba en la más ortodoxa de las líneas de los economistas del desarrollo. JAMESON recuerda, en efecto, que los textos de economía del desarrollo de la postguerra coinciden claramente en que lo fundamental es la oferta de bienes y servicios: Inicialmente se consideró la oferta de excedentes de mano de obra como la fuente potencial del crecimiento del PNB (A. LEWIS). Otro autor, J. SCHULTZ, subrayó la importancia de la oferta en el sector agrario. Otros consideraban que lo más importante para el desarrollo económico era el mejoramiento de los recursos humanos a través de la educación y la asistencia sanitaria. La calidad de los empresarios y sus equipos fueron temas de gran interés, así como la cuestión de la necesidad de infraestructuras que permitieran una producción eficiente a las empresas.

Implícita siempre a todas estas cuestiones estaba la preocupación por las tasas de ahorro en los países subdesarrollados. En la bibliografía sobre las etapas del desarrollo, se consideraba que un incremento en las tasas de ahorro era el factor desencadenante del «despegue»: el crecimiento sostenido del PNB per cápita.

En todos los modelos al ahorro se le daba un papel central, decisivo, como fuente de las inversiones necesarias para el crecimiento económico y el incremento de la productividad. Naturalmente, en la misma línea se planteaban las cuestiones de las ayudas e inversiones de capital extranjeros.

Por supuesto se tomaban en consideración los efectos de la demanda y su administración, dada la importancia en muchos países del gasto público y la política monetaria del gobierno, pero la consideración principal se concedía al incremento de la oferta.

Esta hipótesis de trabajo, que entonces compartían todos los economistas regionales —y aún hoy comparten muchos—, era entusiásticamente cultivada por Malhub UL HAQ cuando era el economista jefe de la Comisión Nacional de Planificación del Pakistán, y hay que reconocer que externamente una serie de hechos le daban la razón. El caso es muy interesante para nosotros los geógrafos, porque viene a demostrarnos una vez más —y ahora dramáticamente— que los modelos, las tablas, los resultados totales sobre el papel, sin dejar de ser objetivos y bien establecidos, ocultan una realidad completamente distinta en cuanto se estudia su impacto sobre los grupos humanos. En este caso el ejemplo es terriblemente aleccionador, los países subdesarrollados se desarrollaban económicamente, crecían y al mismo tiempo la gran mayoría de sus pobres gentes se hundían más y más en la pobreza.

JAMESON recuerda que muchos autores de la segunda postguerra, fueran del Banco Mundial o —como en el caso de B. WARREN y J. GURLEY— de tendencia marxista, han subrayado el éxito de los países del Tercer Mundo que para su desarrollo se apoyaron en la política de «incremento de la oferta». Todos los estudios coinciden en que las políticas adoptadas tuvieron éxito y alcanzaron sus objetivos: crecimiento del PNB con tasas muy altas, y en muchos casos también incremento del PNB per cápita.

El crecimiento de la producción en la postguerra fue impresionante, incluso prescin-

Benarés (India). Un rincón del área reservada a los baños rituales, en la orilla del Ganges. Foto: Casas-Torres.

diendo de los países de la OPEP. Entre 1960 y 1974 el PNB de los países del Tercer Mundo ha crecido mucho más de prisa que el de los países capitalistas desarrollados —aunque algo más lentamente en cuanto a crecimiento per cápita— y también más de prisa que en los países marxistas. La República de Corea, Brasil, Singapur y Taiwan fueron los países de más rápido crecimiento económico del mundo entre 1960-1974, y el mismo Pakistán, entre 1960 y 1976, creció un 3,2 por 100 anual en su PNB per cápita.

Teóricamente, pues, la eficacia de la política económica de incremento de la oferta —dejando en segundo término a la demanda— parece irrefutable. ¿Qué llevó a UL HAQ a arrepentirse de ella? JAMESON piensa que la comprobación de que esa política había fracasado en el Pakistán y otros países, a causa de lo que podríamos llamar efectos no buscados; JAMESON tiene mucha razón cuando afirma que el incremento de la oferta es un mero medio para un fin, el fin en este caso es el «desarrollo», o sea, la *mejora* del nivel de bienestar humano en una sociedad. El crecimiento económico se considera bueno porque se supone que permite un mejor y mayor acceso a bienes como mejores alimentos, cuidados sanitarios, educación, mayor esperanza de vida al nacer, menor mortalidad infantil, mejor alfabetización...

Pero si el incremento de la oferta y su impacto sobre el crecimiento económico no se reflejan en la mejora de estos y otros valores humanos esenciales, es muy lógico que se le contemple con disgusto; por eso, ya en 1971 HAQ consideraba que había que revisar a fondo la política económica dado que una tasa de crecimiento en constante aumento no garantiza contra el *empeoramiento de la pobreza...* y añadía: «la separación entre las políticas de producción y distribución es falsa y peligrosa: las políticas de distribución deben convertirse en lo verdaderamente esencial, y determinar la organización de la producción...» En una palabra, HAQ consideraba inaceptable la estrategia del desarrollo basada en los ahorros de los ricos como motor del crecimiento; muy al contrario el interés máximo hay que ponerlo en enfrentarse a la pobreza y orientar francamente la distribución de los bienes en favor de los pobres, ya que a despecho de las altas tasas de crecimiento del Tercer Mundo, la distribución de las rentas en gran parte de sus países se dirige muy preferentemente a los que ya son ricos.

Esto, aunque en parte ya se había previsto para una primera fase, resulta ahora preocupante porque no se aprecian síntomas de que, sin una intervención fuerte sobre la distribución, la tendencia vaya a corregirse por sí misma.

Por otra parte, hay evidencias sustanciales en África y Asia que demuestran que la incidencia de la más absoluta pobreza —medida por cifras o porcentajes de poblaciones por debajo de un determinado nivel de pobreza— se incrementa en la misma medida en que crece el PNB. La evidencia es menos clara en cuanto a paro y subempleo, pero en estos países ambos siguen siendo un continuo y seguramente creciente problema. Otros indicadores son igualmente alarmantes: HAQ ha hecho notar que la tasa de alfabetización ha bajado del 18 por 100 al 15 por 100 en el período 1950-1970, la malnutrición continúa y en algunos casos se agrava, e incluso enfermedades como la malaria y el cólera comienzan a resurgir.

Evidentemente, la doctrina clásica del desarrollo económico es la que JAMESON llama política de desarrollo desde el lado de la oferta *(Supply-side Economics)* y son muchos los economistas regionales que sobre el papel la consideran impecable, pero también resulta evidente que a la hora de aplicarla en países subdesarrollados del tipo de Pakistán o Bengala, los fallos en la distribución de los beneficios del crecimiento económico son tan graves que resultan por completo inadmisibles. Ésta ha sido, sin duda, la experiencia de HAQ en el Pakistán, que ha visto —sin duda horrorizado— cómo el crecimiento se hacía a expensas de los pobres y la riqueza se redistribuía en favor de los ricos. En esas condiciones, sin lugar a dudas, los costos del crecimiento resultan excesivamente altos y repercuten en un deterioro progresivo de la situación de los pobres, que además son la mayoría de la población.

JAMESON recuerda que, por otra parte, en los casos de Taiwan, Costa Rica y Singapur —países ciertamente muy pequeños y peculiares para que su caso sea representativo— se ha conseguido un relativamente alto nivel de desarrollo sin los aspectos negativos de la mala distribución de la riqueza generada. Una evaluación *a posteriori* de los programas del desarrollo de estos países ha aislado una serie de factores —tales como grandes facilidades de acceso a los recursos productivos y una atención preferente al desarrollo sobre la base de los recursos humanos— que han llevado a hablar de una «estrategia de desarrollo con equidad».

4. Los países desarrollados y subdesarrollados en el modelo de Leontief para las Naciones Unidas

El famoso creador de las tablas *input-output,* de las que han salido todas las «contabilidades regionales» de que ahora se dispone, ha confeccionado para las Naciones Unidas un estudio prospectivo apoyado en su mismo método de las tablas *input-output,* pero esta vez a escala del mundo[21].

Las dificultades con que él y su equipo han tropezado para reunir la información y las imprecisiones y lagunas que la misma encierra hacen que no puedan tomarse sus conclusiones más que como lo que son —si no exagero—: casi meras intuiciones, apoyadas en unas hipótesis a desarrollarse a diez, veinte, treinta y en algunos casos cincuenta y cien años vista[22], pero así y todo son el resultado de un asombroso —y admirable— trabajo en equipo bajo la dirección de un científico genial, y para nosotros tienen un doble interés: nos permiten entrever la posible evolución de algunas características típicas de los países subdesarrollados y, sobre todo, conocer la clasificación que LEONTIEF hace de los países del mundo según su grado de desarrollo económico.

En 1973, en la línea de los acuerdos de las Naciones Unidas para su programa de acción en la segunda década para el desarrollo[23], LEONTIEF fue encargado de preparar un estudio prospectivo de lo que podría ser la economía mundial en los años 1980, 1990 y 2000. Los grandes temas desencadenados por la inacabable polémica sobre la adecuación población-recursos (crecimiento de la población mundial, defensa del medio ambiente, ruptura del equilibrio ecológico, duración previsible de los recursos naturales, países desarrollados y subdesarrollados)... han sido revisados por LEONTIEF a la luz de la información que ha podido reunir —muy grande— gracias a los servicios de la ONU —aunque aún incompleta y no satisfactoria—, y la gran riqueza de medios financieros puestos a su disposición gracias a las subvenciones de algunos gobiernos, en especial el de Holanda y de las propias Naciones Unidas.

El resultado ha sido un modelo integrando 2.625 ecuaciones, en el que se divide el mundo en quince grandes zonas geográficas, y en el que se toman en consideración 2.669 variables.

---

[21] La versión inglesa del libro de LEONTIEF y sus colaboradores se titula *The future of the world economy,* editada por Oxford University Press en 1977.

Aquí se ha utilizado la traducción francesa de Naciones Unidas, Bordas, París, 1977, que se reseña en la Bibliografía.

Un resumen de las técnicas empleadas en la preparación de este libro puede verse en: Wassily W. LEONTIEF, «La economía mundial en el año 2000», en *Investigación y Ciencia,* edición en español de *Scientific American,* noviembre 1980, págs. 140 a 154.

[22] En la pág. 46 de la edición francesa se lee: «Como hacía notar el profesor Jan TINBERGEN... ninguna elección racional profunda entre varios campos de acción, sea en el dominio socioeconómico o en cualquier otro, es posible sin una comprensión sistemática detallada, y, se debe añadir, objetiva de los complejos conjuntos de repercusiones tanto directas como indirectas que cada uno de ellos lleva inevitablemente consigo».

«Ésta es una de las razones por las que este informe no presenta una proyección única del curso del desarrollo futuro de la economía mundial, sino más bien un conjunto de proyecciones experimentales alternativas. La otra razón es simplemente la ignorancia.»

[23] *International Development Strategy: Action Programme of the General Assembly for the Second United Nations Development Decade* (United Nations publications, Sales, núm. E. 71 II A. 2).

El autor parte de un criterio, casi de una consigna, de Naciones Unidas: reducir, desde la fecha de su trabajo al año 2000, la distancia entre países ricos y pobres acelerando el desarrollo de los segundos, defendiendo el medio-ambiente y el equilibrio ecológico. Lo que ha preguntado Leontief al ordenador, a través de su modelo, es cómo se puede conseguir eso. La cita núm. 22 que precede a estas líneas dice, no obstante, por sí sola, qué valor concede Leontief a la respuesta de su ordenador.

El modelo es un modelo económico global y su interés está en que a partir de una simulación de la evaluación de la economía permite ver la variedad de correlaciones posibles entre las políticas medioambientales —primera razón del encargo del proyecto— y las demás políticas económicas. A partir de la descripción de la economía mundial de 1970 se elaboran las hipótesis de lo que será la economía de 1980, 1990 y el año 2000.

El mundo, como resultado de las variables económicas que se tienen en cuenta en el modelo, se divide en quince grandes regiones:

Países de economías desarrolladas:
— América del Norte.
— Europa occidental (con rentas altas).
— Japón.
— Oceanía.

Países desarrollados socialistas:
— Unión Soviética.
— Europa oriental.

Países en vías de desarrollo:
— América Latina (ingresos medios).
— América Latina (ingresos bajos).
— Países de Oriente Medio y África productores de petróleo.
— Asia (planificación centralizada).
— Asia (bajos ingresos).
— África (zona árida).
— África (zona tropical).
— Europa occidental (ingresos medios).
— África occidental.

Más adelante se recoge más información sobre esta división regional del mundo. Evidentemente, Leontief no es geógrafo, sino economista, y es la economía la que le ha llevado a esta distribución.

La economía de cada grupo regional está considerada en 45 sectores de actividad (las actividades industriales fueron divididas en 22 sectores y aparte se tratan los servicios públicos, transportes y comunicaciones). El modelo describe la emisión de ocho tipos de contaminantes mayores y cinco modos de tratar la polución.

Además de considerar a cada uno de los 15 grupos separadamente, el modelo los considera en conjunto por medio de un complejo mecanismo de enlace que permite considerar las exportaciones e importaciones de 40 clases de bienes y servicios, los flujos de capitales, las ayudas y los pagos de intereses extranjeros.

Pueblo joven: albergue, tipo chabola de inmigrantes, en las inmediaciones de Lima.
Foto: «La Documentation française».

Los resultados del modelo LEONTIEF interesan de modo particular al problema de la adecuación población-recursos, pero ya ahora pueden ayudar a ver desde su óptica algunas diferencias esenciales entre los países desarrollados y subdesarrollados.

De cara a acortar en el futuro las distancias entre países desarrollados y subdesarrollados, la exigencia de una mejor distribución de los recursos se plantea inmediatamente, con toda su crudeza. El desarrollo acelerado de los países pobres exige que del producto bruto se destine una cantidad muy superior a la actual para inversiones, y que del producto total se incremente también mucho la cifra que se destina a bienes de producción. LEONTIEF calcula que la tasa de inversión nacional bruta para satisfacer las necesidades internas (inversiones privadas y públicas) debería pasar del 20 por 100 en 1970 al 41 por 100 en el año 2000 en Oriente Medio y los países petroleros de África; del 17-20 por 100 al 31-33 por 100 en América Latina, y del 15 al 23-25 por 100 en los países no productores de petróleo de Asia y de África.

Es obvio que la proporción del producto bruto consagrado a las inversiones depende de las tasas de crecimiento, de la estructura de la producción y de los coeficientes sectoriales de capital. Según los cálculos basados en el modelo LEONTIEF parece que se pueden esperar tasas de crecimiento del 4 al 6 por 100 anuales con tasas de inversión media del 20 por 100 por lo menos.

Como los países subdesarrollados tienen que sostener con fondos públicos muchos servicios sociales (educación, sanidad, seguridad social...), las inversiones deben, teóricamente al menos, detraerse del ahorro privado, lo que supone que la capacidad de gastos por familia se ve menguada en la misma medida en que del ahorro privado —si lo hay— deben salir las inversiones. El porcentaje del gasto de los hogares dentro del total de gastos internos se verá obligado así a disminuir. En 1970, según el modelo, representaba el 68-71 por 100 del total en la mayor parte de los países en desarrollo, y pasará al 60 por 100 en los países no productores de petróleo de Asia y África, 55-57 por 100 en América Latina y 50 por 100 en los países petroleros de Oriente Medio y África.

Esta disminución relativa de los gastos de las familias producirá, en primer término, una reducción del crecimiento del consumo por habitante, aunque luego espera LEONTIEF que al final del período estudiado el aumento de la producción mejore notablemente los niveles de consumo.

Lo que está claro, no obstante, es que las tasas de ahorro público y privado de los países subdesarrollados —en sus niveles actuales— no bastan para financiar las inversiones que se necesitan.

En la misma línea que HAQ, insiste LEONTIEF en que deben tomarse medidas con el fin de favorecer una distribución más justa de los ingresos en los países en vías de desarrollo; los gobiernos deben esforzarse para que los beneficios privados importantes obtenidos del crecimiento económico se dirijan a usos justos y productivos.

Un rasgo característico de la industrialización de los países subdesarrollados —como consecuencia del aumento de las inversiones y de la consiguiente mengua de la disponibilidad de dinero por parte de las familias— es que las tasas de crecimiento de la industria ligera son generalmente inferiores a las de la industria pesada, incluyendo en ella el utillaje y la producción de materias primas industriales (acero, caucho, productos químicos...).

La prioridad de la industria pesada es, por supuesto, indispensable para el desarrollo económico a la escala de las grandes regiones, pero no lo es a escala nacional, donde, con buena voluntad, cabría esperar una amistosa cooperación entre varios países que les permita especializarse en sectores industriales que se completen y armonicen con las «especializaciones» de sus vecinos. Pero ya se sabe que la buena fe no se mantiene ininterrumpidamente entre los gobiernos.

Según los resultados del modelo LEONTIEF en el caso del «escenario» más favorable, hacia el año 2000 la parte de los países en vías de desarrollo en el producto bruto mundial pasaría del 11 por 100 (1970) al 22 por 100; su participación en el *output* mundial de las industrias de transformación pasará del 6 al 17,5 por 100. Si se añade a estos países la parte que corresponde a los de economías planificadas de Asia, los porcentajes pasan del 15 al 28 por 100 del producto bruto mundial y del 9 al 24 por 100, aproximadamente, del *output* de la industria de transformación.

Por lo que se refiere a los países de economía planificada, su parte en el producto bruto mundial pasará del 23 al 27 por 100 y su industria de transformación representará del 22 al 29 por 100 del *output* industrial mundial.

La parte de los países desarrollados con economía de mercado (incluyendo en ellos los países con ingresos medios) bajará del 66 al 51 por 100 del producto bruto mundial y del 70 al 49 por 100 del *output* mundial para la industria de transformación. En el caso de un «escenario» más conservador basado en los objetivos fijados por la «stratégie de Développement International» para la década de los ochenta y las tendencias de evolución históricas, se sigue que la parte ocupada por los países en vías de desarrollo (considerando conjuntamente los de economías de mercado y los comunistas) en el producto bruto mundial no llegará más que al 22 por 100, en lugar del 28 por 100, y el *output* de la industria de transformación será el 17 y no el 24 por 100.

El crecimiento continuo de la economía mundial provocará un gran incremento del comercio internacional, que crecerá a una tasa anual (6 por 100) superior a la tasa media de crecimiento de producto bruto mundial (4,8 por 100).

La progresión será especialmente rápida en el comercio de bienes manufacturados (7 por 100).

En los casos de desarrollo acelerado, los países en vías de desarrollo aumentarán su participación en las importaciones mundiales. El «escenario» más optimista de los preparados por LEONTIEF indica, no obstante, que los países subdesarrollados con economía de mercado absorberán el 31 por 100 de las importaciones totales del mundo en el año 2000, cuando en 1970 sólo recibían el 16 por 100. Aunque sus exportaciones aumentaran lo harán más lentamente y esto significa que muchos países tendrán un gran déficit comercial. El déficit de la balanza comercial de los países subdesarrollados con economía de mercado podría ascender globalmente a 67.000 millones de dólares en el año 2000. Es indudable que en el caso de algunos países pobres el peso de este déficit sería insoportable.

Por otra parte, si la tendencia actual se confirma, no se podrá contar más que con incrementos muy modestos de las ayudas financieras netas a los países subdesarrollados.

Por último, en la hipótesis de que la tasa media del crecimiento del producto bruto de los países desarrollados fuera del 3,9 por 100 y la de los países subdesarrollados del 5,4 por 100, la distancia entre los ingresos de los dos grupos de países sería en el año 2000 casi la misma que la que mediaba en 1970.

La realidad ha demostrado ya que las cosas no ocurren según las previsiones. El mismo LEONTIEF, con su acostumbrada sinceridad, recuerda una modificación de los precios absolutos entre 1970-1975 —debido a una combinación de factores— que «sobrepasa con mucho» todas las precisiones de su estudio: En 1975 el precio del petróleo

—sobre la base de los precios medios del consumo en Estados Unidos— alcanzó un nivel 4,7 veces más alto que en 1970; el del cobre, en cambio, se redujo en un 35 por 100, y el del trigo aumentó en un 90 por 100; y añade LEONTIEF, «lo que es muy superior a lo que nuestro estudio contemplaba como normal para el año 2000 (± 31 por 100)». A causa de estas grandes fluctuaciones, concluye, «no sería realista servirse para los cálculos de los precios corrientes».

En resumen, las principales conclusiones del estudio de LEONTIEF son las siguientes:

1.   Los objetivos de las tasas de crecimiento fijados por la *Estrategia del Desarrollo Internacional* para la *Segunda Década de Desarrollo de las Naciones Unidas* son insuficientes para comenzar a reducir la distancia entre las rentas de los países desarrollados y subdesarrollados.

2.   (Y muy importante.) Los principales obstáculos a un crecimiento económico sostenido y a la aceleración del desarrollo son de *orden político, social* e *institucional* (el subrayado es de LEONTIEF) y *no físicos.*

3.   El problema que se plantea con mayor urgencia es el de alimentar a la creciente población de los países subdesarrollados, pero tiene solución.

4.   La contaminación, con las técnicas de tratamiento en el mercado, no es un problema insoluble.

5.   La aceleración del crecimiento en las regiones subdesarrolladas exige que se dediquen a ello inversiones equivalentes al 30-35 por 100 del producto bruto.

6.   Un desarrollo acelerado necesita un crecimiento más rápido de la industria pesada que la industria de transformación.

7.   Para asegurar la aceleración del desarrollo son necesarias dos condiciones generales:

   a) Reformas radicales en las estructuras sociales, políticas e institucionales de los países subdesarrollados.

   b) Una modificación importante del orden económico mundial.

Sin la conjunción de estas dos premisas no es posible la aceleración del desarrollo y la reducción de la distancia en los ingresos que ahora separa a los países ricos de los pobres.

Dos tablas confeccionadas por el propio equipo de LEONTIEF, según los resultados de su modelo, nos dan su clasificación de los países del mundo según su grado de desarrollo económico, con arreglo a los criterios, no lo olvidemos, de un excelente matemático y economista que «no sabe geografía».

En cualquier caso, el estudio de LEONTIEF es una primera respuesta positiva y bastante concreta a las «notas cautelares» que en 1967 leía ZELINSKY ante los asistentes al «Simposio sobre las Presiones de la Población sobre los Recursos Físicos y Sociales en los Países en Vías de Desarrollo», celebrado en la Universidad Estatal de Pensylvania[24].

---

[24] ZELINSKY, W., *The geographer and his crowding world: cautionary notes towards the study of the population pressure in the developing lands,* en ZELINSKY y otros, Oxford University Press, 1970, pág. 22.

TABLA 3.1.4

Los grandes grupos regionales según LEONTIEF

Nombre de la región	Número de iden- tificación	Población en 1970 (millones)	PIB per cápita - 1970 (dólares USA)
Regiones desarrolladas			
América del Norte	1	229,1	4.625
Europa occidental (altos ingresos)	4	282,—	2.574
URSS	6	242,8	1.791
Europa oriental	7	105,1	1.564
Europa occidental (ingresos medios)	5	108,1	698
Japón	9	104,3	1.916
Oceanía	15	15,4	2.799
África (ingresos medianos)	14	21,5	786
Regiones en vías de desarrollo			
Grupo I:			
(Regiones en vías de desarrollo que disponen de recursos minerales importantes)			
América Latina (rentas bajas)	3	90,—	443
Oriente Medio - África	11	126,5	286
África tropical	13	141,4	168
Grupo II:			
(Otros países en vías de desarrollo)			
América Latina (rentas medias)	2	191,4	594
Asia (rentas bajas y medias)	10	1.023,2	120
África árida	12	131,2	205
Asia (planificada)	8	808,4	167

FUENTE: LEONTIEF, 1977.
La lista completa de los países de cada región figura en el Apéndice 3.1.1.

TABLA 3.1.5

Aproximación regional al crecimiento. Escenario X de LEONTIEF
Tasas de crecimiento y partes del PIB por región

Región	Crecimiento medio anual (por 100)	PIB regional en % del PIB mundial	
		1970	2000
Economías de mercado			50,9
(Países desarrollados)		66,1	21,—
		32,9	
América del Norte	3,3	22,6	16,7
Europa occidental (rentas altas)	3,7	6,2	6,5
Japón	4,9	1,3	1,2
Oceanía	4,5		
Economías centralizadas		18,6	20,7
(Países desarrollados)			
URSS	5,2	13,5	15,4
Europa oriental	4,9	5,1	5,3
Economías de mercado		11,1	22,—
(Países en desarrollo)			
América Latina (rentas medias)	7,1	3,5	6,9
América Latina (rentas bajas)	7,2	1,2	2,5
Oriente Medio	9,—	1,1	4,—
Europa occidental (ingresos medios)	7,—	2,3	4,4
África septentrional	7,5	0,5	1,1
Asia (rentas bajas)	6,7	3,8	6,6
África árida	5,5	0,8	1,—
África tropical	6,5	0,7	1,—
Economías centralizadas			
(Países en desarrollo)	6,3		6,4
		4,2	
Conjunto de las economías en vías de desarrollo	7,2	13,3	28,4

Fuente: LEONTIEF, 1977.

APÉNDICE

3.1. Esquema de clasificación geográfica regional, según LEONTIEF (1977).

APENDICE 3.1

Esquema de clasificación geográfica regional, según LEONTIEF (1977)

N.º	Región	Países o territorios
1	*América del Norte* 1970: 229,1 millones de hab. PIB: per cápita 4.625 dólares USA.	1. Canadá.—2. Zona del Canal de Panamá.—3. Groenlandia.—4. Puerto Rico.—5. Estados Unidos de América.—6. Islas Vírgenes.
2	*America Latina* (rentas medias) 1970: 191,4 millones de hab. PIB: per cápita 594 dólares USA.	1. Argentina.—2. Bahamas.—3. Bermudas.—4. Brasil. 5. Chile.—6. Cuba.—7. México.—8. Islas: Santa Lucía, Grenada, Saint Vincent, Dominica, Saint Kitts, Antillas holandesas, Turcos y Caicos, Montserrat.—9. Uruguay.
3	*América Latina* (rentas bajas) 1970: 90 millones de hab. PIB: per cápita 443 dólares USA.	1. Barbados.—2. Bolivia.—3. Honduras británica.— 4. Colombia.—5. Costa Rica.—6. República Dominicana.—7. Ecuador.—8. Salvador.—9. Guayana francesa.—10. Guadalupe.—11. Guatemala.—12. Guyana. 13. Haití.—14. Honduras.—15. Jamaica.—16. Martinica.—17. Nicaragua.—18. Panamá.—19. Paraguay. 20. Perú.—21. Surinam.—22. Trinidad y Tobago.— 23. Venezuela.
4	*Europa* (rentas altas) 1970: 282 millones de hab. PIB: per cápita 2.574 dólares USA.	1. Austria.—2. Bélgica.—3. Dinamarca.—4. Faeroe. 5. Finlandia.—6. Francia.—7. Alemania Federal.— 8. Groenlandia (aparece también en América del Norte). 9. Islandia.—10. Irlanda.—11. Italia.—12. Luxemburgo.—13. Países Bajos.—14. Noruega.—15. Suecia. 16. Suiza.—17. Reino Unido (Gran Bretaña e Irlanda del Norte, comprendidas las islas del Canal y la isla de Man).
5	*Europa* (rentas medias) 1970: 108,1 millones de hab. PIB: 688 dólares USA per cápita.	1. Chipre.—2. Gibraltar.—3. Grecia.—4. Malta.— 5. Portugal.—6. España.—7. Turquía.—8. Yugoslavia.
6	*Unión Soviética* 1970: 242,8 millones de hab. PIB: 1.564 dólares USA por persona.	1. Unión de Repúblicas Socialistas Soviéticas.
7	*Europa oriental* 1970: 105,1 millones de hab. PIB: 1.564 dólares USA per cápita.	1. Albania.—2. Bulgaria.—3. Checoslovaquia.—4. República Democrática Alemana.—5. Hungría.—6. Polonia.—7. Rumanía.

APÉNDICE 3.1. (continuación)

Esquema de clasificación geográfica regional, según LEONTIEF (1977)

N.º	Región	Países o territorios
8	*Asia* (con planificación centralizada) 1970: 808,4 millones de hab. PIB: 167 dólares USA per cápita.	1. China.—2. República Popular Democrática de Corea. 3. República Democrática del Vietnam.—4. Mongolia.
9	*Asia* (renta alta) 1970: 104,3 millones de hab. PIB: 1.816 dólares USA per cápita.	1. Japón.—2. Islas Riou Kiou.
10	*Asia* (rentas bajas) 1970: 1.023,2 millones de hab. PIB: 121 dólares USA per cápita en 1970.	1. Afghanistán.—2. Bangladesh.—3. Islas Salomón.—4. Borneo.—5. Bután.—6. Birmania.—7. Camboya.—8. Islas Fidji.—9. Hong-Kong.—10. India.—11. Indonesia.—12. República de Corea.—13. Laos.—14. Malasia.—15. Islas Maldivas.—16. Macao.—17. Nepal.—18. Nuevas Hébridas.—19. Islas y territorios del Pacífico.—20. Pakistán.—21. Papuasia de Nueva Guinea.—22. Filipinas—23. República del Sur de Vietnam.—24. Sikkim.—25. Singapur.—26. Sri Lanka.—27. Thailandia.
11	*Oriente Medio y África* (productores de petróleo) 1970: 126,5 millones de hab. PIB: 286 dólares USA per cápita.	1. Argelia.—2. Bahrein.—3. Yemen.—4. Gabón.—5. Irán.—6. Irak.—7. Kuwait.—8. Libia.—9. Omán Trucial Omán/Mascate.—10. Nigeria.—11. Qatar.—12. Arabia Saudí.—13. Emiratos Árabes Unidos.—14. Yemen.
12	*África* (zona árida) 1970: 131,2 millones de hab. PIB: 205 dólares USA per cápita en 1970.	1. Chad.—2. Islas Comores.—3. Egipto.—4. Etiopía. 5. Territorios franceses de los Afars y de los Issas.—6. Israel.—7. Jordania.—8. Líbano.—9.—Malí.—10. Mauritania.—11. Marruecos.—12. Níger.—13. Somalia.—14. Sudán.—15. Siria.—16. Túnez.—17. Alto Volta.—18. Sahara español.
13	*África* (zona tropical) 1970: 141,4 millones de hab. PIB: 168 dólares USA per cápita en 1970.	1. Angola.—2. Benin.—3. Botswana.—4. Burundi.—5. Cabo Verde.—6. República Centroafricana.—7. Congo.—8. Guinea.—9. Gambia.—10. Ghana.—11. Guinea Bissau.—12. Costa de Marfil.—13. Kenya.—14. Lesotho.—15. Liberia.—16. Madagascar.—17. Malawi.—18. Mauricio.—19. Mozambique.—20. Ruanda.—21. São Tomé y Príncipe.—22. Senegal.—23. Islas Seychelles.—24. Sierra Leona.—25. Rodesia del Sur.—26. Swazilandia.—27. Togo.—28. Tanzania.—29. Uganda.—30. Zaire.—31. Zambia.

APÉNDICE 3.1 (continuación)

Esquema de clasificación geográfica regional, según LEONTIEF (1977)

N.º	Región	Países o territorios
14	*África* (ingresos medios) 1970: 21,5 millones de hab. PIB: 786 dólares USA por persona.	1. África del Sur, comprendido el desierto de Namibia.
15	*Oceanía* 1970: 15,4 millones de hab. PIB: 2.799 dólares USA por persona en 1970.	1. Australia.—2. Nueva Zelanda.

3.2

PAÍSES SUBDESARROLLADOS Y PAÍSES DESARROLLADOS. CONTENIDO DE ESTOS TÉRMINOS. VARIABLES QUE LOS DEFINEN

Introducción

1. Pobres y ricos en el mundo de hoy.
   1.1. Al terminar la Guerra Mundial de 1939-1945 se inició una nueva etapa de la historia.
   1.2. En 1975, 86 de 136 países que pertenecían a la ONU tenían un Producto Interior Bruto, anual per cápita, inferior a 1.000 dólares USA, y de ellos 64 no alcanzaban los 500 dólares anuales por persona.
   1.3. Sólo 50 países de 136 pertenecientes a la ONU tenían en 1975 más de 1.000 dólares USA de Producto Interior Bruto por persona.
   1.4. Clasificación de los países según los criterios del Banco Mundial.
   1.5. La Organización de Naciones Unidas clasifica a los países, según las circunstancias de su población, en países «más desarrollados y menos desarrollados».
2. Las expresiones: países subdesarrollados y países desarrollados, son vagas e imprecisas a causa de la enorme dificultad que encierra su definición.
   2.1. Los datos del problema.
      2.1.1. Anverso y reverso de la herencia colonial.
      2.1.2. El desequilibrio entre países se acentúa y los pueblos van cobrando conciencia de esta injusta desigualdad.
      2.1.3. La ayuda a los países subdesarrollados debe hacerse con mucha mayor generosidad que hasta ahora y sin menoscabo de su legítima independencia.
      2.1.4. La civilización y la cultura de muchos países económicamente subdesarrollados son tan ricas como las de los países industriales.
      2.1.5. El verdadero desarrollo implica (para cada país y para cada persona) el paso de condiciones de vida menos humanas a condiciones de vida más humanas.

Apéndice

3.2. Variables indicadoras de diversos grados de desarrollo en quince países seleccionados.

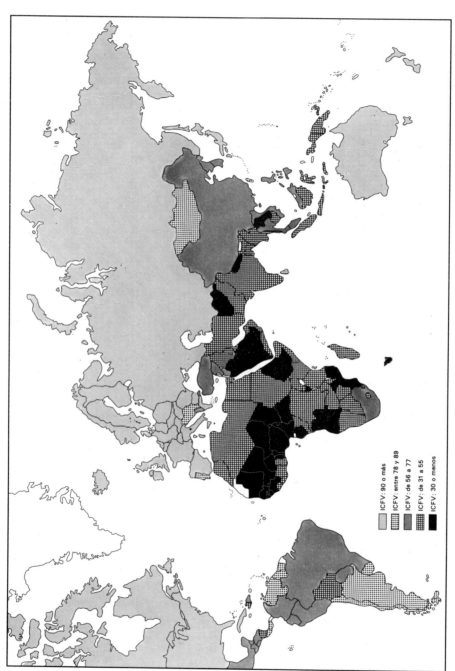

Índices de Calidad Física de la Vida» (ICFV). Basados en un promedio de la esperanza de vida al nacer, la morta-lidad infantil y el grado de alfabetización. Según K. P. Jameson, Supply-side Economics: for Rich and Poor. En «Impact», n.º 34.

Introducción

Aunque ya en esta presentación se insiste en que el subdesarrollo no es un problema fundamentalmente económico (sin que esto sea negar que la economía en muchas ocasiones tiene un peso terriblemente abrumador), quiero dejar bien claro ya, desde ahora, que no son el hambre y la falta de recursos los únicos problemas que el subdesarrollo lleva consigo: la ignorancia, la opresión, la manipulación, la falta de libertad y de participación en la vida pública y la dependencia del extranjero son lacras todavía mayores del subdesarrollo.

Por otra parte, muchos de los llamados países subdesarrollados tienen una herencia cultural tan rica como la nuestra y una serie de cualidades espirituales (virtudes familiares y humanas, sentido trascendente de la vida, religiosidad...) que, por desgracia, están perdiendo, o tienen dormidas, importantes porciones de la población de los llamados (¿mal llamados?) países desarrollados.

Dos párrafos de la reciente encíclica de Juan Pablo II expresan mucho mejor de lo que el autor podría hacerlo lo que quiere decir:

«El hombre no puede renunciar a sí mismo, ni al puesto que le es propio en el mundo visible, no puede hacerse esclavo de las cosas, de los sistemas económicos, de la producción y de sus propios productos. Una civilización con perfil puramente materialista condena al hombre a tal esclavitud, por más que tal vez esto suceda contra las intenciones y las premisas de sus pioneros...»

«El sentido esencial de ...este "dominio" del hombre sobre el mundo visible, asignado a él como cometido por el mismo Creador, consiste en la prioridad de la ética sobre la técnica, en el primado de la persona sobre las cosas, en la superioridad del espíritu sobre la materia»[1].

1. Pobres y ricos en el mundo de hoy

1.1. *Al terminar la Guerra Mundial de 1939-1945 se inició una nueva etapa de la historia*

Aunque está tan cerca de nosotros que nos falta perspectiva histórica para medir su trascendencia, los cambios políticos, económicos y sociales acaecidos desde que terminó han sido tan grandes que la Guerra Mundial de 1939-1945 marca el fin de una época de la historia.

La situación actual, una auténtica situación de transición, es muy nueva y, a la escala del mundo, se encuentra muy lejos de estar consolidada. El ritmo de los acontecimientos es ahora muy acelerado. La hegemonía de Europa ha terminado para siempre; una parte de ella, acaso sin saberlo (y desde luego sin admitirlo), es una cabeza de puente de Norteamérica sobre el otro lado del Atlántico; el resto de Europa forma la primera línea defensiva de la URSS. A espaldas de la Unión Soviética, China ha demostrado estar en camino de ser una gran potencia.

---

[1] Juan Pablo II, *Carta Encíclica: Redemptor hominis,* 3, 16.

Es innecesario recordar, por otra parte, que Europa y el mundo mediterráneo son muchísimo más que unas trincheras entre dos mundos antagónicos: el cristianismo, la ciencia y el arte griegos y el derecho romano han nacido a orillas de nuestro mar, el arte y las letras medievales, el estado renacentista, la ciencia moderna, las cuatro grandes revoluciones aún en desarrollo: agrícola, científica, demográfica y tecnológica, son, por supuesto, parte del legado de Europa al mundo actual. Lo que he querido decir con ese símil militar es simplemente que «nuestra pequeña península de Asia», nuestro continente, ha perdido la primacía y se encuentra dividido en dos sectores que son piezas antagónicas (aunque sólo en este aspecto quizá) de una estrategia planteada a escala mundial.

Pero esta situación, que seguramente quita el sueño a los políticos y los historiadores, no es lo más importante de este momento. Al terminar la guerra fueron adquiriendo la independencia una serie de territorios hasta entonces coloniales[2], grandes unos, minúsculos otros, pero todos pobres (algunos paupérrimos) en comparación con los viejos países europeos y los jóvenes estados anglosajones (Canadá, USA, Australia, Nueva Zelanda); y además, quizá por primera vez en la historia, el mundo, o al menos una buena parte de sus clases dirigentes, ha caído en la cuenta de esta irritante e injusta diferencia. Los pueblos de origen europeo descubrimos la pobreza y el hambre aterradoras de gran parte de la humanidad. Los mejores hombres de estos «países nuevos», y progresivamente capas cada vez más extensas de su población, tomaron conciencia asimismo de la distancia que en lo material separa sus niveles de vida de los alcanzados por los países de cultura y tecnología modernas, y se sintieron, con toda razón, indignados.

Desde entonces, el tema del desarrollo y el subdesarrollo económico ha cobrado una importancia capital en la literatura científica, en la política interna de cada país y en la política internacional.

Poco importa que para evitar suspicacias se hable de países en desarrollo, en lugar de subdesarrollados, o que se hable de países nuevos, o, quizá para ampararse en un neutralismo siempre amenazado, de países del Tercer Mundo o de países no alineados; la realidad es que desde un punto de vista económico (que ciertamente en el orden espiritual no es, sin embargo, el más trascendente), en lo que atañe a la distribución de la población, la distinción fundamental, la más importante de todas (y en ello coinciden todos los autores) es la que se establece entre países ricos y países pobres.

Es cierto que hay muchos grados en esta riqueza y pobreza, como iremos viendo, pero no es menos verdad que en muchos casos la pobreza de los habitantes de los países pobres es muchísimo mayor de la que imaginamos, y mucho más general también. A grandes rasgos puede decirse sin exageración que el 80 por 100 de los recursos del mundo

---

  ² En confirmación de lo dicho, copio los nombres y la fecha de su independencia de algunos países que la obtuvieron con posterioridad a 1945. 1946: Filipinas; 1947: Ceylán (Sri Lanka); 1948: Burma (Birmania), Israel; 1949: Indonesia; 1950: India; 1951: Libia; 1953: Cambodia; 1956: Pakistán, Marruecos, Sudán, Túnez; 1957: Ghana; 1958: Guinea (Conakry), Madagascar; 1960: Níger, Zaire, Alto Volta, Nigeria, Malí, Senegal, Somalia, Costa de Marfil, Gabón, Imperio Africano Central, Chad, Congo (Brazzaville), Benin, Mauritania, Togo; 1961: Tanganika, Sierra Leona, Rwanda (1961-1962), Uganda; 1962: Trinidad y Tobago, Jamaica, Samoa occidental, Burundi, Argelia; 1963: Zanzíbar, Malasia, Kenia; 1964: Zambia, Malta, Malawi; 1965: Maldivas, Singapur; 1966: Lesotho, Botswana, Barbados; 1968: Mauricio, Swazilandia; 1970: Guyana, Gambia, Fidji, Omán; 1971: Emiratos Árabes Unidos, Qatar, Bengala (Bangladesh), Bahrein; 1974: Grenada, Guinea Bissau; 1975: Surinam, Mozambique, Papúa-Nueva Guinea, Angola, Cabo Verde, São Tomé y Príncipe; 1976: Seychelles; 1977: Djibouti.

los disfrutan el 20 por 100 de sus pobladores. No hay en esto exageración. En todo caso la situación de ese 80 por 100 de la humanidad (más de 3.000 millones de hombres de los 4.060 millones que —según fuentes de Naciones Unidas— pueblan la Tierra en el momento —IX-1978— de redactar este capítulo) es mucho más dramática todavía si se tiene en cuenta que en sus países respectivos la riqueza se distribuye mucho más injustamente que en los países desarrollados y se concentra en manos de unos pocos que lo tienen todo, mientras los demás no tienen nada.

Es cierto que en otras ocasiones la desigualdad de condición económica entre las personas no es, en términos absolutos, tan acusada, pero en cambio las diferencias se marcan claramente entre los miembros de un partido político instalado en el gobierno, con su cohorte de funcionarios, y el resto de la población del país. Como casi siempre en estos casos el Estado realiza grandes gastos en armamento y sostiene un ejército absolutamente desproporcionado a su tamaño y recursos. El resultado es el mismo: el producto nacional no se distribuye homogéneamente (aunque, como es sabido, eso no ocurre tampoco en ningún país desarrollado, pero nunca en semejantes proporciones) y la población está muy lejos de disponer de la renta per cápita que teóricamente se le asigna al dividir el Producto Nacional por el número de habitantes.

1.2.   *En 1975, 86 de 136 países que pertenecían a la ONU tenían un Producto Interior Bruto[3] anual per cápita inferior a 1.000 dólares USA, y de ellos 64 (el 47 por 100 del total) no alcanzaban los 500 dólares per cápita*

Con datos de Naciones Unidas[4] he confeccionado los gráficos 3.2.1 y 3.2.2, en los que con intervalos de 500 y 50 dólares USA, respectivamente, se registran el número de

---

[3] Traduzco el Gros Domestic Product (GDP), de las estadísticas de la ONU que he utilizado, por su equivalente Producto Interior Bruto (PIB).

Estoy completamente de acuerdo con Ángel ROJO DUQUE (*Renta, precios y balanza de pagos*, 4.ª edición, Madrid, Alianza Editorial, 1978) en que no todos los incrementos registrados en esta y en otras magnitudes agregadas de la economía de un país pueden tomarse como un índice de mayor bienestar material.

Sobre las magnitudes agregadas básicas en las economías socialistas puede consultarse el Apéndice (pág. 54 a 57) del capítulo I del libro del profesor Rojo al que me estoy refiriendo.

[4] Naciones Unidas, 1977, *World Statistics in Brief,* United Nations Statistical Pocketbook, 2.ª edición, Nueva York, 1977, 251 págs.

En este anuario estadístico, fuente principal para elaborar esta parte del capítulo, se contienen datos de otros 12 países miembros de la ONU en 1975, pero no se han podido usar porque no figuran los referentes al PIB de esos países, ni por tanto el PIB per cápita en cada uno de ellos.

Las omisiones más importantes son Cuba, la República Democrática Alemana y China.

De Cuba se indica que el «Net Material Product» en 1974 ascendía a 7.414 millones de pesos (1 peso = 0,83 dólares USA en 1974), pero nada se indica de la renta per cápita, aunque puede estimarse, según esto, alrededor de los 900 dólares USA.

De la República Democrática Alemana no se da ningún dato sobre su «Net Product» y su NMP per cápita. En los «Datos Económicos, julio 1978» de la Unión de Bancos Suizos, se asignan a este país, en 1976, 4.220 dólares USA de renta per cápita.

De China ya se hablará en el texto en el momento correspondiente.

Los otros países omitidos por falta de datos son: Albania, Bahamas, Cabo Verde, Emiratos Árabes, São Tomé y Príncipe, Seychelles, Mongolia, Ucrania y Bielorrusia. Las dos últimas, como es conocido, forman parte de la Unión Soviética, aunque en las publicaciones de Naciones Unidas se consideran siempre por separado.

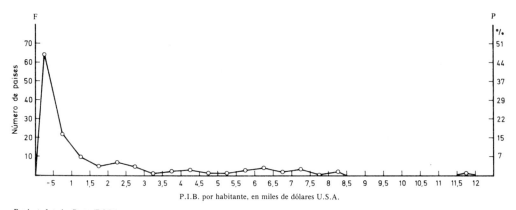

P.I.B. por habitante, en miles de dólares U.S.A.

Producto Interior Bruto (P.I.B.) per
cápita en 1975 (ver texto) de 136 países
Y = Frecuencias. Número de países
X = Renta per cápita. Intervalos 500 dólares USA
P = % (136 = 100)

Gráfico 3.2.1.—*Producto Interior Bruto (P.I.B.) por habitante, de 136 países en 1975.*

países (frecuencia) comprendidos dentro de cada intervalo en 1975, y el porcentaje que ese número suponía respecto del total de países considerados (136 en la tabla 3.2.1 y 86 —países con menos de 1.000 dólares per cápita— en la tabla 3.2.2).

Los 86 países que no alcanzaban los 1.000 dólares per cápita se agrupaban en intervalos de 50 dólares en la forma que se indica.

Los gráficos se han confeccionado con estos cuadros estadísticos, y ellos mismos muestran la sangrante desigualdad entre países ricos y pobres a que nos venimos refiriendo. En 1975, 64 países de 136 (es decir, casi la totalidad de los que formaban las Naciones Unidas en aquella fecha) no llegaban a 525 dólares de PIB por persona. De ellos, 37 no alcanzaban 225 dólares, y 22 estaban por debajo de los 125.

De los 50 países que superaban los 1.000 dólares de PIB por habitante, 15 se encontraban entre 1.001-2.000 dólares, 12 estaban entre 2.001 y 3.000, siete entre 3.001 y 5.000, y diez entre 5.001 y 7.000 dólares por habitante, y tan sólo seis países tenían una renta per cápita superior a 7.000 dólares.

Las cifras cambian constantemente, a medida que pasa el tiempo, sobre todo como consecuencia de la inflación y la crisis del petróleo, pero excepto pocos casos (Libia, Gabón... países petrolíferos...) no en forma que altere sustancialmente esta distribución.

Veamos ahora cuáles eran realmente estos países incluidos dentro de los intervalos elegidos para dibujar los polígonos de frecuencia. Para los 86 países con menos de 1.000 dólares per cápita se emplearán los intervalos de 50 dólares. Para el resto, a partir de 1.000 dólares, los de 500.

Entre estos siete países (cuatro asiáticos y tres africanos) destaca Bengala con una población de 76,8 millones de habitantes.

Esta sola cifra basta para intuir la gravedad del caso; pero, aunque los otros países están mucho menos poblados, aún totalizan entre todos 19 millones de personas, de forma que la población del mundo con un Producto Interior Bruto per cápita inferior a 75 dólares USA ascendía a 95,8 millones de seres humanos.

TABLA 3.2.1

PIB per cápita en 1975 (dólares USA)	F. Número de países	P (por 100)
11.501-12.000	1	0,74
11.501-11.500		
10.501-11.000		
10.001-10.500		
9.501-10.000		
9.001- 9.500		
8.501- 9.000		
8.001- 8.500	2	1,47
7.501- 8.000		
7.001- 7.500	3	2,21
6.501- 7.000	2	1,47
6.001- 6.500	4	2,94
5.501- 6.000	3	2,21
5.001- 5.500	1	0,74
4.501- 5.000	1	0,74
4.001- 4.500	3	2,21
3.501- 4.000	2	1,47
3.001- 3.500	1	0,74
2.501- 3.000	5	3,67
2.001- 2.500	7	5,14
1.501- 2.000	5	3,67
1.001- 1.500	10	7,35
501- 1.000	22	16,17
- 500	64	47,05
	136	99,99

PIB (Producto Interior Bruto) per cápita de 136 países pertenecientes a la ONU, en 1975 (dólares USA).

FUENTE: Naciones Unidas, 1977, *World Statistics in Brief,* Nueva York, 1977, 251 págs.

Elaboración J.M.C.T.

El hecho de que los servicios estadísticos de las Naciones Unidas no hayan podido disponer de datos sobre el PIB posteriores a 1970 es una prueba más del atraso de estos países.

En esta heterogénea categoría de países paupérrimos aparecen ya tres de los «Estados-bebés» incorporados a la ONU al lograr su independencia: Maldivas, 120.000 habitantes; Comores, 310.000, y Gambia, 520.000. Pero junto a ellos Etiopía cuenta con 28 millones de pobladores, Afganistán tiene 19.200.000, Sudán 18 millones y Birmania 31 millones.

Una población total de 137 millones de personas forma parte de los países incluidos en este intervalo.

TABLA 3.2.2

PIB per cápita en 1975 (dólares USA)	F. Número de países	(por 100)
975-1.024	2	2,33
925- 974		
875- 924	1	1,16
825- 874		
775- 824		
725- 774	2	2,33
675- 724	3	3,49
625- 674	5	5,81
575- 624	5	5,81
525- 574	4	4,65
475- 524		
425- 474	2	2,33
375- 424	5	5,81
325- 374	6	6,98
275- 324	3	3,49
225- 274	11	12,79
175- 224	3	3,49
125- 174	12	13,95
75- 124	15	17,44
25- 74	7	8,14
	86	100

PIB per cápita de 86 países que en 1975 no alcanzaban los 1.000 dólares.

FUENTE: Naciones Unidas, 1977, *World Statistics in Brief*, Nueva York, 1977, 251 págs.

Elaboración J.M.C.T.

Países con PIB per cápita entre 25 y 74 dólares USA

Nombre	Fecha de los datos	PIB per cápita
Bhután	1970	47
Malí	1970	54
Bengala (Bangladesh)	1970	66
Burundi	1970	67
República Demócratica de Laos	1970	69
Lesotho	1970	74
Chad	1970	74

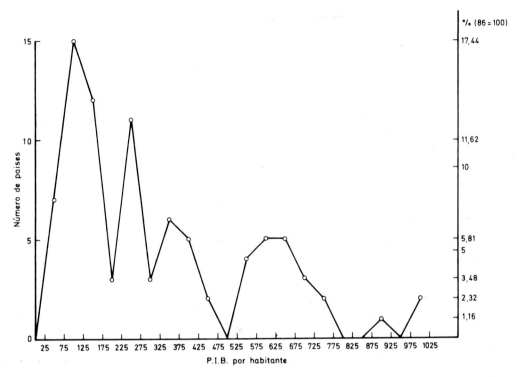

Gráfico 3.2.2.—*Producto Interior Bruto por persona de los 86 países que en 1975 no llegaban a 1.000 dólares USA.*

Países con PIB per cápita entre 75 y 124 dólares

Nombre	Fecha de los datos	PIB per cápita
Ruanda	1975	75
Alto Volta	1975	77
Guinea	1970	82
Somalia	1970	89
Afghanistán	1970	89
Níger	1970	90
Maldivas	1970	92
Yemen Democrático	1970	97
Etiopía	1975	98
Gambia	1970	101
Nepal	1975	101
Birmania (Burma)	1975	101
Comores	1970	108
Benin	1975	111
Sudán	1970	117

Países con PIB per cápita entre 125 y 174 dólares

Nombre	Fecha de los datos	PIB per cápita
Camboya (Kampuchea Democrática) ...	1970	125
Indonesia	1975	126
República de África Central	1970	127
Yemen	1975	129
Pakistán	1975	129
Malawi	1975	129
Madagascar	1975	133
Uganda	1970	135
India	1975	137
Zaire	1975	146
Haití	1975	162
República Unida de Tanzania	1975	170

Con la presencia en esta categoría de países como Indonesia y la India, con 130 y 598 millones de habitantes, respectivamente, el número de personas con tan cortos ingresos anuales alcanza la enorme cifra de 883 millones, que sumados a los de las categorías anteriores arrojan la de 1.097 millones de seres humanos con ingresos inferiores a 175 dólares al año; es decir, considerando un cambio dólares-pesetas a 70, menos de 12.250 pesetas, lo que equivale, en octubre de 1978, al salario mínimo de tres semanas de un obrero español.

Países con PIB per cápita entre 175 y 224 dólares

Nombre	Fecha de los datos	PIB per cápita
Samoa	1970	179
Togo	1975	197
Sierra Leona	1975	222

Dentro de estos 11 países africanos el mayor en cuanto a población es Nigeria (62,93 millones de habitantes), seguido de Egipto (37,23 millones). Tampoco faltan en la serie los «mini-Estados», al menos desde el punto de vista del número de sus habitantes (Guinea-Bissau: 530.000; Guinea Ecuatorial: 310.000; Swazilandia 490.000).

La población total de los países en esta categoría es de 151 millones de habitantes.

Países con PIB per cápita entre 225 y 274 dólares

Nombre	Fecha de los datos	PIB per cápita
Mozambique	1970	228
Mauritania	1975	232
Nigeria	1975	233
Kenia	1975	234
Ceylán (Sri Lanka)	1975	235
Congo	1970	238
Ghana	1970	257
Guinea-Bissau	1970	259
Egipto	1975	260
Guinea Ecuatorial	1970	267
Swazilandia	1970	270

Países con PIB per cápita entre 275 y 324 dólares

Nombre	Fecha de los datos	PIB per cápita
Honduras	1975	330
Liberia	1975	334
Bolivia	1975	341
Thailandia	1975	342
Grenada	1975	349
Filipinas	1975	368

Filipinas y Thailandia, con 42 millones cada uno, son los dos países con más población de la serie. La nota pintoresca la pone el «Estado-isla» de Grenada, con tan sólo 100.000 habitantes. De todas formas, la población de estos seis países totaliza 95 millones de personas.

Países con PIB per cápita entre 375 y 424 dólares

Nombre	Fecha de los datos	PIB per cápita
Omán	1970	380
Irak	1970	381
Guyana	1975	398
Jordania	1975	407
Botswana	1975	424

Países con PIB per cápita entre 425 y 474 dólares

Nombre	Fecha de los datos	PIB per cápita
Marruecos	1975	426
El Salvador	1975	455

Con esta categoría llegamos al umbral de los 500 dólares per cápita. 64 países de los 136 considerados no llegan a alcanzar este Producto Interior Bruto que, al cambio de 70 pesetas un dólar, supondría un ingreso anual de 35.000 pesetas por persona.

La población total del conjunto de los países que no llegan a estos ingresos per cápita ascendía, en 1975, a 1.422 millones de personas.

La enormidad de esta cifra se pone de relieve con sólo considerar que la población del mundo en 1975, según la ONU, ascendía a 3.967 millones de seres humanos. Es decir, el 35.85 por 100 de la población mundial tendría unos ingresos per cápita inferiores a 500 dólares anuales si no fuera por una circunstancia muy importante que empeora esta conclusión: la de que la ONU no disponía en esa fecha (ni los podía publicar por tanto) de datos sobre el Producto Interior Bruto de China ni consiguientemente de los ingresos per cápita de su población. Esta importantísima laguna puede llenarse si se aceptan los cálculos de Alain PEYREFITTE[5], que visitó China al frente de una misión francesa en 1973.

Como se ha dicho en un capítulo anterior, PEYREFITTE estima que el PNB (no el PIB, que sería ligeramente distinto) chino por habitante estaría alrededor de 180 dólares, pero que para «comparar a China con los países occidentales sería preciso tratar de determinar el valor añadido por la Administración y el comercio». Teniendo en cuenta estas consideraciones, el autor estima el PNB por habitante entre 210 y 225 dólares en 1971.

Es cierto que este cálculo lo hace admitiendo una población de China en esa fecha de 750 millones de personas. Las imprecisiones y falta de información demográfica por parte de las autoridades chinas son proverbiales, pero de todas formas no hay duda de que los ingresos per cápita de la población china quedan dentro de la categoría de los países con menos de 500 dólares por persona.

Con la inclusión de China en este apartado, si se acepta la estimación de PEYREFITTE de su población de 750 millones en 1971, resultan 2.172 millones de personas con menos de 500 dólares de ingresos anuales. Si admitimos, en cambio, la estimación de la población de China que da la ONU para 1975 (838 millones de habitantes) incrementamos en 88 millones la cifra total de hombres (2.260 millones) con menos de 500 dólares de ingresos anuales[6].

En cualquiera de los dos casos, incluyendo a China, resulta que más de la mitad del

---

[5] PEYREFITTE, Alain, *Cuando China despierte... el mundo temblará,* Barcelona, Plaza-Janés, 1977, 4.ª ed., 1.ª francesa, 1974, 500 págs.

[6] El 28-VI-79 la prensa española recogió una información oficial de Pekín según la cual, a fines de 1978, la población china total (incluida Formosa) era de 975.230.000 habitantes, con una tasa anual de crecimiento del 12 por 1.000.

mundo (el 54,75 por 100 en el primero y el 56,97 por 100 en el segundo) tiene un PIB per cápita anual inferior a 35.000 pesetas.

Es bastante probable, además, que la población china tenga un PIB per cápita inferior a 225 dólares, y en este caso China vendría a sumarse a los 37 países por debajo de este nivel, con lo cual resultarían alrededor de 2.000 millones de personas (según la estimación de la población china que se considere) con menos de 225 dólares al año.

Países con PIB per cápita entre 525 y 574 dólares

Nombre	Fecha de los datos	PIB per cápita
República Dominicana	1975	529
Perú	1975	546
Papúa-Nueva Guinea	1975	557
Paraguay	1975	570

Países con PIB per cápita entre 575 y 624 dólares

Nombre	Fecha de los datos	PIB per cápita
Colombia	1975	577
Zambia	1975	590
Malasia	1975	602
Líbano	1975	603
Guatemala	1975	611

Países con PIB per cápita entre 625 y 674 dólares

Nombre	Fecha de los datos	PIB per cápita
Túnez	1975	626
Barbados	1970	639
Mauricio	1975	641
Ecuador	1975	643
Costa de Marfil	1975	644

De nuevo un «Estado-bebé» (Barbados, 250.000 habitantes) se incluye entre los países independientes que forman las Naciones Unidas.

Países con PIB per cápita entre 675 y 724 dólares

Nombre	Fecha de los datos	PIB per cápita
Chile	1975	691
Argelia	1975	710
Nicaragua	1975	720

Países con PIB entre 725 y 774 dólares

Nombre	Fecha de los datos	PIB per cápita
República Árabe Siria	1975	743
Brasil	1975	774

Por encima de este nivel, y por debajo de 1.024 dólares per cápita, sólo quedan tres países: uno, Turquía, 910 dólares de PIB per cápita, y dos en el último intervalo entre 975 y 1.024 dólares USA per cápita: Costa Rica (978) y Fidji, un pequeño Estado de 580.000 habitantes, a los que correspondían, en 1975, 999 dólares por persona.

1.3. *Sólo 50 países de 136 que pertenecían a la ONU tenían en 1975 más de 1.000 dólares de Producto Interior Bruto per cápita. De esos 50, 15 países no llegaban a los 2.000 dólares anuales y sólo 12 tenían más de 6.000.*

La tabla 3.2.1 y su correspondiente gráfico nos muestran de inmediato cómo dentro de esta amplísima escala de valores, en que se toman en consideración los datos correspondientes a los 50 países con más de 1.000 dólares anuales per cápita, los niveles inferiores de los intervalos establecidos para estudiar la distribución engloban a más de la mitad de los países incluidos en esta categoría: 15 con menos de 2.500 dólares per cápita, 27 con menos de 3.000 y 30 con menos de 4.000. Los otros 20 son los que casi todos los autores, sin desconocer diferencias de matiz, considerarían verdaderamente ricos, y aún entre ellos 14 quedan entre 4.001 y 7.000 dólares, otros cinco entre 7.001 y 8.500 y uno sólo, en esta fecha, Kuwait, rebasa los 11.501 dólares.

Pasíses con PIB per cápita entre 1.001 y 1.500 dólares USA

Nombre	Fecha de los datos	PIB per cápita
Malta	1975	1.068
Chipre	1975	1.076
Bahrein	1970	1.111
México	1975	1.119
Uruguay	1975	1.153
Surinam	1975	1.183
Sudáfrica	1975	1.339
Panamá	1975	1.356
Jamaica	1975	1.438
Rumanía	1976	1.450*

* Renta per cápita.

De estos diez países, cuatro no llegan a tener un millón de habitantes:.Malta (330.000), Chipre (640.000), Bahrein (260.000) y Surinam (420.000); México, en cambio, tiene más de 60 millones y la República Sudafricana más de 25. En ambos países, como es bien sabido, y en particular en el último, amplios sectores de su población tienen unos ingresos reales muy por debajo del valor medio de su Producto Interior Bruto per cápita. El subdesarrollo, como es de dominio general, no es sólo un problema grave a escala de países, sino en muchos de ellos a escala regional y social.

Países con PIB per cápita entre 1.501 y 2.000 dólares USA

Nombre	Fecha de los datos	PIB per cápita
Portugal	1975	1.517
Irán	1975	1.635
Trinidad y Tobago	1975	1.649
Yugoslavia	1977	1.680*
Argentina	1975	1.935

* Renta per cápita.

La cifra correspondiente (renta per cápita) a Yugoslavia, así como en el intervalo anterior de Rumanía (y en lo que resta las de todos los países europeos de gobiernos comunistas), han sido tomadas de: «Notas económicas, julio 1978», publicadas por la Unión de Bancos Suizos, ya que en la fuente de Naciones Unidas utilizada o se publican los datos como NMP («Net Material Product») en monedas nacionales, no en dólares, o, muchas veces, se omiten.

Países con PIB per cápita entre 2.001 y 2.500 dólares USA

Nombre	Fecha de los datos	PIB per cápita
Grecia	1975	2.140
Irlanda	1975	2.176
Hungría	1976	2.280*
Bulgaria	1976	2.310*
Singapur	1975	2.324
Venezuela	1975	2.415
España	1975	2.428

* Renta per cápita.

Según este orden, España ocupaba en 1975 el lugar 29 por su Producto Interior Bruto per cápita, aunque no se debe conceder demasiada importancia a este puesto, ya que no todas las estimaciones, o cálculos del PIB, ofrecen las mismas garantías ni las cifras corresponden a la misma fecha.

En esta categoría Singapur, con 2.250.000 habitantes sobre una superficie de 581 Km², se nos presenta como un interesantísimo ejemplo de Ciudad-Estado (independiente desde 1965) al que están afluyendo, al reclamo de una mano de obra barata y competente, capitales de grandes y famosas empresas europeas.

Países con PIB per cápita entre 2.501 y 3.000 dólares

Nombre	Fecha de los datos	PIB per cápita
Qatar	1975	2.531
Italia	1975	2.704
URSS	1976	2.760*
Polonia	1976	2.860*
Gabón	1975	2.792

* Renta per cápita.

Gabón y Qatar son las excepciones en este grupo. Gabón es un país africano de rápido incremento de su Producto Nacional gracias a sus exportaciones; Qatar, independiente desde 1971, es el clásico país petrolero. Los datos sobre su población son confusos: la fuente de NU manejada daba, en 1975, 90.000 habitantes. *The Statesman's Year-Book,* según una estimación de 1971 que tomaba en cuenta los obreros inmigrantes temporales procedentes de los países limítrofes, consignaba 180.000. En cualquier caso, el que figure en un intervalo junto a la URSS, Italia y Polonia no tiene más interés que el meramente anecdótico.

Entre 3.001 y 3.500 dólares per cápita no había, en 1975, más que un solo país, Arabia Saudí, 9 millones de habitantes, 3.220 dólares de PIB per cápita. Otro «grande» del petróleo.

Países con PIB per cápita entre 3.501 y 4.000 dólares USA

Nombre	Fecha de los datos	PIB per cápita
Israel	1975	3.608
Checoslovaquia	1975	3.840*

* Renta per cápita.

Países con PIB per cápita entre 4.001 y 4.500 dólares USA

Nombre	Fecha de los datos	PIB per cápita
Reino Unido de Gran Bretaña e Irlanda del Norte	1975	4.089
Japón	1975	4.133
Nueva Zelanda	1975	4.417

Por encima de este techo y arañando los 5.000 dólares por habitante se encontraba en 1975 Austria (4.996 dólares per cápita), cuya recuperación económica ha sido realmente espectacular.

Entre 5.001 y 5.500 dólares por habitante, sólo había también un país: Jamahiriya Árabe Libia, con 5.236. Otro de los países que deben toda su fortuna al petróleo.

Países con PIB per cápita entre 5.501 y 6.000 dólares USA

Nombre	Fecha de los datos	PIB per cápita
Finlandia	1975	5.645
Islandia	1975	5.665
Holanda	1975	5.949

Países con PIB per cápita entre 6.001 y 6.500 dólares USA

Nombre	Fecha de los datos	PIB per cápita
Luxemburgo	1975	6.102
Bélgica	1975	6.352
Francia	1975	6.360
Australia	1975	6.364

Países con PIB per cápita entre 6.501 y 7.000 dólares USA

Nombre	Fecha de los datos	PIB per cápita
República Federal Alemana	1975	6.871
Canadá	1975	6.995

Países con PIB per cápita entre 7.001 y 7.500 dólares USA

Nombre	Fecha de los datos	PIB per cápita
Dinamarca	1975	7.006
Noruega	1975	7.058
USA	1975	7.087

Países con PIB per cápita entre 8.001 y 8.500 dólares USA

Nombre	Fecha de los datos	PIB per cápita
Suecia	1975	8.459
Suiza	1975	8.463

Por encima de estos países se encuentra Kuwait con el PIB per cápita más alto de todos los registrados: 11.726 dólares, en 1975. Cuenta con un millón de habitantes. Su fortuna, todo el mundo lo sabe, es el petróleo.

Las listas de países que anteceden tienen como misión facilitar las cifras concretas que se han simplificado y recogido en los intervalos establecidos para confeccionar las tablas y gráficos de frecuencias que permitieran una visión de conjunto, pero como es lógico hay muchos otros criterios para presentar los datos. Dos de los más conocidos son el de las Naciones Unidas y el del Banco Mundial.

1.4. *Clasificación de los países según los criterios del Banco Mundial*

El *Informe sobre el desarrollo mundial,* publicado en agosto de 1978 por el Banco Mundial (World Bank), es un libro de tanto interés económico como geográfico. En él, a los efectos de la presentación de los numerosísimos datos estadísticos que se manejan y de las estupendas tablas que recogen los «Indicadores del Desarrollo Mundial» en el «Anexo del Informe», se agrupan los países bajo estas rúbricas:

1. *Países en desarrollo:* que se dividen, conforme a su Producto Nacional Bruto (PNB) per cápita en 1976, en:

   a) *Países de bajos ingresos:* los que tienen un ingreso anual per cápita de hasta 250 dólares USA, y

   b) *Países de ingresos medianos:* los que tienen un ingreso anual per cápita superior a 250 dólares USA.

2. *Países exportadores de petróleo con superávit de capital:* Arabia Saudí, Emiratos Árabes Unidos, Kuwait, Libia, Omán y Qatar, que se identifican como un grupo separado. Otros exportadores de petróleo importantes se incluyen en el grupo de los países en desarrollo.

3. *Países industrializados* son los miembros de la Organización de Cooperación y Desarrollo Económico (OCDE), a excepción de España, Grecia, Portugal y Turquía, que se incluyen en el grupo de países en desarrollo de ingresos medianos.

4. *Países con economía de planificación centralizada* son Albania, Bulgaria, Corea (República Popular Democrática de), Cuba, Checoslovaquia, China (República Popular de), Hungría, Mongolia, Polonia, República Democrática Alemana, Rumanía y URSS.

   Los miembros de la *Organización de Cooperación y Desarrollo Económico* (OCDE) son: Alemania (República Federal de), Australia, Austria, Bélgica, Canadá, Dinamarca, España, Estados Unidos, Finlandia, Francia, Grecia, Irlanda, Islandia, Italia, Japón, Luxemburgo, Noruega, Nueva Zelanda, Países Bajos, Portugal, Reino Unido, Suecia, Suiza y Turquía.

   El Comité de Asistencia para el Desarrollo (CAD) de la OCDE está integrado por Alemania (República Federal de), Australia, Austria, Bélgica, Canadá, Dinamarca, Estados Unidos, Finlandia, Francia, Italia, Japón, Noruega, Nueva Zelanda, Países Bajos, Reino Unido, Suecia, Suiza y la Comisión de la Comunidad Económica Europea.

   La Organización de Países Exportadores de Petróleo (OPEP) está integrada por Arabia Saudí, Argelia, Ecuador, Emiratos Árabes Unidos, Gabón, Indonesia, Irán, Irak, Kuwait, Libia, Nigeria, Qatar y Venezuela.

La distribución esquemática de los países dentro del grupo de rentas al que corresponden, que se encuentran en la página 4 del Atlas[7] del mismo Banco, es la siguiente:

---

[7] *World Bank Atlas. Population, per capita product, and growth rates,* Published by the World Bank/77, 32 págs.

Grupo de rentas per cápita	Núm. de países	Población (millones)	PNB (dólares USA en miles de millones)	PNB (promedio per cápita dólares USA)
Menos de 200 dólares	28	959	131	140
De 200 a 499 dólares	40	1.295	457	350
De 500 a 1.999 dólares	59	676	590	1.020
De 2.000 a 4.999 dólares	30	654	2.034	3.110
5.000 y más dólares	25	422	2.876	6.820

En esta edición del Atlas de 1977, «las estimaciones del Producto Nacional Bruto per cápita se basan en los promedios de precios y tipos de cambio en 1974-1976».

Realmente este pequeño cuadro estadístico es, sin ninguna clase de encarecimientos, abrumador e inquietante, pero aunque ya es así muy expresivo, para que se vea más claro se ha expresado en tanto por ciento y he aquí lo que resulta:

Grupo de rentas per cápita (PNB)	Núm. de países (182 = 100) %	Población (3.906 millones = 100) %	PNB (62.088 millones dólares USA = 100) %
Menos de 200 dólares	15,38	24,55	2,15
De 200 a 499 dólares	21,98	33,15	7,51
De 500 a 1.999 dólares	32,42	14,75	9.69
De 2.000 a 4.999 dólares	16,48	16,74	33,41
5.000 y más dólares	13,74	10,80	47,24
	100,—	99,99	100,—

Naturalmente lo que interesa comentar son las columnas 3 y 4. El 24,55 por 100 de la población mundial tiene un PNB per cápita inferior a 200 dólares y le corresponde tan sólo el 2,15 por 100 de la totalidad del PNB. En cambio, el 10,80 por 100 de la población mundial ¡acapara el 47,24 por 100 del PNB del mundo! Sumando los dos últimos grupos se manifiesta que el 27,54 por 100 de la población del mundo, en esa fecha, disfrutaba del 80,65 por 100 del Producto Nacional Bruto de todo el planeta, mientras el 72,45 por 100 de la totalidad de los habitantes del mundo disponían tan sólo del 19,35 por 100. Difícilmente puede imaginarse en lo económico una situación de injusticia mayor. Y digo en lo económico porque considero que aún son más injustas las privaciones de la libertad y del derecho a la vida.

El desarrollo país por país de este cuadro-resumen, enriquecido con nuevos datos, se contiene en el cuadro 1 del Anexo del Informe de 1978 del Banco, «Indicadores Básicos», que se reproduce en las páginas siguientes.

Las diferencias entre los datos del Banco Mundial y los de Naciones Unidas que manejamos antes no pueden sorprender a nadie por poco iniciado que esté en las dificultades de la recogida de datos, y más a escala del mundo. Constantemente nos estamos refiriendo a este obstáculo porque por todas partes se pone de manifiesto. En el *Informe sobre la situación social en el mundo en 1974* de Naciones Unidas, que manejaremos más de una vez, se dice textualmente: «Los problemas conceptuales y metodológicos que entraña determinar la distribución del ingreso son formidables. En el mejor de los casos los datos sobre la distribución son meras aproximaciones y deben ser interpretados con sumo cuidado...» (pág. 30).

Pero a la vista de los hechos que acabamos de presentar tiene, sin duda alguna, mucho más interés recoger otro párrafo del mismo Informe, 1974, de Naciones Unidas: «Si bien el contraste entre ricos y pobres se puede observar tanto en los países desarrollados como en los países en desarrollo, la pobreza abruma principalmente a las regiones en desarrollo de Asia, África y América. En estas regiones el creciente costo humano de la pobreza es inmensurable. En muchos países las esperanzas (que en un día se concibieran) están dando lugar a una frustración cada vez mayor, pues los frutos del desarrollo parecen tener inevitablemente otro destino: las empresas comerciales, las minorías selectas, administrativas o políticas, los extranjeros, las zonas urbanas, o determinados grupos regionales, étnicos o religiosos. Los gobiernos son cada vez más conscientes del hecho de que la desesperación y la alienación pueden socavar el proceso del desarrollo, las relaciones entre las clases y los grupos sociales, y la estabilidad del Estado.»

Siete años antes, en 1967, en la línea de una tradición constante, desde Roma se había recordado: «Hoy el hecho más importante del que todos deben tomar conciencia es el de que la cuestión social ha adquirido una dimensión mundial...» «Los pueblos hambrientos interpelan hoy, con acento dramático, a los pueblos opulentos»[8].

«Verse libres de la miseria, hallar con más seguridad la propia subsistencia, la salud, una ocupación estable; participar todavía más en las responsabilidades, fuera de toda opresión y al abrigo de situaciones que ofenden su dignidad de hombres; ser más instruidos; en una palabra, hacer, conocer y tener más para ser más; tal es la aspiración de los hombres de hoy, mientras que un gran número de ellos se ven condenados a vivir en condiciones que hacen ilusorio este legítimo deseo.»

Es evidente que plantear el tema del subdesarrollo en tanto en cuanto afecta a la población es llegar al fondo del problema, es poner el dedo en la llaga. Desde luego todos los autores serios están de acuerdo en que el subdesarrollo es mucho más que un problema económico, es un problema humano, complejísimo, de ámbito universal.

---

[8] Pablo VI, «Populorum progressio», en *Ocho mensajes,* edición de J. Iribarren y J. L. Gutiérrez García, Madrid (BAC), 1976, 9.ª ed., 542 págs., párrafos 3.º y 6.º

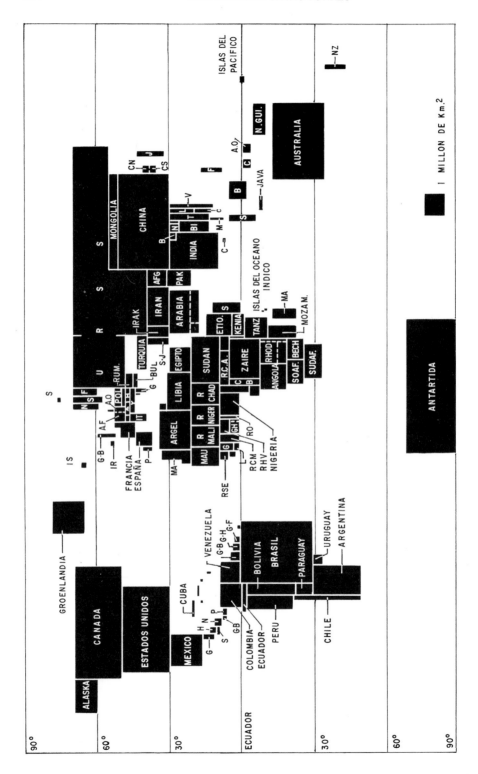

Croquis 3.2.1.—*Superficies. Croquis (3.2.1, 3.2.2 y 3.2.3) comparativos de las superficies, poblaciones y productos interiores brutos de los países, en 1973.*

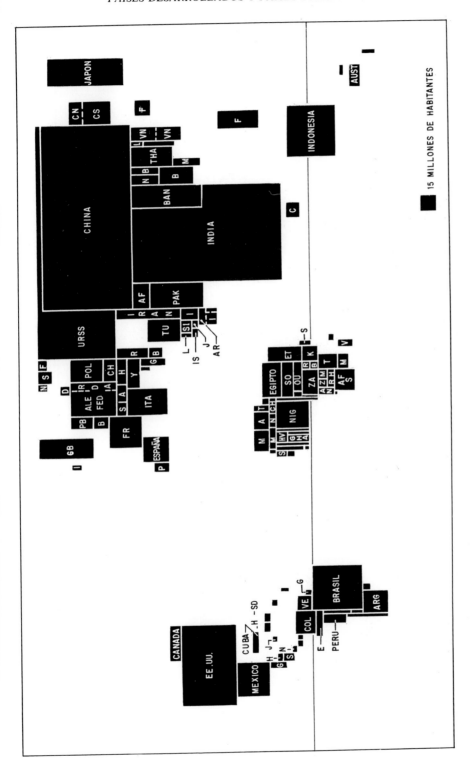

Croquis 3.2.2.—*Poblaciones. Según P. Longone:* Espace, population, production. *En* «Population et Sociétés», *núm. 78, marzo 1975.*

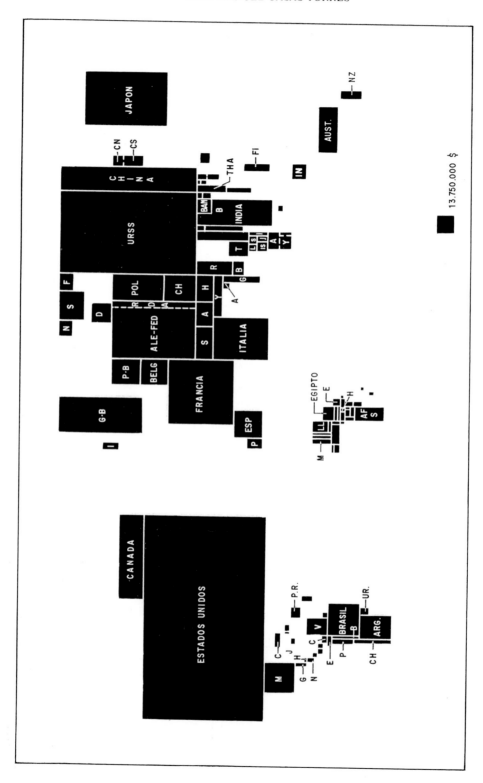

Croquis 3.2.3.—*Producto Interior Bruto de cada país, en 1973.*

13.750.000 $

TABLA 3.2.3
Indicadores básicos

(Según el Banco Mundial. Anexo del Informe de 1978)

	Población (en millones)	Superficie (miles de Km²)	PNB per cápita		Índice de producción de alimentos per cápita, 1965-67 = 100	Energía		Tasa anual media de inflación (%)	
			(dólares USA)	Promedio de crecimiento anual (%)		Promedio de crecimiento anual de la producción (%)	Consumo per cápita (kilogramos de equivalente carbón)		
	Med. 1976		1976	1960-76	Prom. 1974-76	1960-75	1975	1960-70	1970-76
Países de bajos ingresos			**150**	**0,9**	**96**	**9,4**	**52**	**3,1**	**9,8**
1. Bhután	1,2	47	70	—	—	—	—	—	—
2. Camboya	8,1	181	—	—	53	—	16	3,8	98,6
3. Rep. Dem. Pop. Laos ...	3,3	237	90	1,8	103	—	63	5,6	22,3
4. Etiopía	28,7	1.222	100	1,9	83	12,5	29	2,1	2,3
5. Malí	5,8	1.240	100	0,9	71	15,8	25	5,0	7,1
6. Bangladesh ..	80,4	144	110	—0,4	95	—	28	3,1	20,7
7. Rwanda	4,2	26	110	0,8	114	21,4	14	13,1	10,6
8. Somalia	3,3	638	110	—0,3	91	—	36	4,5	8,9
9. Alto Volta ...	6,2	274	110	0,8	84	—	20	1,3	6,3
10. Birmania	30,8	677	120	0,7	98	4,5	51	2,7	16,1
11. Burundi	3,8	28	120	2,3	101	—	13	2,8	8,7
12. Chad	4,1	1.284	120	—1,1	76	—	39	4,6	6,6
13. Nepal	12,9	141	120	0,2	98	20,1	10	8,5	8,4
14. Benin	3,2	113	130	0,1	83	—	52	1,9	8,3
15. Malawi	5,2	119	140	4,1	107	28,2	56	2,3	9,8
16. Zaire	25,4	2.345	140	1,4	93	2,8	78	29,9	15,7
17. Guinea	5,7	246	150	0,4	94	10,4	92	1,7	7,2
18. India	620,4	3.288	150	1,3	107	4,1	221	6,9	9,2
19. Vietnam	47,6	333	—	—	—	0,5	—	—	—
20. Afghanistán .	14,0	648	160	0,0	94	34,1	52	11,6	3,1
21. Níger	4,7	1.267	160	—1,1	67	—	35	2,3	1,7
22. Lesotho	1,2	30	170	4,6	102	—	—	2,5	8,8
23. Mozambique .	9,5	783	170	1,4	95	3,3	186	2,8	6,9
24. Pakistán	71,3	804	170	3,1	114	8,9	183	3,3	15,2
25. Tanzania	15,1	945	180	2,6	113	9,0	70	1,8	11,7
26. Haití	4,7	28	200	0,1	103	—	30	3,8	13,5
27. Madagascar ..	9,1	587	200	—0,1	90	5,5	71	3,2	10,2

	Población (en millones)	Superficie (miles de Km²)	PNB per cápita (dólares USA)	PNB per cápita Promedio de crecimiento anual (%)	Índice de producción de alimentos per cápita, 1965-67 = 100	Energía Promedio de crecimiento anual de la producción (%)	Energía Consumo per cápita (kilogramos de equivalente carbón)	Tasa anual media de inflación (%)	Tasa anual media de inflación (%)
	Med. 1976		1976	1960-76	Prom. 1974-76	1960-75	1975	1960-70	1970-76
28. Sierra Leona .	3,1	72	200	1,1	97	—	116	2,9	10,2
29. Sri Lanka	13,8	66	200	2,0	110	9,8	127	1,8	11,5
30. Imperio Centroafricano ..	1,8	623	230	0,3	103	13,3	34	4,2	8,3
31. Indonesia	135,2	1.904	240	3,4	117	8,5	178	180,0	22,7
32. Kenya	13,8	583	240	2,6	88	9,9	174	1,4	11,1
33. Uganda	11,9	236	240	1,0	89	5,1	55	3,0	17,1
34. Yemen, Rep. Árabe del	6,0	195	250	—	101	—	49	—	—
Países de ingresos medianos			750	2,8	104	8,5	524	3,2	12,5
35. Togo	2,3	56	260	4,1	59	—	65	1,7	8,6
36. Egipto	38,1	1.001	280	1,9	104	7,4	405	3,5	5,2
37. Yemen, Rep. Dem. Pop. del	1,7	333	280	—6,3	97	—	328	—	—
38. Camerún	7,6	475	290	2,8	108	1,1	104	3,7	9,7
39. Sudán	15,9	2.506	290	0,4	117	11,7	140	3,7	3,5
40. Angola	5,5	1.247	330	3,0	92	30,0	174	3,5	13,5
41. Mauritania ..	1,4	1.031	340	3,7	68	—	108	1,6	10,3
42. Nigeria	77,1	924	380	3,5	89	29,5	90	2,6	16,1
43. Thailandia ...	43,0	514	380	4,5	106	17,2	284	1,9	10,3
44. Bolivia	5,8	1.099	390	2,3	119	16,1	303	3,8	25,9
45. Honduras ...	3,0	112	390	1,5	102	23,9	232	3,0	5,5
46. Senegal	5,1	196	390	—0,7	96	—	195	1,6	12,1
47. Filipinas	43,3	300	410	2,4	108	3,3	326	5,8	15,1
48. Zambia	5,1	753	440	1,7	104	34,1	504	7,6	3,8
49. Liberia	1,6	111	450	2,0	108	20,3	404	1,9	10,3
50. El Salvador ..	4,1	21	490	1,8	108	5,0	248	0,3	7,1
51. Papúa - Nueva Guinea	2,8	462	490	3,5	99	11,0	278	3,6	7,8
52. Congo, Rep. Pop. del	1,4	342	520	2,8	93	17,9	209	3,9	9,3
53. Marruecos ...	17,2	447	540	2,1	103	1,6	274	2,2	9,3
54. Rhodesia	6,5	391	550	2,2	107	0,6	764	1,3	7,5

Contrastes del subdesarrollo. Un aspecto de Makati, el nuevo C. B. D. de Metro-Manila, y Tondo, uno de sus suburbios más pobres (Fotos: Casas-Torres).

	Población (en millones)	Superficie (miles de Km²)	PNB per cápita		Índice de producción de alimentos per cápita, 1965-67 = 100	Energía		Tasa anual media de inflación (%)	
			(dólares USA)	Promedio de crecimiento anual (%)		Promedio de crecimiento anual de la producción (%)	Consumo per cápita (kilogramos de equivalente carbón)		
	Med. 1976		1976	1960-76	Prom. 1974-76	1960-75	1975	1960-70	1970-76
55. Ghana	10,1	239	580	—0,1	93	27,3	182	7,6	23,5
56. Costa de Marfil	7,0	323	610	3,4	124	9,0	366	2,8	11,0
57. Jordania	2,8	98	610	1,6	47	—	408	1,1	9,6
58. Colombia	24,2	1.139	630	2,8	100	2,6	671	11,9	20,7
59. Guatemala ...	6,5	109	630	2,4	114	9,9	237	0,2	9,4
60. Ecuador	7,3	284	640	3,6	97	20,3	442	4,6	13,6
61. Paraguay	2,6	407	640	2,2	94	44,0	153	3,0	13,6
62. Corea, Rep. de	36,0	99	670	7,3	104	6,2	1.036	16,7	17,5
63. Nicaragua ...	2,3	130	750	2,4	103	20,9	479	1,9	10,8
64. Rep. Dominicana	4,8	49	780	3,4	111	8,0	458	2,1	8,9
65. Rep. Árabe Siria	7,7	185	780	2,2	113	70,9	477	1,8	18,8
66. Perú	15,8	1.285	800	2,6	99	2,0	682	9,9	15,6
67. Túnez	5,7	164	840	4,1	134	5,5	447	3,7	7,7
68. Malasia	12,7	330	860	3,9	146	34,6	560	—0,2	7,0
69. Argelia	16,2	2.382	990	1,7	100	10,1	754	2,3	14,8
70. Turquía	41,2	781	990	4,2	114	6,8	630	5,5	19,8
71. Costa Rica ...	2,0	51	1.040	3,4	130	8,9	544	1,9	13,7
72. Chile	10,5	757	1.050	0,9	92	—1,0	765	32,9	273,6
73. China, Rep. de	16,3	36	1.070	6,3	—	—	1.427	4,1	11,9
74. Jamaica	2,1	11	1.070	1,9	89	—0,6	1.427	3,8	17,5
75. Líbano	3,2	10	—	3,1	95	11,1	928	1,4	4,4
76. México	62,0	1.973	1.090	3,0	98	6,0	1.221	3,5	14,2
77. Brasil	110,0	8.512	1.140	4,8	114	7,1	670	46,0	26,1
78. Panamá	1,7	76	1.310	3,7	114	13,6	865	1,6	11,2
79. Irak	11,5	435	1.390	3,6	89	5,2	713	1,7	17,5
80. Uruguay	2,8	178	1.390	0,6	110	3,0	942	51,1	70,5
81. Rumanía	21,4	238	1.450	8,4	117	4,2	3.803	—	—
82. Argentina ...	25,7	2.767	1.550	2,8	104	5,8	1.754	21,8	88,7
83. Yugoslavia ...	21,5	256	1.680	5,6	120	4,0	1.930	12,6	16,3
84. Portugal	9,7	92	1.690	6,5	103	1,3	983	2,9	11,9
85. Irán	34,3	1.648	1.930	8,2	109	13,0	1,353	1,1	25,2

	Pobla-ción (en mi-llones)	Super-ficie (miles de Km²)	PNB per cápita		Índice de produc-ción de alimen-tos per cápita, 1965-67 = 100	Energía		Tasa anual media de inflación (%)	
			(dólares USA)	Prome-dio de creci-miento anual (%)		Prome-dio de creci-miento anual de la produc-ción (%)	Consu-mo per cápita (kilo-gramos de equi-valente car-bón)		
	Med. 1976		1976	1960-76	Prom. 1974-76	1960-75	1975	1960-70	1970-76
86. Hong-Kong ..	4,5	1	2.110	6,5	84	—	1.119	2,3	8,5
87. Trinidad y To-bago	1,1	5	2.240	2,6	92	2,9	3.132	3,6	18,8
88. Venezuela ...	12,4	912	2.570	2,6	113	0,3	2.639	1,3	13,4
89. Grecia	9,1	132	2.590	6,1	131	13,2	2.090	3,2	13,3
90. Singapur	2,3	1	2.700	7,5	208	—	2.151	1,1	8,1
91. España	35,7	505	2.920	5,5	125	1,1	2,147	6,3	12,8
92. Israel	3,6	21	3.920	4,3	126	32,8	2.806	5,9	23,7
Países industrializados			**6.200**	**3,4**	**110**	**3,0**	**5.016**	**4,2**	**9,3**
93. Sudáfrica	26,0	1.221	1.340	3,0	102	3,8	—	3,1	11,3
94. Irlanda	3,2	70	2.560	3,3	126	—0,1	3.097	5,2	13,9
95. Italia	56,2	301	3.050	3,8	107	3,1	3.012	4,4	12,9
96. Reino Unido .	56,1	244	4.020	2,2	110	—1,3	5.265	4,1	13,3
97. Nueva Zelanda	3,1	269	4.250	1,6	102	2,8	3.111	3,2	11,6
98. Japón	112,8	372	4.910	7,9	107	—3,9	3.622	4,8	10,1
99. Austria	7,5	84	5.330	4,3	117	0,3	3.700	3,6	7,9
100. Finlandia	4,7	337	5.620	4,5	113	3,2	4.766	5,6	13,6
101. Australia	13,7	7.687	6.100	3,0	112	10,4	6.485	3,1	13,5
102. Países Bajos .	13,8	41	6.200	3,7	136	15,3	5.784	5,3	8,9
103. Francia	52,9	547	6.550	4,2	107	—2,8	3.944	4,2	9,3
104. Bélgica	9,8	31	6.780	4,2	119	—7,6	5.584	3,6	8,8
105. Alemania, Rep. Fed. de ..	62,0	249	7.380	3,4	111	—0,8	5.345	3,1	6,4
106. Noruega	4,0	324	7.420	3,9	105	8,7	4.607	4,2	8,6
107. Dinamarca ...	5,1	43	7.450	3,3	99	—20,5	5.268	6,0	9,8
108. Canadá	23,2	9.976	7.510	3,5	94	8,6	9.880	3,1	9,2
109. Estados Unidos	215,1	9.363	7.890	2,3	114	2,9	10.999	2,8	6,8
110. Suecia	8,2	450	8.670	3,1	110	3,5	6.178	4,3	8,8
111. Suiza	6,4	41	8.880	2,2	102	4,3	3.642	4,5	7,4
Exportadores de petróleo con superávit de capital			**6.310**	**7,0**	**—**	**12,8**	**1.398**	**1,0**	**33,3**
112. Arabia Saudí .	8,6	2.150	4.480	7,0	102	12,8	1.398	1,0	33,3
113. Libia	2,5	1.760	6.310	10,2	96	21,7	1.299	5,3	16,5
114. Kuwait	1,1	18	15.480	—3,0	—	3,4	8.718	0,6	35,6

	Pobla-ción (en millones)	Super-ficie (miles de Km²)	PNB per cápita		Índice de producción de alimentos per cápita, 1965-67 = 100	Energía		Tasa anual media de inflación (%)	
			(dólares USA)	Promedio de creci-miento anual (%)		Promedio de creci-miento anual de la producción (%)	Consumo per cápita (kilo-gramos de equivalente carbón)		
	Med. 1976		1976	1960-76	Prom. 1974-76	1960-75	1975	1960-70	1970-76
Economías de planificación centralizada			**2.280**	**3,5**	**114**	**4,6**	**3.624**	—	—
115. China, Rep. Pop. de	835,8	9.597	410	5,2	108	4,6	693	—	—
116. Corea, Rep. Pop. Dem. de .	16,3	121	470	3,5	110	9,5	2.808	—	—
117. Albania	2,5	29	540	4,5	114	9,2	741	—	—
118. Cuba	9,5	115	860	—0,4	95	18,5	1.157	—	—
119. Mongolia	1,5	1.565	860	1,0	—	9,8	1.091	—	—
120. Hungría	10,6	93	2.280	3,0	133	1,9	3.624	—	—
121. Bulgaria	8,8	111	2.310	4,6	100	3,0	4.781	—	—
122. URSS	256,7	22.402	2.760	3,8	113	5,7	5.556	—	—
123. Polonia	34,3	313	2.860	4,1	115	3,9	5.007	—	—
124. Checoslovaquia	14,9	128	3.840	2,6	123	1,3	7.150	—	—
125. Rep. Dem. Alemana	16,8	108	4.220	3,2	120	0,6	6.835	—	—

1.5. *La Organización de Naciones Unidas clasifica a los países en más desarrollados y menos desarrollados según las circunstancias de su población*

Aunque, por supuesto, los servicios económicos de Naciones Unidas siguen constantemente la evolución de la economía de su países miembros, sus servicios estadísticos definen también el subdesarrollo desde un punto de vista demográfico, y con este mismo enfoque demográfico establecen una división regional del mundo de la que hacen luego un uso constante.

En el *Informe conciso sobre la situación demográfica en el mundo 1970-1975*[9], se dice:

«El gran contraste, que todavía se acentúa, entre las regiones más y menos desarrolladas constituye un problema en sí.»

Naciones Unidas, al parecer, evita, sin duda por no herir, el empleo del término naciones subdesarrolladas, y lo sustituye por otros tan imprecisos como ese de naciones o regiones más desarrolladas y menos desarrolladas.

---

[9] Departamento de Asuntos Económicos Sociales. Estudios Demográficos, núm. 56, *Informe conciso sobre la situación demográfica en el mundo en 1970-1975 y sus repercusiones a largo plazo*, Naciones Unidas, Nueva York, 73 págs.

Trabajo de los niños. 1911: Niños obreros de una hilatura de algodón en el Estado de Mississipí. 1980: Niños peones de albañil en Bogotá. Fotos de: «La Documentation Photographique», junio 1979, y de Jean-Pierre Laffont, en «World Press Photo», 1980.

JOSÉ MANUEL CASAS TORRES

El «Informe conciso» continúa: «Desde un punto de vista demográfico son regiones menos desarrolladas (desde luego hubiera sido más exacto decir: "consideramos regiones menos desarrolladas'') aquellas en que la tasa de natalidad excede del 30 por 1.000, la población crece a razón de más del 2 por 100 anual (China parece ser la excepción), más de una tercera parte de sus habitantes son niños menores de 15 años, y más de una tercera parte de la fuerza de trabajo (y con frecuencia la gran mayoría) dependen de la agricultura como medio de subsistencia.»

En realidad aquí la ONU adelanta ya la enumeración de algunas de las variables más importantes para definir el subdesarrollo, pero las enunciadas ni son todas las que lo definen (si es que es posible definirlo a satisfacción de todos) ni todos los países subdesarrollados las reúnen por completo.

Por otra parte, la injusta situación de desigualdad económica subyace siempre, al menos como explicación parcial de otras características; por eso, el propio párrafo de Naciones Unidas que hemos transcrito parcialmente termina con estas líneas: «La inferioridad conexa de las condiciones económicas y sociales en las regiones menos desarrolladas, cuando se comparan con las más desarrolladas, constituye una fuente perenne de intenso disgusto.»

Con arreglo a estos criterios demográficos, Naciones Unidas dividen el mundo en nueve regiones «más desarrolladas» y 15 regiones «menos desarrolladas». División con

Países petrolíferos.
Mingote los vio así en «ABC» (1-IV-1979).

Girardot, a orillas del río Magdalena (Colombia). Barrios de la margen izquierda del río.
(Foto Casas-Torres.)

arreglo a la cual sus estadísticas publican muchos resúmenes mundiales, aunque no disimulan que se trata de una distribución (a la que no se ajusta del todo la realidad) que busca como primer objetivo simplificar la forma de presentación de los datos.

Las nueve regiones «más desarrolladas» son: Europa (cuatro: oriental, septentrional, meridional y occidental), la URSS, América del Norte, Australia y Nueva Zelanda, Japón y la zona templada de Sudamérica. Salta a la vista que la delimitación de la última región no es precisamente muy neta.

Las 15 regiones «menos desarrolladas» de Naciones Unidas son: Melanesia, Micronesia y Polinesia, Asia Sudoriental, Asia Sudcentral, Asia Sudoccidental, China, otros países de Asia Oriental, África Oriental, África Central, África Septentrional, África Meridional, África Occidental, Caribe, América Central, Zona Tropical de Sudamérica.

A su vez, en esta división de Naciones Unidas, las regiones enunciadas se incluyen formando parte de «ocho zonas principales», algunas de las cuales «tienen características heterogéneas».

En algunos casos, además, coinciden en sus dimensiones una región y una «zona principal», como se ve simplemente enumerando cuáles son estas zonas principales: Europa, URSS, América del Norte, Oceanía, Asia Meridional, Asia Oriental, África, América Latina.

Esta clasificación en «ocho zonas principales» y «24 regiones» la utilizan las Naciones Unidas, en sus tablas de conjunto del Anuario demográfico, pero cuando los datos se dan por países se limita a presentarlos por continentes y orden alfabético. En el Apéndice 1.2 se relacionan los países que integran las «macro-regiones» y «regiones» establecidas por la División de Población de las Naciones Unidas.

Un ejemplo, que ahora, además, nos interesa, de cómo se utiliza esta clasificación es el que se recoge en la tabla 3.2.4, tomado del «Informe conciso, 1975» de Naciones Unidas.

TABLA 3.2.4

Población en 1960, 1970 y 1975 y promedio de crecimiento demográfico anual en 24 regiones y ocho zonas principales del mundo

Región	Población (millones de personas)			Porcentaje de crecimiento	
	1960	*1970*	*1975*	*1960-70*	*1970-75*
Total mundial	2.995	3.621	3.988	1,90	1,93
Regiones más desarrolladas*	976	1.084	1.133	1,05	0,88
Regiones menos desarrolladas*	2.019	2.537	2.855	2,28	2,36
Europa*	425	459	474	0,77	0,64
Europa oriental*	97	103	106	0,62	0,64
Europa septentrional*	76	80	82	0,57	0,41
Europa meridional*	118	128	132	0,78	0,74
Europa occidental*	135	148	153	0,96	0,67
URSS*	214	243	255	1,25	0,99
América del Norte*	199	226	237	1,31	0,90
Oceanía	16	19	21	2,12	1,98
Australia y Nueva Zelanda*	13	15	17	1,92	1,83
Melanesia	2	3	3	2,44	2,56
Micronesia y Polinesia	1	1	1	3,42	2,64
Asia meridional	865	1.111	1.268	2,50	2,64
Asia sudoriental	219	285	326	2,65	2,69
Asia sudcentral	588	749	853	2,41	2,59
Asia sudoccidental	58	77	90	2,79	2,96
Asia oriental	787	926	1.005	1,62	1,63
China.................................	654	772	838	1,70	1,64
Japón*	94	104	111	1,03	1,26
Otros países	39	50	56	2,39	2,15
África	272	352	402	2,58	2,66
África oriental	77	100	114	2,60	2,71
África central	32	40	45	2,41	2,35
África septentrional	65	86	99	2,77	2,81
África meridional	18	24	28	2,87	2,70
África occidental	80	101	116	2,36	2,59
América Latina	216	284	326	2,74	2,73
Caribe	21	26	28	2,12	2,14
América central	49	67	79	3,19	3,21
Zona templada de Sudamérica*	31	36	39	1,64	1,44
Zona tropical de Sudamérica	116	155	180	2,93	2,91

* Las regiones con un asterisco se consideran como «más desarrolladas» desde el punto de vista demográfico.

2. Las expresiones: países desarrollados y países subdesarrollados o, como suele decir la ONU en sus documentos: países más desarrollados y países menos desarrollados, son vagas e imprecisas a causa de la enorme dificultad que encierra su definición

Dar una definición de subdesarrollo en la que quepan todos los casos posibles es probablemente imposible, y en cambio todos tenemos una idea más o menos intrínseca de lo que «subdesarrollo», sea nacional (es decir, afectando a toda una nación) o interno (dentro de un país, afectando sólo a una parte de él), quiere decir: pobreza, y una serie de características de la población con valores distintos de los que presentan en los países «más desarrollados». Acabamos de verlo con los datos recogidos por el Banco Mundial y las características demográficas que Naciones Unidas considera representativas.

Aquí viene perfectamente al caso el consejo que dio un viejo profesor a un sociólogo que preparaba su tesis doctoral sobre ciudades españolas y no sabía qué criterio emplear para saber cuál de dos sobre las que estaba dudoso era más importante. El viejo profesor le dijo: «Vaya a ver las dos ciudades. Callejee. Siéntese en la terraza de alguno de sus cafés. Cuando vuelva no tendrá duda sobre cuál de las dos es más importante.»

El consejo era bueno, aunque quizá podría decepcionar a un joven licenciado, «atiborrado de modelos y ecuaciones», como decía LABASSE, y es de temer que el «sociólogo» no lo siguiera.

Lo que es el subdesarrollo se toca con las manos si se ha visitado la India, Irán, la América andina o algún país africano. En los casos de «subdesarrollo profundo» hay una diferencia abisal entre nuestra civilización tecnológica y la suya tradicional con una gota de modernidad que no les afecta. Cuando se llega a la India la sensación es también de que se ha llegado al siglo primero de nuestra era, lo que no impide que la India tenga grandes científicos (por ejemplo, en investigaciones nucleares), poetas, artistas excelsos...

El hambre de gran parte de la humanidad es tan real, su pobreza, su miseria material tan palpable, la urgencia de poner remedio a esa situación tan apremiante, que cuando se entra directamente en contacto con estos pueblos ya no se puede olvidar esta situación que constituye verdaderamente un gravísimo problema social a escala planetaria.

Esto explica también que la bibliografía reciente sobre los problemas del subdesarrollo sea muy grande, muy dispersa, y proceda de muchos campos y de muy diversos científicos. Quizá son los economistas, y concretamente los economistas regionales y los especializados en la planificación para el desarrollo, los que más atención le han concedido al tema. Los geógrafos hemos llegado tarde a la cita, al menos en lo que a la geografía del propio subdesarrollo se refiere (ya que los estudios geográficos regionales sobre países subdesarrollados son muy anteriores), pero hoy disponemos de unos cuantos libros fundamentales. Hay que aclarar que los aspectos que para la finalidad de este capítulo interesan son los de la geografía de la población de los países subdesarrollados y desarrollados y no propiamente los problemas económicos y políticos de estos países, aunque es obvio que no podemos dejar de tenerlos en cuenta en tanto en cuanto influyen y son influidos en/por las características de su población. En este sentido, junto a las obras básicas de grandes científicos cercanos a la Geografía como Colin CLARK y Alfred

SAUVY[10], disponemos de las aportaciones de auténticos geógrafos, como TREWARTHA[11], CLARKE[12], ZELINSKY[13], BERRY[14], así como de las de otros autores valiosos. No faltan, desde luego, libros de propaganda política, carentes de valor científico a causa de la tremenda pasión con que han sido escritos.

Es muy cierto que la carga política de esta situación sangrante de injusticia social la ve cualquiera, pero un científico no debe permitir nunca que la pasión política le ofusque hasta el punto de no admitir más realidades ni argumentos que los que le hace ver, distorsionando la verdad, su militancia partidista.

Es indudable también que los hombres de Estado, los pensadores, los periodistas, la Organización de las Naciones Unidas, la Iglesia católica y otras confesiones religiosas no sólo no pueden permanecer indiferentes ante esta flagrante situación de injusticia, sino que tienen la obligación grave de intervenir, y por supuesto intervienen[15]. Esto aumenta

---

[10] CLARK, C., *Population growth and land use,* Londres, Macmillan, 2.ª ed., 1977, 415 págs. Hay versión española en Alianza Editorial.

SAUVY, Alfred, *El problema de la población en el mundo. De Malthus a Mao Tsé Tung,* Madrid-Aguilar, 1961, 364 págs.

General Theory of Population, Londres —Methuen—, 1966, 251 págs. El original se publicó en francés, y hay versión castellana, pero ambas están agotadas.

[11] TREWARTHA, Glenn, T., *The less developed realm: A geography of its population,* Nueva York, Wiley, 1972, 450 págs.

[12] CLARKE, J. I., *Population Geography and the Developing Countries,* Oxford, Pergamom Press, 1971, 282 págs.

[13] ZELINSKY, W., «The Geographer and his crowding World; Cautionary notes toward the study of population pressure in the «developing lands», en Demko, Rose, Schnell: *Population Geography: A Reader,* Nueva York, McGraw-Hill, 1970, págs. 487-503.

[14] BERRY, B. J. L., «Basic Patterns of Economic Development», en: Gimsburg N. (ed.), *Atlas of Economic Development,* Chicago. Univ. Press, 1961, págs. 110 a 119.

[15] He aquí una relación de documentos pontificios sobre los problemas de los países subdesarrollados y la urgencia de solucionarlos, tomada de una cita de la Primera Encíclica de Juan Pablo II. Como es lógico, las citas se han tomado de las *Actae Apostolici Sedis (AAS),* pero hay muchas versiones castellanas en ediciones españolas, por ejemplo en la BAC (Biblioteca de Autores Cristianos) de EDICA, S. A.

Pío XII, Radiomensaje para el 50 aniversario de la Enc. «Rerum Novarum» de León XIII (1 de junio de 1941): AAS 33 (1941), págs. 195-205; Radiomensaje de Navidad (24 de diciembre de 1941): AAS 34 (1942), págs. 10-21; Radiomensaje de Navidad (24 de diciembre de 1942): AAS 35 (1943), págs. 9-24; Radiomensaje de Navidad (24 de diciembre de 1943): AAS 36 (1944), páginas 11-24; Radiomensaje de Navidad (24 de diciembre de 1944): AAS 37 (1945), págs. 10-23; Discurso a los Cardenales (24 de diciembre de 1946): AAS 39 (1947, págs. 7-17; Radiomensaje de Navidad (24 de diciembre de 1947): AAS 40 (1948), págs. 8-16; Juan XXIII, Enc. Mater et Magistra: AAS 53 (1961), págs. 401-464; Enc. Pacem in terris: AAS 55 (1963), págs. 257-304; Pablo VI, Enc. Ecclesiam suam: AAS 56 (1964), págs. 609-659; Discurso a la Asamblea General de las Naciones Unidas (4 de octubre de 1965): AAS 57 (1965), págs. 877-885; Populorum progressio: AAS 59 (1967), págs. 257-299; Discurso a los Campesinos Colombianos (23 de agosto de 1968): AAS 60 (1968), págs. 619-623; Discurso a la Asamblea General del Episcopado Latino-Americano (24 de agosto de 1968): AAS 60 (1968), págs. 639-649; Discurso a la Conferencia de la FAO (16 de noviembre de 1970): AAS 62 (1970), 830-838; Carta apost. Octogésima adveniens: AAS 63 (1971), páginas 401-441; Discurso a los Cardenales (23 de junio de 1972): AAS 64 (1972), págs. 496-505; Juan Pablo II, Discurso a la Tercera Conferencia General del Episcopado Latino-Americano (28 de enero de 1979): AAS 71 (1979), págs. 187 y ss.; Discurso a los Indios de Cuilapan (29 de enero de 1979): 1 c., págs. 207 y ss.; Discurso a los Obreros de Guadalajara (30 de enero de 1979), 1 c., páginas 221 y ss.; Discurso a los Obreros de Monterrey (31 de enero de 1979): 1 c., págs. 240 y ss.; Conc. Vat. II Decl. Dignitatis humanae: AAS 58 (1966), págs. 926-941; Const. past. Gaudium et Spes: AAS 58 (1966), págs. 1025-1115; DOCUMENTA SYNODI EPISCOPORUM. De iustitia in mundo: AAS 63 (1971), págs. 923-941.

la bibliografía sobre el subdesarrollo en cantidades inabarcables de publicaciones, pero más que para definirlo para proponer medios y políticas para corregirlo. «Entiéndase bien —decía Pablo VI, en la *Populorum progressio*—, la situación presente tiene que afrontarse valerosamente, y combatirse y vencerse las injusticias que trae consigo. El desarrollo exige transformaciones audaces, profundamente innovadoras. Hay que emprender, sin esperar más, reformas urgentes. Cada uno debe aceptar generosamente su papel, sobre todo los que por su educación, su situación y su poder tienen grandes posibilidades de acción.»

Acaso un modo de acercarnos a la compleja realidad del subdesarrollo de los pueblos sea ver qué variables principales se toman en consideración para cuantificarlo [16] y qué situaciones consideran los científicos supondrían haber salido de él.

2.1. *Los datos del problema*

El subdesarrollo es, más que pobreza, miseria. El hambre y las carencias alimentarias afligen a más de la mitad de la humanidad aún.

Las condiciones materiales de vida de los países subdesarrollados son bajísimas. Su esperanza de vida al nacer más corta que la de la población de los países desarrollados, su morbilidad más alta y persistente que la de estos últimos, el crecimiento de su población muy rápido y por delante del crecimiento de sus recursos económicos. Predomina en estos países en su población activa la del sector primario, y a pesar del vertiginoso crecimiento de sus ciudades la mayor parte de su población habita todavía en núcleos rurales.

El analfabetismo masivo es una de sus lacras, y el paro y el subempleo extremados otra.

Todo esto es subdesarrollo y son variables (sin duda interdependientes y causadas por otras no tan bien delimitadas como podría creerse) que permiten matizar sus grados y encauzar hacia ellas las medidas de corrección.

Pero subdesarrollo es mucho más: es ante todo una situación de dependencia, económica y política, del exterior, que por muchos autores se atribuye a la proximidad en el tiempo del período colonial.

Subdesarrollo es también, y quizá no sólo a causa de la incultura de las poblaciones, una falta general de participación de las masas en la vida pública. De hecho, muchos de estos pueblos han pasado de la dominación de los funcionarios de una potencia extranjera a la tiranía de una minoría partidista. Hay que estudiar el tema mucho más, al menos ha de estudiarlo quien esto escribe, pero, efectivamente, todo parece indicar que en muchos de estos países faltaba al llegar la independencia una clase urbana numerosa educada en las tareas de participación en la vida pública, pero el hecho es que no ha surgido luego y los habitantes, simplemente, han cambiado de tirano.

Tal vez sea posible aventurar, como hace un autor marxista, que «la burguesía es una clase específicamente europea» (y yo añadiría, si se me permite, europea en su origen),

---

[16] Entre los muchos autores que se ocupan de la cuestión puede citarse a:
Simpson, D., «The Dimensions of World Poverty», en Scientific American, *Man and Ecosphere*, San Francisco, 1971, págs. 97 y ss.
Lebret, L. J., *Dynamique concrete du développment*, París, «Les Editions Ouvrieres», 1961, 550 páginas.

pero es mucho más cierto que el amor a la libertad personal y la libre participación en las tareas de gobierno es un legado universal de la Europa cristiana.

A todos estos factores pienso que se suma otro de fondo más complejo y difícil de aprehender y cuantificar. El subdesarrollo es un estado cultural, una mentalidad. No sólo es que la distancia tecnológica y económica que separa países desarrollados y subdesarrollados se hace cada día mayor, sino que ambos grupos de naciones tienen distintas mentalidades y distintas escalas de valores. Esto no es decir que nuestra cultura sea mejor que la suya, es simplemente recordar que muchas veces cuando se les juzga con nuestros planteamientos es imposible entenderlos.

En los pueblos subdesarrollados, en cualquiera de sus grados, hay una infinidad de valores positivos: sus culturas, sus tradiciones, sus legados al resto de la humanidad y, sobre todo, su radical igualdad de derechos con todos los demás pueblos, su inalienable condición de hijos de Dios.

2.1.1. *Anverso y reverso de la herencia colonial*

Muchos países subdesarrollados tienen tan próxima su herencia colonial que parece que se debe a ella su condición de subdesarrollo.

Es verdad que en muchas ocasiones las potencias coloniales no han buscado más que su propio interés, y al retirarse del ejercicio directo de su autoridad, no de su influencia, han dejado una situación económica vulnerable, ligada a las exportaciones de materias primas a la propia metrópoli, a través casi siempre de unos canales comerciales monopolistas. Pero no es menos cierto que, junto a estas conductas políticas abusivas, las propias potencias colonizadoras, por otra parte, aportaban sus conocimientos, su dinero, sus hombres y sus técnicas a la puesta en explotación en beneficio de todos, de territorios mal utilizados (o acaparados por una alta y cruel minoría dirigente), y hacían retroceder las supersticiones, la ignorancia y las enfermedades con sus misioneros, profesores, médicos y sanitarios.

Por otra parte, no siempre el pasado colonial ha desembocado en el subdesarrollo; Canadá, Estados Unidos, Argentina, Australia, Nueva Zelanda fueron colonias. Ni todos los países subdesarrollados han sido colonias antes.

2.1.2. *El desequilibrio entre países se acentúa y los pueblos van teniendo conciencia de esta injusta desigualdad*

De lo que no hay duda es de que bien sea por esta dependencia económica de la antigua, o de la «nueva», metrópoli, o simplemente como consecuencia lógica de las leyes de una ciencia económica materialista por definición (concebida como «ciencia de la riqueza»)[17], el mecanismo económico, dejado a sí mismo, «conduce al mundo hacia una

---

[17] «...por desgracia, sobre estas nuevas condiciones de la sociedad ha sido construido un sistema que considera el lucro como motor esencial del progreso económico; la propiedad privada de los medios de producción, como un derecho absoluto, sin límites ni obligaciones sociales correspondientes. Este liberalismo sin freno, que conduce a la dictadura, justamente fue denunciado por Pío XI como generador del «imperialismo internacional del dinero». No hay mejor manera de reprobar tal abuso que recordando solemnemente, una vez más, que la economía está al servicio

agravación, y no una atenuación, en la disparidad de los niveles de vida: los pueblos ricos gozan de un rápido crecimiento (económico), mientras que los pobres se desarrollan lentamente» y siempre muy por debajo del ritmo a que crece su población. El desequilibrio se acentúa día a día.

Hay también, lo hemos recordado antes, un desequilibrio interno, unas diferencias de riqueza, dentro de cada país, entre regiones y entre personas. Esto es inevitable, aunque puede y debe ser atenuado en la medida de lo posible. Pero dentro de los países subdesarrollados la diferencia en bienes y en poder político entre unos pocos ricos y una multitud de pobres rebasa todos los niveles imaginables. Este «escándalo» de «las disparidades hirientes no solamente en el goce de bienes, sino todavía más en el ejercicio del poder», ha sido denunciado una y otra vez, con las palabras adecuadas, inevitablemente duras, por personas muy alejadas de la demagogia: «Mientras que en algunas regiones una oligarquía goza de una civilización refinada, el resto de la población, pobre y dispersa, está "privada de casi todas las posibilidades de iniciativa personal y de responsabilidad, y aun muchas veces, incluso viviendo en condiciones de vida y de trabajo indignos de la persona humana"»[18].

Se ha señalado también, repetidas veces, que las diferencias económicas entre los países industriales y los países subdesarrollados son demasiado grandes para que no resulten en grave perjuicio de los países pobres, si las relaciones comerciales se mantienen con arreglo a los principios del «libre cambio», que desemboca además en estos casos en un monopolio del mercado exterior de los nuevos Estados independientes y en la introducción de una economía monetaria, basada en las exportaciones, que puede llegar a arruinar la agricultura y el sistema económico tradicionales.

2.1.3.   *La ayuda a los países subdesarrollados debe hacerse con mucha mayor generosidad que hasta ahora y sin menoscabo de su legítima independencia*

Nadie que haya estudiado el tema, o lo enfoque desde el mero punto de vista de la solidaridad humana, puede dudar de la necesidad y urgencia de ayudar a estos países desde el exterior. La ayuda de los países ricos a los países pobres no es un acto de caridad, es un deber de justicia; pero, sin negar que puede haber casos de absoluto desinterés, el hombre de la calle saca la impresión de que esta ayuda se presta para que los países no salgan de una determinada esfera de influencia económica, política y estratégica, y también que estas ayudas (desde luego poco generosas, una pequeña parte del PNB de las grandes potencias mundiales) se cobran muy caras moviendo a los pueblos como peones en el gran juego, por el predominio del mundo, de los dos bloques políticos antagónicos.

Del enunciado de un famoso documento[19] sobre cómo debería ser el diálogo entre

---

del hombre. Pero si es verdad que cierto capitalismo ha sido la causa de muchos sufrimientos, injusticias y luchas fratricidas cuyos efectos duran todavía, sería injusto que se atribuyeran a la industrialización misma los males que son debidos al nefasto sistema que la acompaña», *Populorum progressio*, núm. 26.

[18] *Populorum progressio*, núms. 8 y 9; *Gaudium et spes*, núm. 63, párrafo 3.

[19] *Populorum progressio*, núm. 54.

países ricos y pobres se deduce cómo no es, y qué significa en este terreno de las relaciones internacionales, el subdesarrollo.

«Este diálogo entre quienes aportan los medios y quienes se benefician de ellos permitirá medir las aportaciones no sólo de acuerdo con la generosidad y las disponibilidades de los unos, sino también en función de las necesidades reales y de las posibilidades de los otros. Con ello los países en vías de desarrollo no correrán en adelante el riesgo de estar abrumados de deudas, cuya satisfacción absorbe la mayor parte de sus beneficios. Las tasas de interés y la duración de los préstamos deberán disponerse de manera soportable para los unos y para los otros, equilibrando las ayudas gratuitas, los préstamos sin interés, o con un interés mínimo, y la duración de las amortizaciones.

A quienes proporcionen los medios financieros se les podrán dar garantías sobre el empleo que se hará del dinero, según el plan convenido y con una eficacia razonable, puesto que no se trata de favorecer a los perezosos y parásitos, y los beneficiarios podrán exigir que no haya injerencias en su política y que no perturbe su estructura social. Como Estados soberanos, a ellos les corresponde dirigir por sí mismos sus asuntos, determinar su política y orientarse libremente hacia las formas de sociedad que han escogido...»

2.1.4. *La civilización y la cultura de muchos países económicamente subdesarrollados son tan ricas como las de los países industriales*

Los medios de comunicación de masas, sobre todo el cine, la televisión, la radio y la prensa, han llevado a las gentes de los países subdesarrollados la imagen de la prosperidad de los pueblos de civilización industrial. El testimonio del tren de vida de los extranjeros residentes en estos países ha reforzado la impresión de opulencia. Detrás de esto hay un drama humano y un engaño.

El engaño viene de que estos medios de comunicación dan casi siempre una visión deformada y subjetiva de la realidad de la vida; piénsese, por vía de ejemplo, ¿qué conocería de la realidad cotidiana española quien no tuviera de ella más conocimiento que el que obtuviera de los anuncios comerciales que emite TVE?

El drama es que a través de esta «información» y esos «ejemplos» entran en conflicto dos civilizaciones: la industrial que se postula como buena y la tradicional mucho más enraizada en estas sociedades de lo que pensamos desde fuera de ellas. El conflicto entre civilizaciones es también un conflicto generacional, y en este conflicto todos pierden y todos sufren.

Pero la verdad es que desde estos puntos de vista la mayoría de los pueblos a los que se llama subdesarrollados, y en lo económico lo son, están muy lejos de serlo cultural y artísticamente. La originalísima arquitectura hindú, su literatura, su escultura, sus lenguas... hablan de una civilización (resultado de la amalgama de múltiples corrientes culturales) milenaria, ¿y qué decir de la cultura china, que ya en la Edad Media asombró a Marco Polo?, ¿o de la música africana?

En el contacto brutal de civilizaciones y culturas, que se está produciendo en estos momentos, la humanidad corre el riesgo de perder tesoros inapreciables que son patrimonio de todos los hombres. La modernización de la vida de los pueblos de los países subdesarrollados puede y debe hacerse sin desarraigarlos de lo mejor de su pasado y tampoco es justo dejarles que aprendan a conocer por sí mismos los aspectos negativos y contraculturales de la civilización industrial cuando ya no hay forma de dar marcha atrás.

«Rico o pobre, cada país posee una civilización, recibida de sus mayores: instituciones exigidas por la vida terrena y manifestaciones superiores —artísticas, intelectuales y religiosas— de la vida del espíritu. Mientras que éstas contengan verdaderos valores humanos, sería un grave error sacrificarlas (a aquellas otras). Un pueblo que lo permitiera perdería con ello lo mejor de sí mismo y sacrificaría para vivir sus razones de vivir...»[20].

2.1.5. *El verdadero desarrollo implica el paso, para cada país y para cada persona, de condiciones de vida menos humanas a condiciones de vida más humanas*

En opinion de muchos científicos el problema del subdesarrollo no es una cuestión exclusivamente económica; es más, plantearlo sólo en estos términos (que no es que carezcan de importancia) sería un error grave; «para las naciones, como para las personas, la avaricia es la forma más evidente de un subdesarrollo moral». «El desarrollo es para el hombre», como, con la mayor lógica, recuerda LEBRET. El verdadero desarrollo es para cada uno el paso de condiciones menos humanas a condiciones más humanas.

Condiciones menos humanas: las carencias materiales de tantos (lo hemos visto) privados de un mínimo vital... y las carencias morales, la ignorancia; las estructuras opresoras, que provienen del abuso de las riquezas o del poder, que provienen de la explotación de los trabajadores, o de la injusticia de las transacciones comerciales.

Condiciones más humanas: «el remontarse de la miseria a la posesión de lo necesario, la victoria sobre las calamidades sociales, la ampliación de conocimientos con un más fácil acceso a la enseñanza, la adquisición de mayor cultura».

Condiciones más humanas aún: «el crecimiento en la consideración de la dignidad de los demás, el recto uso de los bienes, la cooperación, las tareas comunitarias en el servicio de la sociedad, la voluntad de paz».

Condiciones todavía más humanas: «el reconocimiento, por parte de los hombres, de los valores supremos y de Dios, autor y dador de todos ellos, y en fin y especialmente "la fe... y la unidad en la caridad de Cristo, que nos llama a todos a participar, como hijos, en la vida del Dios vivo, Padre de todos los hombres"».

Esto tuvo que recordarlo a todos, otra vez, un Papa enfermo y abrumado por el dolor del mundo: Pablo VI[21]. Y de nuevo lo ha recordado, con contundentes e inequívocas palabras, en su viaje a México y en su Primera Encíclica, Juan Pablo II[22].

---

[20] *Populorum progressio,* núm. 40.
[21] *Populorum progressio,* núm. 26.
[22] *Mensaje a la Iglesia de Latinoamérica,* Madrid, BAC, 1979, 206 págs., *Redemptor hominis,* Madrid, Ediciones Paulinas, 1979, 86 págs.

APÉNDICE

3.2.1 Variables indicadoras de diversos grados de desarrollo en quince países seleccionados.

APÉNDICE 3.2.1

Variables indicadoras de diversos grados de desarrollo en quince países seleccionados

En algunos casos las cifras oficiales facilitadas por algunos países ofrecen pocas garantías de fiabilidad.

Cuando no se indica lo contrario, los datos proceden de: UNITED NATIONS, Statistical Pocketbook/Second Edition, *World Statistics in Brief,* Nueva York, 1977, 252 páginas.

En algunos casos se indica la fecha del dato en el mismo lugar en que hemos consignado éste.

Notas al Apéndice 3.2.1

(1) No se incluyen en la URSS, en este caso, Bielorrusia y Ucrania.

(2) Datos de «Notas Económicas» de la Unión de Bancos Suizos, julio 1978. En este caso no se separan probablemente Bielorrusia y Ucrania. Las cifras para la URSS, como se indica, corresponden a 1976.

(3) Origen de los datos como en (2). Fecha, asimismo, 1976.

(4) Abonos fosfatados en este caso.

(5) Datos de 1974.

(6) Papúa-Nueva Guinea = Abonos potásicos.

(7) FUENTE: U. N., *Demographic Year-Book,* 1976. Natalidad y mortalidad = Tasas brutas. Fertilidad: nacidos vivos en el año (o promedio) de cada 1.000 mujeres en edades fecundas.

(8) Muertes fetales tardías son las que sobrevienen pasadas por lo menos 28 semanas de gestación, pero los datos de la T. 12 del *Anuario demográfico de Naciones Unidas* incluyen muertes fetales después de un período de gestación de duración desconocida.

(9) FUENTE: FAO, *La cuarta encuesta alimentaria mundial,* Roma, 1977. Obviamente los valores medios recogidos en esta «Encuesta» enmascaran tremendas desigualdades regionales y sociales.

Variables	Unidades	Fecha		URSS (1)	Reino Unido	Alemania Oriental	Japón
Superficie	Miles Km²		9.363	22.402	244	108	372
Población	Millones	1975	213,63	254,3	56	17	111
Pob. econ. activa	Millones	1975	94,79	117 (1970)	25,72	8,31	54,38
Densidad	hab/Km²	1975	23	11	229	156	298
PIB total	Millones dólares USA	1975	1.513.800	708.170	228.820	70.880	455.302
PIB per cápita	dólares USA	1975	7.087	2.760 (2)	4.089	4.220 (3)	4.133
Natalidad (7)	por 1.000	1975	14,7 (1976)	18,1	11,9 (1976)	10,8	17,2
Mortalidad (7)	por 1.000	1975	8,9 (1976)	9,3	12,2 (1976)	14,3	6,4
Fertilidad (7)			58,5	55,5	54,8 (1976)	45,3	62,6
Tasa de crecimiento natural al año	de mujeres 15-49 por 100	70-75	0,8	0,9	0,2	0,2	1,2
Esperanza de vida al nacer (7)	Años	1975	H 68,7 M 76,5	H 64 (1972) M 74	H 68,9 M 75,1 (72)	H 68,9 M 74,19 (70)	H 71,16 M 76,31 (1976)
Mortalidad fetal tardía (8)	Por 1.000 nac. vivos	1975	(1974) 11,5	—	(1974) 11,2	7,9	10,7
Abortos provocados	cifras totales		(1971) 480.259		(1974) 117.013		(1971) 739.674
Mort. niños de menos de 1 año (7)	Por 1.000 nac. vivos	1975	15,1 (76)	27,7 (73) (—20)	14 (1976)	15,8	10,1
Habitantes de menos de 15 años (7)	% del total	1975	(1976) H 12,49 M 11,98	H 18,71 M 18,02	H 11,91 M 11,28	(1976) H 10,81 M 10,28	H 12,42 M 11,86
Habitantes de 15-64 años.	% del total	1975	H 33,53 M 35,18	(20-64) H 26,14 M 32,08	H 31,25 M 31,43	H 29,72 M 32,86	H 33,36 M 34,39
Habitantes de más de 65 años	% del total	1975	H 2,66 M 4,17	H 1,45 3,60	H 5,44 M 8,20	H 5,93 M 10,31	H 3,45 M 4,50
Calorías por día y persona (9)		1972-74	3.542	3.483	3.349	3.469	2.842
Calorías % de las necesitadas		1972-74	134	136	135	132	121
Proteínas por día y persona (9)	gramos	1972-74	104,7	105,5	92,3	95.—	86,4
Habitantes por médico			622	363	761	557	868
Habitantes por cama hospitalaria			149	86	117	92	78
Matrícula escolar 7-18 años	%		98	91	94	94	96
Matrícula escolar 20-24 años	%		51,53	22,37	15	27,58	18,52
Consumo azúcar	Miles de Tm		9.146,6	11.304	2.925	700	2.796
Azúcar por persona	Kg		42	40	52,23	41,18	25,19
Cons. de acero	Miles de Tm		116.821	141.031	21.540	9.530	64.736
Ídem per cápita	Kg		548,46	555,24	384,46	560	583,21
Cons. de abonos	nitrogenados Miles de Tm		9.385	7.357	1.045	678	638
Cons. energía equivalente carbón	Millones Tm		2.350	1.410	184	115	402
Automóviles de pasajeros en uso	En miles		107.000	sin datos	14.263	1.880	17.236
Automóviles comerciales en uso	En miles		25.000	sin datos	1.911	534	10.315
Teléfonos en uso	En miles	1975	149.012	16.949	21.244	2.570	45.515
Tráfico postal	Millones	1975	87.667	8.778	9.278	905,1	13.202
Comercio exterior Importaciones	Millones dólares USA	1975	102.984	36.969	53.262	11.290	57.881
Exportaciones	Millones dólares USA	1975	106.157	33.310	43.760	10.088	55.844

Argentina	Nueva Zelanda	ESPAÑA	Papúa N. Guinea	Indonesia	India	Egipto	Angola	R. Dominicana	Perú
2.777	268	505	462	1.904	3.287	1.001	1.246	48,7	1.285
25	3	35	2,76	130	598	37	5,8	4,7	15,87
9 (1970)	1,19	13,39	1,26 (1965)	40 (1970)	180 (1970)	9,27	1,4 (1960)	1,2 (1970)	3,87
9	11	70	6	86	182	37	5	96	12
49.106	13.384	85.526 (5)	1.426	16.273	80.051	9.273	1.645	2.342	8.529
	18,5								
1.935	4.417	2.428	557	126	137	217	294	529	546
		(1976)	(1970-75)	(1970-75)	(1974)	(1974)	(1970-75)	(70-75)	(70-75)
22,9 (1970)		17,7	40,6	42,9	34,5	35,5	47,2	45,8	41
9,4 (1970)	8,2	8	17,1	16,9	14,4	12,4	24,5	11	11,9
94,2	76,5	91,5	183,8	175,7	136,7	189,3	206,5	212,7	180,7
1,3	1,9	1	2	2,4	2,1	2,2	1,6	3	3,1
H 65,16	(1970-72)	1970	(1970-75)	(1960)	(1955-60)	(1960)	(70-75)	(1959-61)	(1960-65)
M 71,3	H 68,55	H 69,69	H 47,5	H 47,5	H 41,89	51,6	H 37	H 57,15	H 52,59
(70-75)	M 74,60	M 74,96	M 47,6	M 47,5	M 40,55	M 53,8	M 40,1	M 58,59	M 55,48
						(1973)	(1972)		
—	—	12,5	—	—	—	7	18	—	—
59 (1970)	(1970-75)	(1974)			(1974)				(70-75)
	16	12	—	125	122	100	24,1	43,4	58,2
H 14,12	H 15,12	(1974)	(1976)	(1971)	(1974)	—	—	(1970)	
M 14	M 14,48	H 14,13	H 22,34	H 22,37	H 20,70	—	—	H 23,89	H 22,56
		M 13,47	M 21,34	M 21,59	M 19,40	—	—	M 23,56	M 21,92
H 32	H 31	H 30,48	H 27,23	H 25,68	H 29,50	—	—	H 24,31	H 26,29
M 31,62	M 30,43	M 31,86	M 24,86	M 27,82	M 27,19	—	—	M 24,84	M 26
H 3,64	H 3,71	H 4,13	H 1,83	H 1,22	H 1,64	—	—	H 1,55	H 1,44
M 4,30	M 5,02	M 5,88	M 1,87	M 1,30	M 1,57	—	—	M 1,55	M 1,68
3.281	3.501	3.187	2.245	2.033	1970	2.632	1.997	2.158	2.328
124	133	130	98	94	89	103	85	95	99
102,—	107,3	91,5	48,2	42,3	48,6	71,3	41,8	44,7	61,—
479	846	645	11.327	18.863	4.162	1.516	15.404	1.866	1.802
176	93	66	169	1.415	—	464	322	351	497
86	94	83	—	39	—	57	45	67	90
20,60	27,95	21,72	—	2,78	—	11,02	0,49	9,05	12,49
1.086	164	368	20	1.110	3.861	715	45	166	551
43,44	54,67	10,51	7,69	8,46	6,46	19,32	7,76	35,32	34,72
4.357	925	6.328	—	1.348	8.413	1.582	52	137	969
174,28	308	180	—	10,4	14,07	47,26	8,97	29,15	61
28	(4) 360	256	(6) 2,3	341	2.031	415	2,1	40,9	82
44	9,6	51	0,77	24	132	15,1	1,11	2,15	10,65
2.027	1.168	2.760	17	383	756	215	127	71	—
879	205	171	18	231	434	46	36	36	—
						(1974)	(1973)		(1974)
1.996	1.571	7.836	36	305	1.817	503	38	108	333
							(1973)		
738,1	643,6	3.888	—	159	6.898	132,6	46,1	5,9	—
							(1974)		
3.947	3.152	16.097	483	4.770	6.362	3.751	624	773	2.329
							(1974)		
2.961	2.152	7.691	475	7.103	4.371	1.402	1.229	894	1.315

Elaboración: J. M. C. T.

3.3.

PAÍSES INDUSTRIALES Y TERCER MUNDO
ANTE EL AÑO 2000

1. Nuestro mundo cambia muy de prisa.
2. La diferencia entre países desarrollados y subdesarrollados es el hecho más tras-cendental de la historia de este siglo.
3. Algunas precisiones cuantitativas de una injusticia incalificable.
4. ¿Qué es el subdesarrollo?
5. Con la excusa del subdesarrollo, se propugna un genocidio a escala mundial.
6. El caso de los países industrializados.
7. Paternidad responsable y familia.
8. La población del Tercer Mundo es una esperanza, no una amenaza.
9. Es inadmisible y criminal tratar de resolver el problema del hambre matando a los niños que van a nacer.
10. Demográfica y culturalmente, el mundo futuro será muy distinto del actual.
11. En Europa y Norteamérica ya hemos comenzado a preocuparnos del envejeci-miento de nuestra población.
12. El mundo del siglo XXI será de los hombres de color.

Lecturas ulteriores

(3.1 - 3.2 - 3.3.)

Tradición y actualidad entre los visitantes del templo Senso-ji, en Asakusa (Tokyo). Fotos: Casas-Torres.

1. Nuestro mundo cambia muy de prisa

Veinte años nos separan tan sólo del año 2000. Lo que ha transcurrido del siglo XX nos pone ya ante una situación radicalmente distinta de la que había cuando se inició. Dos guerras mundiales y una difusa que no cesa, si es que no son una sola y misma guerra las dos últimas, han acabado con la hegemonía europea. Países de otros continentes congregan y acaudillan los bloques antagónicos. Europa es nuevamente un campo de batalla potencial, una cabeza de puente compartida a medias por los más formidables poderes militares que el mundo conoció jamás. Y, sin embargo, tal vez nunca fuimos los europeos más conscientes de nuestra interna unidad, ni estuvimos más deseosos de convivir en paz y buena armonía con todos los pueblos de la Tierra.

Nunca como hoy la técnica ha puesto tanto poder al alcance de los hombres: estamos en el siglo de la energía nuclear, de la electrónica, los ordenadores, los bancos de datos, los programas, la teledetección, los satélites de recursos, los misiles, los vuelos espaciales, que acaso encierran unas posibilidades que no nos atrevemos ni a soñar, etc., y en el campo de la medicina, nuestro tiempo es el de los antibióticos, los trasplantes de órganos vitales, la medicina preventiva, la manipulación genética...

Como recordaba don Luis PERICOT, el progreso técnico actual se presenta con un movimiento uniformemente acelerado. Se ha progresado más —técnicamente— en este siglo que en los 20 anteriores. Técnicamente sólo, eso sí, porque ética y religiosamente el punto álgido se alcanza con la Encarnación de Cristo y la predicación del Evangelio, hace casi dos mil años.

Gracias a la técnica, el mundo se va haciendo pequeño y homogéneo. Ya no nos separa el espacio, ni el mucho tiempo necesario, hace aún pocos años, para salvarlo, sino que ahora, como es obvio, medimos en «distancias-costo» y esto, sobre un mismo trayecto, introduce muchas «distancias-costo» diferentes, según las circunstancias de las personas y sus urgencias, pero, en cualquier caso, todos nos sabemos más cerca y más solidarios de los demás, y vamos comprendiendo cada vez mejor que ya nada de lo que ocurre en el más alejado rincón de nuestro pequeño planeta nos puede ser ajeno.

En este momento sólo se trata de recordar unas cuantas «verdades elementales», que todos conocemos, y pueden ser útiles para hacer un balance de la situación y, quizá, entrever cómo comenzará el nuevo siglo que ya se adivina en lontananza. LÉONTIEF[1] y muchos de sus colegas se preocupan de lo que será la economía del año 2000; aquí nos limitaremos a considerar algunos aspectos de la posible distribución de la población en esa fecha.

2. La diferencia entre países desarrollados y subdesarrollados es el hecho más trascendental de la historia de este siglo

En el terreno de lo histórico lo más importante y trascendental de nuestra hora es la dramática separación —económica, política, social y moral— entre países desarrollados

---

[1] LÉONTIEF, W.; CARTER, A. P., y PÉTRI, P., «1999 l'expertise de Wassily Léontief», *Une étude de l'ONU sur l'economie mondiale future,* París, Bordas, 1977, 255 págs. Versión original en inglés, *The future of the world economy,* Oxford University Press, 1977.

y países en vías de desarrollo, como, delicadamente, llaman las publicaciones de las Naciones Unidas a los países subdesarrollados, a los países pobres en definitiva.

Fue Alfred SAUVY[2] quien, hace ya 25 años, acuñó el término «Tercer Mundo» para designar a los nuevos Estados, nacidos a la independencia política nominal —ya que no real, ni económica ni ideológica, en muchos casos— después de la Segunda Gran Guerra. Hoy SAUVY opina que esta denominación no es ya adecuada, pero quizá no lo es no por lo que él piensa, sino porque, en cierto modo, ya sólo hay dos mundos: el de los ricos y el de los pobres, porque la diferencia entre países industrializados y con predominio de población rural se ahonda cada día, la distancia entre ambos se hace cada vez mayor, hasta el punto de que parece como si los países capitalistas industrializados y los países comunistas industrializados se integraran en un mismo bloque, al menos desde el punto de vista de la estructura económica, la composición de la población, la esperanza de vida, la ingesta de calorías, los niveles de educación, las tasas de natalidad y mortalidad, los índices de crecimiento vegetativo, los niveles de renta per cápita, etc., mientras los países pobres, subdesarrollados y rurales, con todos los matices que sea necesario distinguir, y todas las formas de gobierno capitalistas y comunistas que padezcan, se integran en otro bloque completamente distinto, precisamente por las diferencias cuantitativas de todas esas variables respecto de las de los primeros.

Esta distinción fundamental entre países desarrollados y en vías de desarrollo es la que maneja constantemente la División de Población de las Naciones Unidas en todas sus publicaciones, y a ella ha añadido el Banco Mundial[3] una nueva categoría de países, según su rango económico, que responde muy bien a la coyuntura presente: los países exportadores de petróleo con superávit de capital, que son, concretamente: Arabia Saudí, los Emiratos Árabes Unidos, Kuwait, Libia, Omán y Qatar.

3. Algunas precisiones cuantitativas de una injusticia incalificable

Unas pocas cifras nos permitirán cuantificar la magnitud de las diferencias entre unos países y otros.

Según datos del Banco Mundial, en 1975, 956 millones de personas, correspondientes a 28 países, tenían un PNB promedio per cápita de 140 dólares USA.

1.295 millones de personas —de 40 países— tenían un PNB per cápita equivalente a 350 dólares USA; 676 millones de seres humanos —59 países— alcanzaban un promedio de 1.020 dólares USA de PNB por persona; 654 millones llegaban a 3.110 dólares USA, y sólo 422 millones —25 países— tenían un promedio de 6.820 dólares USA.

Es decir, expresado en porcentajes: el 24,55 por 100 de la población mundial en aquella fecha tenía una renta per cápita inferior a 200 dólares año, y le correspondía tan

---

[2] SAUVY, Alfred, *El problema de la población en el mundo. De Malthus a Mao Tsé-Tung,* Madrid, Aguilar, 1961, 364 págs. En el Prefacio —pág. 11 de la edición que se cita— hace referencia SAUVY al volumen del INED en el que «hemos adoptado el título *Le Tiers Monde»* para referirse a los países subdesarrollados. En efecto, en el núm. 4 —octubre-diciembre de 1956— de la revista *Population,* págs. 737 a 742, hay una nota de Georges BALANDIER: «Le Tiers Monde: sous —développement— Présentation d'un Cahier de l'I.N.E.D.» No he podido consultar aún este *cahier,* que en la actualidad está agotado.

[3] *Informe sobre el desarrollo mundial,* Washington, agosto de 1978, 133 págs.

TABLA 3.3.1

1975	*USA*	*URSS*	*Indonesia*	*Egipto*	*Perú*	*España*
PIB[4] per cápita	7.087	2.760	126	217	546	2.428
Natalidad por 1.000 ..	14,7	18,1	34,5	35,5	41	17,7
Mortalidad por 1.000 .	8,9	9,3	14,4(?)	12,4(?)	11,9	8
Fecundidad*	58,5	55,5	175,7	189,3	180,7	91,5
Esperanza de vida al nacer						
Hombres	68,7	64	47,5	51,6	52,59	69,69
Mujeres	76,5	74	47,5	53,8	55,48	74,96
Mortalidad de niños de menos de un año por 1.000 nacidos vivos	15,1	27,7	125	100	58,2	12
Hab. de menos de 15 años % del total						
Hombres	12,49	18,71	22,37	sin datos	22,56	14,13
Mujeres	11,98	18,02	21,59	sin datos	21,92	13,47
Hab. de más de 65 años % del total						
Hombres	2,66	1,45	1,22	sin datos	1,44	4,13
Mujeres	4,17	3,60	1,30	sin datos	1,68	5,88
Educación: por 100 atendidos sobre el total 6-16 años	87	91	52	58	86	90
20-24 años	57,64	21,73	2,42	13,51	14,1	20,77
Calorías día y persona	3.542	3.483	2.033	2.632(?)	2.328	3.187
% calorías necesarias	134	136	94	103(?)	99	130
Consumo de acero per cápita Kgs	548,4	555,25	10,4	47,26	61	180
Habitantes por médico	622	363	18.863	1.516(?)	1.802	645

* Nacidos vivos por cada mil mujeres entre 15 y 44 años.

sólo el 2,15 por 100 de la totalidad del PNB mundial; mientras en el otro extremo de la serie el 10,8 por 100 de la población mundial disfrutaba del 47,24 por 100 del PNB mundial y cada uno de sus integrantes tenía una renta per cápita superior, en aquel año, a los 5.000 dólares USA. Si a esta última categoría de países se suma la población de la inmediatamente anterior —es decir, la de los países comprendidos en unos niveles de renta per cápita entre 2.000 y 4.999 dólares USA— resulta que el 27,54 por 100 de la población del mundo acapara el 80,65 por 100 del PNB de todo el planeta, mientras que el resto de sus pobladores —el 72,46 por 100— sólo dispone del 19,35 por 100 del PNB total.

---

4 Aunque puede prestarse a cierta confusión, se ha preferido mantener los datos tal y como los dan las fuentes utilizadas y por eso en unos casos corresponden al PIB, en otros al PNB y aun en otros a la renta per cápita.

Aunque se trata sólo de datos meramente aproximados, ya que en muchos casos, por falta de otros mejores —debido a la propia pobreza de los países—, no son más que meras estimaciones y, aunque es cierto, igualmente, que las poblaciones rurales que poseen una economía de subsistencia consumen productos no contabilizados monetariamente, la diferencia entre las cifras es tan grande que no es posible negar que estamos ante un caso de injusticia sangrante y de grave obligación de los países desarrollados de ayudar a los países en vías de desarrollo a salir de su triste situación.

No se pierda de vista tampoco que es típico del mundo del subdesarrollo que unos cuantos acaparen el poder y las riquezas, de modo que los ingresos reales de la mayor parte de la población son muy inferiores a los que indican los propios valores promedios.

Las diferencias radicales de condiciones de vida entre países desarrollados y subdesarrollados se reflejan, como es sabido, en una serie de variables. Por vía de ejemplo extracto, de una tabla mucho más extensa, unos cuantos casos significativos[5].

Evidentemente, algunas de estas cifras, y muchas otras que podrían aportarse, resultan difícilmente aceptables y pueden incluirse dentro de las «cifras de prestigio» que algunos gobiernos se sienten inclinados a «mejorar» antes de facilitarlas a los organismos internacionales. Por otra parte, como es de todos conocido, estas mismas cifras ocultan la desigual distribución real de los recursos económicos dentro de un país y por clases sociales; pero, aunque sea así, son suficientes para poner de relieve, de un modo innegable, la tremenda desigualdad entre unos y otros. Y no se pierda de vista que de modo deliberado se han omitido las cifras extremas de subdesarrollo por considerar que es más expresivo de la realidad no cargar las tintas.

4. ¿Qué es el subdesarrollo?

Es obvio que no podemos detenernos ahora en definir el subdesarrollo; todos intuimos lo que es, pero nadie lo ha definido con precisión. Está claro que no es sólo una situación económica deprimida, y mucho menos un estadio cultural atrasado, pues dentro de la extensa gama de países incluidos en esta categoría, los hay con culturas milenarias riquísimas, y tampoco parece que todos los países desarrollados puedan darles lecciones en este terreno.

Es indudable, en cambio, que la condición de país subdesarrollado lleva consigo una situación de dependencia —política, económica, técnica...— de otra potencia o de un grupo económico extranjero; supone también, en muchas ocasiones, una falta de participación política de su población en las tareas de gobierno, unas veces porque carece de preparación suficiente y otras porque se le impone una forma de administración, sea pa-

---

[5] Los datos se han tomado directamente de la tabla «Variables indicadoras de diversos grados de desarrollo en quince países seleccionados», que figura en J. M. CASAS TORRES, «Países subdesarrollados y países desarrollados. Contenido de estos términos. Variables que los definen», en *Geographica,* 1975-76, págs. 109 a 143, que constituye el capítulo anterior de este libro, pero proceden de *World Statistics in Brief,* publicación de Naciones Unidas, en este caso el volumen editado en Nueva York, 1977; Unión de Bancos Suizos, *Notas Económicas,* julio de 1978; Naciones Unidas, *Demographic Year-Book,* 1976; FAO, *La cuarta encuesta alimentaria mundial,* Roma, 1977.

ternalista o tiránica, que la excluye de ella. El subdesarrollo lleva implícito, desde luego, un nivel de vida extremadamente bajo, un predominio de la población rural, un alto grado de analfabetismo, de paro total y paro encubierto; hambre y malnutrición crónicas, por tanto, a veces en grado muy difícil de imaginar, que hacen casi imposible el trabajo intenso y continuado: alta mortalidad infantil, morbilidad muy acusada, mala situación de la mujer —discriminada y considerada inferior— y, en ciertos países —como es de sobra conocido—, una administración incompetente, arbitraria, venal y corrompida.

No hay duda de que la conciencia de esta situación de injusticia es cada vez más viva entre sus minorías universitarias y va impregnando todas las capas sociales.

En el *Informe sobre la situación demográfica en el mundo en 1970-75 y sus repercusiones a largo plazo,* preparado por el Departamento de Asuntos Económicos y Sociales de las Naciones Unidas, puede leerse: «Si bien el contraste entre ricos y pobres se puede observar tanto en los países desarrollados como en los países en desarrollo, la pobreza *abruma* principalmente a las regiones en desarrollo de Asia, África y América. En estas regiones el creciente costo humano de la pobreza es inmensurable. En muchas partes las esperanzas —que en su día se concibieron— están dando lugar a una frustración cada vez mayor, pues los frutos del desarrollo parecen tener inevitablemente otro destino: las empresas comerciales, las minorías selectas (administrativas o políticas), los extranjeros, las zonas urbanas o determinados grupos regionales, étnicos o religiosos. Los gobiernos son cada vez más conscientes del hecho de que la desesperación y la alienación pueden socavar el proceso de desarrollo, las relaciones entre las clases y los grupos sociales, y la estabilidad del Estado»[6].

En 1967, siete años antes de este texto de Naciones Unidas, ya Pablo VI había llamado a las cosas por su nombre con mucha más claridad: «Hoy el hecho más importante, del que todos deben tomar conciencia es el de que la cuestión social ha adquirido una dimensión universal...» «Los pueblos hambrientos interpelan hoy a los pueblos opulentos.» «Verse libres de la miseria, hallar con más seguridad la propia subsistencia, la salud, una ocupación estable; participar todavía más en las responsabilidades, fuera de toda opresión y al abrigo de situaciones que ofenden su dignidad de hombres; ser más instruidos; en una palabra, hacer, conocer y tener más para ser más; tal es la aspiración de los hombres de hoy, mientras que un gran número de ellos se ven condenados a vivir en condiciones que hacen ilusorio este legítimo deseo»[7].

Podría reunirse, seguramente, una interesante colección de documentos en defensa de los pueblos y las clases sociales oprimidas. Desde los textos bíblicos hasta una serie de autores contemporáneos de las más variadas ideologías, pasando por Bartolomé DE LAS CASAS y los utopistas, sería fácil acopiar varios cientos de referencias. Para nadie es un secreto, no obstante, que no todos los autores, y menos los gobiernos, buscan el interés real de estos pueblos; algunos, al menos, parece que procuran la penetración cultural y política en sus territorios para servirse de ellos; pero sin entrar a juzgar de intenciones

---

[6] Departamento de Asuntos Económicos y Sociales. Estudios Demográficos, núm. 56, *Informe conciso sobre la situación demográfica en el mundo en 1970-1975 y sus repercusiones a largo plazo,* Naciones Unidas, Nueva York, 1977, 73 págs. A fines de 1979 se ha publicado un nuevo *Informe conciso sobre la situación demográfica en el Mundo en 1977. Nuevos principios y fines inciertos,* Naciones Unidas, Nueva York, 1979, 129 págs.

[7] Pablo VI, «Populorum progressio», párrafos 3.° y 6.°, en *Ocho mensajes,* edición de J. Iribarren y J. L. Gutié.rez García, Madrid, BAC, 1979, 9.ª ed., 542 págs.

ajenas, parece que, a pesar del número creciente de publicaciones sobre el tema, no hay tanta bibliografía seria como hace esperar la importancia del asunto. Claro que aún es más necesaria y urgente una acción internacional a favor de estos países, decidida, generosa, eficaz y respetuosa de su independencia, sin condiciones ni exigencias previas.

5. Con la excusa del subdesarrollo, se propugna un genocidio a escala mundial

Juan XXIII, Pablo VI y Juan Pablo II han llamado repetidamente la atención sobre la urgencia de esta ayuda internacional a los países jóvenes y carentes de tecnología y capitales, pero ricos en hombres con las mismas necesidades y derechos que nosotros. Pero en lugar de esta ayuda —que sólo se presta con cuentagotas— a propósito de la injusta y sangrante condición de los pueblos subdesarrollados se ha suscitado una lamentable literatura que propugna una política demográfica criminal. Me refiero a los autores (casi todos anglosajones y europeos noroccidentales) que, presa de un «terror neomalthusiano», propugnan una reducción *contra natura* de la natalidad, en los países subdesarrollados sobre todo, por medio de la planificación familiar, apoyada en el empleo masivo de anovulatorios, dispositivos intrauterinos, el aborto inducido y la esterilización[8]. Estos autores, como el demonio evangélico, son legión y han inundado al mundo con sus libros y su propaganda, que presentan además como un servicio a la humanidad —como si todos los que no se han dejado nacer no fueran seres humanos—. Es hora ya de decir claramente a estos colegas que están equivocados en sus planteamientos y en sus conclusiones, que el hombre no es una especie animal más, sino un ser trascendente y excepcional dentro de toda la creación, dotado de razón y voluntad, libre y responsable de sus actos, que ha de dar cuenta a su Padre Dios de su vida, y que la política demográfica que propugnan, además de ser homicida, atenta directamente contra la dignidad humana y la grandeza del amor del hombre y la mujer, y conduce, socialmente, a un suicidio colectivo.

La polémica sobre estos puntos, y es muy lógico, dista mucho de ser ponderada, y se ha acentuado después de la publicación del primer informe al Club de Roma[9] —el informe MEADOWS— contestado demoledoramente por los científicos de la Universidad de Sussex y el propio SAUVY[10]. Después de estos documentos, en los últimos años se han publicado varias decenas de libros más[11], informes y contrainformes sobre la cuestión,

---

[8] Una excelente puesta al día sobre estos hechos se encuentra en: JIMÉNEZ VARGAS, J., y LÓPEZ GARCÍA, G., *Aborto y contraceptivos,* Pamplona-Eunsa, 1979, 2.ª ed., 186 págs.

[9] DONELLA, H. y DENNIS, L. MEADOWS, Jorgen RANDERS y William W. BEHRENS III, *Los límites del crecimiento,* México, Fondo de Cultura Económica, 1972, 253 págs. Título original, *The Limits to Growth,* Nueva York, 1972. A la traducción castellana de esta obra, publicada por el Fondo de Cultura Económica, se le pueden poner muchos reparos, al menos en opinión de este autor.

[10] *Thinking about the future. A Critique of The Limits to Growth,* edited for The Science Policy Research Unit of Sussex University by H. S. D. COLE —Cristopher FREEMAN—, Marie JAHODA, K. L. R. PAVITT. Chatto and Windus for Sussex University Press, Londres, 1974, 218 págs.

[11] He aquí algunos títulos de libros, casi todos catastrofistas, neomalthusianos y muy lejos de enfoques cristianos o simplemente acordes en la dignidad del hombre:

— Asociación de Científicos Alemanes, *La amenaza mundial del hambre,* Madrid, Alianza Editorial, 1970, 199 págs.

sin contar los miles de artículos de revistas, declaraciones en la prensa, cartas de los lectores, etc, pero, planteado brutalmente, el fondo del asunto se reduce a dos posiciones antagónicas: la de los que sostienen que la solución para que no haya pobres es impedir que nazcan y si han sido concebidos matarlos —idea que no sostuvo MALTHUS a pesar de lo que se cree comúnmente, sino algunos de sus seguidores[12], pero que recogió después de la Segunda Guerra Mundial el presidente de USA Lyndon B. Johnson, a quien se debe una deplorable afirmación—, y la postura de quienes sostenemos que cabemos todos y la pobreza no depende de la escasez de recursos, sino de la injusta distribución y el mal uso que se hace de ellos, así como de los gastos desorbitados en materia de armamentos y propaganda política.

Los propagadores de los anovulatorios, los dispositivos intrauterinos y el aborto inducido —que, por cierto, son ocasión de formidables negocios mercantiles— deben pensar estremecidos que, por ejemplo, la relativa prosperidad japonesa le ha costado en vidas muchas más pérdidas que la Segunda Guerra Mundial, pues desde 1948 el número de abortos voluntarios —al amparo de la hipócrita «ley de protección eugenésica» y la mentalización de la población nipona— ha arrojado anualmente cifras muy altas[13], y eso sin contar los abortos no contabilizados debidos al uso de anticonceptivos orales. Está fuera de toda duda que el óvulo fecundado es un ser humano vivo desde el primer instante de

---

— MESAROVIC, M., y PESTEL, E., *La humanidad en la encrucijada,* segundo informe al Club de Roma, México, Fondo de Cultura Económica, 1975, 261 págs., 1.ª ed. inglesa, 1974.
— OLTMANS, W. L. (compilador), *Debate sobre el crecimiento,* México, Fondo de Cultura Económica, 1975, 551 págs., 1.ª ed. en holandés, 1973.
— Comité Executif du Club de Rome, *La Rapport de Tokyo sur l'homme et la croissance,* París, ed. du Seuil, 1973, 86 págs.
— TINBERGEN, Jan (coordination), *Nord-Sud, du défi au dialogue?,* Troisieme rapport au club de Rome, París, Sned Dunod-Bordas, 1978, 469 págs. 1.ª ed. holandesa, 1976.
— KING, Alexander, *La situación de nuestro planeta,* Madrid, Taurus, 1978, 146 págs., 1.ª ed. inglesa, 1976.
— PECCEI, Aurelio, *La calidad humana,* Madrid, Taurus, 1977, 219 págs., 1.ª italiana (Milán), 1976.
— COLOMBO, V. et GABOR, D., *Sortir de l'ere du gaspillage. Les grandes alternatives technologiques de demain,* Quatrieme rapport au Club de Rome, París, Sned-Dunod Bordas, 1978, 230 págs.
— DAMMANN, Erik, *The future in our hands,* Oxford-Pergamon, 1979, 171 págs.
— GUERNIER, Maurice, *Tiers-monde: trois quarts du monde,* Rapport au Club de Rome, París-Bordas-Dunod, 1980, 174 págs.
— GUILLAND, B., *The next 70 years, Population, food and resources,* Tunbridge Wells-Abacus Press, 1979.

[12] La enérgica condena por parte de MALTHUS de todos los métodos anticonceptivos usados en su tiempo se hace patente en su famoso «Ensayo» y ha sido muy bien resaltada por Anthony FLEW, en su edición de *Malthus-An Essay/on the principle of Population,* Pelican Classics, 1970, reimpresión de 1976, 291 págs.

[13] Según SAUVY, *El problema de la población en el mundo,* pág. 284. Las cifras *oficiales* de abortos en el Japón, durante los años 1949 a 1957, fueron las siguientes: 1949: 246.104 abortos oficiales; 1950: 489.111; 1951: 636.524; 1952: 798.193; 1953: 1.068.066; 1954: 1.143.059; 1955: 1.170.143; 1956: 1.159.228; 1957: (1.150.000). Según los Anuarios demográficos de las Naciones Unidas correspondientes a 1975 y 1978, las cifras de abortos voluntarios «legales» en el Japón, desde 1966, son las siguientes: 1966: 808.378; 1967: 747.490; 1968: 757.389; 1969: 744.451; 1970: 732.033; 1971: 739.674. Después de 1971, el Anuario demográfico de las Naciones Unidas de 1978 no tiene datos sobre abortos inducidos en el Japón.

la fecundación, y somos muchos, además, los que pensamos que esos millones de japoneses malogrados hubieran elevado todavía más el nivel de vida de este grande y desgraciado país. Y no es el Japón tan sólo el que mata a sus hijos en gran escala[14]. Ciertamente, la locura colectiva de la sociedad de nuestro tiempo no tiene precedentes en la historia del mundo.

6. El caso de los países industrializados

No es necesario recordar que la propaganda antinatalista y las presiones que se ejercen sobre los países pobres para que reduzcan su natalidad son, obviamente, innecesarias y ociosas en el caso de los países industrializados, sean capitalistas o comunistas. Ninguna pareja que emplea métodos anticonceptivos en ellos lo hace por temor a la explosión demográfica o a la amenaza de la falta de alimentos a escala mundial; son otros factores los que influyen en su decisión.

En el peor de los casos, la causa está en la atrofia del sentido moral y de la conciencia de la propia dignidad de las personas, en la ignorancia de lo que es el verdadero amor, que lleva siempre consigo al respeto al otro y al olvido de uno mismo para lograr la felicidad del que se ama y la identificación con él, con todas sus consecuencias. Cuando esto ocurre, sin que quede nada humano y noble en el corazón —que casi siempre queda—, el amor del hombre y la mujer es exclusivamente cuestión de placer sexual, y el *otro* es meramente, y tan sólo, el objeto que se utiliza para obtener el placer que cada uno busca exclusivamente para sí. Esto supone por principio desposeer el acto sexual de toda trascendencia, y por supuesto, en este caso un hijo, e incluso el otro cónyuge, es lo que menos interesa.

Detrás de este feroz egoísmo están la esterilidad y la soledad. Las personas así son muy desgraciadas e inspiran por eso mismo muchísima piedad. Aparte de poner en grave peligro la salvación de su alma, nunca sabrán a lo que han renunciado y qué felices podían haber sido. En muchos casos, no obstante, un secreto anhelo, un hambre de verdadero amor, que forma parte de lo mejor de ellos mismos podrá salvarles, volviéndoles a la verdad. En otros, la búsqueda insaciable de un placer más y más sórdido, el afán de justificarse, los hará cada vez más crueles y agresivos, y los llevará, por una pendiente inclinada, a un envilecimiento progresivamente mayor. Por eso, hay que decirles claramente que están equivocados y que siempre, con la ayuda de Dios, pueden rectificar y

---

[14] Abortos provocados «legalmente».

País	1968	1969	1970	1971	1972	1973	1974	1975	1976	1977
Bulgaria	113.454	129.687	142.335	153.687	154.415	137.439	144.509	143.450	142.261	—
Checoslovaquia.	99.886	102.797	99.766	97.271	91.292	81.233	83.055	81.671	84.589	88.989
Hungría	201.096	206.817	182.283	187.425	179.035	169.650	102.022	96.212	84.720	89.096
Suecia	10.940	13.735	16.100	—	24.170	25.990	30.636	32.526	32.351	—
Inglaterra y Gales .	23.641	54.819	86.565	126.777	159.884	110.568	109.445	106.224	101.912	—
USA	—	—	180.119	480.259	—	742.500	899.900	1.034.200	—	—

Fuente: UNITED NATIONS, *Demographic Yearbook, 1978.*

encontrarse a sí mismos de nuevo, recuperar la alegría y la ilusión de vivir una vida llena de sentido y proyectarla hacia un futuro, lleno de luz, que no terminará nunca.

Tampoco parece necesario recordar que el instinto y el placer sexuales, dentro del matrimonio, no sólo son lícitos, sino santos, cuando no son fin en sí mismos, sino que van encaminados a lograr la unión de los cónyuges abierta siempre a la vida por la que participan en el poder creador de Dios, cumpliendo el fin primordial del matrimonio —la procreación y educación de los hijos— y acrecienta en ellos, y se manifiestan uno a otro, su amor y mutua donación.

Es verdad que la sociedad consumista y permisiva ha mercantilizado el sexo, con el que obtienen algunos «hombres de negocios» (?) formidables ganancias. Es igualmente cierto que la falta de interés por los demás cierra culpablemente las bocas de algunos que, aunque sólo fuera por «oficio», tienen el deber de hablar, y en otros casos lleva a los que gobiernan a consentir, cuando no a fomentar, en nombre de una falsísima libertad, la exaltación de la prostitución y la homosexualidad, que incluso se convierten en fuente de ingresos de diarios y revistas que, por los «principios» (?) a los que dicen servir, deberían ser totalmente incompatibles con la publicidad que acogen. Desde luego, no es necesario acudir a ejemplos extranjeros; diarios españoles muy conocidos insertan —muy a pesar en ocasiones de sus fundadores y accionistas— reclamos —profusamente ilustrados— de espectáculos pornográficos y dan en sus columnas de anuncios por palabras direcciones y teléfonos de casas de prostitución, homosexuales y personas que comercian con su cuerpo.

Esa abyección, esa pérdida del sentido moral natural, no justifican lo injustificable, son simples muestras de una patología social, un síntoma más del triste final de una época y de una sociedad, que va inevitablemente acompañado del terror, la crueldad, el odio, la angustia y la esclavitud, porque, contra lo que se dice y se pregona febrilmente, las exigencias de la ley moral van siempre encaminadas a la defensa de lo más noble del ser humano, su intimidad, su libertad, su capacidad de amar y de vivir íntegramente para los que ama, en donde, sin reparar en el dolor y en el sacrificio encuentra, sin buscarlo, su verdadera felicidad.

Estas cosas son difíciles de expresar y pueden parecer demasiado abstractas y teóricas, pero las comprenden muy bien, porque las viven, todos los innumerables padres y madres que se quieren de veras y pueden mirarse a los ojos con una ternura inefable, sin tener que avergonzarse, como les ocurre a quienes sólo pueden ver en su cónyuge al cómplice de prácticas inconfesables.

7. Paternidad responsable y familia

Planteadas en toda su crudeza las causas de la acusadísima disminución de la natalidad en los países desarrollados son las que se acaban de mencionar: ignorancia, desconocimiento de la ley moral, presión implacable del ambiente materialista de la sociedad de consumo, con el hedonismo como ideal de vida, acompañado de la desaforada y agresiva propaganda de quienes intentan acallar con ella su propia conciencia y, junto a todo ello, la dureza de la vida cotidiana sometida estrechamente a la tiranía de lo económico.

Y sin embargo, ¡cuántos millones de mujeres y de hombres inmersos en esta lamentable situación histórica se dan cuenta, más o menos confusamente dentro de ellos, de que algo esencial falla en esos planteamientos! ¡Cuánta gente sueña sin saberlo con un amor más fuerte que la muerte, fecundo, inmarcesible, limpio, alegre, luminoso, indestructible y coronado de hijos! Detrás de esta situación se esconde uno de los dramas más dolorosos de nuestro tiempo: la frustración de tantas mujeres y hombres perfectamente capacitados para la maternidad y la paternidad, a los que no se les ha enseñado su altísima condición de hijos de Dios ni —aunque sin desconocer nuestras limitaciones, defectos y dificultades— la insondable profundidad del verdadero amor del hombre y la mujer, y a quienes se ofrece, como única razón de su vida, la búsqueda de un mero placer sensible que, lógicamente, no puede hacerles felices ni dar sentido a su existencia. Un planteamiento semejante es radicalmente falso e inhumano.

> «La verdadera naturaleza y nobleza del amor conyugal se revela cuando éste es considerado en su fuente suprema, Dios, que es Amor, el Padre de quien procede toda paternidad en el cielo y en la tierra» *(Humanae vitae,* núm. 8, 1).

El matrimonio, recuerda Pablo VI en esta Encíclica, ha sido instituido por el Creador para «realizar en la humanidad su designio de amor». «Los esposos, mediante su recíproca donación personal, propia y exclusiva de ellos, tienden a la comunión de sus seres en orden a un mutuo perfeccionamiento personal, para colaborar con Dios en la generación y en la educación de nuevas vidas.»

> «En los bautizados, el matrimonio reviste, además, la dignidad de signo sacramental de la gracia, en cuanto representa la unión de Cristo y de la Iglesia» *(Humane vitae,* núm. 8, 2-3).
>
> «El amor conyugal —sigue diciendo la *Humane vitae*— es, ante todo, un amor plenamente humano, es decir, sensible y espiritual al mismo tiempo», no es una simple efusión del instinto y del sentido, «sino también, y principalmente, un acto de la voluntad libre, destinado a mantenerse y crecer mediante las alegrías y los dolores de la vida cotidiana, de forma que los esposos se conviertan en un solo corazón y en una sola alma y juntos alcancen su perfección humana».
>
> Es un amor total, una forma singular de amistad personal... «Quien ama de verdad a su propio consorte, no lo ama sólo por lo que de él recibe, sino por sí mismo, gozoso de poderlo enriquecer con el don de sí.»
>
> «Es un amor fiel y exclusivo hasta la muerte...»
>
> «Es un amor fecundo, que no se agota en la comunión entre los esposos, sino que está destinado a prolongarse suscitando nuevas vidas. El matrimonio y el amor conyugal están ordenados por su propia naturaleza a la procreación y educación de la prole. Los hijos son, sin duda, el don más excelente del matrimonio y contribuyen sobremanera al bien de los propios padres» *(Humanae vitae,* núm. 9).
>
> «Por ello, este mismo amor conyugal exige de los esposos una clara conciencia de cuál es su *misión de paternidad responsable,* que presenta varios aspectos *legítimos y relacionados entre sí»:*
>
> «En relación con los procesos biológicos, paternidad responsable significa conocimiento y respeto de sus funciones; la inteligencia descubre, en el poder de dar la vida, leyes biológicas que forman parte de la persona humana».
>
> «En relación con las tendencias del instinto y de las pasiones, la paternidad

responsable comporta el dominio necesario que sobre aquéllas han de ejercer la razón y la voluntad.»

«En relación con las condiciones físicas, económicas, psicológicas y sociales, la paternidad responsable se pone en práctica, ya sea con la deliberación ponderada y generosa de tener una familia numerosa, ya sea con la decisión, tomada por graves motivos y en el respeto de la ley moral, de evitar un nuevo nacimiento durante algún tiempo o por tiempo indefinido.»

«La paternidad responsable comporta sobre todo una vinculación más profunda con el orden moral objetivo, establecido por Dios, cuyo fiel intérprete es la recta conciencia. El ejercicio responsable de la paternidad exige, por tanto, que los cónyuges reconozcan plenamente sus propios deberes para con Dios, para consigo mismos, para con la familia y la sociedad, en una justa jerarquía de valores.»

«En la misión de transmitir la vida, los esposos no quedan, por tanto, libres para proceder arbitrariamente, como si ellos pudieran determinar de manera completamente autónoma los caminos lícitos a seguir, sino que deben conformar su conducta a la intención creadora de Dios, manifestada en la misma naturaleza del matrimonio y de sus actos y constantemente enseñada por la Iglesia» (*Humanae vitae* núm. 10).

Es perfectamente coherente, con todo lo dicho hasta aquí, que la Iglesia al recordar a todos los hombres que deben observar las normas de la ley natural, enseñe que «cualquier acto matrimonial debe quedar abierto a la transmisión de la vida» (*Humanae vitae*, número 11).

«Esta exigencia se basa en la inseparable conexión que Dios ha querido, y que el hombre no puede romper por propia iniciativa, entre los dos significados del acto conyugal: el significado unitivo y el significado procreador...»

«Salvaguardando ambos aspectos esenciales, unitivo y procreador, el acto conyugal conserva íntegro el sentido de amor mutuo y verdadero y su ordenación a la altísima vocación del hombre a la paternidad» *(Humanae vitae,* número 12).

«Justamente se hace notar que un acto conyugal impuesto al cónyuge, sin considerar su condición actual y sus legítimos deseos, no es un verdadero acto de amor, y prescinde, por tanto, de una exigencia del recto orden moral en las relaciones entre los esposos. Así, quien reflexiona rectamente deberá también reconocer que un acto de amor recíproco que prejuzgue la disponibilidad a transmitir la vida que Dios Creador, según particulares leyes, ha puesto en él, está en contradicción con el designio constitutivo del matrimonio y con la voluntad del Autor de la vida. Usar este don divino destruyendo su significado y su finalidad, aun sólo parcialmente, es contradecir también el plan de Dios y su voluntad. Usufructuar, en cambio, el don del amor conyugal respetando las leyes del proceso generador significa reconocerse, no árbitros de las fuentes de la vida humana, sino más bien administradores del plan establecido por el Creador. En efecto, al igual que el hombre no tiene un dominio ilimitado sobre su cuerpo en general, del mismo modo tampoco lo tiene, con más razón, sobre las facultades generadoras en cuanto tales, en virtud de su ordenación intrínseca a originar la vida, de la que Dios es principio. *La vida humana es sagrada* —recordaba Juan XXIII—; *desde su comienzo compromete directamente la acción creadora de Dios» (Humanae vitae,* núm. 13).

Las conclusiones de orden práctico que se deducen de estos principios son rigurosamente lógicas y acordes con ellos; por eso Pablo VI, cumpliendo con su deber y con la autoridad de Pontífice máximo de la Iglesia, confirmando lo que ha sido siempre doctrina de todos sus antecesores, recordó a todos los hombres:

> «En conformidad con estos principios fundamentales de la visión humana y cristiana del matrimonio, debemos una vez más declarar que hay que excluir absolutamente, como vía lícita para la regulación de los nacimientos, la interrupción directa del proceso generador ya iniciado, y sobre todo el aborto directamente querido y procurado, aunque sea por razones terapéuticas.»
>
> «Hay que excluir igualmente, como el Magisterio de la Iglesia ha declarado muchas veces, la esterilización directa, perpetua o temporal, tanto del hombre como de la mujer; queda además excluida toda acción que, o en previsión del acto conyugal, o en su realización, o en el desarrollo de sus consecuencias naturales, se proponga, como fin o como medio, hacer imposible la procreación.»
>
> «Tampoco se pueden invocar como razones válidas, para justificar los actos conyugales intencionalmente infecundos, el mal menor o el hecho de que tales actos constituirían un todo con los actos fecundos anteriores o que seguirían después, y que, por tanto, compartirían la única e idéntica bondad moral. En verdad, si es lícito alguna vez tolerar un mal menor a fin de evitar un mal mayor o de promover un bien más grande, no es lícito, ni aun por razones gravísimas, hacer el mal para conseguir el bien, es decir, hacer objeto de un acto positivo de voluntad, lo que es intrínsecamente desordenado, y por lo mismo, indigno de la persona humana, aunque con ello se quisiera salvaguardar o promover el bien individual, familiar o social. Es, por tanto, un error pensar que un acto conyugal hecho voluntariamente infecundo, y por eso intrínsecamente deshonesto, pueda ser cohonestado por el conjunto de una vida conyugal fecunda» *(Humanae vitae,* núm. 14).

Por supuesto, nada hay que objetar moralmente al uso de los medios terapéuticos «verdaderamente necesarios para curar enfermedades del organismo, a pesar de que se siguiese un impedimento aún previsto, para la procreación —obviamente, como se acaba de decir, el aborto terapéutico está siempre prohibido—, con tal de que ese impedimento no sea, por cualquier motivo, directamente querido *(Humanae vitae,* núm. 15), ni tampoco el recurso a los períodos infecundos de la mujer, siempre y cuando hay para ello razones graves.»

> «Por consiguiente, si para espaciar los nacimientos existen serios motivos, derivados de las condiciones físicas o psicológicas de los cónyuges o de circunstancias exteriores, la Iglesia enseña que entonces es lícito tener en cuenta los ritmos naturales inmanentes a las funciones generadoras para usar del matrimonio sólo en los períodos infecundos y así regular la natalidad sin ofender los principios morales que acabamos de recordar.»

«La Iglesia es coherente consigo misma cuando juzga lícito el recurso a los períodos infecundos, mientras condena siempre como ilícito el uso de medios directamente contrarios a la fecundación, aunque se haga por razones aparentemente honestas y serias. En realidad, entre ambos casos existe una diferencia esencial: en el primero, los cónyuges se sirven legítimamente de una disposición natural; en el segundo, impiden el desarrollo de los procesos naturales...» *(Humanae vitae, núm. 16).*

Pablo VI, que conocía perfectamente las circunstancias de su tiempo, sabía que el contenido de la *Humanae vitae* iba a suscitar muchas críticas y tergiversaciones. Sabía igualmente que para vivir según sus exigencias hace falta no sólo buena voluntad, sino la ayuda de Dios, que ciertamente no se niega a nadie que la implora.

«Se puede prever que estas enseñanzas no serán quizá fácilmente aceptadas por todos: son demasiadas las voces —ampliadas por los modernos medios de propaganda— que están en contraste con la Iglesia. A decir verdad, ésta no se maravilla de ser, a semejanza de su divino Fundador, signo de contradicción, pero no deja por esto de proclamar con humilde firmeza toda la ley moral, natural y evangélica...

Al defender la moral conyugal en su integridad, la Iglesia sabe que contribuye a la instauración de una civilización verdaderamente humana; ella compromete al hombre a no abdicar la propia responsabilidad para someterse a los medios técnicos; defiende con esto mismo la dignidad de los cónyuges. Fiel a las enseñanzas y el ejemplo del Salvador, ella se demuestra amiga sincera y desinteresada de los hombres a quienes quiere ayudar, ya desde su camino terreno, a participar como hijos en la vida del Dios vivo, Padre de todos los hombres» *(Humanae vitae, núm. 18).*

«La doctrina de la Iglesia en materia de regulación de la natalidad, promulgadora de la ley divina, aparecerá fácilmente a los ojos de muchos difícil e incluso imposible en la práctica. Y en verdad que, como todas las grandes y beneficiosas realidades, exige un serio empeño y muchos esfuerzos de orden familiar, individual y social. Más aún, no sería posible actuarla sin la ayuda de Dios, que sostiene y fortalece la buena voluntad de los hombres. Pero a todo aquel que reflexione seriamente, no puede menos de aparecer que tales esfuerzos ennoblecen al hombre y benefician la comunidad humana» *(Humanae vitae, núm. 20).*

Las reiteradas citas de la Encíclica de Pablo VI, resumen y condensan todas las enseñanzas de la Iglesia católica sobre un tema tan importante, por eso he preferido traerlas aquí solamente de este texto pontificio, en lugar de recoger los abundantes textos anteriores y posteriores a la encíclica y las copiosas referencias bibliográficas. De todas formas, si alguien desea ampliar su información puede consultar, con mucha utilidad, el pequeño libro *Paternidad responsable,* de José Luis SORIA, autor que reúne en su persona la doble condición de médico y sacerdote [15].

---

[15] Pablo VI, Encíclica *Humanae vitae,* Roma, 25 julio 1968. Versión castellana en: SORIA, J. L., *Paternidad responsable,* págs. 105 a 129.

8. La población del Tercer Mundo es una esperanza, no una amenaza

Frente a los que defienden que no hay alimentos para todos y que el modo de sobrevivir es que no sigan creciendo las poblaciones de los países subdesarrollados, estamos los que apostamos por el hombre, sin desconocer que hay más hambre en el mundo subdesarrollado que en el desarrollado, pero no porque no haya recursos, sino, como se ha dicho, porque se detentan y distribuyen contra toda justicia.

A propósito de la política antinatalista que propugnan para el Tercer Mundo algunos gobiernos de países desarrollados, un economista etíope, Maaza BEKELE, escribe en un artículo publicado en la revista *Ceres* de la FAO[16], 1973, vol. 6 y núm. 4:

> «Los profetas de calamidades sostienen que tanto la estructura de la población africana como su volumen potencial —en cuanto componente del potencial del Tercer Mundo— constituyen una amenaza a la prosperidad general del mundo y un disuasivo para el desarrollo económico en los países africanos y consideran que el único remedio al inminente desastre originado por el descenso de la mortalidad, fruto de una mejor asistencia sanitaria, es una reducción absoluta de la natalidad.
>
> Este enfoque unilateral lleva invariablemente a presionar sobre los gobiernos africanos para que adopten programas de control de la natalidad como panacea a sus propios males. También ha determinado afirmaciones sumamente simplistas y material de propaganda sin sensibilidad política muchas veces, que insinúan en algunos casos la amenaza que para los niños blancos supone un aumento de la población de color.
>
> Pero veamos qué les prepara el futuro en realidad —a estos niños blancos—: una probabilidad del 100 por 100 de acabar la escuela secundaria; una probabilidad de más del 50 por 100 de recibir enseñanza universitaria, y si viven en San Francisco, Londres, Estocolmo o Moscú, un consumo de los recursos del planeta proporcionalmente mucho mayor que el de cualquier niño nacido en Addis Abeba, Accra, Lagos o Argel, y varios miles de veces más que los niños nacidos en las zonas rurales del Sur del Sahara.»

BEKELE aporta, en apoyo de su argumentación, el testimonio de Barbara WARD, en su conocido libro *Solamente una Tierra*:

> «...todo niño nacido en la economía americana (estadounidense) —según las estadísticas de 1968— consumirá cada año, cuando sea mayor, más de un millón de calorías y 13 toneladas métricas en equivalente a carbón —o unos 10.000 litros de gasolina— en energía. Le están asignadas probablemente diez tonela-

---

— WOJTYLA, Karol (Juan Pablo II), *Amor y responsabilidad,* Madrid, Razón y Fe, 1978, 11.ª ed. (1.ª ed. 1969), 347 págs.

— SORIA, J. L., *Paternidad responsable,* Madrid, Rialp, 1976, 167 págs., traducción de Juan Carlos Beascoechea.

— LÓPEZ NAVARRO, J., «Aspectos médico-pastorales de la paternidad responsable», en *I Simposio Internacional de Teología,* Pamplona, 18-20 abril 1970, págs. 621 a 631.

[16] Tomado de *Estudios de la FAO sobre los alimentos y la población,* Roma, 1976, 249 págs. BEKELE, Maaza, *Una explosión en el vacío,* págs. 167 a 176.

das métricas de acero para diversos usos, especialmente para el automóvil que va a tener uno de cada dos ciudadanos. Probablemente tiene otros 150 kilogramos de cobre y otros tanto de bronce y 100 kilogramos de aluminio y de zinc empleados en diversos utensilios y aparatos... El bebé americano... es realmente sólo un 2 por 100 de un 6 por 100 de la población del mundo. Pero ayudará a su comunidad a crear más del 30 por 100 de la demanda mundial de recursos no renovables [17].

Todo el artículo de BEKELE merece una atenta lectura y profunda reflexión porque nos presenta una realidad que conoce muy bien y resulta muy diferente de como la «venden» los neomalthusianos. Es obvio que éste no es el lugar de comentarlo por completo, pero vale la pena y es oportuno transmitir dos párrafos más.

«También hay que reforzar la capacidad física de la población africana mejorando el nivel general de sanidad y el nivel de vida y su calidad. Hoy día el promedio de vida en África es sólo de 40 años. Los índices de mortalidad infantil son astronómicos, más de 150 por cada mil nacidos vivos en 14 de 25 países. Existe un alto índice de mortalidad entre niños menores de 5 años. Los defensores del control demográfico arguyen que la planificación de la familia se traducirá en menos mortalidad infantil y en menos muertes de niños de corta edad. Hay disponibles fondos casi ilimitados para programas de planificación familiar, que con frecuencia quedan retenidos donde no existe un programa oficial. *Parece poco menos que siniestro que haya tanto dinero para frenar la vida y apenas ninguno para fomentarla.*»

«Parece también utópico esperar que madres africanas sumamente pobres y laboriosas —muchas próximas a la muerte sin llegar a los 35 años— vayan a limitar el número de sus hijos, cuando de cada tres o cuatro sólo sobrevive uno... Esas madres no pueden correr el riesgo de ver que se les niega su gran contribución creadora a la humanidad —dado que el resto de su existencia es casi pura fatiga—. En toda mujer hay una pizca de esperanza de que sus hijos vivirán una vida mejor que la suya. Además, en la sociedad africana la procreación y el amor, junto con la tierna crianza de los hijos, son uno de los objetivos más importantes de la sociedad. Los hijos no son una carga, sino un patrimonio en la familia campesina media» [18].

9. Es inadmisible y criminal tratar de resolver el problema del hambre matando a los niños que van a nacer

Detrás de la propaganda del control de nacimientos destinada al Tercer Mundo, hay un sentimiento de miedo —quizá inconsciente en el menos malo de los casos— a los

---

[17] WARD, B , y DUBOS, R., *Only One Earth, The Care and Maintenence of a Small Planet*, A Pelican Book, 1976 (1.ª ed., 1972), 304 págs.

[18] BEKELE, obra y lugar citados, pág. 174.

De «We're on your side, Charlie Brown!». Por Charles
M. Schulz (Coronet Books, Londres, 6.ª impr. 1976).

cambios estructurales y de poder político que lleva implícito, para un futuro muy próximo, el formidable crecimiento demográfico de los países subdesarrollados, en dramático
contraste con el acelerado envejecimiento de la población y los dirigentes de los países
industrializados. Hablando ante la FAO, en 1974, Pablo VI volvió a levantar su voz en
defensa de los pobres: «Es inadmisible que los que controlan las riquezas y los recursos
de la humanidad traten de resolver el problema del hambre prohibiendo que nazcan
pobres o dejando morir de hambre a niños cuyos padres no encajan en la estructura de
planes teóricos basados en puras hipótesis sobre el futuro de la humanidad. En otros
tiempos, en un pasado que esperamos haya terminado para siempre, las naciones solían
hacer la guerra para apoderarse de las riquezas de sus vecinos. Ahora bien, ¿no es una
nueva forma de hacer la guerra imponer a las naciones una política demográfica restric-

tiva para segurarse de que no reclamarán la parte que les corresponde de los productos de la tierra?»[19].

10. Demográfica y culturalmente, el mundo futuro será muy distinto del actual

¿Qué nos depararán los próximos 20 años? Es muy posible que todas las predicciones fallen y se vean superadas con exceso por los acontecimientos. El futuro, aunque esté tan cerca, tiene siempre mucho de imprevisible. Cabe, desde luego, la posibilidad de una hecatombe nuclear con cientos de millones de muertos. El mundo vive desde hace 35 años bajo el miedo a esta amenaza[20]. Pero probablemente, aunque esto ocurra, la población del mundo repondrá sus efectivos con una desconcertante rapidez.

Lo que parece más probable es que se produzca otro de los virajes radicales en la historia del mundo. De hecho, ya ha comenzado. Es muy verosímil que el siglo XXI sea el siglo de los hombres de color. La juventud de las poblaciones de los países subdesarrollados —más del 40 por 100 de sus efectivos con menos de 15 años— se enfrenta a un Occidente envejecido —hay países con menos del 25 por 100 de sus pobladores de menos de 15 años—. Frente al aluvión de sangre nueva de las 3/4 partes de la población del mundo, con índices de crecimiento anual superiores al 2 e incluso al 3 por 100 —lo que supone, en el primer caso, doblar la población cada 35 años—, Occidente —y puede incluirse a estos efectos en Occidente a los rusos europeos— presenta una población envejecida, de crecimiento muchas veces inferior al 0,4 por 100 anual, o estacionaria, e incluso disminuyendo. Una sencilla tabla que resume —según dos estimaciones— las proyecciones de población de la ONU, intermedias entre las dos consideradas extremas, nos permite cuantificar estas hipótesis

Desde luego se puede apostar, con seguridad de ganar, que las cifras reales no coincidirán con éstas, pero las líneas de tendencia parecen aceptables.

Que la población de las regiones desarrolladas pase de ser el 34,27 por 100 de la población mundial, en 1950, al 21,75 por 100 el año 2000; que Europa (sin la URSS) baje de ser el 15,67 por 100 del total mundial a ser tan sólo el 8,63 por 100; que la URSS descienda del 7,20 al 5,04, y Estados Unidos con Canadá pase del 6,64 al 4,73, mientras Asia Meridional sube del 27,71 al 36,25, África del 8,76 al 13,02 y Latinoamérica del

---

[19] Pablo VI, «Discurso pronunciado ante la Conferencia Mundial de la Alimentación», Roma, noviembre de 1974, en *Estudios de la FAO sobre los alimentos y la población,* Roma, 1976, págs. 229 a 238 (en la pág. 234).

[20] Sólo por vía de ejemplo, entre la abundante bibliografía sobre el tema, citaremos:

— Departamento de Asuntos Políticos y de Asuntos del Consejo de Seguridad, *Efectos de la posible utilización de las armas nucleares y consecuencias que para la seguridad y la economía de los Estados tienen la adquisición y ulterior desarrollo de esas armas.* Informe del Secretario General por el que transmite el estudio de su Grupo consultivo, Naciones Unidas, Nueva York, 1968, 85 págs.

— Departamento de Asuntos Políticos y de Asuntos del Consejo de Seguridad. (Centro de las Naciones Unidas para el Desarme), *Las consecuencias económicas y sociales de la carrera de armamentos y de los gastos militares.* Informe actualizado del Secretario General, Naciones Unidas, Nueva York, 1978, 101 págs.

6,56 al 9,91 por 100 tiene que ir forzosamente acompañado —en un plazo no muy largo— de un cambio del centro de gravedad del mundo, tanto en el terreno político y económico como cultural.

Los síntomas son tan evidentes, ya ahora, que por todas partes se alzan voces tomando posiciones ante la nueva situación que se avecina, ante el cambio que ya ha comenzado a producirse.

11. En Europa y Norteamérica ya hemos comenzado a preocuparnos del envejecimiento de nuestra población

La población de Occidente, víctima de su mismo permisivismo, envejece a simple vista. Se está configurando una sociedad sin niños, de viejos cautelosos y asustados ante el final irremediable. La Comunidad Económica Europea[21] estudia ya muy seriamente los costos del envejecimiento de su población, y ha establecido, sin lugar a dudas, que la escasa población activa de los países occidentales no podrá seguir sosteniendo los costos de la población dependiente; el asunto ha saltado a la publicidad de las Compañías de Seguros, una de ellas, francesa, se anuncia a doble página de las revistas: en una de las páginas hay nueve niños pequeños, en la otra hay sólo tres. El anuncio dice: «Bebés del 1949 ne comptez pas trop sur les bebés de 1979 pour payer votre retraite»; prepararos —es el consejo— una pensión vitalicia desde ahora.

De aquí a la eutanasia no hay más que un paso: si los viejos son costosos y no producen, ¿a qué mantenerlos? ¿No se mata a los niños? Ya lo ha entrevisto Peter HALL, en otro sentido, igualmente terrible e inadmisible de todo punto, en *Europa 2000,* al hablar de la posibilidad de que «se renueve el debate sobre el derecho *(sic)* de los viejos a la eutanasia voluntaria, debate que podría ser para la sociedad europea de los años 80 lo que fue el debate sobre el aborto para la de la década de los 60»[22].

Frente a estas atrocidades se alza la voz de muchas personas sanas y normales —de todas las ideologías— que no han perdido la estima y el cariño a sus semejantes. En la propia Francia, pionera de la planificación familiar, ya no se alarman sólo los intelectuales, sino el propio gobierno y los medios de opinión. No son sólo *Le Figaro* y la prensa conservadora; el propio número de septiembre de 1980 de *Le Monde de l'Education*

Conseil de l'Europe, *Séminaire sur les incidences d'une population stationnaire ou decroissante en Europe,* Lieja, Ordina, Ed., 1978, 349 págs. Este libro se ha publicado también en inglés con el título: *Population Decline in Europe. Implications of a Declining or Stationary Population,* Londres, Arnold, 1978, 254 págs.

Sin tenerlo aún a mi alcance recibo, al cerrar este ensayo, la referencia de otro libro, quizá también en esta línea: ESPENSHADE, T. J., SEROW, W. J. (editores), *The Economic Consequences of Slowing Population Growth,* 1978, 320 págs.

Reflejan la misma preocupación: CHAUNU, P., y SUFFERT, G., *La peste blanche, Comment éviter le suicide de l'Occident,* París, Gallimard, 1976, 265 págs.

[22] HALL, P. (editor), *Europe 2000,* pág. 70, Londres, Duckworth, 1978 (2.ª ed.), 274 págs.

En un diario de Madrid, en fecha 28 de enero de 1981, se incluye un artículo dando cuenta de la reunión en Oxford de 20 asociaciones, de 15 países diferentes, defensoras de la eutanasia voluntaria. El tono del artículo no sólo es claramente favorable a estas prácticas, sino que acaba defendiendo el «derecho» (?) al suicidio.

Ginza (Tokyo), la réplica japonesa de la Avenida de las Américas en Manhattan.
Fotos: Casas-Torres.

TABLA 3.2

Estimaciones de la población total de las principales regiones del mundo

Variante media según el Departamento de Asuntos Económicos y Sociales
de las Naciones Unidas

Zonas y regiones		1950	por 100	1960	por 100	1965	por 100	1970	por 100	
EL MUNDO	I	2.501	100	2.986	100			3.610	100	3
	II					3.289	100	3.632	100	
Regiones más	I	857	34,27	976	32,69			1.084	30,03	1
desarrolladas	II					1.037	31,53	1.090	30,01	
Regiones menos	I	1.644	65,73	2.010	67,31			2.526	69,97	2
desarrolladas	II					2.252	68,47	2.541	69,96	
África	I	219	8,76	273	9,14			352	9,75	
	II					303	9,21	344	9,47	
América Latina	I	164	6,56	216	7,23			283	7,84	
	II					246	7,48	283	7,79	
América del Norte	I	166	6,64	199	6,66			226	6,26	
	II					214	6,51	227	6,25	
Asia Oriental	I	558	23,31	654	21,90			772	21,39	
China	II					700	31,28	765	21,06	
Japón	I	81	3,36	94	3,15			104	2,88	
Otros países	I	33	1,32	39	1,31			51	1,41	
	II					54	1,64	61	1,68	
Asia Meridional	I	693	27,71	856	28,67			110	30,50	1
	II					981	29,83	1.126	31	
Europa	I	392	15,67	425	14,23			459	12,71	
	II					445	13,53	462	12,72	
Oceanía	I	13	0,52	16	0,54			19	0,53	
	II					17	9,52	19	0,52	
URSS	I	180	7,20	214	7,17			243	6,73	
	II					230	6,99	243	6,69	

	1980	por 100	1985	por 100	1990	por 100	1995	por 100	2000	por 100	
00	4.374	100	4.817	100	5.280	100	5.763	100	6.254	100	
	4.457	100			5.438	100			6.494	100	
3	1.181	27,—	1.231	25,56	1.277	24,19	1.320	22,90	1.360	21,75	R. más
	1.210	27,15			1.336	24,57			1453	22,37	desarrolladas
7	3.193	73,—	3.586	74,44	4.003	75,81	4.443	77,10	4.894	78,25	R. menos
	3.247	72,85			4.102	75,43			5.040	77,61	desarrolladas
1	461	10,54	532	11,04	614	11,63	708	12,29	814	13,02	África
	456	10,23			616	11,33			818	12,60	
7	372	8,50	426	8,84	486	9,20	551	9,56	620	9,91	América
	377	8,46			500	9,19			652	10,04	Latina
7	249	5,69	262	5,44	275	5,21	286	4,96	296	4,73	América
	260	5,83			299	5,50			333	5,13	del Norte
4	908	20,76	973	20,20	1.031	19,53	1.090	18,91	1.148	18,36	A Oriental
	901	20,22			1.042	19,16			1.176	18,11	China
0	118	2,70	122	2,53	126	2,39	130	2,26	133	2,12	Japón
1	63	1,44	69	1,43	76	1,44	83	1,44	89	1,42	Otros
	78	1,75			97	1,78			115	1,71	países
50	1.427	32,62	1.625	33,73	1.836	34,77	2.054	35,64	2.267	36,25	Asia
	1.486	33,34			1.912	35,16			2.354	36,25	Meridional
2	487	11,13	500	10,38	514	9,73	527	9,14	540	8,63	Europa
	497	11,15			533	9,80			568	8,24	
7	23	0,53	26	0,54	28	0,53	30	0,52	33	0,53	Oceanía
	24	0,54			30	0,55			35	0,54	
3	268	6,13	282	5,85	294	5,57	305	5,29	315	5,04	URSS
	271	6,08			302				329	5,07	

FUENTES:

I. Naciones Unidas: Perspectivas de la población mundial evaluadas en 1973. Nueva York, 1978.
II. Naciones Unidas: Factores determinantes y consecuencias de las tendencias demográficas. Volumen I, Nueva York, 1978; página 588.

Cifras en millones (las de la fuente II están redondeadas). Los porcentajes resultan, en algunos casos, ligeramente desajustados.

Bébés de 1949, ne comptez pas trop sur les

Vous connaissez le système : les actifs payent la retraite de ceux qui ont cessé de travailler. On comptait 5 actifs pour 1 retraité en 1968. Pas tout à fait 3 pour 1 en 1979. En 1992 il n'y aura plus que 1 actif pour 1 retraité...

Ne soyons pas alarmistes mais simplement lucides. La retraite, chacun y aspire désormais pour vivre intensément, et profiter au maximum de ses loisirs ; le maintien de son train de vie à ce moment-là est donc une préoccupation légitime.

Il est devenu nécessaire, à côté de votre retraite professionnelle de vous constituer vous-même une retraite supplémentaire que vous contrôlerez.

A cette demande très actuelle, l'UAP Vie répond par des contrats très actuels : la gamme complète Assur, et notamment le "dernier-né" Assur-Retraite.

Ils vous permettront de consolider votre retraite, ou de l'anticiper si vous le souhaitez.

Dans tous les cas, de vous assurer un train de vie confortable quand vous aurez cessé de travailler. Tout en bénéficiant, bien sûr, des avantages fiscaux attachés aux contrats Assur.

Assur retraite : défendez

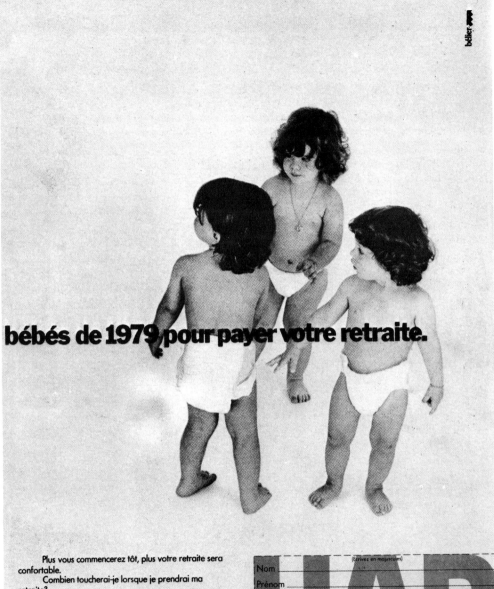

bébés de 1979 pour payer votre retraite.

Plus vous commencerez tôt, plus votre retraite sera confortable.

Combien toucherai-je lorsque je prendrai ma retraite?

Une des questions essentielles auxquelles répondront les conseillers de l'UAP Vie lors d'un bilan retraite, gracieusement, sans engagement de votre part.

Remplissez le bon ci-contre et renvoyez-le à : Service Information Assur-Retraite -Tour Assur - 5ᵉ F - Cedex 14 - 92083 Paris La Défense.

votre train de vie.

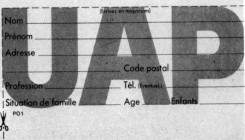

titulaba su portada: «La France sans enfants?»[23] y ante este giro francés, un escritor norteamericano, empecinado en su odio a la vida, apostillaba, entre extrañado y burlón: —«¡Los franceses quieren que aumente su población!»

Pero también en la propia Norteamérica un grupo de demógrafos judíos —Berelson, Goldstein, Goldscheider, Keely, van de Walle...— han visto el peligro de extinción de las gentes de su pueblo y dan la voz de alarma con un libro —publicado en 1978— de título muy significativo: *Crecimiento cero, ¿para quién?*[24]. Por supuesto, desde la primera página queda claro que el crecimiento cero no es para ellos.

Es evidente que éstos son argumentos importantes, pero el fundamental es que el concebido, desde el primer instante es un ser humano como nosotros y que sigue vigente el quinto mandamiento: no matarás. Es falso que no hay recursos para todos. La cruel y egoísta mentalidad de la envejecida sociedad industrial se pone de manifiesto en la inacabable y bizantina polémica sobre el problema de la adecuación de los recursos disponibles a la creciente población del planeta. De nuevo el problema es el de una injusta distribución de bienes, no el de una falta de ellos. Es verdad, y ahora ya tenemos conciencia de ello, que el agua utilizable es un bien escaso y mal distribuido, los combustibles fósiles son un recurso limitado y posiblemente de muy corta duración a escala del mundo, y tal vez puede decirse lo mismo de algunos metales, pero la humanidad se ha enfrentado ya varias veces con situaciones de escasez, de las que ha salido victoriosa gracias precisamente a la creciente presión de su población. Desde el más remoto paleolítico pueden citarse varias «revoluciones demográficas», de las que siempre han resultado un crecimiento considerable de la población y mejores condiciones de vida. Es cierto que la contaminación atmosférica de nuestras ciudades y la degradación del medio ambiente son peligros reales que hay que afrontar y corregir, como lo son, en nuestras sociedades industriales permisivas y agnósticas, el vandalismo, la corrupción, la droga y el terrorismo. Nadie puede negar su existencia, pero es distinto afrontar las dificultades de cada hora con la esperanza ilusionada de una población joven que quiere vivir y corregir la injusticia y la corrupción o con la entregada resignación de una población vieja y aterrada que ve peligros por todas partes y, falta de ilusión, piensa que el mundo se acaba cuando, en realidad, lo único que se acaba es la vida terrena de ella misma.

12. El mundo del siglo XXI será de los hombres de color

Frente a este 25 por 100 de la población del mundo que, sin embargo, aún tiene tanto que decir y hacer —si quiere— en favor del otro 75 por 100, se nos presenta este mundo del subdesarrollo lleno de problemas y contradicciones. Guardémonos de verlos como seres perfectos y felices; son hombres como nosotros, con pasiones, defectos y pecados como los nuestros, aunque sin duda tienen menos culpa, ya que sus condiciones son mucho peores que las nuestras: su misma juventud, el analfabetismo masivo, la falta de clases dirigentes, de tradición de autogobierno, de capitales, de infraestructuras..., la dependencia del extranjero, el deslumbramiento creado en ellos por la sociedad consumista

---

[23] *Le Monde de l'Education*, septiembre 80, núm. 64, págs. 8 a 29.
[24] HIMMELFARB, M., y BARAS, V. (editores), *Zero population growth -for whom? Differential Fertility and Minority Group Survival*, Westport (Connecticut), Greenwood Press, 1978, 215 págs.

y tecnológica, el choque entre sus tradiciones y la cultura urbana e industrial, la manipulación internacional, la corrupción administrativa... tantas y tantas lacras, bien patentes, dan a entender que tampoco será fácil la tarea que les espera, pero todo esto hace más apasionante aún la historia de los años que van a venir: una inmensidad de hombres de color —de muchos colores y lenguas—, configurando un mundo nuevo, recogiendo la antorcha que ha caído de manos de Europa, incorporando el cristianismo y nuestra herencia a sus culturas, llenando más que nunca la Tierra. ¡Cuántos problemas, otra vez, en este nuevo paso adelante de la humanidad! ¡Cuántas ilusiones y cuánto dolor! Pero también; ¡cuántas alegrías!, ¡cuántas vidas nuevas!

Puestos a soñar, podemos intuir que los blancos seremos tan sólo unos pocos en la heterogénea composición de la población terrestre. Tal vez, en un primer instante, sea el momento de los asiáticos; luego se sumarán a ellos, con un peso cada vez más creciente, los africanos y los latinoamericanos, tan mezclados ya.

¡Será un tiempo magnífico! ¡Apasionante! Como, a pesar de todo, lo es el nuestro.

Seguramente el resultado, sin que falten el dolor y la injusticia inherentes a todo lo humano, será muy positivo.

Como siempre hay que apostar por el hombre, con toda su irrenunciable dignidad de hijo de Dios, por el amor, abierto siempre a la vida, del hombre y la mujer, por los futuros niños, por todos los que en el mundo que se está configurando trabajan por la paz, la justicia y la convivencia entre los humanos, por todos los que saben ver un hermano, un hijo de Dios como ellos, en cualquier hombre. Y también por todos los que, sin saberlo, buscan a ciegas la verdad y sienten en su corazón ansias de justicia y el fuego del amor a los demás.

Lecturas ulteriores

HANKINSON (París, 1972).—STAMP (Barcelona, 1966).—JUAN XXIII (Enc. *Mater et Magistra*, 1961; Enc. *Pacem in terris,* 1963).—LEBRET (Madrid, 1962; París, 1963).—CLARK (Londres, 1977).—TREWARTHA (Nueva York, 1972, y Oxford, 1978).—CLARKE (Oxford, 1977, 1.ª edición 1971).—GINSBURG (Chicago, 1961).—ROLFE y otros (Oxford, 1975).—CONCILIO VATI-CANO II (Decl. *Dignitatis humanae,* const. past. *Gaudium et Spes).*—PABLO VI (Madrid, 1976); Roma, 1974, y Roma, 1976. Enc. *Eclessiam suam,* 1964. Discurso a la Asamblea General de las Naciones Unidas, 4-X-1965. Discurso a los campesinos colombianos, 23-VIII-1968.—SORIA (Madrid, 1976).—LÓPEZ NAVARRO (Madrid, 1967; Pamplona, 1978). CHENERY y otros (Madrid, 1976).—LÉONTIEF (París, 1977; Barcelona, 1980; Nueva York, 1980).—ZELINSKY (Barcelona, 1977, 1.ª ed. 1971).—SAUVY (Oxford, 1975).—JUAN PABLO II (Pamplona, 1980. Enc. *Redemptor hominis),* Madrid, 1978, 1.ª ed. 1969; Castelgandolfo, 1981. Enc. *Laborem exercens.*—ROSTOW (Londres, 1978).—SMITH (Londres, 1977; Penguin Books, 1979).—COA-TES, JOHSTON, KNOX (Oxford, 1977).—BANCO MUNDIAL (Informe sobre el Desarrollo Mun-dial, 1978; Informe Anual, 1978; Atlas: Population..., 1977; Informe Anual 1980.—FONDO MONETARIO INTERNACIONAL (Washington, 1980).—LONGONE (1975).—CARBAJO-ROJO (Barce-lona, 1980).—MAHLER (Barcelona, 1980).—JUAN PABLO II *(Situación y problemas del Conti-nente africano,* Nairobi, 6-V-1979).—OMINDE-EJIOGU (Londres-Nairobi, 1974).—BEKELE (Ro-ma, 1976).—PEYREFITTE (Barcelona, 1974).—GENTELLE (Barcelona, 1977).—DWYER (Londres, 1974).—MIRALBÉS, HIGUERAS, CASAS (Madrid, 1968).—JAMESON (Washington, 1981-82).—JI-MÉNEZ VARGAS-LÓPEZ GARCÍA (Pamplona, 1979).—SCHUMACHER (Madrid, 1978).—McNA-MARA (Madrid, 1973).—MYRDAL (París, 1978).—WARD (Toronto, 1961).—VON DER MEHDEN (Madrid, 1970).—KAMARCK (Madrid, 1978).—LUCHAIRE (París, 1967).—MOUNTJOY (Londres, 1978 y 1979).—MYRDAL (Pelikan Books, 1977; México, 1979).—BAVER-YAMEY (Cambridge, 1963).—BAIROCH (Madrid, 1973).—ANELL y NYGREN (Londres, 1980).—CARFATAN, CONDA-MINES (París, 1980).—DALTON (Madrid, 1979).

CLUB DE ROMA (París, 1973).—BERRY, A. (Madrid, 1977).—MEZDOWS, RANDERS, BEHRENS III (México, 1972).—OLTMANS (México, 1975).—MESAROVIC-PESTEL (México, 1975).—COLE, FREEMAN, JAHODA (Londres, 1974).—TINBERGEN (París, 1978).—KING (Madrid, 1978).—PEC-CEI (Madrid, 1977).—DAMMAN (Oxford, 1979).—GUILLAND (Tunbridge Wells, 1979).—THOM-LINSON (Encino, 1975).—COLOMBO-GABOR (París).—HALL (Londres, 1978).—CONSEJO DE EUROPA (Lieja, 1978; Londres, 1978).—HICKS (1980).—BANCO MUNDIAL (1980).—BIRDSALL. DAUS.—DJUKANOVIC.—UL HAQ.—HARRISON, P. (1980).—HÜBNER.—COLEGIO MAYOR MON-TEROLS.—OXFORD GEOGRAPHY PROJECT.—RIDKER.—CECEISKI.

Calidad de vida: MASIFER (Madrid, 1977).—DREWNOWSKI (La Haya, 1974).—CARRETERO ALBA-LLEÓ DE LA VIÑA (Madrid, 1981).—CEOTMA... (Madrid, 1981).

IV

EL CRECIMIENTO DE LA POBLACIÓN MUNDIAL

4.1. Los hechos.
4.2. Enfoque trascendente y evolucionismo.—Las «revoluciones» del Paleolítico.
4.3. Del siglo I a nuestros días.
4.4. La teoría de la transición demográfica.

4.1

EL CRECIMIENTO DE LA POBLACIÓN MUNDIAL
Los hechos

Introducción

1. Visión de conjunto a través de algunos autores.
   1.1. McKeown.
   1.2. J. I. Clarke.
2. Cifras estimadas de la población mundial desde hace un millón de años.
3. Curva aritmética. Crecimiento exponencial. Curva logarítmica y curva logística del crecimiento de la población.
4. Diferencias regionales y por países en el crecimiento de la población.

Lecturas ulteriores

Apéndices

4.1. PNB por persona, en dólares USA. Tasa de crecimiento anual en $^0/_{00}$. Fertilidad en $^0/_{00}$. Población menor de 15 años. Población entre 15 y 64 años. Mortalidad infantil en $^0/_{00}$. Esperanza de vida al nacer: hombres, mujeres. De 158 países.

4.2. Tasa de crecimiento anual (promedio 1970-1975).

Introducción

Uno de los fenómenos sociales más importantes de nuestro tiempo es la intensidad y rapidez con que desde hace tres siglos crece la población de la Tierra. Como muchos autores han hecho observar, el crecimiento demográfico en los últimos trescientos años es una característica totalmente nueva —¡singularísima!— de la historia del mundo.

Este capítulo y los siguientes pretenden ser una puesta al día (aunque muy sumaria) de los hechos, las causas, las consecuencias y los problemas que este formidable crecimiento suscita. Pero antes de entrar en la presentación de los *hechos,* conviene recordar:

1.   El crecimiento, o decrecimiento, de la población de una región, comarca, país o lugar, es siempre resultado del crecimiento (o decrecimiento) natural de su población (natalidad menos mortalidad) incrementado (o disminuido) por el saldo migratorio (inmigración menos emigración). Obviamente, a escala del mundo los movimientos migratorios no se reflejan (ya que, al menos por ahora, los astronautas que emigran temporalmente de nuestro planeta son tan pocos que no tienen significación estadística).

2.   Sólo desde 1740 comienza a disponerse de censos de población en algunos países (Suecia), pero en realidad sólo desde 1900 los confeccionan la totalidad de los países adelantados, y todavía hoy, a pesar de los esfuerzos de la Organización de las Naciones Unidas, hay una serie de Estados que no tienen medios para efectuarlos con regularidad y garantías de verosimilitud.

Esto, evidentemente, significa que los datos que se manejan correspondientes a epocas anteriores al siglo XIX son, en su inmensa mayoría, estimaciones, tanto menos ajustadas cuanto más lejano es el período de tiempo al que se refieren. Es sabido también que no todos los censos, pasados y actuales, de los distintos países que los poseen se han confeccionado con el mismo criterio, ni en las mismas fechas, ni tampoco con idéntica seriedad, todo lo cual quita precisión a las cifras de conjunto que se obtienen con sus resultados.

En cuanto a las proyecciones y previsiones de la población futura es casi un axioma que son todas aventuradas y muy propensas a graves equivocaciones (Peter R. COX).

3.   Los estadísticos y los demógrafos han calculado diversos modos de medir el incremento de una población, algunos de los cuales se mencionan en este libro en su lugar correspondiente. Aquí baste sólo recordar la fórmula utilizada por la División de Población de las Naciones Unidas, para calcular la *tasa de crecimiento anual.* La tasa se suele expresar como un porcentaje de la población total, y el crecimiento, evidentemente, puede ser positivo o negativo, aunque en la mayoría de los países es positivo.

La fórmula es:

$$r = \left(\sqrt[t]{\frac{P_1}{P_0}} - 1 \right) \cdot 100$$

Siendo P_0 la población total al comienzo del período considerado, P_1 la población total al final del mismo período y t el número de años del período en cuestión.

Esta *tasa de crecimiento anual* es muy importante para comparar unos países con otros, y haremos de ella un uso muy frecuente; pero cuando se quiere afinar en el análisis del crecimiento de una población, y en su comparación con otras, debe hacerse uso, además, de otras fórmulas que tomen en cuenta la estructura por edades de las poblaciones a comparar y, sobre todo, la distribución relativa de las mujeres en edad fecunda, y las *tasas brutas* o *netas de reproducción*[1].

El cálculo de estas *tasas brutas y netas de reproducción* exige disponer de una información muy pormenorizada que no siempre está al alcance del público y por eso calcular estas tasas suele ser tarea casi exclusiva de los Institutos Estadísticos Nacionales o de los grandes centros de investigación; en cambio, el empleo de la fórmula que calcula la *tasa de crecimiento anual* es muy fácil con ayuda de una pequeña calculadora electrónica de bolsillo, y los datos de base son muy asequibles normalmente.

El orden que se va a seguir en la exposición de esta parte nos llevará a considerar: *los hechos, a escala mundial y a escala regional*.

Es indudable que esta singular coyuntura histórica lleva consigo una serie de problemas actuales de los que nadie puede eludirse y apunta con claridad a un futuro muy distinto de este tiempo nuestro. Los problemas no son sólo políticos y económicos, sino humanos y éticos. Lo que está en juego no es sólo el bienestar del hombre, sino también su propia afirmación como persona, su plena realización como individuo libre, responsable, solidario de sus hermanos los demás hombres, sea cual fuere su condición y color.

1. Visión de conjunto a través de algunos autores

Cuando se manejan cifras de población hay que guardarse siempre de considerarlas exactas y, sobre todo, hay que tener muy en cuenta que corresponden, más o menos, a una fecha concreta (día censal, si de un censo se trata, año de una estimación...), transcurrida la cual la realidad que las cifras pretenden resumir (el número de hombres y mujeres dentro del área considerada) se modifica constantemente día a día, en el dramático y eterno juego de muertes, nacimientos, salidas y llegadas de gentes. Es cierto que en el lenguaje de los demógrafos se consideran las condiciones de una «población estable», pero ello no está reñido con que veamos a la población en un constante fluir, y a una

---

[1] «*La tasa bruta de reproducción*, de KUCZYNSKI es la suma de todas las tasas de natalidad, en cada edad, de las mujeres (obviamente de la población que se estudia) comprendidas entre los 15 y los 49 años, dividida por 1.000 (es decir, hasta aquí es la *tasa total de fertilidad*) y multiplicada por la proporción de nacimientos femeninos. En otras palabras, esta tasa expresa cuántas niñas nacerán de una niña recién nacida durante el curso de su vida *suponiendo* que viva 50 años y *suponiendo también* que no se produzca ningún cambio en la fertilidad femenina de la población que se considera. Cuando la tasa bruta de reproducción es igual a uno, se sustituirá una generación por otra; cuando la tasa es inferior a uno la sustitución será imposible...»

«*La tasa neta de reproducción* toma en cuenta la mortalidad (lo que no hace la tasa bruta). El cálculo es el mismo que antes, excepto que la tasa de natalidad en cada edad se multiplica por la correspondiente tasa de supervivencia» (John I. CLARKE, pág. 147).

Por supuesto, como el propio J. I. CLARKE recuerda, a pesar de todos los medios empleados para mejorar su expresividad las tasas de reproducción sólo reflejan las tendencias actuales, pero no las características futuras.

cifra concreta de población le demos la misma fugacidad y valor de una instantánea fotográfica. En la fotografía la imagen quedó inmovilizada; en la realidad, el movimiento, la vida, no se interrumpió en ningún instante.

Y esto es particularmente cierto en la consideración del crecimiento de la población a escala del mundo, pues el número de los hombres, aunque con altibajos, no ha cesado de crecer y en los últimos tres siglos lo hace de un modo acelerado.

1.1. *McKeown*

Muchos autores han puesto de relieve estos hechos. Un buen resumen es el de MC-KEOWN (pág. 205): «A pesar de que todas las estimaciones de la población mundial están sujetas a un considerable error, los hechos básicos no ofrecen duda. Durante la mayor parte del tiempo que el hombre ha vivido en la Tierra, ha sido nómada, dependiendo para su alimentación de la caza, la pesca y la recolección de vegetales. Bajo tales condiciones la Tierra daba cobijo a una densidad de población muy escasa y se ha estimado que al iniciarse el cultivo de plantas y la domesticación de animales, hace aproximadamente 10.000 años, la población del mundo era inferior, probablemente muy inferior, a los diez millones de habitantes. Hacia el año 1750, cuando el crecimiento moderno acababa de empezar, se había elevado a 750 millones, pasó a 1.000 millones en 1830, a 2.000 en 1920, 3.000 en 1960 y 4.000 en 1975. Es decir, la población humana tardó centenares de miles de años en llegar a los primeros mil millones, cien años para alcanzar los dos mil, treinta para los tres mil y quince para los cuatro mil».

1.2.   *J. I. Clarke*

En este multisecular crecimiento del número de hombres sobre la Tierra, el crecimiento reciente (tres siglos a la escala de la humanidad es muy poco) se distingue claramente de todas las fases anteriores, por tres circunstancias: sus dimensiones absolutas, su continuidad y su duración.

SAUVY (Madrid, 1961) ha sabido decirlo con el desenfado que le caracteriza: «...en el mundo el hecho nuevo no es ni la superpoblación, concepto por lo demás impreciso, ni la miseria, noción en parte subjetiva, ni el hambre o más bien la subalimentación, dato que puede prestarse a medida científica...; existe un hecho fundamental y completamente nuevo (la población): la cantidad de seres humanos ha llegado casi bruscamente a un período de crecimiento rápido».

J. I. CLARKE (1972), resumiendo a muchos autores, ha puesto de relieve otros aspectos sobre los que trataremos más adelante: «La actual población del mundo, 3.600 millones de personas —Clarke escribía en 1970—, es tan sólo una pequeña proporción (alrededor del 4 por 100) de los 77.000 millones (de seres humanos) que se estima han vivido sobre la Tierra durante los últimos 600.000 años. La espectacular aceleración del crecimiento de la población data tan sólo de mediados del siglo XVII. Aunque los datos no son comparables, parece que la tasa anual del aumento se duplicó entre 1650 y 1850, volvió a doblarse hacia 1920 y desde entonces se ha duplicado de nuevo. Hacia 1970 era del 2 por 100 anual. Durante este siglo la población total del mundo se ha multiplicado por más de dos, y durante la década de los 50 solamente aumentó en un quinto del total, es decir, cerca de 500 millones, más o menos la población total estimada para la mitad del siglo XVII».

«Ahora, el incremento anual excede los 70 millones de personas. Si la tasa de aumento persistiera a su nivel actual, dentro de un siglo la población del mundo se habría multiplicado por seis, pero si hubiera una continua progresión de la tasa de aumento anual podría haber varios miles de millones de personas más. Las proyecciones de los demógrafos de las Naciones Unidas han sido más bien moderadas, pero aun así parece que el año 2000 podrá haber entre 5.000 y 7.000 millones de personas.»

La edición de la obra de CLARKE, de donde procede la cita, es de 1972 (aunque la primera edición es de 1965). En 1976 la población del mundo eran 4.044 millones de personas, y la tasa de crecimiento anual del período 1975-76 de 1,9 por 100. Con estas cifras el crecimiento de la población del mundo, en 1977, habrá sido de 76.760.000 personas, es decir, casi tanto como las poblaciones de las dos Alemanias juntas (Democrática, 16,79 millones; Federal, 61,50 millones). Más adelante se hablará de cifras y curvas de crecimiento exponencial, pero aun sin ellas, con sólo admitir un crecimiento constante de estas dimensiones, en veinte años el mundo vería incrementada su población en 1.535,2 millones de personas, es decir, en 1996 estaría ocupado por 5.575,2 millones de habitantes, y aún más si tenemos en cuenta el crecimiento exponencial.

De la lectura de la literatura científica y política sobre los problemas actuales de la población del mundo se deduce que casi todos los autores dan por hecho que la población seguirá creciendo, aunque casi todos también ponen por delante la condición: «con tal de que las tasas se mantengan en sus valores actuales». Pero la verdad es que sólo Dios sabe si se mantendrán o no en sus «valores actuales» durante los próximos veinte años. También la historia actual está sufriendo «aceleraciones» de una intensidad desconocida hasta ahora.

2. Cifras estimadas de la población mundial desde hace un millón de años

No se pretende, ni bajo este epígrafe ni en todo el tema, hacer un resumen de la historia de la población mundial; lo que se trata es de recoger algunas cifras que sirvan para jalonar su evolución y, sobre todo, poner de relieve la absoluta y la formidable originalidad de su presente ritmo de crecimiento.

Tampoco es el momento, aunque el tema siga siendo apasionante, de plantearnos la cuestión de la fecha de aparición de nuestros primeros padres sobre la Tierra. No entraremos aquí a discutir las cronologías de los autores manejados, ni sus cifras; nos limitaremos, simplemente, a atribuirlas a quienes las dan. Es obvio, por otra parte, que hasta 1750-1800 las cifras aventuradas no pasan de meras conjeturas, cuanto más lejanas en el tiempo más problemáticas, aunque sean muy de admirar las dosis de talento y paciencia derrochadas para deducirlas de sus investigaciones por prehistoriadores, arqueólogos y antropólogos.

En realidad, los autores que he manejado preferentemente para esta parte (DURAND, J. D., DEEVEY, Jr., Ed. S.; COALE; BERRY, B. J. y el propio Colin CLARK) difieren poco en sus cifras; se diría, como escribe uno de ellos, que se copian unos a otros, aunque lo que ocurre es que, con excepción de Colin CLARK, los demás se apoyan en los datos de DEEVEY.

Estos datos, y los que aportan COALE y los demás, permiten dividir el crecimiento de la población mundial en varias grandes etapas, dentro de las cuales, por supuesto, caben infinitas subdivisiones, si se dispone de información, y paciencia, para establecerlas.

Si se quiere subrayar la originalidad de la situación actual, ocasionada por la *tasa de crecimiento anual* más alta que se ha conocido nunca en la historia (¡y prehistoria!), el crecimiento de la población del mundo se puede dividir en dos épocas: la segunda va desde 1650, y mejor aún (al menos en mi opinión) desde 1750 hasta nuestros días; la primera desde Adán y Eva hasta el comienzo de la revolución científica e industrial (1650-1750).

Si se quiere subrayar la trascendencia demográfica del paso del estadio cultural cazador y recolector de los paleolíticos a la sociedad de aldeas, de cultivadores y ganaderos, con pequeñas ciudades, hay que dividir esta historia en tres étapas: la primera, que se apoya en lo que DEEVEY ha llamado «la revolución de hacer y usar herramientas manuales», termina con el paso del Paleolítico al Neolítico (un paso tan largo en el tiempo y con tan diferentes cronologías de unos lugares a otros como nuestros colegas prehistoriadores consideran conveniente establecer); la segunda, que arranca del nacimiento de la agricultura y el paso de nómadas a sedentarios, va desde ese momento hasta 1650-1750 (y en este apartado es, evidentemente, del mayor interés la época clásica, greco-romana), y la tercera y, como se ha dicho singularísima, va desde 1750 a hoy. Como ocurre con los períodos geológicos, las etapas establecidas son cronológicamente más cortas (y mejor conocidas) cuanto más próximas a nosotros se encuentran en el tiempo.

Evidentemente esta evolución interesa no sólo en sí misma, sino todavía más por sus causas y aún más, si cabe, por sus consecuencias futuras. Pero antes de enfrentarnos con estas dos últimas cuestiones es necesario recordar los hechos tal y como creemos que han acaecido.

DEEVEY, Jr., y COALE, en sendos artículos, nos presentan dos series de cifras que se complementan.

DEEVEY se fija en las densidades de población y en la población total (tabla 4.1.1.). COALE, que en parte se refiere a otras fechas, no olvida las cifras correspondientes a la población total, pero se centra también en las tasas de crecimiento anual que resultan ilustrativas, aunque su fiabilidad sea muy dudosa.

La atenta lectura de la tabla 4.1.1 puede dar al lector una óptica nueva al enfocar la historia del mundo. Una densidad de 0,04 hab/Km², aunque sea meramente hipotética, supone 4 hab/100 Km² y tan sólo 5.433.200 para la totalidad del mundo emergido (135.830.000 Km²), más o menos la cifra que da DEEVEY para el Mesolítico (6000 a. C.). (El que dé la misma densidad y sólo 3,34 millones de habitantes en el Paleolítico superior se explica porque en esa época no considera pobladas ni América, ni Australia, y prescinde de su superficie para sus cálculos.)

No hay duda de que la realidad de la distribución espacial de los hombres estaría muy lejos de ser homogénea y las hordas se concentrarían en sus terrenos de caza dejando inmensos espacios vacíos, pero admitiendo estas cifras, ello supondría para España (hace 10.000 años) una población de 20.190 habitantes, y si descontamos la superficie de los archipiélagos españoles de tan sólo 19.700.

En esta línea, J. D. DURAND (que también utiliza las cifras de DEEVEY) recoge las ideas del prehistoriador francés NOUGIER quien, apoyándose en hallazgos arqueológicos en distintas partes de Francia, concluye que su población antes de «la revolución neolítica» nunca rebasó los 20.000 habitantes.

TABLA 4.1.1

Población estimada del mundo, entre un millón de años antes del comienzo de la Era Cristiana y el año 2000

(Las cifras correspondientes a 1960-70 y 1976 se han añadido para completarla.)

Años antes de 1960	Estadio cultural	Hab/Km² estimados	Población total (En millones de hab.)
1.000.000	Paleolítico inferior (cazadores-recolectores)	0,00425	0,125
300.000	Paleolítico medio (cazadores-recolectores)	0,012	1
25.000	Paleolítico superior (cazadores-recolectores)	0,04	3,34
10.000	Mesolítico (cazadores-recolectores)	0,04	5,32
6.000	Aldeas agrícolas y primeras ciudades	1	86,5
2.000	Aldeas rurales y ciudades-mercado	1	133
310 (AD 1650)	Agrario e industrial	3,7	545
210 (AD 1750)	Agrario e industrial	4,9	728
160 (AD 1800)	Agrario e industrial	6,2	906
60 (AD 1900)	Agrario e industrial	11	1.610
10 (AD 1950)	Agrario e industrial	16,4	2.400
1960	Agrario e industrial	21,98	2.986
1970	Agrario e industrial	26,58	3.610
1976	Agrario e industrial	30	4.044
[2000]		[46]	[6.270]

FUENTE: E. S. DEEVEY, Jr., «The Human Population», en *Scientific American,* «Man and the Ecosphere» (el artículo es de 1960).

DURAND subraya también, como tantos otros autores, que el desarrollo de la agricultura, aunque fuera en sus formas más elementales, aumentó enormemente la «capacidad de soporte de población» de la Tierra, y a la larga (pues a esto opone COALE algunas hipótesis sobre un temporal aumento de las tasas de mortalidad) hizo posible una considerable mejora en las condiciones de vida.

Dentro de este período, en opinión de DURAND, que confirman las cifras de DEEVEY, debió permitir un nuevo impulso al crecimiento de la población el nacimiento de una economía de mercado y la estructuración de una sociedad apoyada en ciudades comerciales.

Esta evolución quizá se hace aún más patente en la forma que tiene COALE de presentar los hechos. Para este autor, en el paso del Paleolítico al Neolítico (8.000 años a. C.) poblaban la tierra 8 millones de seres humanos. (Obsérvese que no hay contradicción con DEEVEY, las cifras de COALE corresponden a una fecha intermedia entre los correspondientes a las de los 10.000 y 6.000 años de DEEVEY.)

Esta población de 8 millones de seres humanos en el año 8000 a. C. significa que la tasa de crecimiento anual en los primeros 990.000 años de la historia de la población mundial era, según COALE, pequeñísima: 15 por cada millón.

El año 1 de la Era Cristiana constituían la población del mundo, según este autor, 300 millones de personas. Este incremento, a partir de la cifra del año 8000 a. C., representa una tasa anual de 360 por millón o, expresado en tantos por 1.000, de 0,36.

El uso de las tasas de crecimiento anual le sirve, pues, a COALE para poner de manifiesto la progresiva aceleración del crecimiento de la población del mundo. Según sus cálculos, del año primero de Nuestra Era al año 1750, la población se incrementa en unos 500 millones de personas (él admite, en 1750, 800 millones, en lugar de 728 como DEEVEY). En ese largo período la tasa anual de crecimiento fue de 0,56 por 1.000.

Pero de 1750 a 1800, la población del mundo, según este autor, llega a sus primeros mil millones (DEEVEY da sólo 906). Es decir, en estos cincuenta años últimos del siglo XVIII la tasa anual de crecimiento de la población del mundo fue de 4,4 por 1.000. Dicho de otro modo: pasó de 0,56 a 4,4 por 1.000 (aunque es obvio que si hubiera tomado en consideración un período anterior más corto la diferencia entre las tasas de crecimiento hubiera sido menor y el salto no parecería tan brusco.)

Con los datos de COALE, la diferencia de población entre 1800 (1.000 millones de hab) y 1850 (1.300 millones) corresponde a una tasa de crecimiento anual de 5,28 por 1.000, que se elevó a 5,4 por 1.000 en el período entre 1850 y 1900 (1.700 millones de hab), y a 7,9 por 1.000 entre 1900 y 1950 (2.500 millones, según la ONU).

La información de COALE termina subrayando que entre 1950 y 1974 la tasa de crecimiento anual se ha más que duplicado y fue de 17,1 por 1.000, habiendo conducido a una población en esa fecha de 3.900 millones de habitantes.

Los últimos datos de Naciones Unidas de que dispongo permiten agregar que en 1977, con una población de 4.124 millones de habitantes, la tasa media de crecimiento anual para el período 1965-1977 fue de 19 por 1.000.

El texto de COALE, que hemos extractado, termina, en esta parte, recogiendo el valor medio de varias proyecciones de la población para el año 2000, realizadas por los estadísticos de Naciones Unidas en 1973, los cuales, «sospechosamente», calculan una tasa de crecimiento en lo que queda de siglo de 19 por 1.000, lo que nos llevaría a una población total de 6.400 millones de seres humanos en los albores del siglo XXI.

3. Curva aritmética, crecimiento exponencial, curva logarítmica y curva logística del crecimiento de la población

La figura 4.1.1 nos presenta una curva aritmética del crecimiento de la población mundial desde hace medio millón de años. Está tomada de J. I. CLARKE que, a su vez, reproduce un original de DESMOND. El dibujo es tan pequeño que no tiene, ni pretende tener, más que un valor esquemático, pero aun así es enormemente expresivo. B. J. L. BERRY, que también lo reproduce con ligeras modificaciones (datación del comienzo del Neolítico en el 8000 a. C., extensión a 600.000 años de la aparición del hombre e, hipotéticamente, a 1.600.000), hace notar (como salta a la vista) que el rasgo principal de la curva es su persistente tendencia a elevarse, aun cuando muy lentamente e incluso con períodos de baja, hasta los últimos trescientos años en que, como ya sabemos, la aceleración del crecimiento de la población se ha hecho con tasas anuales de crecimiento cada vez mayores y, por

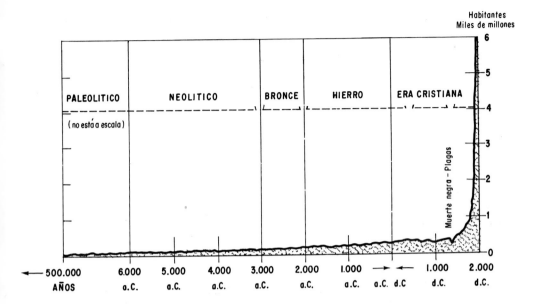

Fig. 4.1.1.—*Crecimiento de la población mundial.* (Según J. I. Clarke, que, a su vez, lo toma de Desmond, A.)

consiguiente, a un ritmo cada vez más rápido, que se manifiesta en que el tiempo invertido para duplicar la población mundial ha sido cada vez más corto.

BERRY, de acuerdo con los datos que acepta, afirma que entre el año 8000 a. C. y el de 1650 d. C. doblar la población del mundo requería 1.500 años. En cambio, entre 1650 y 1850 sólo se tardó 200 años en pasar de 500 millones de habitantes a 1.000 millones y entre los años de 1850 a 1930, es decir, en 80 años, se pasó de 1.000 a 2.000 millones de habitantes.

BERRY debió escribir estos comentarios hacia 1972, aunque su libro se publicó en 1976, por eso con relación a 1975 y el futuro da solamente estimaciones, aunque se aproxima mucho a la realidad. Se piensa, dice, que la población del mundo se habrá vuelto a doblar en 1975, es decir, en sólo 45 años (de hecho, la cifra «oficial» de la ONU para ese año dio 3.967 millones), y «es probable que sólo se necesiten 35 años para que se duplique de nuevo».

De acuerdo con esto, la curva de la población sería exponencial, pero el propio BERRY nos pone en guardia frente a lo que podría ser una conclusión precipitada.

No faltan, no obstante, otros autores que aceptan el carácter exponencial de la curva de crecimiento de población, como por ejemplo P. HAGGET y S. GOODENOUGH, que siguen a BOUGHEY[2].

Los modelos exponenciales de crecimiento de la población, escribe HAGGET, describen una situación simplificada en la cual el crecimiento (o decrecimiento) no tiene freno

---

[2] *Ecology of Populations* (MacMillan, Nueva York 1968), citado por HAGGET, *Geography: A modern synthesis.*

y la tasa de crecimiento es constante. En estas condiciones la población necesita progresivamente cada vez menos tiempo para duplicarse.

La fórmula de BOUGHEY, simplificada por HAGGET, es:

$$N_t = N_0 e^{rt}$$

Siendo N_t la población al final del período considerado.

N_0 = la población al comienzo del mismo período.

e = la constante base del logaritmo neperiano o natural, es decir, 2,71828.

r = la tasa anual de crecimiento expresada en tantos por 100. (Es importante no olvidar que 1 por 100 se introduce en la fórmula como 0,01; 2 por 100 como 0,02 y así sucesivamente.)

t = el número de años del período considerado.

Naturalmente, el modelo de crecimiento exponencial no sólo permite, conociendo la tasa de crecimiento anual, calcular en cuánto tiempo se duplicará una población, sino también cuál será la población N_t, si nada cambia la tasa de crecimiento anual, al cabo de un cierto número de años. Esto tiene interés para atisbar las diferencias de población futuras entre diversos países, o regiones, pero sobre todo los modelos exponenciales de crecimiento permiten ver la gran importancia a medio plazo de los aparentemente pequeños cambios en la tasa de crecimiento anual.

Un dato muy conocido es el tiempo requerido según la tasa de su crecimiento para que se duplique una población. Los valores son éstos:

Porcentaje de incremento anual	Años necesarios para que se duplique la población inicial
1 (r = 0,01)	70
2 (r = 0,02)	35
3 (r = 0,03)	24
4 (r = 0,04)	17

Cuando se aplica la fórmula de BOUGHEY (lo que con una calculadora de bolsillo es cuestión de pocos segundos) resultan siempre cifras ligeramente diferentes de las que corresponden exactamente al doble de la población de partida, pero realmente es mejor omitir estas pequeñísimas diferencias y atenerse a los datos de la tabla.

Hay otro modo muy sencillo de calcular en cuántos años se doblará una población, que menciona A. J. COALE. Consiste en dividir la cifra 693 por la tasa anual de incremento expresada en tantos por 1.000. El cociente indica el número de años que tardará la población en duplicarse.

Podemos ahora (para terminar este comentario) comparar la cifra de población del mundo en 1996, calculada por simple adición de las cantidades correspondientes a la tasa de crecimiento anual, 1,9 por 100, en 1976, de 4.044 millones de personas, con la cifra que se obtiene según la fórmula $N_t = N_0 e^{rt}$. El primer cálculo, al que se hace referencia en la pág. 222, era intencionadamente muy tosco, pues sólo pretendía dar a entender que, aun a pesar de ello, el crecimiento, si nada cambiaba, daría lugar en 1996 a una población de 5.572 millones de habitantes.

Aplicando la fórmula de BOUGHEY ahora al caso concreto de la población del mundo en 1966, los datos de partida serían los siguientes:

N_0 = 4.044.000.000 (población en 1976).
e = 2,71828.
r = 1,9 por 100 = 0,019 (tasa de crecimiento anual).
t = 20 (años entre 1976 y 1996).

De donde N_t = 4.044.000.000 · $2,71828^{0,019 \cdot 20}$.
Los pasos con la calculadora son:

1. 0,019 · 20 = 0,380.
2. $2,71828^{0,380}$ = 1,46228.
3. 4.044.000.000 · 1,46228 = 5.913.477.370

habitantes en 1996, en lugar de los 5.572 millones obtenidos por simple adición.

La figura 4.1.2, que tomo de DEEVEY, Jr., aunque modificada ligeramente, muestra la curva de población; con arreglo a este crecimiento exponencial entre el año 10000 antes de Cristo S. N. y 1960 d. C., es decir, viene a ser una representación más abstracta que la figura 4.1.1, del mismo carácter, pero como he anticipado que decía BERRY y confirma la figura 4.1.3, hay razones para creer que la curva del crecimiento de la población del mundo no es tan sencilla.

En efecto, empleando una escala logarítmica se ponen de manifiesto una serie de aspectos no reflejados en la escala aritmética. Empleando un símil de geografía física podemos decir que ahora la curva de población presenta tres rupturas de pendiente, que corresponden a otras tantas mejoras técnicas que incrementan la capacidad de la economía mundial para sostener una población cada vez mayor. Las mejoras técnicas que han desencadenado estos incrementos de población se resumen para DEEVEY y BERRY en tres «revoluciones», que el primero llama: revolución cultural (de la construcción de herramientas toscas), revolución agrícola y revolución científico-industrial.

No es necesario recordar al lector que cada una de estas etapas está formada por una riquísima gama de procesos y cambios técnicos y sociales, cuya consideración no es de este momento.

En relación con la última etapa (al menos la última de momento) otra razón en contra del crecimiento exponencial de la población es la evidencia de que este crecimiento no puede mantenerse sobre el planeta Tierra de un modo indefinido, lo que no quiere decir que esté justificado pretender interrumpirlo por métodos tan criminales y antihumanos como el aborto, o tan contrarios a la naturaleza y la dignidad de la persona humana como la mayoría de los métodos de control de la natalidad en uso.

Esta evidencia lleva a BERRY, y a otros autores, a pensar que la fase actual de crecimiento de la población queda mejor descrita que con una curva exponencial ordinaria con una curva logística, en la cual llega un momento en que eventualmente el crecimiento se detiene y quizá incluso se hace negativo.

La preocupación por qué tipo de curva, exponencial o logística, expresa mejor el crecimiento de la población humana, está muy lejos de ser una cuestión bizantina, o un tema reducido al ámbito académico. De MALTHUS al CLUB DE ROMA la convicción de que hay un techo para ese crecimiento ha estado presente, y detrás de esa convicción han ido perfilando los científicos y los gobiernos las teorías y políticas demográficas que su

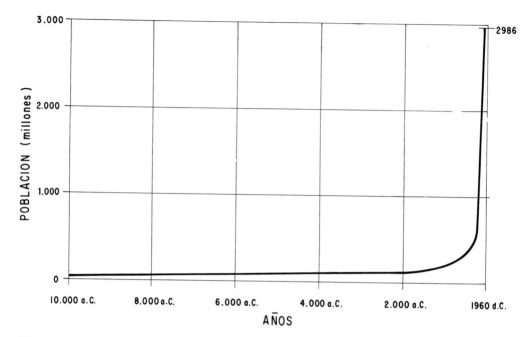

Fig. 4.1.2.—*Crecimiento de la población del mundo entre los años 10000 a.C. y 1960 d.C.*
(Según Deevey Jr.)

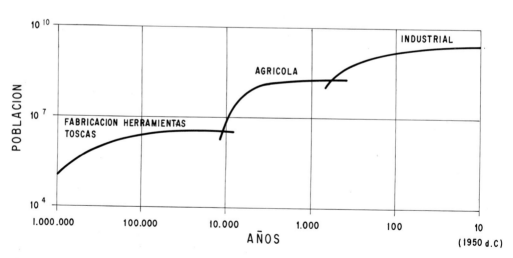

Fig. 4.1.3.—*Etapas del crecimiento de la población mundial, expresadas con una escala logarítmica.* (Según Deevey Jr.)

formación doctrinal y su conocimiento de la realidad les presentan como más aconsejables. Las doctrinas demográficas no son, lógicamente, un producto *in vitro* de la mente de los científicos, sino la proyección al tema de la población humana (en definitiva, a la esencia del hombre) de los criterios de ideologías materialistas o de la ética natural, o de la ética cristiana.

Estos aspectos trascendentales requieren un tratamiento extenso y los veremos en otro volumen de este curso. Ahora voy a resumir, apoyándome fundamentalmente en BERRY, los términos de la cuestión.

BERRY parte de la división que hace BOULDING de cualquier sistema de crecimiento absoluto en dos categorías: crecimiento simple y crecimiento poblacional.

El *crecimiento simple* se produce en los sistemas que son incapaces de incremento por autorreproducción, o de decrecimiento por muerte.

El *crecimiento poblacional* implica un saldo, favorable o negativo, entre nacimientos y defunciones, en una población cuyo crecimiento está en relación con su estructura por edades. «Un crecimiento semejante es multiplicativo en el sentido de que lo que es producido por autorreproducción es, en sí mismo, normalmente capaz de crecer y engendrar crecimiento. El crecimiento de la población humana es el caso más obvio y también el que más nos interesa.»

En cualquiera de ambos casos —sigue diciendo BERRY— de crecimiento simple, o de crecimiento poblacional, «es posible acercase a la curva de crecimiento con las leyes del crecimiento exponencial o con las del crecimiento logístico. La ley exponencial, llamada a veces *ley de crecimiento natural,* se aplica cuando el crecimiento no tiene restricciones ni límites y se va acelerando. El *crecimiento logístico* se presenta cuando hay unos límites superiores (cuando hay un techo) del crecimiento».

En realidad, como ocurre tantas veces en la discusión científica, lo primero que hace falta para acercarse a un acuerdo entre quienes discuten es definir bien el sentido de los términos que se manejan. En este caso concreto quizá no está reñido con la realidad decir que el crecimiento de la población «parece» *exponencial a corto plazo* y *logístico a largo plazo.* Conviene también dejar claro que el techo del crecimiento (lo que HAGGET llama *nivel de saturación*) no está formado por mínimos o máximos de factores meramente naturales, sino que dentro de los factores medioambientales consideramos también todos los socioculturales que toda población lleva consigo, incluidas las consecuencias de la propia contaminación.

Y, por ultimo, es también necesario tener presente que a lo largo de la historia los hombres hemos hecho «saltar», con nuevas técnicas (*invención → innovación → difusión:* caza y recolección, agricultura, revolución científico-industrial...) al nivel de saturación, la «capacidad de carga» del medio ambiente, desencadenando un nuevo crecimiento aparentemente exponencial de la población, que luego poco a poco ha ido configurando una curva de crecimiento logístico. Por eso a largo plazo, y considerando completa la evolución, BERRY tiene razón cuando escribe «El crecimiento de la población se aproxima a una curva logística de crecimiento, más bien que a una exponencial». «La experiencia histórica sugiere que el crecimiento exponencial tiende a convertirse en un crecimiento logístico. Y hay biólogos y sociólogos que consideran que el crecimiento de la población del mundo queda mejor explicado con una secuencia de curva logística, con períodos de crecimiento acelerado de la población desencadenados por alguna revolución fundamental en agricultura, industria o ciencia, que con una simple curva exponencial calculada globalmente para todo el mundo al mismo tiempo.»

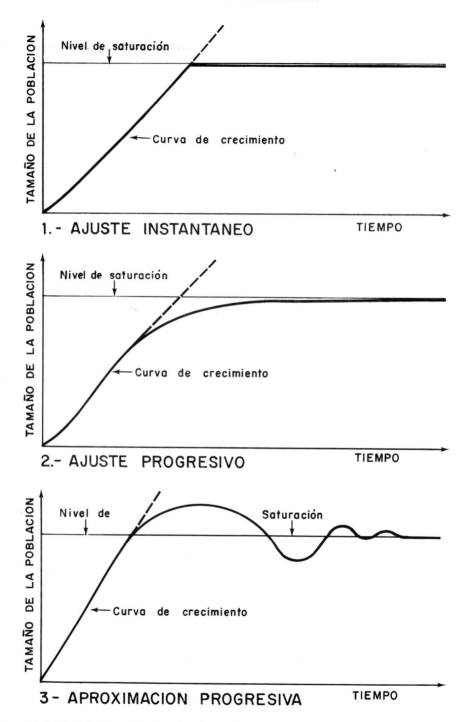

Figs. 4.1.4-4.1.5-4.1.6.—*Modos de ajuste de una curva de población al nivel de saturación de un medio ambiente.* (Según Hagget.)

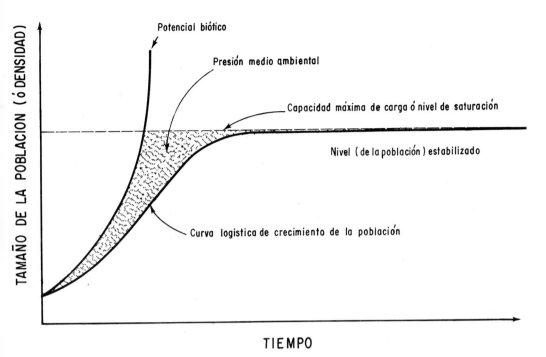

Fig. 4.1.7.—*Ajuste de una curva de población a su nivel de saturación.* (Según Hagget.)

Peter HAGGET, que como muchos matemáticos y economistas disfruta diciendo las cosas con gráficos, ha expresado en las figuras 4.1.4, 4.1.5 y 4.1.6 tres modos de ajuste de una curva de población, al nivel de saturación de un medio ambiente. Pero en estos tres modos de ajuste *instantáneo, progresivo* y *por aproximación* se representa también cómo al llegar a ese nivel lo que era antes una curva de crecimiento exponencial pasa a ser una curva logística.

La figura 4.1.7, también de HAGGET, magistral en su sencillez, nos presenta todos los elementos a considerar en la situación de una población que «momentáneamente» (a escala de la humanidad) ha llegado a una situación de detención en su crecimiento mostrándonos cómo trabaja la «presión del medio ambiente» (en su más amplia acepción) que va ensanchando la distancia entre la curva biótica potencial (exponencial) y la auténtica curva de crecimiento de la población (logística), estabilizada ya en el nivel de saturación, o de capacidad máxima de carga del medio ambiente. Pero no olvidemos que si las técnicas que domina esa población cambian (y la «necesidad hace maestros»), la «capacidad máxima de carga» cambiará, por eso hablábamos de curva estabilizada «momentáneamente» según una escala de tiempo histórica. Por supuesto, como dice muy bien Stephanie GOODENOUGH, las recientes proyecciones y previsiones de la población futura se basan en estudios permenorizados (hasta donde se puede) de la estructura de las poblaciones más bien que en las tasas de crecimiento. «El *método de análisis de los componentes* considera separadamente la fertilidad, mortalidad y las migraciones... Concediendo la mayor importancia a la edad, el sexo y el número de mujeres entre quince y cuarenta y cinco años».

A mi modo de ver lo que ocurre es que las tasas de crecimiento se matizan y valoran con todas estas consideraciones, pero en este momento entiendo que no debemos pedirle a las curvas de crecimiento más de lo que expresan: un crecimiento que a corto plazo parece exponencial y que a la larga será logístico, hasta que se desencadene una nueva fase.

Los problemas son indudablemente los de ¿cómo?, ¿dónde?, ¿cuándo? y... ¿hasta cuándo?

La primera y segunda cuestión ¿cómo? y ¿dónde? nos llevan, para terminar, a un aspecto aún no tratado. Hasta ahora hemos considerado a la población del mundo en su conjunto como una unidad. Pero este conjunto es la suma de muchas poblaciones parciales (países, regiones, etc.). La población de cada uno de estos países ha crecido, y crece de forma peculiar, en unos casos parecida a la de otros, distinta en otras ocasiones, tanto en intensidad como en el momento de hacerlo. Esto, aparentemente tan sencillo, es tan importante, que Donald BOGUE no duda en llamarlo el gran problema demográfico de nuestro tiempo. Anticipemos que se trata de la diferencia en el modo (y en el cuánto) de crecimiento de la población entre los países «desarrollados» y los países «subdesarrollados». Con la consideración de este último punto terminaremos.

4. Diferencias regionales y por países en el crecimiento de la población. De nuevo se pone de relieve la distinción fundamental entre países desarrollados y países en desarrollo.

Hasta ahora hemos manejado cifras globales correspondientes al mundo considerado en su totalidad. Esto nos ha permitido dejar muy clara la aceleración del crecimiento de la población desde hace trescientos años.

De todos es conocido, sin embargo, que estas cifras globales son el resultado de la suma de muchas cantidades parciales, reunidas, con más o menos aproximación a la realidad, por cada uno de los países que existen hoy en el mundo.

La consideración de estos sumandos parciales se puede hacer con más o menos minuciosidad: *a*) tomando en cuenta, como hace la ONU, grandes conjuntos regionales que engloban a varios países; *b*) por países, o *c*) incluso dentro de cada país por unidades menores (regiones históricas, regiones urbanas, comarcas, etc.).

En cualquier caso, y tampoco es un secreto para nadie, lo que resulta es que el crecimiento es muy desigual: hay grandes regiones o países que crecen muy deprisa y otras que crecen muy despacio, o que incluso no crecen.

El orden de la exposición pide que ahora nos limitemos a presentar y concretar los hechos, y el que ahora nos interesa es exclusivamente éste: poner de manifiesto y valorar el desigual crecimiento espacial (se consideren grandes regiones o países) de la población mundial en este momento. Luego podrá venir el relacionar este hecho con otras variables (PIB, natalidad, mortalidad, fertilidad, estructura por edades, etc.) en busca de una explicación de estas desigualdades en el crecimiento. Pero ya ahora, con sólo tomar en consideración las tasas de crecimiento natural de la población, vuelve a ponerse de manifiesto la tremenda diferencia entre los países desarrollados económicamente, con tasas de crecimiento muy bajas (en el caso de los más ricos inferiores al 1 por 100 muchas veces), y los países en vías de desarrollo, en los que, cuando con diferencias apreciables entre ellos, las tasas de crecimiento son altas y llegan en muchos casos a rebasar el 3 por 100 anual.

No puede sorprendernos que de nuevo se plantee en toda su crudeza la tremenda división de los pueblos del mundo desarrollados y subdesarrollados, que constantemente vamos encontrando al asomarnos a cualquier aspecto de la geografía de la población.

En el momento oportuno procuraremos estudiar, con la seriedad que el tema requiere, los enfoques que las doctrinas demográficas debatidas hoy dan al tema del crecimiento de la población, pero quisiera adelantar que las bajas tasas de crecimiento natural anual, aunque acompañan hoy a lo que llamamos países desarrollados, no son sinónimo de desarrollo, ni mucho menos de superioridad de estos países sobre los países pobres. De nuevo comienza en Europa a hablarse de *suicidio* de la «raza» blanca, y es terriblemente aleccionador que en la constitución del Parlamento europeo, el 17 de julio de 1979 Luisa WEISS insistiera en su discurso inaugural en forma conmovida y dramática sobre la urgente necesidad de favorecer por todos los medios el incremento de la natalidad en Europa.

Vamos a considerar las desigualdades en el crecimiento de la población del mundo utilizando primero las grandes divisiones regionales de la ONU, y luego lo veremos país por país.

La tabla 4.1.2, que es una simplificación de la que publica el *Anuario Demográfico* de 1977 de Naciones Unidas, y el mapa confeccionado con sus datos, permiten resumir la cuestión y dar un primer paso hacia la consideración de las desigualdades actuales (1965-1977) en el crecimiento de la población.

Los países que la ONU incluye dentro de cada región se relacionan en el Apéndice 1.2 que acompaña al capítulo 1.

Antes de entrar en el tema, y con el respeto y consideración que una organización como las Naciones Unidas merece, quisiera subrayar (aunque es posible que sea yo quien no tiene razón) que la división regional que ha establecido no parece la más afortunada de las posibles desde el punto de vista de los geógrafos.

En primer lugar, parece que el sitio del Reino Unido está en Europa Occidental y no en Europa Septentrional. En segundo, incluir al Sudán en África septentrional es también, por lo menos, discutible. Y, por último, sería mucho más exacto llamar a América del Norte Anglosajona, ya que para todos los niños europeos, al menos, lo que la ONU llama América Central continental, y Caribe, forman también parte de América del Norte, sin que, por supuesto, dejen también de pertenecer a Latinoamérica.

En realidad estas observaciones no tienen trascendencia para lo que ahora pretendemos, ya que la división de la ONU (que puede basarse en criterios de peso que desconozco) es perfectamente útil para señalar las grandes diferencias en el crecimiento de la población que existen en la actualidad entre los países industriales desarrollados y los países en distintos grados de desarrollo.

La tabla 4.1.2, que se ha extractado del *Anuario Demográfico* de las Naciones Unidas, contiene una información mucho más rica que la que vamos a utilizar ahora, ya que da la población estimada en 1950, 1960, 1970 y 1975; la tasa de incremento anual (promedio 1965-75), que es el dato recogido en el mapa 4.1.1, y el que ahora nos interesa, la natalidad y mortalidad en tantos por 1.000 (datos muy en relación con la tasa de incremento anual) y, por último, la superficie en Km^2 y las densidades de población de los grandes conjuntos regionales.

Mapa IV.1.1.—*Promedios de las tasas de incremento anual (%) de la población entre 1965-1977, en las grandes regiones y regiones del mundo, según la división de Naciones Unidas. Base: Tabla 4.1.2.*

Como este libro se escribe pensando sobre todo en los alumnos universitarios, no está de sobra recomendarles la atenta lectura de las tablas y material gráfico. Cuando se adquiere el hábito de hacerlo seriamente y meditar sobre ella, suele ser innecesaria casi la lectura de los comentarios con que es normal acompañar en los libros a esta documentación, porque la reflexión personal permite ver más de lo que se dice y con más profundidad.

Volviendo ahora al tema, la diferencia entre países industriales y países en desarrollo es patente.

En conjunto, África y América Latina tienen el mismo índice de crecimiento anual: 2,7 por 100, pero las cifras de mortalidad, sobre todo, indican que África se encuentra en una situación más «primitiva» (África: natalidad 46 por 1.000, mortalidad 20 por 1.000; América Latina; natalidad 37 por 1.000, mortalidad 9 por 1.000). Es cierto

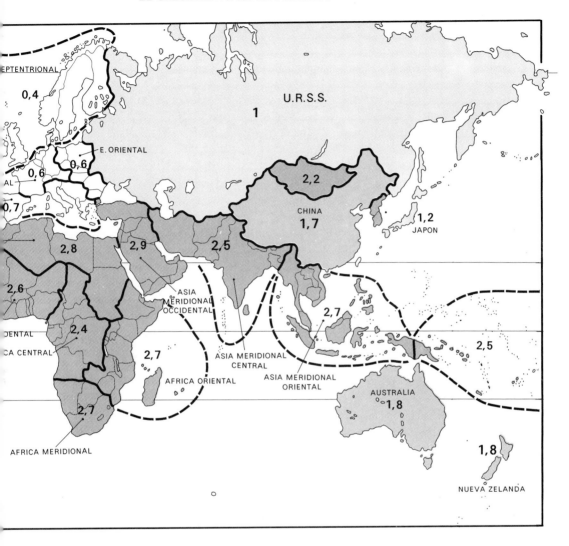

que las cifras son solamente estimaciones y que como los propios servicios demográficos de la ONU advierten hay que aceptar en ellas un no despreciable margen de error, pero ésta es una consideración que hemos hecho repetidamente y que hay que tener siempre presente.

Evidentemente de estos datos resulta que América Central continental es la región del mundo con la mayor tasa de crecimiento natural anual 3,3 por 100 (natalidad 42 por 1.000, mortalidad 9 por 1.000), seguida con un crecimiento del 3 por 100 por «América del Sur Tropical» (otra designación no excesivamente feliz habida cuenta de que el clima en unos casos queda muy modificado por los Andes y en otros no se trata de un clima tropical, sino francamente ecuatorial).

Las grandes regiones africanas no llegan nunca a estos porcentajes, aunque se acercan mucho: África Meridional Occidental, 2,7 por 100 (natalidad 43 por 1.000, mortali-

TABLA 4.1.2.

Tasas de crecimiento anual de la población, cifras absolutas, tasas de natalidad y mortalidad y densidades de las grandes regiones y regiones del mundo, según la Organización de Naciones Unidas.

Grandes regiones y regiones	Población estimada a mitad del año (en millones)				Tasa de incremento anual 1965-1977 (%)	Natalidad promedio 1965-1977 (⁰/₀₀)	Mortalidad promedio 1965-1977 (⁰/₀₀)	Superficie en 1977 (.000 Km²)	Densidad en 1977 (hab/Km²)
	1950	1960	1970	1977					
CONJUNTO DEL MUNDO ..	2.501	2.986	3.610	4.124	1,9	31	13	135.830	30
ÁFRICA	219	273	352	424	2,7	46	20	30.319	14
Occidental	65	80	102	122	2,6	49	23	6.142	20
Oriental	62	77	100	121	2,7	48	21	6.338	19
Septentrional	52	66	86	104	2,8	43	15	8.525	12
Central	26	32	40	48	2,4	44	21	6.613	7
Meridional	14	18	24	29	2,7	43	16	2.701	11
AMÉRICA	330	415	509	584	2	28	9	42.082	14
AMÉRICA DEL NORTE	166	199	226	242	1	17	9	21.515	11
AMÉRICA LATINA	164	216	283	342	2,7	37	9	20.566	17
Del Sur Tropical	86	116	155	190	3	38	9	14.106	13
Central Continental	36	49	67	84	3,3	42	9	2.496	34
Del Sur Templada	25	31	36	40	1,5	24	9	3.726	11
Caribe	17	20	25	28	1,9	32	9	238	119
ASIA	1.368	1.644	2.027	2.355	2,2	34	13	27.850	85
Oriental	675	788	926	1.037	1,6	26	10	11.756	88
China	558	654	772	866	1,7	27	10	9.597	90
Japón	84	94	104	114	1,2	18	7	372	306
Otros países de Asia Oriental	33	39	50	58	2,2	32	9	1.786	33
ASIA MERIDIONAL	693	856	1.101	1.318	2,6	41	16	15.825	83
Central	475	581	742	882	2,5	41	17	6.785	130
Oriental	173	217	283	342	2,7	42	15	4.498	76
Occidental	44	58	77	93	2,9	43	15	4.542	21
EUROPA	392	425	459	478	0,6	16	10	4.937	97
Occidental	122	135	148	154	0,6	15	11	995	155
Meridional	109	118	128	134	0,7	18	9	1.315	102
Oriental	89	97	103	108	0,6	17	10	990	109
Septentrional	72	76	80	83	0,4	15	11	1.636	51
OCEANÍA	12,6	15,8	19,3	22,2	2	23	10	8.510	3
Australia y Nueva Zelanda .	10,1	12,7	15,4	17,4	1,8	19	9	7.956	2
Melanesia	1,8	2,2	2,8	3,3	2,5	41	17	524	6
Polinesia y Micronesia	0,7	0,9	1,2	1,4	2,6	34	7	30	47
URSS	180	214	243	260	1	18	8	22.402	12

FUENTE: U.N. Demographic Yearbook, 1977.
Los datos de esta Tabla se actualizan y completan con los del Apéndice 1.1.

dad 16 por 1.000), África del Norte, 2,9 por 100 (natalidad 43 por 1.000, mortalidad 15 por 1.000), y tampoco las grandes y pobladísimas regiones asiáticas alcanzan las cifras de crecimiento latinoamericanas, aunque en Asia, precisamente por la magnitud de sus poblaciones, aún son menos de fiar los datos de algunos países[3].

Las tasas de crecimiento asignadas a Polinesia y Micronesia, y Melanesia son aún altas, pero como de momento su población es muy pequeña comparada con la de otras regiones, esas tasas sólo serán importantes si se mantienen muchos años.

Australia y Nueva Zelanda tienen una tasa (1,8 por 100) que se aproxima a la media mundial (1,9 por 100).

Por debajo de ellas la URSS, a quien la ONU considera, siempre separadamente, como una gran región equivalente a un continente, y América del Norte (sin México, pero con los archipiélagos de Hawai (?) y las Bermudas) tienen, según este cuadro de la ONU, una tasa de crecimiento anual del 1 por 100 de sus respectivas poblaciones.

Por último, en esta misma tabla ninguna región de Europa llega al 1 por 100 de incremento anual. La que registra las cifras más altas, Europa meridional, sólo crece un 0,7 por 100 al año. Todas las demás regiones, con excepción de Europa septentrional, lo hacen a un ritmo de 0,6 por 100, esta última tan sólo aumenta anualmente 0,4 por 100 de su población. Pero estas cifras globales enmascaran una realidad aún peor, porque, como veremos, algunos países europeos han tenido, recientemente, y aún tienen, crecimientos negativos.

A la vista de estos datos, la flagrante división y agudo contraste entre regiones o mejor poblaciones (las más) en vías de desarrollo, y regiones desarrolladas (las menos, en número de países y de habitantes), ha vuelto a ponerse netamente de manifiesto. Imitando el modo como NEWTON presentó la ley de la gravitación universal, podríamos quizá decir «todo pasa como si el tiempo de los hombres de estirpe europea hubiera pasado, y se estuvieran extinguiendo, y se iniciara el acceso al primer plano de la Historia de los hombres de color». Pero ahora estamos meramente considerando los hechos.

4.1. *Países de tasas altas de incremento natural de la población y países de tasas bajas*

En los Apéndices que acompañan a este capítulo se ha incluido un cuadro de conjunto de los principales países del mundo (Apéndice 4.1.1) agrupados —excepto los 10 últimos países— en el orden en que se estudian en la *Geografía descriptiva de EMESA* (un orden, desde luego, distinto del escogido por Naciones Unidas para sus grandes conjuntos regionales) en el que se recoge una información para cada país (PNB per cápita, tasa de

---

[3] Por otra parte, ya se ha hecho observar que en los Apéndices de diversos capítulos de este libro puede comprobarse cómo no coinciden a veces las cifras de población, o de algunas de sus variables, aunque todas proceden de publicaciones de la ONU, muy próximas en el tiempo de su edición y, por supuesto, correspondiendo los datos a los mismos años, en unas y otras.

En mi opinión, esto no tiene la menor importancia y a nadie que conozca la dificultad de reunir información, a escala mundial, de países tan distintos, puede sorprenderle; al contrario, sorprenden más las coincidencias y la frecuencia de determinados valores. En cualquier caso lo más positivo de esas diferencias es que ayudan al que utiliza esos datos a valorarlos con una cierta amplitud de criterio.

crecimiento natural anual, fertilidad; tanto por 100 de la población de menos de quince años; tanto por 100 de la población entre 15 y 64 años y, por tanto, implícitamente tanto por 100 de la población de 65 y más años, mortalidad infantil, y esperanza de vida al nacer) que es útil para éste y otros capítulos. Esto, por supuesto, permite cartografiar cada distribución, y así lo hemos hecho, pues es obvio, aunque no es innecesario recordarlo, que en geografía no hay nada más expresivo que un mapa, por sencillo que sea.

Lo que ahora nos interesa es acercarnos al tema del distinto crecimiento de la población del mundo considerándolo a escala de los países que integran hoy a la Organización de Naciones Unidas.

La aproximación es importante, y de momento no nos acercaremos más, pero no hay que olvidar que cuanto más de cerca se miran las cosas más se pierde la visión de conjunto y que, como no nos cansaremos nunca de recordar, las cifras estadísticas tienen una fiabilidad muy diferente de unos países a otros. En este mismo punto las cifras de las tasas de crecimiento anual que la propia ONU da en las ediciones sucesivas, la de 1977 y la de 1978, de *World Statistics in Brief* difieren a veces de una edición a otra en un mismo país. Evidentemente, como en la edición de 1978 el promedio incluye los datos de un año más (1970-1976, en lugar de 1970-1975, como en la edición anterior), es correcto que difieran; cabe también que los servicios estadísticos de algunos países hayan mejorado su información y facilitado nuevos datos a Naciones Unidas, y no hay que perder de vista nunca que en muchos casos se trata de meras estimaciones, posiblemente por debajo de las cifras reales, ya que para nadie es un secreto que en muchos países subdesarrollados se registran muy defectuosamente los niños recién nacidos (sobre todo las niñas) y todavía peor los fallecidos.

La lista de países según su tasa de crecimiento anual se ha confeccionado con la edición de 1977 del *World Statistics in Brief* de Naciones Unidas, pero cuando las cifras de un país difieren en esta edición de las de 1978 se ha hecho constar, respetando la cifra de 1977 (con arreglo a la cual se han preparado también los mapas), en su columna correspondiente y poniendo la nueva cifra debajo del nombre del país en cuestión.

Aunque estas cifras tienen una vigencia muy efímera, que ha pasado ya cuando se acaban de recoger, es bueno dejar constancia de ellas, pues aportan una precisión que no podría obtenerse de otro modo. Los mapas, como siempre, nos dan idea de la distribución del fenómeno que estudiamos.

El primero (mapa 4.1.2) localiza los países con las tasas anuales de crecimiento más altas, los que tienen un crecimiento del 3 por 100, o más, sobre el total de su población.

Treinta y seis países se encuentran en esa situación. En el Nuevo Mundo el bloque de países coincide casi exactamente con lo que las publicaciones de la ONU llaman «América Tropical Central». Honduras y México, con tasas de 3,9 y 3,5 por 100, encabezan la serie, pero en ella, con 3 por 100, se incluye también Brasil, el coloso americano del siglo XXI.

En el Viejo Mundo, aparte de la anécdota de Albania, el único país en Europa con un crecimiento del 3 por 100, las dos áreas compactas de crecimiento máximo corresponden a dos grandes regiones netamente musulmanas: el norte de África (Marruecos, Argelia, Libia) y la península, musulmana y petrolera, de Arabia. Fuera de ella, en Asia hay cuatro países con tasas superiores al 3 por 100: Pakistán, Mongolia, Thailandia y Malasia.

En África quedan dos áreas: bajo la línea ecuatorial, Uganda y Kenia, y al sur, entre, el paralelo 10° y el Trópico de Capricornio, Zambia y Bostwana, la primera cubierta de bosques en buena parte, la segunda en su mitad meridional ocupada por el desierto de Kalahari.

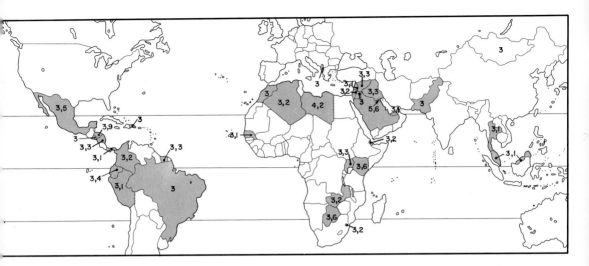

Mapa IV.1.2.—*Países de tasa de crecimiento anual del 3 por 100 y superior al 3 por 100 del total de su población (promedio 1970-1975).* Base: Tabla 4.1.3.

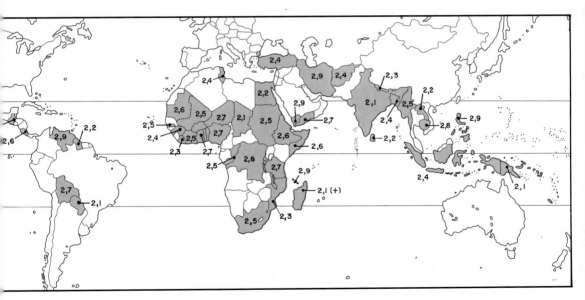

Mapa IV.1.3.—*Países con tasas de crecimiento anual entre 2,9 por 100 y 2 por 100 del total de su población (promedio 1970-1975).* Base: Tabla 4.1.3.

TABLA 4.1.3

Tasa de crecimiento anual (promedio 1970-75). Porcentaje sobre el total de la población

Número de orden	País y PIB per cápita en dólares USA	Tasa de crecimiento anual (por 100)	Número de orden	País y PIB per cápita en dólares USA	Tasa de crecimiento anual (por 100)
1	Kuwait (11.307)	5,6	40	Filipinas (368)	2,9
2	Libia (5.395)	4,2	41	Guatemala (611)	2,8
3	Honduras (330)	3,9	42	Camboya	2,8
4	Kenia (234)	3,6	42 bis	Zaire	2,8
5	Botswana (424)	3,6	43	Benín (111)	2,7
6	México (1.119)	3,5	44	Ghana (422)	2,7
7	Bahrein (1.589)	3,5	45	Tanzania (170)	2,7
8	Ecuador (643)	3,4	46	Nigeria (233)	2,7
9	Uganda (13,5)	3,3	47	Yemen Democrático (117)	2,7
10	Nicaragua (720)	3,3	48	Níger (114)	2,7
11	Surinam (1.183)	3,3	49	Ruanda (75)	2,7
12	Jordania (407)	3,3	50	Bolivia (341)	2,7
13	Irak (1.249)	3,3	51	Etiopía (98)	2,6
14	Siria (743)	3,3	52	Mauritania (232)	2,6
15	Argelia (710)	3,2	53	Somalia (109)	2,6
16	Emiratos Árabes Unidos (13.599)	3,2	54	Malawi (129)	2,6
17	Zambia (590)	3,2	55	Costa Rica (978)	2,6
18	Swazilandia (478)	3,2	56	África del Sur (1.339)	2,5
19	Colombia (577)	3,2	57	Costa de Marfil (644)	2,5
20	Senegal (294)	3,1	58	Togo (197)	2,5
21	Perú (546)	3,1	59	Congo (471)	2,5
22	Panamá (1.356)	3,1	60	Gambia (188)	2,5
23	Israel (3.608)	3,1	61	Malí (73)	2,5
24	Omán	3,1	62	Sudán (283)	2,5
25	Thailandia (342)	3,1	63	Comores (236)	2,5
26	Malasia (602)	3,1	64	Birmania (101)	2,5
27	Qatar	3,1	65	Guinea (108)	2,4
28	El Salvador (455)	3,0	66	Túnez (626)	2,4
29	Brasil (774)	3,0	67	Afghanistán (92)	2,4
30	República Dominicana (529)	3,0	68	Bangladesh (85)	2,4
31	Mongolia (863)	3,0	69	Turquía (910)	2,4
32	Arabia Saudí	3,0	70	Indonesia (126)	2,4
33	Líbano	3,0	71	Liberia (334)	2,3
34	Pakistán (129)	3,0	72	Alto Volta (77)	2,3
35	Marruecos (426)	3,0	73	Mozambique (353)	2,3
36	Albania	3,0	74	Burundi (73)	2,3
37	Yemen (129)	2,9	75	Nepal (101)	2,3
38	Venezuela (2.415)	2,9	76	Egipto (260)	2,2
39	Irán (1.635)	2,9	77	Guyana (398)	2,2
			78	Lesotho (137)	2,2

TABLA 4.1.3 (continuación)

Tasa de crecimiento anual (promedio 1970-75). Porcentaje sobre el total de la población

Número de orden	País y PIB per cápita en dólares USA	Tasa de crecimiento anual (por 100)	Número de orden	País y PIB per cápita en dólares USA	Tasa de crecimiento anual (por 100)
79	Laos (83)	2,2	110	Irlanda (2.176)	1,2
80	Sri Lanka (235)	2,2	111	Gabón (2.972)	1,0
81	Samoa (383)	2,2	112	Trinidad y Tobago	
82	Chad (99)	2,1		(1.609)	1,0
83	Madagascar (199)	2,1	113	Luxemburgo (6.102)	1,0
	70-76 =	3,0	114	España (2.428)	1,0
84	Paraguay (570)	2,1	115	Polonia (2.596)	0,9
85	India (137)	2,1	116	URSS (2.553)	0,9
86	Buthán (60)	2,1	117	Yugoslavia (1.549)	0,9
	70-76 =	2,2	118	Holanda (5.948)	0,9
87	Fidji (999)	2,1	119	Rumanía (1.245)	0,9
88	Papúa-Nueva Guinea		120	Francia (6.360)	0,8
	(557)	2,0	121	Italia (2.704)	0,8
89	Maldivas (90)	2,0	122	USA (7.087)	0,8
		2,1	123	Chipre (1.076)	0,8
90	Camerún (303)	1,9	124	Suiza (8.463)	0,7
91	Nueva Zelanda (4.417)	1,9	125	Noruega (7.058)	0,7
92	Cuba (799)	1,8	126	Grecia (2.140)	0,7
93	Chile (691)	1,8	127	Checoslovaquia	
94	Guinea Ecuatorial			(3.611)	0,6
	(250)	1,7	128	Barbados (1.537)	0,6
95	Jamaica (1.438)	1,7			0,7
96	Malta (1.068)	1,7	129	Dinamarca (7.006)	0,5
97	República Centro-		130	Bulgaria (2.112)	0,5
	africana (189)	1,6	131	República Federal	
	70-76 =	?		Alemana (6.871)	0,4
98	Angola (491)	1,6	132	Suecia (8.459)	0,4
99	Haití (162)	1,6	133	Hungría (2.153)	0,4
100	Singapur (2.324)	1,6	134	Granada (431)	0,4
101	Sierra Leona (222)	1,5	135	Finlandia (5.645)	0,4
102	Guinea Bissau	1,5	136	Islandia (5.665)	0,3
103	Mauricio (641)	1,5	137	Bélgica (6.352)	0,3
104	Australia (6.364)	1,5	138	Austria (4.586)	0,3
105	Canadá (6.995)	1,4	139	Portugal (1.517)	0,2
106	China (383)	1,4	140	Reino Unido (4.089)	0,2
107	Argentina (1.935)	1,3	141	Rep. Democrática	
108	Uruguay (1.153)	1,2		Alemana (3.907)	—0,2
109	Japón (4.133)	1,2			

FUENTE: United Nations 1977: *World Statistics in Brief,* completado con datos de la edición de 1978, pero siempre el PIB referido a 1975.

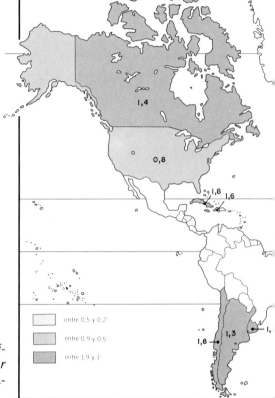

Mapa IV.1.4.—*Países con tasas de crecimiento anual entre 1,9 por 100 —0,2 por 100 (promedios de 1970-1975).* Base: Tabla 4.1.3.

entre 0,5 y 0,2

entre 0,9 y 0,5

entre 1,9 y 1

Si llevamos el límite del crecimiento muy acelerado a los países con tasas de 2,5 por 100 o más, añadimos a la distribución que refleja el mapa IV.1.2, Guatemala, Costa Rica, Venezuela y Bolivia en América, y un importante conjunto de países africanos que podemos agrupar en tropicales y ecuatoriales occidentales (mapa IV.1.3), tropicales orientales y África del Sur.

En Asia, a los mencionados se suman ahora los dos Yemen, Irán, Birmania, Camboya y Filipinas.

El mapa de África presenta una curiosa franja meridiana ocupada por países que no llegan a 2,5 por 100 en su crecimiento anual (Egipto, Chad, Camerún, República Centroafricana, Gabón, Zaire, Angola, Namibia, Guinea Ecuatorial), así como dos áreas también por debajo de este crecimiento al oeste (Guinea Bissau, Liberia, Sierra Leona y Guinea) y al sudeste (Mozambique, Rodesia y Madagascar).

Pero más importante que esto es adelantar un hecho que pone muy bien de manifiesto el Apéndice 4.1.2: «Los 64 países de mayor tasa de crecimiento anual», la diferencia en el modo de crecimiento: los países africanos tienen tasas muy altas de mortalidad y crecen, en general, porque sus tasas de natalidad son altísimas; los países latinoamericanos tienen tasas altas de natalidad, pero inferiores a los africanos, pero crecen igual o

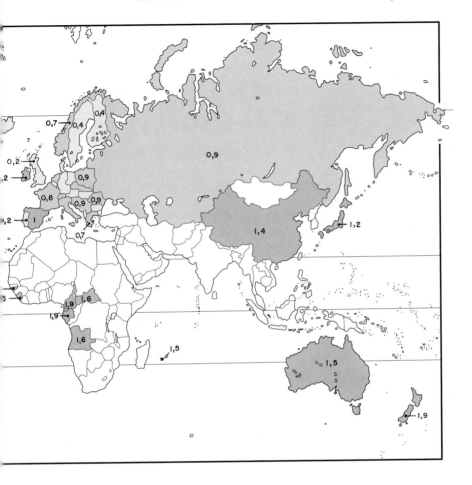

más que los países africanos porque sus tasas de mortalidad son casi tan bajas como las de los países europeos.

Los mapas de América y el Viejo Mundo (mapa IV.1.4) en que se representan los países con un crecimiento anual del 2 al 2,49 por 100 de su población total dejan casi completo el cuadro de los países en vías de desarrollo, y rellenan casi todos los huecos que en ellos habían dejado los anteriores.

En América del Sur sólo se incluyen entre estos valores Guyana y Paraguay.

África, en cambio, suma ahora una nutrida serie de países que faltaban en las listas anteriores: Túnez, Egipto, Chad, Alto Volta, Guinea, Costa de Marfil, Burundi, Mozambique, República Malgache, Lesotho.

Asia incorpora a Turquía, Afghanistán, Nepal, Bengala (Bangladesh), Laos, Ceilán (Sri Lanka), Papúa-Nueva Guinea y, sobre todo, la India e Indonesia.

Realmente la lista de países subdesarrollados estaría casi completa debajo de estos índices de crecimiento y, a no ser por los casos incluidos en la categoría inferior siguiente, se cerraría con los países comprendidos entre los de índices de crecimiento anual de 1,51 a 1,99 por 100 de su población total, porque estos valores abarcan aún algunos países subdesarrollados (en América: Cuba, Jamaica, Haití, Chile; en África: Guinea

Bissau, Sierra Leona, Camerún, República Centroafricana, Angola), pero estos índices ya incluyen también a países considerados claramente como desarrollados: Australia y Nueva Zelanda.

Entre los países con índices anuales de crecimiento entre 1 y 1,49 por 100, hay dos que son difíciles de clasificar: Gabón (que en estos últimos años registra un espectacular incremento de su renta per cápita) y China; junto a ellos están la República de Irlanda, España, Argentina y, con caracteres más cercanos a los países de los grupos siguientes que a los de éste, Japón y Canadá.

Con un crecimiento anual entre 0,51 y 0,99 por 100 están los países industrializados, que aún crecen, aunque muy despacio: los Estados Unidos de América (0,8 por 100), la URSS (0,9 por 100), Francia, Holanda, Suiza, Italia, Yugoslavia, Grecia, Checoslovaquia, Polonia, Rumanía, Noruega.

Demográficamente la situación de estos países y su progresivo envejecimiento es alarmante, y ya hemos recordado que se están alzando voces muy calificadas en Europa (CHAUNU, LEJEUNE y Luisa WEISS) contra la «peste blanca» y el suicidio colectivo, pero la situación es aún mucho peor en el caso de los países que forman la última categoría de esta serie, los que tienen tasas de crecimiento inferiores al 0,51 por 100 (mapa IV.1.5) que en algunos casos y años suelen ser incluso negativas (Bélgica, las dos Alemanias, Mónaco). En esta categoría en América sólo hay un pequeño «estado-isla», Grenada. En Europa son: Portugal, Reino Unido, Bélgica, Alemania Federal y Alemania Oriental, Austria, Hungría, Bulgaria, Dinamarca, Islandia, Suecia y Finlandia.

El momento en que hemos presentado a todos los países con sus distintas tasas de crecimiento anual, como si se hubieran detenido en su crecimiento para fotografiarlos, no es, de sobra lo sabemos, más que la situación en el instante en que se obtuvieron los datos; la vida sigue y estos valores representan tan sólo un instante de un devenir. Muchos de los países ahora estancados conocieron, no hace muchas decenas de años, etapas de crecimiento acelerado; los que ahora crecen muy deprisa estaban entonces casi inmóviles. Para explicar la situación actual tendremos que tener muy presente la evolución, los hechos y los movimientos demográficos que precedieron a este momento.

Pero en cualquier caso, este mero asomarnos al tema de las diferentes tasas de crecimiento anual de las poblaciones nos ha hecho darnos de bruces con lo que es el tema fundamental de la geografía de la población: la radical diferencia entre las poblaciones de los países industriales y las poblaciones de los países en vías de desarrollo, sin olvidar, por supuesto, que entre los casos extremos y paroxismales hay toda una teoría de situaciones intermedias y de transición.

Lecturas ulteriores

McKeown (Barcelona, 1978).—Clarke (Oxford, 1972).—Sauvy (Madrid, 1961).—Berry, Conkling, Ray (Englewood, 1976).—Clark (Londres, 1977).—Coale (San Francisco, 1974).—Deevey (San Francisco, 1971).—Demko y otros (Nueva York, 1970).—Durand (En Demko, págs. 38-44).—Goodenough (en *The Open University,* Milton Keynes, 1977).—Hagget (Nueva York, 1972-1975).—Casas-Torres (Madrid, 1979).—Chaunu, Suffert (París, 1976).—Chaunu y otros (París, Club de l'Horloge, 1979).—Lejeune y otros (Ed. Lethielleux, 1975) (Madrid, 1980).—Secretaría de las Naciones Unidas (Nueva York, 1980. Bol. Pobl. N.U., núm. 12).—Glass (en Parry, Oxford, 1974).—Trewartha (Nueva York, 1972) (Oxford, 1978).—Kleinman.—Navarro de Ferrer.—Nougier.—Rogers.

Contrastes urbanísticos de una gran ciudad. MADRID. Calle de Ferraz y explanada del Templo de Debod, en el solar del antiguo Cuartel de la Montaña. En segundo plano de la fotografía, de derecha a izquierda: Edificio España, Torre de Madrid, Hotel Meliá Princesa, antiguo Cuartel del Conde Duque (s. XVIII). Foto: Paisajes Españoles, 1975.

APÉNDICES

4.1.1. PNB por persona, en dólares USA. Tasa de crecimiento anual en $^0/_{00}$. Fertilidad $^0/_{00}$. Población menor de 15 años %. Población entre 15 y 64 años %. Mortalidad infantil $^0/_{00}$. Esperanza de vida al nacer: hombres, mujeres. De 158 países.

4.1.2. Tasa de crecimiento natural anual (promedio 1970-1975). (% sobre el total de la población.)

APÉNDICE 4.1.1

PNB por persona, en dólares USA. Tasa de crecimiento anual en º/₀₀. Fertilidad en º/₀₀. Población menor de 15 años %. Población entre 15 y 64 años %. Mortalidad infantil º/₀₀. Esperanza de vida al nacer: hombres, mujeres. De 158 países.

VARIABLES	5 Reino Unido	4 Irlanda	8 Francia	9 Bélgica	11 Holanda	10 Luxemburgo	12 Repúbli. Federal Alemana	14 Repúbli. Democrát. Alemana	17 Suiza	19 Austria	Nor
PNB per cápita dólares USA en 1975 (1)	3.783	2.356	5.950	6.273	5.775	6.017	6.671	3.907	8.413	4.874	6.7
Tasa de crecimiento natural anual por 1.000 (2)	(1977) 0,0	(1976) 11,1	(1977) 3,9	(1977) 1	(1977) 4,6	(1976) —1,6	(1977) —2	(1977) —0,1	(1977) 2,8	(1977) —0,9	(19 3.
Fertilidad por 1.000 (3)	53,7	100,5	71,8	51,8	52,8	45,1	41,3	45,3	46,5	50,6	60
Población menor de 15 años por 100 (4)	24	30	24	23	26		22	22	23	24	2
Población de 15-64 años por 100 (5)	62	59	63	63	64		64	61	65	61	6
Mortalidad infantil por 1.000 (5)	16	18	14	15	11	14	20	16	11	21	1
Esperanza de vida = hombres al nacer (años) (6) = mujeres	67,8 73,8	68,77 73,52	69 76,9	67,79 74,21	71,2 77,2	67 73,9	68,30 74,81	68,85 74,19	70,29 76,22	68,07 75,05	71 78

VARIABLES	29 Líbano	30 Siria	31 Jordania	28 Israel	77 Egipto	76 Libia	73 Marruecos	74 Argelia	75 Túnez	78 Mauritania	M
PNB per cápita dólares USA en 1975 (1)	1.070	720	458	3.794	256	5.533	471	869	731	320	9
Tasa de crecimiento natural anual por 1.000 (2)	(1970-75) 29,9	(1970-75) 40,6	(1970-75) 32,9	(1977) 19,3	(1975) 25,4	(1970-75) 30,3	(1970-75) 30,5	(1970-75) 33,3	(1970-75) 27,3	(1970-75) 19,9	(197 24
Fertilidad por 1.000 (3)	184,3	213,7	221,3	117,3	189,3	209,3	215,7	225,2	160,1	173	26
Población menor de 15 años por 100 (4)	43	46	47	33	41	44	47	48	44	42	4
Población de 15-64 años por 100 .	52 (1970)	50	51	60	56	53	49	49 (1960)	52	55	5 (19
Mortalidad infantil por 1.000 (5)	82	113	23,5	Sin datos	98	80	130	86	63	169	12
Esperanza de vida = hombres al nacer (años) (6) = mujeres	61,4 65,1	53,6 58,7	52,6 52	70,3 73,9	51,6 53,8	51,4 54,5	51,4 54,5	51,7 54,8	53,5 55,7	37 40,1	36 39

VARIABLES	88 Togo	89 Benín	90 Alto Volta	159 Nigeria	93 Camerún	101 Guinea Ecuatorial	100 Gabón	105 Zaire	103 Congo	94 Repúbli. Centroafricana	Uga
PNB per cápita dólares USA en 1975 (1)	254	127	106	341	276	317	2.537	139	505	218	23
Tasa de crecimiento (2) Natural anual por 1.000	(190-75) 27,3	(1970-75) 26,9	(1970-75) 22,7	(1970-75) 26,6	(1970-75) 18,4	(1970-75) 17,1	(1970-75) 10	(1970-75) 24,7	(1970-75) 24,3	(1970-75) 20,9	(1970 29
Fertilidad por 1.000 (3)	228	226,9	197	217,8	164	155,2	115,6	145,7	178,5	160,3	18
Población menor de 15 años por 100 (4)	46	45	43	45	40			44	42	42	4
Población de 15-64 años por 100 .	52	52	54 (1960)	53 (1960)	57		(1960)	53 (1960)	54 (1960)	55 (1960)	5
Mortalidad infantil por 1.000 (5) .	121	110	182	163	142		229	104	180	200	(19 16
Esperanza de vida = hombres al nacer (años) (6) = mujeres	31,6 38,5	39,4 46,2	32,1 31,1	37,2 36,7	39,4 42,6	41,9 45,1	25 45	41,9 45,1	41,9 45,1	33 36	48 51

3	2	3	15	16	21	22	25	26	6	7	18	20	24	27
...rca	Suecia	Finlan-dia	Polonia	Checos-lovaquia	Hungría	Ruma-nía	Bulgaria	URSS	Portugal	España	Italia	Yugos-lavia	Grecia	Turquía
808	8.150	5.419	2.596	3.611	2.153	1.245	2.112	2.553	1.572	2.748	2.806	1.549	2.343	896
77)	(1977)	(1977)	(1977)	(1977)	(1977)	(1976)	(1977)	(1976)	(1976)	(1976)	(1977)	(1977)	(1976)	(1967)
,3	0,9	4,5	10,1	7,2	4,3	9,9	5,4	8,9	8,7	10,2	3,6	9,2	7,5	25
,3	53,3	55,4	73,8	79,9	69,9	77,4	66,2	55,5	76,2	81,4	58,4	68,5	64,1	175
2	21	22	24	23	20	25	22	26	27	27	24	26	23	42
4	64	67	67	65	67	65	67	65	62	62	64	66	66	54
0	8	10	25	21	33	35	23	28	38	14	21	41	24	153(1970)
5-76)														
,1	72,10	67,38	66,92	66,47	66,54	67,37	68,58	64	65,29	69,69	68,97	65,42	67,46	53,7
,8	77,75	75,93	74,55	73,6	72,42	71,97	73,86	74	72,03	74,96	74,88	70,22	70,70	53,7

23	91	92	95	96	98	97	79	80	81	83	84	85	86	87
...ania	Níger	Chad	Sudán	Etiopía	Somalia	Djibouti	Senegal	Gambia	Guinea Bissau	Guinea	Sierra Leona	Liberia	Costa de Marfil	Ghana
08	130	115	267	98	108	1.937	360	181	123	135	203	411	541	593
071)	(1970-75)	(1970-75)	(1970-75)	(1970-75)	(1970-75)	(1970)	(1970-75)	(1970-75)	(1970-75)	(1970-75)	(1970-75)	(1971)	(1970-75)	(1970-75)
5,2	26,7	20	30,3	23,6	25,5	34,4±	23,7	19,2	15	23,7	24	28,9	25	26,9
2,8	200	147,7	234,3	215	201	Sin datos	174	151	165,8	227,8	190,4	191,7	220	203-224
41	46	40	45	44	45	Sin datos	43			43	43	41	43	48
53	52	57	52	54	53	Sin datos	54			54	54	55	54	50
960)	(1970)	(1960)		(1960)		(1960)		(1960)	(1970)	(1960)	(1970)	(1970)	(1960)	(1970)
83	162	160	132	84	Sin datos	69	158	67	47(?)	216	183	137	138	59
55-66)														
4,9	37	29	47,3	36,5	39,4	SD	38,5	38,5	37	39,4	41,9	45,8	41,9	41,9
57	40,1	35	49,9	39,6	42,6	SD	41,6	41,6	40,1	42	45,1	44	45,1	45,1

08	109	106	107	110	112	111	72	113	116	115	114	104
...nia	Tanza-nia	Ruanda	Burundi	Zambia	Malawi	Mozam-bique	Repúbli. Malga-che	Rodesia	Repúbli. Sudafri-cana	Namíbia	Bost-wana	Angola
22	166	103	109	424	132	177	195	549	1.267	979	348	371
70-75)	(1967)	(1970)	(1970-71)	(1970-72)	(1970-75)	(1970-75)	(1966)	(1970-75)	(1970-75)	(1970-75)	(1970-75)	(1970-75)
2,7	25	29	21,6	31,2	24	23	21	33,5	27,4	28,3	22,6	22,7
18	217	218,7	192,7	181	203,7	173,5	203,6	20,7	180,2	195,4	192,7	206,5
47	47	44	43	48	45	43	45	48	41			42
51	51	53	54	50	51	54	52	51	55			55
	(1970)	(1970)	(1970)		(1970)		(1970)	(1970)				
29	160	133	138	Sin datos	142	93	102	Sin datos	Sin datos	Sin datos	126	Sin datos
6,9	40	39,4	40	42,9	40,9	41,9	40,9	49,8	49,8	47,5	41,9	37
1,2	41	42,6	43	46,1	44,2	45,1	44,2	53,3	45,33	50	45,1	40

VARIABLES	49 China	58 Taiwan	160 Mongolia	57 Japón	55 Corea del Norte	56 Corea del Sur	50 Birmania	51 Tailandia	53 Laos	52 Camboya	54 Vietn
PNB per cápita dólares USA en 1975 (1)	383	931	863	4.448	448	563	110	349	94 (7)	Sin datos	18
Tasa de crecimiento natural anual por 1.000 (2)	16,6	SD	29,5	10	26,3	19,9	23,7	32,6	21,8	27,7	21
Fertilidad por 1.000 (3)	112,5	SD	170,2	60,2	152,5	117,4	165,3	194,1	190,4	143,1	183
Población menor de 15 años por 100 (4)	33	39	44	25	42	45	41	46	42	45	41
Población de 15-64 años por 100	61	61	53	68	55	52	56	51	55	52	55
Mortalidad infantil por 1.000 (5)	SD	14	SD	10	SD	38	48	68	SD	SD	SD
Esperanza de vida = hombres	59,9	S	59,1	72,15	58,8	63	48,6	53,7	39,1	44	43,
al nacer (años) (6) = mujeres	63,3	D	62,3	77,35	62,5	67	51,5		41,8	46,9	46

VARIABLES	40 Qatar	38 Emiratos Árabes Unidos	37 Oman	36 Repúb. Pop. del Yemen	35 Repúb. Árabe del Yemen		66 Australia	67 Nueva Zelanda		120 Canadá	11 U.S
PNB per cápita dólares USA en 1975 (1)	10.975	13.599	2.319	247	185		5.704	4.278		6.925	7.
Tasa de crecimiento natural anual por 1.000 (2)	SD	SD	SD	29	29		8,4	10,3		8,2	5.
Fertilidad por 1.000 (3)				220,7	220,7		67,4	76,5		61,5	58
Población menor de 15 años por 100 (4)							28	30		27	2
Población de 15-64 años por 100							63	61		65	6
Mortalidad infantil por 1.000 (5)	SD	SD	SD	40	159		17	16		15	1
Esperanza de vida = hombres				43,7	43,7		67,63	68,55		69,34	68
al nacer (años) (6) = mujeres				45,9	45,9		74,15	74,60		76,36	76

VARIABLES	136 Surinam	137 Guayana Francesa	138 Brasil	143 Argentina	144 Paraguay	145 Uruguay	133 Colombia	139 Ecuador	140 Perú	141 Bolivia	14 Ch
PNB per cápita dólares USA en 1975 (1)	1.369	1.684	1.028	1.550	575	1.302	578	591	758	363	98
Tasa de crecimiento natural anual por 1.000 (2)	33,7	20,5	28,3	13,5	30,9	11,2	31,8	32,3	29,1	28,6	16
Fertilidad por 1.000 (3)	150,9	146,8	158,6	94,2	179,8	86,5	181,7	190,3	180,7	188,6	94
Población menor de 15 años por 100 (4)	SD	SD	42	29	45	28	46	46	44	43	36
Población de 15-64 años por 100	SD	SD	55	64	52	63	52	51	53	54	55
Mortalidad infantil por 1.000 (5)	21	43	110(1970)	51	84		97	70	65(1970)	154(1970)	5
Esperanza de vida = hombres	62,5	SD	57,61	65,16	60,3	65,51	59,2	54,89	52,59	45,7	60,
al nacer (años) (6) = mujeres	66,7	SD	61,10	71,38	63,6	71,56	62,7	58,07	55,48	47,9	66,

59	60	161	61	62	45	44	162	46	42	32	39	33	41
...ili-...nas	Malasia	Singapur	Indonesia	Papúa-Nueva Guinea	India	Pakistán	Bangladesh	Sri Lanka	Irán	Irak	Kuwait	Arabia Saudí	Bahrein
..77	759	2.446	220	469	141	163	93	187	1.633	1.249	15.192	3.705	2.207
3,3	24,8	11,4	26	23,5	19,3	24	21,4	21,8	31	33,5	38,9	29,3	SD
)0,4	131,2	60,8	175,7	183,8	136,7	174,8	231,7	155,8	209,7	219,8	207,7	220,8	
46	44	33	44	42	42	47	46	39	46	47	47	45	
51	53	63	54	55	55	51	49	57	51	51	51	53	
72	33	12	SD	96	130	113	140	51	120	28(?)	44	SD	SD
6,9	65,4	65,1	47,5	47,7	41,89	53,72	35,8	64,8	57,63	51,2	63	44,2	
50	70,8	70	47,5	47,6	40,55	48,80	35,8	66,9	57,44	54,3	67	46,5	

*21	122	125	123	124	126	127	128	129	130	131	163	134	135
...éxico	Guatemala	Belice	El Salvador	Honduras	Nicaragua	Costa Rica	Panamá	Cuba	Haití	Repúbli. Domini.	Jamaica	Venezuela	Guyana
,055	572	666	458	362	701	959	1.290	799	185	722	1.110	2.278	1.684
3,4	32,8	32,6	32,7	34,7	34,4	25,1	29,1	14,2	19,5	34,8	22,7	29,1	19,5
98,8	201	191,7	194,5	224,6	220,4	124,9	129,5	89,6	143,3	212,7	175,9	153,1	136,2
46	44	SD	47	47	48	42	43	38	40	48	46	45	SD
51	53	SD	50	50	49	55	53	56	56	49	48	53	SD
52	75	SD	58	34	36	38	33	29	149	104	26	46	38
2,76	48,29	44,99	56,56	42,1	51,2	61,87	64,26	68,5	49	57,15	62,65	66,41	59,03
6,57	49,74	48,97	60,42	55	54,6	64,83	67,50	71,8	51	58,59	66,63		63,01

43	47	48	164	63	64	64bis			158
...ghanistán	Nepal	Bhután	Brunei	Islas Salomón	Nueva Caledo.	Nuevas Hébridas	Tonga	Fidji	Polinesia Francesa
151	106	70	6.101	255	4.460	479	414	1.089	2.771
25,4	22,6	23,1	26,1	23,1	21,2	25	11,1	20,7	26,5
17,9	189,7	182,5	159,5	SD	146	SD	582	113,6	171,9
44	42	42	SD	SD	SD	SD	SD	SD	SD
53	55	54	SD	SD	SD	SD	SD	SD	SD
269	300	SD	23	SD	36	SD	21	19	33(1970
39,9	42,2	42,2	SD	SD	SD	SD	SD	68,5	SD
40,7	45	45	SD	SD	SD	SD	SD	71,7	SD

[1] FUENTE: WORLD BANK; *World Atlas of the Child* (1979), Anexo A.

[2] NACIONES UNIDAS, *Demographic Yearbook,* 1977.

[3] *Fertilidad,* número de los nacidos vivos por cada mil mujeres entre 15 y 49 años de edad en el año de referencia (o promedio de los años de referencia). FUENTE: como en (2).

[4] FUENTE: BANCO MUNDIAL, *Informe sobre el desarrollo mundial,* agosto, 1978.

[5] *Mortalidad infantil:* Niños de menos de un año fallecidos, por cada mil nacidos vivos . El año es 1975, si no se indica otra fecha. FUENTE: como en (1), Anexo C.

[6] FUENTE: Como en (2).

S.D.: Sin datos en la fuente utilizada.

APÉNDICE 4.1.2

Tasa de crecimiento natural anual. (Promedio 1970-1975.)

(% sobre el total de la población.)

N.º de orden	País	Población en miles de habitantes	Tasa de crecimiento natural %	Natalidad º/oo	Mortalidad º/oo
1	Kuwait	1.030	5,6	43,3	4,4
2	Libia	2.440	4,2	45,0	14,7
3	Honduras	3.140	3,9	49,3	14,6
4	Kenia	13.850	3,6	48,7	16,0
5	Bostwana	690	3,6	45,6	23,0
6	México	62.330	3,5	42,0	8,6
7	Bahrein	260	3,5		
8	Ecuador	7.310	3,4	41,8	9,5
9	Uganda	11.940	3,3	45,2	15,9
10	Nicaragua	2.230	3,3	48,3	13,9
11	Surinam (2,7)	440	3,3	40,9	7,2
12	Jordania (3,2)	2.780	3,3	47,6	
13	Irak (3,4)	11.510	3,3	48,1	14,6
14	Siria	7.600	3,3	45,4	4,8
15	Argelia	17.300	3,2	48,7	15,4
16	Emiratos Árabes Unidos	230	3,2		
17	Zambia (3,5)	5.140	3,2	51,5	20,3
18	Swazilandia (2,7)	500	3,2	49,0	21,8
19	Colombia (2,9)	24.370	3,2	40,6	8,8
20	Senegal	5.110	3,1	47,6	23,9
21	Perú	16.090	3,1	41,0	11,9
22	Panamá	1.720	3,1	36,2	7,1
23	Israel (3)	3.470	3,1	26,1	6,8
24	Omán	790	3,1		
25	Thailandia (2,8)	42.960	3,1	43,4	10,2
26	Malasia (2,9)	12.300	3,1	30,9	6,1
27	Qatar	100	3,1		
28	El Salvador	4.120	3,0	40,2	7,5
29	Brasil (2,8)	108.180	3,0	37,1	8,8
30	R. Dominicana	4.840	3,0	45,8	11,0
31	Mongolia	1.490	3,0	38,8	9,3
32	Arabia Saudí	9.240	3,0	49,5	20,2
33	Líbano (3,1)	2.960	3,0	39,8	9,9
34	Pakistán	72.370	3,0	36,0	12,0
35	Marruecos	17.830	3,0	46,2	15,0
36	Albania	2.550	3,0	33,3	8,0

APÉNDICE 4.1.2 (continuación)

Tasa de crecimiento natural anual. (Promedio 1970-1975.)
(% sobre el total de la población.)

N.º de orden	País	Población en miles de habitantes	Tasa de crecimiento natural %	Natalidad %	Mortalidad %
37	Yemen (3)	6.870	2,9	49,6	20,6
38	Venezuela (3,2)	12.360	2,9	36,1	7,0
39	Irán (2,8)	33.900	2,9	42,5	11,5
40	Filipinas	43.750	2,9	43,8	10,5
41	Guatemala (2,9)	6.260	2,8	42,6	9,8
42	Camboya	8.350	2,8	46,7	19,0
43	Benín	3.200	2,7	49,9	23,0
44	Ghana (3)	10.310	2,7	48,8	21,9
45	Tanzania	15.610	2,7	47,0	22,0
46	Nigeria	64.750	2,7	49,6	22,7
47	Yemen Dem.	1.750	2,7	49,6	20,6
48	Níger	4.730	2,7	52,5	25,5
49	Rwanda	4.290	2,7	51,0	22,0
50	Bolivia	5.790	2,7	46,6	18,0
51	Etiopía	28.680	2,6	49,44	25,8
52	Mauritania	1.320	2,6	44,8	24,9
53	Somalia	3.260	2,6	47,2	21,7
54	Malawi	5.180	2,6	50,5	26,5
55	Costa Rica	2.010	2,6	29,7	4,6
56	África del Sur	26.130	2,5	42,9	15,5
57	Costa de Marfil (2,6)	5.020	2,5	45,6	20,6
58	Togo (2,6)	2.280	2,5	50,0	23,3
59	Congo (2,6)	1.390	2,5	45,1	20,8
60	Gambia (2,6)	540	2,5	43,3	24,1
61	Malí	5.840	2,5	50,1	25,9
62	Sudán	16.130	2,5	47,8	17,5
63	Comores	310	2,5	46,6	21,7
64	Birmania (2,2)	31.000	2,5	39,5	15,8

FUENTE: NACIONES UNIDAS, *World Statistics in Brief, 1977*. Completado (son las cifras entre paréntesis junto al nombre del país) con los datos de 1978, de la misma publicación.

4.2

EL CRECIMIENTO DE LA POBLACIÓN MUNDIAL
Enfoque trascendente y evolucionismo. Las «revoluciones» del Paleolítico

1. Complejidad del tema.
2. Antes de la prehistoria.
    2.1. Neodarwinismo y evolucionismo.
    2.2. Monogenismo y poligenismo.
    2.3. El origen biológico del hombre.
3. Las «revoluciones» del Paleolítico.
    3.1. Precisiones del Dr. Palafox.
    3.2. ¿Cuándo apareció el hombre sobre la Tierra?
    3.3. Los «australopitécidos».
    3.4. La «revolución» de los Pitecantrópidos.
    3.5. El hombre de Neanderthal y la cultura musteriense.
    3.6. La gran «revolución» del Paleolítico superior.
4. El Mesolítico europeo.
5. El crecimiento de la población durante el Paleolítico.
    5.1. Natalidad, mortalidad y esperanza de vida al nacer durante el Paleolítico.
    5.2. Las causas del crecimiento de la población paleolítica.

Lecturas ulteriores

Apéndice

    4.2.1. Emilio Palafox Marqués, *Sobre el origen biológico del hombre.*

1. Complejidad del tema

Como hemos visto en los capítulos anteriores, cuando se manejan las cifras totales de la población del mundo es obvio que el crecimiento, positivo o negativo, es resultado del saldo entre nacidos y fallecidos en el período de tiempo que se considera, ya que a escala del planeta no se puede hablar de movimientos emigratorios e inmigratorios. No cabe tener en cuenta, para el cómputo, más que los movimientos naturales.

Pero si queremos comparar las características del crecimiento demográfico de poblaciones distintas, o simplemente estudiar el crecimiento (positivo o negativo) de la población de un país, región, comarca o ciudad, tenemos que tomar en consideración, junto a los movimientos naturales de la población, los movimientos migratorios.

Ya sabemos, por supuesto, que natalidad y mortalidad están muy influidas por la estructura (la composición), por edades y sexos, de la población que estemos estudiando. Estructura que, a su vez, es el resultado de la historia (en el más amplio sentido de la palabra) de esa población.

Los movimientos naturales están también condicionados por lo que, para que no quede nada sin incluir, podríamos llamar el nivel cultural alcanzado por la porción de la humanidad que estamos considerando. Y bajo esta rúbrica, nivel cultural del grupo humano en cuestión, hay que considerar entre muchos otros factores que el lector puede por sí mismo suplir: las técnicas que domina ese grupo y con las que organiza su entorno medio-ambiental; sus grados de desarrollo económico; sus niveles científico, educativo, médico, sanitario, social..., su ideología, su religiosidad...

Todas estas circunstancias, al menos en cuanto que son patrimonio del grupo, podemos considerarlas causas intrínsecas de los movimientos naturales de su población. Causas extrínsecas serían las que le vienen impuestas por una circunstancia exterior a él. El ejemplo más claro es, quizá, una guerra, pero lo mismo podría decirse de una calamidad natural inesperada, una enfermedad epidémica como la gripe de 1918 en Europa o una crisis económica como la famosa «depresión» del año 1929.

Los movimientos migratorios (positivos o negativos) responden también, como sabemos, a multitud de causas intrínsecas a una población (espíritu de aventura, afán de mejorar, falta de puestos de trabajo en el lugar de origen...) y extrínsecas (emigración forzada —deportaciones, evacuaciones de territorios en guerra— o voluntaria ante un reclamo exterior: desplazamientos humanos ante los cambios de clima al final de la glaciación Wurmiense, por ejemplo; oferta de mejores colocaciones que en el lugar de origen, mejor consideración política, libertad...).

Todo esto se recuerda, simplemente, para subrayar que las causas del crecimiento, positivo o negativo, de una población son infinitamente más complejas y sutiles de lo que parece, porque no se trata, al considerarlas, de que nazcan más niños que personas fallecen, ni de que lleguen más gentes de las que se marchan, sino que de lo que se trata es de por qué nacen más (o menos) niños que personas se mueren y por qué viene, o se marcha, la gente. Y explicar esto a fondo sería tener en la mano todos los datos (biológicos, sociales, culturales, económicos, históricos...) de la población cuyos movimientos (cuyo crecimiento en definitiva) queremos estudiar; por qué el «estado de una población» (y el estado de una población es siempre fluido, está siempre creciendo positiva o negativamente o, por no excluir nada —aunque es muy raro— se mantiene estacionario en equilibrio inestable) es siempre consecuencia, resultado de todos los factores que han condicionado su historia, pero, es también y tampoco conviene olvidarlo, causa próxima principalísima, aunque no única, de toda su historia futura.

Como hemos dicho ya, si esbozamos (que otra cosa no cabe hacer) el crecimiento de la población del mundo por países (o por unidades regionales: bloques de países, zonas, continentes... que, según nuestro fin, nos interese establecer) conviene tener presente, junto a esta complejidad, otros aspectos fundamentales. El primero, la fugacidad de los datos; cuando se dan ya son historia y la realidad tiene otra cuantificación. Pero con estas limitaciones hay que contar: la vida (y la muerte) van siempre por delante de los censos y las estimaciones estadísticas.

El segundo aspecto fundamental, no por obvio menos importante, es el de las diferencias, en intensidad y velocidad, en el crecimiento de las poblaciones en el tiempo y en el espacio. El hecho de que siempre haya sido así, y que sea lógico que según las circunstancias unos pueblos o naciones hayan visto sus efectivos demográficos crecer o menguar más que los de otros, no debe hacernos minusvalorar una realidad tan importante. Lo hemos dicho hasta la saciedad: la diferencia de las tasas de crecimiento natural entre los países desarrollados y los subdesarrollados es uno de los aspectos más destacados y trascendentes de nuestro tiempo.

Señalar las causas del crecimiento de la población a grandes rasgos, en cuatro pinceladas, no es difícil, y es casi lo único que se puede hacer, porque para hacerlo con más precisión, sobre casos concretos y pormenorizadamente, no tenemos datos suficientes, a pesar del admirable esfuerzo desplegado desde hace un siglo por antropólogos, arqueólogos, prehistoriadores, historiadores de la población, historiadores sociales, demógrafos, biólogos, naturalistas, economistas, geógrafos... Y es lógico que así sea si no olvidamos que (como machaconamente he intentado poner de manifiesto) en las características de cada población (de cada porción de humanidad que acotemos para nuestro estudio) convergen para determinarlas toda la historia biológica y social del mundo.

El modelo de crecimiento aplicable es, sin embargo, muy sencillo y está implícito en lo que se ha dicho en las páginas anteriores. El crecimiento de la población mundial no se ha hecho de un modo continuo y uniforme, sino alternando largos períodos de crecimiento muy lento con otros, mucho más breves, intensos y rápidos, apoyados en una mejora técnica importante que ha incrementado la «capacidad de carga» del medio ambiente de esa población. Estas mejoras han surgido *(invención),* en determinados puntos focales, con gentes progresivas, desde donde se han ido transmitiendo *(innovación y difusión)* a grupos cada vez más lejanos y aislados.

Nada se opone, desde luego, a tomar también en consideración fases regresivas e incluso aceptar que las nuevas técnicas hayan llevado a determinadas poblaciones a tasas de mortalidad más altas y, en definitiva, a un decrecimiento de sus efectivos. Pero en términos generales las cosas han sido al contrario: cada mejora técnica ha supuesto un incremento rápido de población, e incluso, como ha subrayado Colín CLARK, cada aumento de población ha supuesto para la mayoría de sus miembros una mejora en sus condiciones de vida con respecto a la situación anterior.

Es decir, si se miraran de cerca las curvas del crecimiento de la población mundial no tendrían el elegante y limpio trazado con que las acabamos de presentar, sino que reflejarían una serie de infinitas pulsaciones, aun cuando manteniendo esa constante tendencia a crecer que conocemos. Tendencia, lo acabamos de apuntar, acelerada en los últimos trescientos años, de ello no hay duda. Cabe preguntarse ahora, no obstante, si no habrá habido otras veces aceleraciones relativas del crecimiento de la población mundial de la misma o mayor importancia, y la verdad es que, aunque nunca podremos cuantificarlas tan bien como ahora, todo hace pensar que ha habido otros «momentos estelares» trascendentalísimos.

Por eso puede ser útil que estudiemos las causas del crecimiento de la población en esta forma: volver sobre lo que ya se esbozó en los temas anteriores: la historia del crecimiento, no para hacer historia, que es misión (y nadie lo hace mejor que ellos) de los historiadores, sino para tener ocasión de reflexionar sobre la trascendental importancia de algunos momentos e incluso (¿por qué no?) para darnos cuenta un poco más de cuánto y qué extenso es lo que ignoramos aún. Qué poco es lo que sabemos.

En este mirar atrás pienso que hay tres grandes «momentos»: uno que conocemos principalmente por la Revelación: el del origen del hombre; otro larguísimo a escala de los hombres, al que se asoman ávidamente (aunque desde hace pocos decenios tan sólo) miles de científicos: la vida de nuestros antepasados prehistóricos, y un tercero muy pequeño cronológicamente (¡tan sólo dos mil años!) que conocemos mejor porque lo tenemos mucho más cerca, del cual, para sacar conclusiones actuales válidas, nos interesa sobre todo el período que va desde 1750 a nuestro tiempo.

Los creyentes sabemos que la Revelación Divina es una fuente de conocimiento de una seguridad infinitamente superior a cualquier evidencia.

La aportación de los naturalistas, antropólogos y prehistoriadores al conocimiento del larguísimo período de mucho más de un millón de años en que algunos suponen al hombre sobre la Tierra es realmente formidable y muy de admirar. Gracias a ellos podremos subrayar en este período momentos trascendentales en el crecimiento de la población y la mejora de sus condiciones de vida, originadas por la utilización de nuevas técnicas.

De manos de historiadores y demógrafos podremos ver, por último, la trascendencia demográfica de los siglos XVI, XVII, XVIII, XIX y XX, y a qué causas atribuyen el crecimiento de la población blanca.

Tras ello, será el momento de resumir y discutir la conocida teoría de la «transición demográfica» y de ver si es aplicable o no al modo de crecer actual de los países subdesarrollados.

2. Antes de la prehistoria

2.1. Neodarwinismo y evolucionismo

Los cristianos sabemos con certeza (es de fe) que Dios Nuestro Señor creó el Universo de la nada, en el tiempo.

Sabemos que la verdad más esencial del capítulo I del Génesis, dado el «género literario» de dicho libro, es la idea del versículo primero: «Al principio creó Dios el cielo y la tierra».

Los dos evolucionismos, el panteísta y el materialista, a partir de una materia eterna, son erróneos y no admisibles por la fe católica. Pero no es contrario a esta fe un evolucionismo perfectible de las especies «salvando siempre la acción creadora de Dios como primer autor de la materia y de la vida» (ROYO MARÍN, pág. 431).

Es igualmente de fe expresamente definida que nuestros primeros padres, Adán y Eva, fueron creados o formados inmediatamente por Dios. DARWIN, HUXLEY, HAECKEL y todos quienes defienden un evolucionismo exclusivamente materialista, o transformista, sostienen (en muchos casos posiblemente sin saberlo) ideas heréticas, pues como recuerda la Pontificia Comisión Bíblica, en una conocida sentencia de 30 de junio de 1909, «no es lícito poner en duda el sentido literal histórico sobre la peculiar creación del hombre, la formación de la primera mujer del primer hombre y la unidad de linaje humano» (DENZINGER, 2123).

Es sentencia ordinaria y común entre los teólogos modernos que no es preciso tomar a letra el relato bíblico en cuanto a la formación del cuerpo de Adán y de Eva, Dios pudo, en efecto, utilizar el cuerpo de un animal perfeccionándolo e infundiéndole el alma racional para convertirlo en hombre.

Conviene, sin embargo, dejar bien claras dos ideas: el alma humana no procede de ninguna evolución natural. La evolución es admisible única y exclusivamente para el cuerpo, pero el tránsito de la vida irracional (de los animales) a la vida racional (de los hombres) no puede de ninguna manera tener lugar por evolución natural.

La existencia del alma humana supone necesariamente la inmediata acción creadora de Dios. «La fe católica nos manda sostener que las almas son creadas inmediatamente por Dios» (Pío XII, Enc. *Humani generis,* DENZINGER, 2327). Esto, con la Redención y la filiación divina, es parte de la irrenunciable grandeza de todo ser humano: el alma de cada uno de los humanos es creada por Dios de la nada en el momento mismo de infundirla en el cuerpo.

Esta infusión del alma en el cuerpo de cada hombre está, lógicamente, en relación con el problema de cuándo se produce su concepción. La Iglesia católica, sin dirimir infaliblemente la cuestión, se inclina sin lugar a dudas por el momento mismo en que el óvulo materno es fecundado, como se deduce de lo que dispone en el canon 747 del Código Canónico: «Ha de procurarse que todos los fetos abortivos, cualquiera que sea el tiempo a que han sido alumbrados, sean bautizados en absoluto, si ciertamente viven; si hay duda, bajo condición»[1].

El monogenismo no es una doctrina científica tan sólo, sino mucho más: es contenido de enseñanza, una enseñanza de las que competen al Magisterio Eclesiástico; todo el género humano procede de la primera pareja humana, de Adán y Eva, nuestros primeros padres.

La Pontificia Comisión Bíblica, en la declaración que hemos citado, recuerda que la unidad del género humano es uno de aquellos hechos que afectan a los fundamentos de la religión cristiana y que, por tanto, deben ser entendidos en su sentido literal e histórico (DENZINGER, 1123).

En cuanto a la doctrina que recoge Pío XII en su Encíclica *Humani generis,* la distinción desde el punto de vista evolutivo entre el cuerpo humano y el alma humana no deja lugar a ninguna duda, así como tampoco la unidad del género humano.

En cuanto a la posibilidad (no la seguridad, que no está demostrada) de que el cuerpo humano sea la culminación de un proceso evolutivo de unos seres irracionales, se dice en

---

[1] Sobre la evolución de las ideas acerca de esta trascendental cuestión, y las que basadas en «argumentos de congruencia y de probabilidad», «dan una certeza moral suficiente» en favor de la presencia del alma racional en el primer momento de la concepción, puede consultarse: NAVARRO RUBIO, Emilio, *El momento de la unión del alma con el cuerpo,* Pamplona, Estudio General de Navarra, 1957, 270 páginas.

ella: «Por eso el magisterio de la Iglesia no prohíbe que, según el estado actual de las ciencias humanas y de la Sagrada Teología, se trate en las investigaciones y disputas de los entendidos en uno y otro campo de la doctrina del *evolucionismo,* en cuanto *busca el origen del cuerpo humano en una materia viva y preexistente* —pues las almas nos manda la fe católica sostener que son creadas inmediatamente por Dios—; pero de manera que con la debida gravedad, moderación y templanza se sopesen y examinen las razones de una y otra opinión, y con tal de que todos estén dispuestos a obedecer al juicio de la Iglesia, a quien Cristo encomendó el cargo de interpretar auténticamente las Sagradas Escrituras y defender los dogmas de la fe». En este mismo texto de PÍO XII se recoge la segunda idea sobre la que anteriormente quería llamar la atención: aunque el evolucionismo tiene muchísimos partidarios entusiastas entre paleontólogos, biólogos y prehistoriadores competentísimos, no está demostrado científicamente que el cuerpo humano proceda del de otro mamífero por evolución. La búsqueda del famoso eslabón perdido no ha conducido por ahora a resultados definitivos, y aunque condujera (y sólo Dios sabe cuándo se encontrará, si se encuentra), siempre tropezarían el biólogo y el naturalista, como tropiezan cada día, con la no menos famosa e insalvable «discontinuidad» entre el animal y el hombre.

PÍO XII se refiere con estas palabras a quienes olvidaban, en su tiempo, el *estado de la cuestión:* «Algunos, no obstante, con temerario atrevimiento, traspasan esta libertad de discusión al proceder como si el mismo origen del cuerpo humano de una materia viva preexistente fuera cosa absolutamente cierta y demostrada por los indicios hasta ahora encontrados y por los razonamientos de ellos deducidos, y como si, en las fuentes de la revelación divina, nada hubiera que exija en esta materia máxima moderación y cautela» (DENZINGER, 2327).

2.2. *Monogenismo y poligenismo*

En cuanto a la unidad del género humano por descendencia de una sola pareja, las palabras de PÍO XII son: «Pero cuando se trata de otra hipótesis, la del llamado *poligenismo,* los hijos de la Iglesia no gozan de la misma libertad. Porque los fieles no pueden abrazar la sentencia de los que afirman o que después de Adán existieran en la Tierra verdaderos hombres que no procedieran de aquél *como del primer padre de todos por generación natural,* o que Adán significa una especie de muchedumbre de primeros padres. No se ve por modo alguno cómo puede esta sentencia conciliarse con lo que las fuentes de la verdad revelada y los documentos del magisterio de la Iglesia proponen sobre el pecado original, que procede del pecado verdaderamente cometido por un solo Adán y que, trasfundido a todos por generación, es propio de cada uno.» (DENZINGER, 2328).

2.3. *El origen biológico del hombre*

El problema del origen biológico del hombre (de la hominización) es realmente apasionante, pero está muy lejos de estar resuelto a nivel de las ciencias humanas, y en algunos momentos de ofuscación (que felizmente ya son historias pasadas), lo que había detrás de la febril búsqueda del «origen del hombre» no eran sólo motivos científicos. Paul OVERHAGE, que ha dedicado su vida al tema, ha resumido muy bien el asunto:

«Parece como si se hubiera decretado un ataque general en todos los frentes de las ciencias naturales con el fin de resolver el problema de la hominización. Investigadores de todas las ramas de la ciencia, especialistas de la paleontología y paleoantropología, de la morfología comparada, de la anatomía y fisiología, de la genética, zoología y embriología, del análisis del lenguaje y del comportamiento, de la Prehistoria y de la Etnología, han intentado, por los más diversos caminos, acercarse al magno suceso de la aparición del hombre sobre la Tierra. Se han ideado infinidad de reconstrucciones de formas intermedias o de transición morfológica o psíquica. Se han buscado en los descubrimientos testimonios demostrativos de este tránsito de lo animal a lo humano. Se han sacado a relucir todos los factores y causas imaginables, como mutaciones, efectos de la selección y domesticación, fetalismo, proterogénesis y procesos ortogenéticos. Los estudiosos no se han contentado con poner de relieve las semejanzas y coincidencias entre el hombre y los primates superiores; se han esforzado, además, en derivar y explicar los caracteres típicos y peculiares del hombre, tales como la postura erguida, la forma del cráneo y el gran cerebro, el lenguaje y el comportamientos espiritual, por fósiles prehistóricos y modos animales de comportamiento. En los últimos años se ha dado gran impulso al análisis del comportamiento. Por eso se investiga con el máximo interés el aspecto psíquico de la hominización: la evolución del comportamiento. Los investigadores científicos han realizado un gigantesco e increíble esfuerzo para rastrear las huellas de nuestro origen. Hasta el presente, la investigación no ha dejado de trabajar con todo denuedo y casi exclusivamente en la teoría evolucionista.

Lo que impulsa a explorar con tanto empeño los orígenes de la Humanidad no es siempre el solo afán humano de conocer la naturaleza y las leyes que la regulan. Tampoco se explica por la mera curiosidad o el interés históricos. Cuando el hombre pretende desvelar su propio principio, es muchas veces como si deseara constituirse en dueño de su principio y con ello en señor de sí mismo, sin dependencia de revelación alguna. Sin embargo, en los últimos tiempos se va disipando la autosuficiencia y optimismo con que se enfocaban estas cuestiones. Ahora impera una mayor autocrítica y modestia; las discusiones son más serenas y objetivas. Sin duda, el aumento de datos y el progreso de los conocimientos no han aportado, como se esperaba, una seguridad científica proporcional. Efectivamente, esa seguridad científica *no aportada* se echa en falta en todas las líneas de investigación enunciadas.»

«Si la investigación biológica se para a contemplar en toda su amplitud el juego maravilloso de elementos morfológicos, fisiológicos, nerviosos, psíquicos y culturales que intervienen en la autogénesis humana y la armónica integración de todos ellos en el «fenómeno hombre», experimentará vivamente cuán lejos está aún de lograr una teoría completa y satisfactoria sobre la hominización del comportamiento» (págs. 322 y 323).

«... Desde el punto de vista filosófico parece esencialmente imposible que la sola biología, o la sola antropología, o la teoría del comportamiento exclusivamente naturalistas pueden llegar a una explicación *total* y *adecuada* de la hominización del comportamiento» (pág. 323).

La dificultad ha estribado en un tratamiento del tema demasiado unilateral por parte de algunos científicos.

«Los análisis realizados hasta el presente, dentro de las ciencias naturales —sigue OVERHAGE—, propenden casi siempre a reducir, debilitar o incluso borrar las diferencias entre hombre y animal. Como la cosa más natural del mundo innumerables tratados de biología reducen alegremente el comportamiento espiritual del hombre a datos registrados a nivel animal, sin aducir razones sólidas ni precisar limitación alguna, y hasta sin aludir siquiera al carácter plenamente hipotético de semejante teoría. Esta actitud sólo puede ser comprensible porque no se parte de un saber en torno a la existencia *total* del hombre, porque no se parte de una idea realmente *comprehensiva* de lo humano, ni del «hombre» tal como nos es conocido: como «factum total» (STORCH, 1948, pág. 1, citado por OVERHAGE). Ya no se tiene una conciencia viva y plena de lo incomparable y único que supone lo humano o el «fenómeno hombre». Falta emoción y asombro ante este cuadro de vivencias y de valores tan alejados del animal. Proceder así es empequeñecer o malentender el alcance de los fenómenos implicados bajo el nombre de lo espiritual, es renunciar a una visión del hombre total» (pág. 91).

Sin negar la posibilidad de la evolución que en nada repugna a la grandeza del plan divino creador, la realidad es que en cuanto al cuerpo humano aún sabemos muy poco. «Ante todo no hay todavía posibilidad alguna de determinar la línea genealógica que conduce al hombre, y en el curso de la cual se habría realizado la hominización, y menos de seguirla hacia atrás hasta el fondo del Terciario y ahí derivarla más o menos convincentemente de una forma primate» (pág. 100).

No es éste el lugar, ni el momento, de adentrarnos en un tema tan rico como el del origen del cuerpo humano. Quien desee hacerlo puede iniciarse leyendo por su cuenta los autores que hemos citado y los libros que se mencionan en la breve nota bibliográfica a pie de página[2]. Lo que pretenden estas páginas es subrayar la singularísima posición del hombre en el grandioso proceso evolutivo de la creación, y la discontinuidad insalvable entre el hombre y el animal, no en lo corpóreo o morfológico, sino en todo lo que dice relación más directa a su alma inmortal, creada directamente por Dios: el misterio del cerebro y del intelecto humanos, el misterio del lenguaje y, sobre todo, su comportamiento racional, responsable, social, espiritual.

---

[2] ROYO MARÍN, Antonio, *Dios y su obra*, Madrid, BAC, 1973, 660 págs., cap. V, «El hombre», págs. 436-454. Pío XII, Carta Encíclica *Humani generis*. DENZINGER, E., *El Magisterio de la Iglesia*, Barcelona, Herder, 1963, 720 págs. Profesores de la Compañía de Jesús, *La Sagrada Escritura. Antiguo Testamento. I. Pentateuco*, Madrid, BAC, 1.001 págs. Profesores de la Universidad Pontificia de Salamanca, *Biblia Comentada. I. Pentateuco*, por A. COLUNGA y M. GARCÍA CORDERO. OVERHAGE, Paul: *El problema de la hominización. Sobre el origen biológico del hombre*, págs. 87 a 337. CRUSAFONT, M.; MELÉNDEZ, B., y AGUIRRE, E., con otros colaboradores, *La Evolución*, Madrid, BAC, 1976, 3.ª ed., 1.159 págs. GILSON, E., «De Aristóteles a Darwin (y vuelta)», *Ensayo sobre algunas constantes de la biofilosofía*, Pamplona, Eunsa, 1976, 346 págs. DE LAUNAY, LEDERBERG, ALIMEN, *La aparición de la vida y del hombre*, Madrid, Guadarrama, 1969, 295 págs. En especial, dentro de esta obra, págs. 120-171, «Aparición del hombre», por René MOUTERDE.

3. Las «revoluciones» del Paleolítico

Es evidente que no es éste el lugar para ofrecer nada menos que un resumen de la Prehistoria mundial, por apasionante que sea. Desde luego, uno de los mayores peligros del geógrafo es la atracción que sobre él ejercen multitud de cuestiones parageográficas que serían muy capaces de apartarle de su camino. Aquí lo único que nos interesa es comprobar en este larguísimo período del pasado de la Humanidad que también durante él el crecimiento del número de sus efectivos, sin duda con altibajos que nunca conoceremos, ha tenido lugar lentamente durante muchos milenios y, en otras ocasiones, con aceleraciones bruscas (a escala, quizá, de bastantes siglos, pero bruscas). Pero aun cuando se cuenta, para la mayor parte de los lectores, con un conocimiento mucho más preciso sobre el tema de lo que aquí se dice, no se pierde nada con un brevísimo resumen que nos permita encuadrar los datos que nos interesan de verdad.

Al trabajo denodado e inteligentísimo de prehistoriadores, arqueólogos, paleontólogos, etc. de algo más de un siglo a esta parte, debemos el conocimiento de una serie de restos de animales y hombres a través de los cuales vamos vislumbrando las etapas y los caracteres de la vida de nuestros antepasados recolectores y cazadores.

Por supuesto, en los autores hay gran disparidad en cuanto a dataciones y cifras de población, y no puede ser de otra manera, dada la lejanía en el tiempo de los materiales encontrados, su corto número y mal estado de conservación, en el caso de los más antiguos, y también la ligereza de juicio de algunos escritores.

Luis PERICOT (Madrid, Salvat, 1969), en una obra de divulgación, pero inestimable por su claridad y magisterio, escrita en colaboración con Maluquer de Motes, indica en un cuadro sinóptico un posible puesto de la especie humana dentro del Orden de los Primates. (Fallecido don Luis Pericot, en las reediciones del libro se ha suprimido el cuadro sinóptico.)

En cuanto a cifras absolutas de años, diversos autores, que no me merecen tanta confianza como PERICOT, pero que sin duda han utilizado los más modernos medios y métodos de datación, asignan a los supuestos más antiguos restos humanoides millones de años: los de *Ramapithecus,* de 10 a 12 millones; los de *Australopithecus* y *Homo erectus* tendrían, según los autores del *Atlas de l'Homme* (editado por Robert Laffont, S. A.), entre siete millones y dos millones y medio de años de antigüedad, asignación en todo caso admisible para otros autores en sus cifras más bajas para el *Homo habilis,* pero no para el *Homo erectus.*

McEVEDY y JONES (pág. 49), a quienes ciertamente tampoco falta aplomo para hacer afirmaciones rotundas, dicen que los primeros homínidos aparecieron en África hace cinco millones de años, y que se diferenciaban de los monos por caminar sobre las dos extremidades inferiores, dejando las manos libres. «Un descubrimiento —añaden— que eventualmente culmina en fabricar herramientas, la actividad que distingue al hombre.»

La última afirmación es algo exagerada porque los *Australophitecus,* que casi nadie considera humanos, pudieron sin embargo utilizar las piedras, toscamente talladas, quizá como medio de defensa o para trocear cadáveres.

En la más pura línea evolucionista estos autores no vacilan en afirmar que «la adquisición de programas *(sic)* para el nuevo repertorio de actividades de los homínidos registra un aumento de las dimensiones del cerebro».

Es muy cierto que los homínidos a medida que se aproximan al *Homo sapiens* presentan cerebros (a juzgar por los cráneos encontrados) progresivamente mayores, pero

ORDEN	Suborden	Superfamilia	FAMILIA	Subfamilia	GÉNERO	ESPECIE	Subespecie
P R I M A T E S	PROSIMIOS	Tarsios, Lemures, Musarañas arborícolas					
	ANTHROPOIDEOS	Ceboideos (monos platirrinos del Nuevo Mundo) (3)					
		Cercopithecidos (monos catarrinos del Viejo Mundo) (4)					
		Hominoideos	PONGIDOS ¿MEGANTHROPIDOS? ¿RAMAPITHECIDOS? ¿OREOPITHECIDOS? ¿Otras familias fósiles?				
			HOMÍNIDOS	Australopithecinos	AUSTRALOPITHECUS	africanus robustus transvaalensis	
				Homininos	HOMO	¿habilis? erectus presapiens	
						sapiens	neanderthalensis sapiens

Tabla 4.2.1.—*La subespecie Homo Sapiens Sapiens, dentro del Orden de los Primates.* Según don Luis Pericot (1969).

como en los casos más antiguos los cráneos están incompletos, parcialmente destruidos, y son pocos, las medidas de la capacidad craneal sólo pueden ser aproximadas. De todas formas las cifras que MCEVEDY y JONES recogen son las más aceptadas: el cerebro del *Australopithecus* tendría tan sólo 600 cm³ de volumen, el del *Homo erectus* tendría ya 900 cm³ y el del hombre de *Neanderthal,* de hace 100.000 años, sería ya semejante, más o menos, al nuestro, es decir, de unos 1.450 cm³.

Varios autores (TREWARTHA, que sigue a DEEVEY y resume a varios arqueólogos americanos, CIPOLLA...) dan como cifra probable de la antigüedad del hombre medio millón de años. El propio GORDON CHILDE asegura que ningún esqueleto fósil conocido que se pueda considerar humano es anterior al Pleistoceno.

---

[3] Según el *Diccionario de la Real Academia:* «Dícese de simios indígenas de América, cuyas fosas nasales están separadas por un tabique cartilaginoso, tan ancho que las ventanas de la nariz miran a los lados».

[4] *Catarrino* o *catirrino:* «Dícese de los simios cuyas fosas nasales están separadas por un tabique cartilaginoso tan estrecho que las ventanas de la nariz quedan dirigidas hacia abajo» *(Diccionario de la Real Academia Española).*

3.1. *Precisiones del doctor Palafox*

Un artículo de divulgación debido a M. ORDEIG (Madrid, 1981), donde se resumen varios importantes trabajos del doctor Emilio PALAFOX, y las propias actualizaciones del tema de este eminente biólogo, nos permiten ver que según lo que ahora sabemos la evolución de la humanidad no responde a la clásica sucesión de hombres a lo largo del tiempo imaginada por DARWIN, puesto que el *Homo sapiens* —véase la tabla 4.2.1— es tan antiguo como el *Australophitecus,* y más que el *Homo erectus* y el de *Neanderthal,* como más adelante veremos, y ya intuía PERICOT.

La puesta al día de los trabajos de PALAFOX sobre este punto se resume en su tabla (y se completa en el Apéndice 4.2.1).

El primer grupo de fósiles bien dotados que permite la comparación cronológica con los otros hallazgos es el de los *Australophitecus,* que se sitúa, según este autor, entre los 2,5 millones de años y los 600.000. Como tendremos ocasión de recordar, estos seres eran homínidos, cuyo cerebro tenía la tercera parte, más o menos, del volumen encefálico del hombre moderno y estaba protegido por una gruesa osamenta craneal.

El segundo grupo —*Anthropus*— incluye los fósiles de *Pitecanthropus* que, con otros fósiles africanos y europeos, se designan hoy como *Homo erectus.* Sus restos se extienden desde hace un millón de años hasta hace 200.000.

El *Homo neardenthalensis,* al que volveremos, se sitúa, según PALAFOX, entre 150.000 y 75.000 años. El *Homo sapiens* es el de osamenta análoga a la nuestra.

Según el modelo darwinista, estos grupos se consideraban como cuatro fases sucesivas de la evolución del hombre, pero el hallazgo de nuevos fósiles y el empleo de isótopos radiactivos para volver a datar los ya conocidos ha demostrado que esta opinión es falsa, ya que ha resultado que el supuesto final de la evolución del *Homo sapiens* es mucho más antiguo de lo que se creía. «Así, por ejemplo, *Fontéchevade* es coetáneo de los *Neanderthalenses; Kanjera* y *Swanscombe,* tan antiguos como muchos *Homo erectus* y de más edad que alguno de ellos; *Olduvai* (1960) supera el medio millón de años y es contemporáneo de los *Australopithecus* del mismo valle africano, y últimamente el *East Rudolf* (1972) y *Hadar* (1975) alcanzan casi los tres millones de años» (PALAFOX).

A la vista de estas dataciones se está creando entre los especialistas la opinión de que el *Pitecanthropus,* y en general el grupo *Anthropus,* no están en el origen de la humanidad *Sapiens.*

En cuanto al Grupo de *Neanderthal* resulta que sus fósiles más primitivos son contemporáneos o posteriores a muchos *Homo sapiens;* no son, pues, seguramente antecesores suyos, no tienen significación evolutiva y quizá fueran simplemente una rama lateral que degeneró antes de extinguirse.

No obstante, en las páginas que siguen, cuando se resume el pensamiento de autores que no dispusieron de esta información, se respetan sus criterios, que vuelven a tener el tremendo valor aleccionador de hacernos ver cuán aceleradamente se enriquece —¡envejece!—, en todos los terrenos, la información científica actual.

Precisamente como resultados de estos perfeccionamientos en los métodos de datación, y también de la intensificación de las excavaciones, el grupo *Sapiens* se dibuja nítidamente, como dice PALAFOX, con personalidad propia y pleno significado como antecesor en línea directa del hombre actual.

Lo poco que se sabe en concreto de los antecesores del hombre actual es, según este autor (que resume a muchos otros), lo siguiente:

TABLA 4.2.2.

Distribución de algunos restos fósiles humanos y prehumanos, con su cronología y lugar de hallazgo, según E. PALAFOX

(Este esquema invalida las representaciones clásicas de la evolución humana:
mono-australopiteco - pitecántropo - homo sapiens.)

Miles de años	*Glaciaciones e interglaciaciones*	*Australophitecus* *ÁFRICA*	*Grupo Antrhopus (Homo erectus)* *ÁFRICA ASIA EUROPA*			*Grupo Neanderthal* *ÁFRICA ASIA EUROPA*			*Grupo Homo sapiens* *ÁFRICA ASIA EUROPA*		
10 50 100	Würmiense					Rhodesia	Neanderthales extremos				Cro-Magnon
150	Riss/Würm (Eemiense)			Ngandong		Saldanha	Neanderthales primitivos			Palestina Fontéchevade	
200	Rissiense		Sidi Abderrahman								
250 300 400	Mindel/Riss (Hoxniense)		Trinil	Verteszöllös Chu-Ku-tien Sangiran					Kanjera		Steinhelm Swanscombe
	Mindeliense		Lantian Shensi Modjokerto								
500	Günz/Mindel (Cromeriense)			Mauer (?)					Kanam Olduvai (1960) Mauer (?)		
600	Günziense	Taung									
	Danubiense/ Günziense (Tigliense)	Sterkfontein Kromdraal Swartkrans									
	Danubiense	Makapansgat Olduvai									
1.800	TERCIARIO	East Rudolf Hadar							East Rudolf (1972) Hadar (1974-1975)		

1. Hace tres millones de años los *australophitecus* —en los yacimientos de Afar se ha descubierto una pelvis que lo demuestra— ya andaban sobre los pies —*bipedestación.*
2. La bipedestación significa muchas cosas: manos libres (prensiles), defensa con las manos (disminución de los caninos y de la boca como arma agresiva); libertad de movimientos del cuello, los ojos no necesitan ser opuestos para vigilar, sino faciales. Toda esa evolución está concluida hacia los 2,5 ó 3 millones de años. De las mismas fechas se encuentran piedras-herramientas toscamente trabajadas.
3. Hace 1,5 millones de años entre los restos de *Homo erectus* se encuentran lascas y piedras trabajadas por ambas caras, muy rudimentariamente.

   Muchos de estos materiales tallados se atribuyen a homínidos con capacidad craneal muy pequeña *(Australophitecus* y *Pitecantropus),* pero se sabe que el chimpancé y otros animales son capaces de servirse de piedras y ramas de árbol desgajadas. Estos materiales no significan que quienes los emplearon tuvieran uso de razón.
4. Según lo que sabemos, desde la aparición de los homínidos y del hombre sobre la Tierra durante muchos cientos de miles de años el progreso tecnológico fue muy lento, y sólo desde hace 40 ó 50.000 años se inicia un acelerado movimiento de progreso, que curiosamente es sincrónico de la afirmación como único grupo —los demás desaparecen— del *Homo Sapiens.*

3.2. ¿Cuándo apareció el hombre sobre la Tierra?

En realidad, cuándo aparece el hombre sobre la Tierra nunca lo sabremos con precisión matemática. La evolución del hombre pudo también haber tenido lugar de dos modos: o solo en la mente de Dios Creador —como están los distintos modelos de un vehículo en la mente de un diseñador genial, sin pasar materialmente de uno a otro—, o pudo, efectivamente, utilizar el Señor una pareja de homínidos preexistentes para infundirles el alma humana y convertirlos en la primera pareja: Adán y Eva.

Pero, ¿qué tipo de homínidos? ¿Fue un «presapiens»? ¿Fue el «Homo erectus»? Quién fue —si es que fue— sólo Dios lo sabe, pero Él fue quien lo hizo, no la materia inerte, no una evolución ciega y al azar. Si no lo supiéramos por la Revelación llegaríamos a esta verdad por el camino de la lógica. Es mucho más científico, y desde luego infinitamente más bello y honroso para nosotros, aceptar —y agradecer— que saliéramos de las manos de Dios Omnipotente y Creador, dentro de un plan previsto y con un fin maravilloso, que no de un ciego azar, de una materia incomprensiblemente increada.

Nadie ignora que uno de los más graves déficit de la sociedad industrial actual es el agnosticismo de importantes sectores de sus componentes, el haber prescindido de Dios —hasta donde se puede— en la vida corriente y en el pensamiento, pero esto es una situación excepcional en la historia de Occidente, no compartida por todos sus pobladores ni por los otros pueblos; momentánea, además, aunque ya dure siglos en algunos países, que lleva consigo un tremendo vacío y un dolor infinito que no excluyen logros materiales nunca alcanzados, y que hace que personas muy cultas y competentes elaboren sus contribuciones científicas con una falta de base radical. Daré un ejemplo tan solo. Un autor americano, a quien no debo citar ahora, ha escrito con la mejor buena fe: «Duran-

Ramapi- thecus	Australo- phitecus	Homo erectus	Hombre de Neanderthal	Hombre de Cro-Magnon	Hombre actual

Fig. 4.2.1.—*Un ejemplo del modelo de la evolución humana, ahora rechazado por muchos autores.* (Del «Atlas de l'Homme», editado por Laffont.)

te la mayor parte de un período de un millón de años, el número de los homínidos, *incluidos los hombres,* fue más o menos el que cabía esperar de cualquier gran mamífero pleistoceno, más reducido que el de los caballos, pero más común que los elefantes. *La superioridad intelectual fue simplemente una afortunada adaptación, lo mismo que la mayor longitud de las piernas...»*

Los cristianos sabemos que «la superioridad intelectual» no fue «simplemente una afortunada adaptación», sino el fruto de tener un alma racional y haber sido creados por Dios, a su imagen y semejanza, capaces de conocerle y amarle, en libertad y responsabilidad.

Sabemos también que por el pecado original nuestros primeros padres, y todos nosotros, perdimos los dones preternaturales y entraron en el mundo el dolor y la muerte, como hemos comprobado todos, desde el hombre «indigente» del Paleolítico al actual «cabeza de huevo» de Harvard.

Y sabemos también que con el pecado vino la promesa de la Redención, y que, llegada la plenitud de los tiempos, el Hijo de Dios, sin perder su naturaleza divina, se encarnó y realizó objetivamente esa Redención restaurando el orden quebrantado.

Es cierto que éstas son verdades reveladas que la Iglesia depositaria de la Revelación nos ha transmitido —de las que otras religiones conservan fragmentos más o menos extensos y deficitarios—, que en nada se oponen, antes al contrario, completan y dan senti-

TABLA 4.2.3

Etapas de la Prehistoria en el Occidente de Europa

Etapas geológicas	Oscilaciones climáticas	Fauna	Períodos arqueológicos	Tipos humanos	Cronología	Población estimada y autor de la estimación
TERCIARIO	PREGLACIAR	ARCAICA Mastodon Eleph. meridionalis	Cultura de los guijarros	¿Australopitecos?	c. ¿4.000.000?	
	BIBER	Rhin. etruscus Equus stenonis Machairodus		¿Homo habilis?	c. ¿2.000.000?	125.000 (Deevey)
	DANUBIO		Cultura del hacha de mano de lascas	H. erectus (Pitecantrópidos)	c. ¿600.000?	1.700.000
	GUNZ	Eleph. trogontheri	Id. Clacton.			
	MINDEL	Eleph. antiquus Hip. major	Abbevilliense Tayac. Achelense			
	RISS	Rhin. Mercki	Levalloisiense	(¿Presapiens?)	c. 100.000	
			Musteriense	H. sapiens neanderthalensis		1.000.000 (Clark)
	WÜRM	Ursus spelaeus Eleph. primigenius Rhin. tychorhinus Rangifer tarandus Bos primigenius Equus	Perigordiense Auriñaciense	H. sapiens (Cro-Magnon)	c. 50.000	3.400.000 (Deevey)
			Gravetiense SOLUTRENSE			
			MAGDALENIENSE		c. 8.000	5.320.000 (Deevey) 10.000.000 (Cox)
	OSCILACIONES POSTGLACIARES	MODERNA	AZILIENSE SAUVETERRIENSE TARDENOISIENSE NEOLÍTICO ENEOLÍTICO (CALCOLÍTICO)	Nuevas razas Pueblos braquicéfalos	c. 5.000	
			EDAD DEL BRONCE		c. 3.000-2.500	
			Primeros colonizadores EDAD DEL HIERRO		c. 2.000	
					c. 1.000-800	
			CONQUISTA ROMANA		Siglos III-II	

Columnas laterales: CUATERNARIO — PLEISTOCENO (diluvial) — VILLAFRANQUIENSE; HOLOCENO (actual). Períodos arqueológicos: PALEOLÍTICO INFERIOR.

Según PERICOT GARCÍA, completada con la columna de Población estimada y autor de la estimación.

do al trabajo del científico y a su denodado esfuerzo por acercarse cada vez más a la verdad, acumulando conocimientos con arreglo a sus métodos de investigación sobre aspectos parciales y concretos de la ciencia que cultiva. Y son esa información y las conclusiones que de ella se deducen las que ahora nos interesan.

En esta línea podemos aproximarnos a nuestro objetivo: el crecimiento de la población a partir del hombre primitivo, deslindando el campo con una nueva cita de PERICOT: «Parece probable que los póngidos actuales sean nuestros "primos hermanos", pero no nuestros antecesores. Sin duda, la observación cuidadosa de la conducta de estos animales impresiona profundamente al hombre moderno, como si éste se hallara ante una fracasada humanidad. Sin embargo, hasta el momento presente, parece existir un muro infranqueable entre ellos y el hombre».

En el capítulo anterior hemos reproducido simplificado un importante cuadro estadístico de DEEVEY, publicado también después por varios tratadistas, en el que el autor da su interpretación del crecimiento de la población del mundo desde hace un millón de años.

Ahora se trata de ampliar, acercándonos un poco, lo que queda comprendido en las cuatro primeras divisiones del cuadro de DEEVEY, es decir, el período de tiempo que va desde el Paleolítico Inferior, según este autor hace un millón de años, hasta el Mesolítico, hace diez mil, es decir, un período que equivale, aceptando aunque sólo sea para esto su cómputo, al 99 por 100 de todo el tiempo que el hombre lleva sobre la Tierra, y en el que, sin embargo, siempre según DEEVEY, los hombres no llegaron a ser en un momento dado más que 5.320.000.

Para poder comentar un poco cómo fue ese crecimiento, y a qué pudo deberse, nos conviene partir de otro cuadro resumen de don Luis PERICOT.

El esquema de la tabla 4.2.2 (que responde al esquema clásico, tan distinto del que ofrece PALAFOX), elaborado por el doctor PERICOT, nos servirá de guía y a su vez puede servir de iniciación a quien desee adentrarse comenzando por el enfoque primitivo por este intrincado, y apasionante, laberinto de nuestros antepasados paleolíticos. A nosotros nos interesa, como tantas veces se ha dicho, recoger los momentos de crecimiento de la población y rastrear sus causas.

El período de tiempo de la historia geológica de la Tierra que llamamos Cuaternario es muy corto desde el punto de vista de los geólogos, pero desde el punto de vista humano es muy largo. Hace años un geólogo alemán lo dijo de modo muy expresivo: Si la historia geológica de la Tierra se plasmara en un film cinematográfico cuya proyección durara veinticuatro horas, el hombre aparecería tan sólo en los últimos quince segundos.

Los «quince segundos» son, por supuesto, un modo gráfico de designar un tiempo muy corto, a escala planetaria, pero impreciso, porque ni siquiera sabemos cuándo comenzó a haber hombres sobre la Tierra.

Una cosa sabemos, aunque desde algún tiempo a esta parte los geólogos «han doblado» la duración del Cuaternario, pasando a él el Villafranquiense, antes incluido en el Plioceno (ahora se acepta, por tanto, en el Pleistoceno una fase preglaciar), en las divisiones de la Prehistoria el Paleolítico abarca todas las pulsaciones glaciares desde el comienzo del Cuaternario (¿de dos a cuatro millones de años?) hasta el año 8000 a. C., en que se puede dar por terminada la glaciación europea (PERICOT). En este período de tiempo, desde su aparición el hombre fue recolector y cazador, pero no siempre en las mismas condiciones ni con la misma calidad de vida. La mejora de las técnicas conseguida en tantos milenios y los progresos logrados en el Paleolítico Superior, «muy cerca» ya de nosotros (40.000-25.000 años), suponen una «revolución» a mi modo de ver mucho más importante que la «revolución industrial».

En Europa y los países ribereños del Mediterráneo, entre este período y el pleno Neolítico, cuando tuvo lugar la formidable revolución que supuso el nacimiento de la agricultura y la domesticación de algunos animales, colocan PERICOT y MALUQUER, un período intermedio, de transición, que iría más o menos del 8000 a. C. al 4000 a. C., el *Epipaleolítico o Mesolítico*. Pero en el Oriente Próximo la «revolución neolítica» se inició en el 7000 a. C. Es decir, como ahora, el progreso se produjo en unos puntos concretos, pioneros, y desde allí se fue difundiendo durante milenios al resto del planeta. Del mismo modo, Egipto, Sumeria, Acadia, Asiria —los imperios entre el Tigris y el Éufrates— y ciertas regiones de la India se adelantaron al mundo Neolítico en el uso del bronce, del hierro, la escritura y la creación de auténticas ciudades.

En todos los casos (sin que no quepa aceptar momentáneos retrocesos) estas «*revoluciones* ocurridas en las edades primitivas de la humanidad se pondrán de manifiesto de una manera semejante a la revolución industrial: por un cambio de dirección, hacia arriba, de la curva de población» (GORDON CHILDE).

Es sabido que GORDON CHILDE profesó el racionalismo como ideología, por eso quizá hay una polarización excesiva en algunas de sus afirmaciones, basadas sin embargo en su gran conocimiento de la Prehistoria y el mundo antiguo, y así escribió: «Es justamente la economía la que determina la multiplicación de nuestra especie y por consiguiente su éxito biológico.»

«Las edades arqueológicas corresponden, aproximadamente, a las etapas económicas. Cada nueva edad es introducida por una revolución económica, del mismo tipo y con los mismos efectos que la revolución industrial del siglo XVIII» (GORDON CHILDE).

El «tipo y los efectos» no parece que fueran los mismos que en la revolución industrial. A mi modo de ver fueron distintos y mucho más trascendentes, pero el dictamen, si se quiere: el modelo, es válido completándolo con la aportación formidable de lo que no es económico: lo espiritual.

Volvamos ahora al comienzo del Paleolítico para rastrear estas revoluciones.

Hay un hecho indudable que ha subrayado muy bien NOUGIER (citado por GUILLAUME y POUSSOU): el clima cuaternario con sus pulsaciones glaciares e interglaciares fue el gran ordenador y regulador de la distribución de las poblaciones prehistóricas y, como consecuencia de los avances y retrocesos de los hielos cuaternarios, el responsable inmediato de los grandes desplazamientos de plantas, animales y hombres.

Otro hecho evidente es que el peso del medio ambiente natural fue haciéndose menos opresivo a medida que los grupos humanos mejoraron sus técnicas (de todas clases) para satisfacer sus necesidades y enfrentarse con la naturaleza.

Pero el principio, un principio de milenios, debió ser durísimo. Por eso no carece de lógica que los prehistoriadores comiencen la prehistoria ocupándose de unos seres que lo más probable, en opinión de la mayoría, es que no fuesen humanos.

CIPOLLA[5] cita un texto sumerio que toma de PIRENNE: «Al aparecer sobre la tierra, la especie humana no conocía el pan ni los tejidos. El hombre andaba a gatas. Comía hierba directamente con la boca, igual que los animales, y bebía el agua de los arroyos.» El propio CIPOLLA recalca: «Durante miles de años, el hombre vivió como un animal de rapiña. Durante mucho tiempo, los únicos medios de subsistencia con que contó fueron la caza, la pesca, los frutos silvestres que recogía y los otros hombres que mataba y se comía.»

Luis PERICOT, que como todos los grandes historiadores supo meterse de lleno en la época que estudiaba, ha subrayado muy bien lo que tiene de asombroso haber superado esa situación de partida: «Siempre hemos considerado esta primera etapa humana como un misterio de la supervivencia, pues cabe imaginar lo que sería la lucha de unos seres, a los que muchas veces se ha negado la cualidad de hombres, contra fieras como los osos de las cavernas o el tigre de colmillos de sable. En nuestro sentir aquí está el más auténtico milagro de la creación»[6].

---

[5] CIPOLLA, C. M., *Historia económica de la población mundial*, Barcelona, 1978. PIRENNE, J., *Les courants de l'Histoire Universelle*, París, 1950, pág. 4.

[6] *Ob. cit.*, pág. 37. Obsérvese, por la forma en que cita, que se refiere indiscriminadamente a hombres del Paleolítico Medio e Inferior. Es decir, a todos los que vivieron hasta hace 50.000-30.000 años.

3.3. *Los australopitécidos*

Prescindiendo de la familia de los Póngidos, dentro de la superfamilia de los *hominoideos,* queda la familia de los *homínidos,* dividida en dos subfamilias: la de los *Australopithecinos,* a la que pertenece el género *Australopithecus,* y la de los *Homininos,* con el *Género Homo.*

Los *Australophitecus,* que tal vez hace cuatro millones de años erraban por la sabana sudafricana, eran seres de aspecto muy primitivo (no lejanos quizá del chimpancé) que, según la opinión más general, vivían en grupos, andaban sobre los dos pies, sin apoyar las manos, poseían un esqueleto ligero (algunos de los primeros estudiados correspondían a un ser de 45 kg de peso y una altura media de 1,30 m), tenían dientes parecidos a los humanos y una pelvis semejante a la nuestra (muy distinta, por tanto, de la del chimpancé). Su capacidad craneana, ya se ha dicho, estaba alrededor de los 600 cm^3.

El profesor DART, que en 1924 descubrió cerca de Taungs, en el África meridional, un cráneo al que denominó *Australopithecus africano,* considera que estos homínidos tenían una «industria», que llama *osteodontoquerática,* de huesos, dientes y astas; creía también que sabían obtener fuego (aunque el asunto aún se sigue discutiendo). Muchos autores pretenden que la cultura de los guijarros *(pebble-culture)* se les debe. Dentro de los *Australophitecus* se encuentra el llamado por LEAKEY y TOBÍAS *Homo habilis.*

En 1959 —recuerda PERICOT— no se conocían más *Australopithecus* que los africanos. En esa fecha los esposos LEAKEY encontraron, en el que desde entonces sería famoso barranco de Olduvai (Tanganika), uno de los yacimientos más importantes del mundo. En él exhumaron un cráneo, sin duda alguna del grupo de los *Australopithecus,* al que llamaron *Djinianthropus Boisei,* y luego, en un nivel inferior, los restos antropológicos del que bautizaron como *Pre-Djinianthropus,* con una capacidad craneana (650 cm^3) ligeramente mayor que la del *Djinianthropus* y una mano, a juzgar por la disposición de sus huesos, muy prensil, muy «humana».

Con estos hallazgos y la presencia de guijarros de la *pebble-culture,* LEAKEY y TOBÍAS, como se ha dicho, introdujeron en la serie al *Homo habilis,* que sería el más antiguo fabricante de útiles del mundo. (Dada la tosquedad de estos materiales no faltan quienes piensan que se pueden haber producido sin intervención humana, o que el *Homo habilis* era un animal que los sabía hacer o usar de un modo instintivo, sin pasar de ahí.) «La medición, por el método del potasio-argón, de las capas de las formaciones volcánicas que enterraban los vestigios de *este supuesto Homo habilis,* ha dado la fecha de 1.750.000 años» (PERICOT). Posteriormente, junto al lago Tchad, COPPENS encontró restos de un cráneo de *australophiteco* acompañado de residuos de fauna muy antigua, y luego se encontraron en las terrazas del río Omo, al sur de Abisinia, dos nuevas mandíbulas de este grupo «cuyos niveles, medidos por el método del potasio-argón, han dado dos millones de años para el ejemplar más avanzado y cuatro millones de años para el de rasgos más arcaicos» (PERICOT, 1969).

Las investigaciones siguen y ya hemos visto (PALAFOX) cómo biólogos y arqueólogos han reunido nuevos restos en los diez años transcurridos desde que PERICOT escribió su pequeño volumen de divulgación; pero a nosotros nos puede bastar ahora ver a este ser *subhumano* (CIPOLLA) en el fondo del Paleolítico, viviendo en grupos, a la orilla de los lagos africanos, alimentándose de pequeña caza, aves, peces, reptiles y piltrafas de las presas de los animales carniceros, en especial del tuétano de sus huesos (a juzgar por la cantidad de huesos partidos que se han encontrado junto a sus propios restos).

3.4. *La «revolución» de los Pitecantrópidos*

Si no está claro, ni mucho menos, que los *Australopitecos* supieran encender fuego, los *homínidos* que —sin duda en virtud de un largo proceso, del que por desgracia hay pocos hallazgos arqueológicos— encontramos luego en un escalón ya francamente superior, los *Pitecantrópidos,* han dejado pruebas irrefutables de que lo usaban. Éste fue ya un gran hallazgo, un gran paso adelante de consecuencias que los hombres de hoy no estamos capacitados para apreciar.

El primer hallazgo de restos de lo que iban a ser llamados los *Pitecántropos* lo realizó en 1892, en Trinil (Java), un médico holandés: DUBOIS. Se trataba de una bóveda craneana, un fémur y un molar de un ser que a DUBOIS le pareció intermedio entre el hombre y el mono y al que llamó *Pitecanthropus erectus.*

Treinta años después, en 1923 y años sucesivos, se descubrieron en *Chu-Ku-Tien,* cerca de Pekín, restos de cuarenta y cinco individuos (doce de ellos adultos) claramente «emparentados» con los de Trinil. El norteamericano WEIDENREICH realizó el estudio antropológico, y a la especie que los vestigios paleontológicos encontrados tipificaban se le dio el nombre de *Sinanthropus pekinensis.*

Buscando confirmar las semejanzas entre los hallazgos de Java y Pekín, VON KÖNIGSWALD volvió a excavar en Java, donde encontró nuevos restos, a los que dio nuevos nombres, pero todos, en opinión de PERICOT, correspondientes a la especie *Pitecantropos erectus.*

A estos hallazgos se sumaron los procedentes de la excavación de Ternifine, cerca de Orán, en 1954, en Olduvai, «donde hay restos de este tipo que van desde medio millón a más de un millón de años de antigüedad», y en Rabat, Casablanca y Tanara, a los que se agregó la famosa *mandíbula de Mauer,* encontrada en 1907 cerca de Heidelberg.

Es decir, los *Pitecantrópidos* estaban muy ampliamente distribuidos desde Europa y África a Indonesia y China.

EVEDY y JONES hacen un cálculo muy ingenioso para estimar su número. Partiendo de que es improbable (para estos autores) que hubieran inventado los vestidos y otros medios de abrigarse, deducen que debían quedar acantonados al sur del paralelo 50° N. en el viejo mundo. Excluyendo a Australia, la zona calculan que abarcaría 68 millones de Km², de los cuales consideran habitable una cuarta parte (17 millones de Km²) y calculando un habitante por cada 10 Km² llegan a la cifra de 1.700.000 habitantes en este período. Este el tipo de cálculo acostumbrado entre arqueólogos, apoyado por ejemplos actuales de los que un autor ha llamado «nuestros contemporáneos primitivos». EVEDY y JONES también lo hacen, y se apoyan en su cálculo en el hecho de que los aborígenes australianos tienen una densidad de 1 habitante por cada 10 Km² de terreno habitable o bien de 2 ó 3 habitantes por cada 100 Km² de toda clase de terrenos (pág. 14).

TREWARTHA, en cambio, apoyado en los datos de hace veinte años de los esquimales caribú (1,07 hab por 100 millas cuadradas), los aborígenes australianos (8 hab por 100 millas cuadradas) y los Ojibwa recolectores de arroz silvestre (13 hab por 100 Km²), llega a la conclusión de que en la «fase más natural de recolección» durante el Pleistoceno, la densidad de población debió ser de 3 recolectores por 100 millas cuadradas.

Al final de esta parte tendremos ocasión de considerar otros casos y estimaciones; ahora basta recoger de PERICOT que los *Pitecantrópidos* debieron ocupar el mundo, durante el Pleistoceno medio, por lo menos durante trescientos mil años.

Hoy se incluye a este grupo dentro del *Género Homo (Homo erectus)* y la mayoría de los autores consideran que eran verdaderos hombres. Desde luego el *Homo erectus* estaba muy por encima de los antropoides y su capacidad craneal era notablemente mayor que la del *Homo habilis,* aunque inferior a la nuestra (variedad de Pekín, 1.050 cm³; variedad de Trinil, 950 cm³).

El *Homo erectus* ha dejado industrias de hachas de mano y de lascas, muy superiores a las «osteodontoquerática» y de los «guijarros».

Aplicando un principio muy empleado por los geólogos, el «principio de las causas actuales», podemos reparar en que si estuviéramos más cerca en el tiempo de estos pitecantrópidos los escasos restos de que ahora se dispone se verían complementados por multitud de instrumentos y restos fósiles que quizá nos permitirían ver si el crecimiento y expansión espacial de la población fue muy grande. Según los prehistoriadores los pitecantrópidos dejaron dos tipos de industrias: la de hachas de mano y la de lascas.

Dentro de estos materiales es lógico que tratándose de un período tan largo se puedan establecer clasificaciones que ponen en orden los materiales de muchas fases intermedias entre el comienzo y el final de estas industrias («de medio millón a un millón de años han debido transcurrir entre el punto de partida y el de llegada, si los actuales sistemas geocronológicos no fallan», PERICOT). Esto quiere decir que en estas industrias se puede encontrar desde «el tosco guijarro mal tallado a las espléndidas hachas del Achelense final».

Las hachas encontradas en África, «donde tal vez se produjo el gran avance», estaban labradas en sílex, en obsidiana, en una cuarcita o en una roca volcánica, y según los prehistoriadores son tan bellas y están tan bien terminadas que obligan a aceptar la condición humana de quienes las tallaron. Algunos autores han llegado a considerar a las más perfectas como «piezas de ceremonia» e incluso como las primeras obras de arte del mundo.

Estos instrumentos líticos son abundantísimos en Europa occidental y en África. Las terrazas del Manzanares en Madrid, y las del Tajo en Toledo, contenían muy ricos yacimientos. Los hay también en Torralba (Soria), en los primeros niveles de ocupación de las cuencas cántabro-aquitanas, en las terrazas del Somme y en las del Támesis londinense.

Los hallazgos de estos materiales son tantos y tan ricos, y en cambio los hallazgos antropológicos de *Homo erectus* tan pocos, que PERICOT pensaba, con otros autores, que posiblemente estas hachas se deben también a la actividad de unos supuestos *presapiens* más avanzados en su constitución orgánica.

En paralelo con esta industria de las hacha de mano, en el gran espacio de Asia oriental y del sudeste, existe una industria de lascas y guijarros desbastados (sin que aparezcan hachas de mano) con las que se producen «tajos y cuchillos», palabras, dice PERICOT, «con que traducimos las voces inglesas *choppers* y *chopping-tools* que universalmente se emplean para designar estos útiles.

A pesar de la escasez de hallazgos antropológicos, gracias a las excavaciones de LEAKEY y HOWELL, en *Olduvai,* y *Olorgesailie,* el primero, y en *Isimila* (Tanzania), el segundo, sabemos que el hombre achelense acampaba alrededor de los lagos africanos, y disponía de abrigos con cercas defensivas.

Era un gran comedor de carne y, a juzgar por el volumen de sus presas, tenía que cazar en grupo o disputar, tal vez también en grupo, las carroñas a los grandes animales carnívoros.

El hallazgo en las excavaciones de Chu-Ku-Tien de un número algo elevado de bóvedas craneanas ha hecho pensar en un posible culto al cráneo, aunque tampoco faltan autores que recuerdan para explicar la presencia de estos cráneos que por su particular dureza el cráneo es una de las partes del esqueleto que mejor se conserva en los yacimientos.

En las excavaciones de Chu-Ku-Tien aparecieron rascadores bastos, puntas de cuarzo, cuchillos y huesos labrados con fauna del Pleistoceno medio, y huellas evidentes de que los fabricantes también sabían encender fuego.

Según CIPOLLA, que resumen mucha bibliografía inglesa[7], las pruebas concluyentes «de que en la cuenca de Chu-Ku-Tien se utilizó el fuego, demuestran que en Asia el fuego estaba ya dominado entre 450.000 a 350.000 años antes del comienzo de nuestra Era.

En cambio, el mismo autor, apoyándose en OAKLEY[8], cree que en lo que ahora son España e Inglaterra el fuego sólo se dominó entre los 250.000 a 200.000 a. C. CIPOLLA dice también que se ha comprobado que solo a fines del Pleistoceno comenzó a usarse el fuego para la cocción de los alimentos, y hasta entonces sólo se utilizaba para calentarse o defenderse de las fieras.

De lo que no hay duda, en la línea de lo que nos interesa, es de que la «domesticación del fuego» fue la *primera gran revolución* que equipó a los hombres con un instrumento de progreso de incalculable contenido.

GORDON CHILDE, que escribía en 1936, es decir, con muchos menos datos que ahora, pero con una poderosa imaginación, vio, quizá demasiado bien —aunque siempre con su peculiar óptica racionalista—, lo que significó «la revolución del fuego».

> «El control del fuego fue, presumiblemente, el primer gran paso en la emancipación del hombre respecto de la servidumbre de su medio ambiente...
>
> ...al controlar el fuego, el hombre dominó una fuerza física poderosa y un destacado agente químico... alimentando y apagando el fuego, transportándolo y utilizándolo, el hombre se desvió revolucionariamente de la conducta de los otros animales (sic). De este modo, afirmó su humanidad y se hizo a sí mismo...
>
> ...En todo caso, el descubrimiento tuvo una importancia capital. El hombre pudo a partir de entonces no sólo controlar, sino también iniciar el enigmático proceso de la combustión, el grande y misterioso poder del calor...»[9].

3.5. *El hombre de Neanderthal y la cultura musteriense*

En el «modelo» que hasta ahora estaba vigente en la reconstrucción de nuestro pasado prehistórico transcurren varios centenares de milenios (quizá cinco) antes de que los neanderthalenses dejen las huellas de su paso por la Tierra.

Los primeros restos de hombres de esta raza se encontraron en 1848 en Gibraltar (por eso quería Camón AZNAR que el *Hombre de Neanderthal* se llamara *Hombre calpense*),

---

[7] *Ob. cit.,* pág. 43.

[8] OAKLEY, K., 1955, «Fire as paleolithic tool and weapon», en *Proceedings of the Prehistoric Society,* núm. 21. OAKLEY, K., 1956: «The earliest fire makers», *Antiquity,* núm. 30. Citas de CIPOLLA.

[9] *Ob. cit.,* págs. 66 y 67.

pero nadie se dio cuenta de lo que representaban como novedad hasta que, en 1856, se encontró una bóveda craneana en el Valle del río Neander, cerca de Düsseldorf.

Tras la correspondiente y agria polémica, terminada cuando se encontraron nuevos restos en Spy, se llegó a un acuerdo: se trataba de un hombre de frente huida, arcos superciliares muy salientes, falto de mentón, acusadamente dolicocéfalo, con la proporción de las extremidades diferente de la nuestra y gran capacidad craneana, alrededor de 1.650 cm³. Un verdadero *Homo sapiens;* el *Homo sapiens neanderthalensis* o bien el *Homo sapiens primigenius.*

«El grupo de *Neanderthal* es un grupo especializado surgido de un antecesor que dio origen también a la raza de *Cro-Magnon...* Sólo admitiendo esta proximidad podemos entender el caso de los tipos intermedios y de los *presapiens* y la unidad fundamental de las industrias» (PERICOT). (Obsérvese el contraste con la opinión de PALAFOX a que nos hemos referido antes.)

La industria musteriense está caracterizada por la producción de piezas de menor tamaño que las precedentes y de útiles acusadamente especializados, obtenidos con mejores técnicas en la talla y el retoque del sílex. Es la técnica, muy perfeccionada, de las lascas, de las que se deriva la raedera y la punta triangular. Junto a ellas existen ya perforadores, piezas plano-convexas, huesos en esquirlas aguzadas, etc.

Las técnicas del Hombre de Neanderthal preludian las grandes conquistas, la «revolución» del Hombre de Cro-Magnon que le va a suceder.

Los neanderthalenses también sabían encender fuego, sabían asimismo preparar pieles, y habitaban de modo normal en cavernas. Todo eso les permitía vivir cerca del límite de los hielos cuaternarios en Europa y en Asia, y cazar a los grandes animales árticos, el mamut y el rinoceronte lanudo. GORDON CHILDE parece tener razón cuando indica que estas grandes bestias no podían ser perseguidas por cazadores aislados o grupos familiares muy pequeños, esa tarea tenía que ser desempeñada por un grupo mayor con alguna organización de tipo social.

A propósito de esto el autor, sin pretenderlo, porque él no se plantea el problema, nos enfrenta con uno de los grandes misterios de nuestro pasado terrenal: estos cazadores del período musteriense, dice GORDON CHILDE, «podían hablar lo suficiente para organizar sus expediciones cinegéticas en cooperación, pero a juzgar por la disposición de los músculos de su lengua (!) su lenguaje debe haber sido tartamudeante»[10].

El origen del lenguaje es un misterio. Ningún animal habla y acaso los hombres hemos hablado siempre[11]. Sin embargo, GORDON CHILDE tiene razón en señalar que estos

---

[10] *Ob. cit.,* pág. 7.ª Los signos de admiración los ha puesto el autor de este libro, que no tiene formación para comprender cómo se puede deducir de una mandíbula fósil la disposición de los músculos de la lengua, y de ésta cómo hablaba su propietario.

[11] Es una verdadera pena que no podamos entrar en un asunto tan apasionante como el del origen del lenguaje, pero ni corresponde al objeto de este libro ni yo tengo preparación alguna para hacerlo.

Remito a quien desee iniciarse en la cuestión, en primer lugar, a la consulta de un científico especializado, consejo que no debe olvidar nunca para cualquier caso, y en segundo, si no le es posible otra cosa, a la lectura del Apartado 1: «El lenguaje humano y sus raíces orgánicas», del capítulo IV del libro de OVERHAGE ya citado, entre las págs. 249 a 274.

De él son estos dos párrafos: «Hombre y lenguaje están tan indisolublemente ligados entre sí que W. VON HUMBOLDT pudo decir con razón: para poseer lenguaje tuvo que ser hombre; y para ser hombre tuvo que poseer lenguaje. En menos palabras: sin lenguaje no hay hombre, sin hombre no hay lenguaje. Por tanto, el que investiga el origen del lenguaje está investigando el origen del hombre» (pág. 249).

hombres emitirían un tipo de sonido distinto de nosotros, porque el lenguaje articulado, según muchos autores, no lo encontramos hasta la «gran revolución» auriñaciense, que tuvo lugar miles de años más tarde.

La difusión de la cultura musteriense y de los neanderthalenses fue formidable. PERICOT considera que se extendieron por todo el Viejo Mundo, incluyendo Indonesia, Australia, Tasmania y Nueva Guinea, aprovechando tal vez istmos continentales que durante la glaciación wurmiense permitirían ganar estas regiones. En cuanto a América el mismo autor no se atreve a desechar la posibilidad de que algún día aparezcan vestigios del hombre de Neanderthal o de su cultura.

De todas formas, los cálculos de población neanderthalense, viviendo en un momento dado, siguen arrojando cifras muy bajas, más bajas que las que EVEDY y R. JONES nos daban para los pitecantrópidos.

El profesor CLARK, de la Universidad de Cambridge (citado por PERICOT), calculaba un millón de neanderthalenses para la totalidad del mundo habitado, y PERICOT consideraba para la Península Ibérica que en el momento de máximo apogeo de estos pobladores serían diez mil.

Todos los que han estudiado a estos hombres coinciden en que el rasgo más interesante de su legado arqueológico es de tipo espiritual y se deriva de su exquisito cuidado por sus muertos. Se conocen bien varios de sus enterramientos: Cueva de Es-Sukul, en el Monte Carmelo (Palestina), la Chapelle-aux-Saints, La Ferrassie, La Guína, Combe Grenal...

Las tumbas se preparaban con un lecho de piedras, o se protegían con ellas. Los cuerpos estaban atados o replegados. GORDON CHILDE, aferrado a su explicación económica para todos los sucesos de la vida humana, confiesa sorprendido que la economía no puede explicar esa piedad por los muertos (que es, sin embargo, tan comprensible, humanamente hablando).

«Históricamente, el hecho más notable acerca de los musterienses es el cuidado que ponían en el arreglo de los muertos. En Francia se han descubierto más de una docena de esqueletos de Neanderthal, sepultados en forma ritual en las cavernas que servían de habitación a su grupo. En general, procuraban proteger el cuerpo. En la Chapelle-aux-Saints, varios esqueletos están colocados en tumbas individuales de poca profundidad, excavadas en el piso de la cueva. En algunos casos la cabeza descansa sobre una almohadilla de piedra, con piedras encima y alrededor por aliviar el peso de la tierra...

Los muertos no sólo eran enterrados cuidadosamente; sus tumbas, además, eran colocadas cerca del hogar, como si dieran calor a sus ocupantes. El muerto era provisto de utensilios y de comida.»

Y concluye, como si estuviera pensando solo:

«Todo este ceremonial testimonia la actividad del pensamiento humano en sentidos *inesperados y no económicos.* Enfrentados ante el aterrador hecho de la

---

«El origen del lenguaje —dice BUYTENDIJK (1958), *Mensch und Tier,* Hamburgo, pág. 85 (citado por OVERHAGE)— no lo encontramos ni en la prehistoria de la humanidad ni en la historia de la edad infantil. El lenguaje no tiene orígenes, es una *creación original.* Nace de un salto; de un salto tan original como un despertar, como un cambio de rumbo, como una mutación. Lo único que aquí podemos señalar son las condiciones preparatorias, el punto de apoyo de su salto» (página 260).

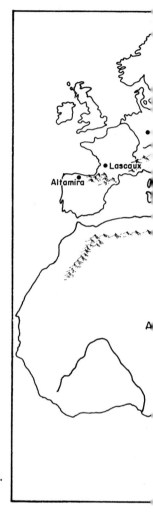

Mapa IV.2.1.—*Lugares de hallazgos prehistóricos importantes.*
(De Starr: «Early Man». Nueva York-Londres, 1973.)

muerte, con sus emociones primitivas sacudidas ante el aniquilamiento... No
creyendo en el cese completo de la vida terrena, se imaginaron oscuramente alguna especie de continuación de ella, en la cual el muerto tendría necesidad de
alimento material y de utensilios. El patético... cuidado de los muertos, testimo-
niado en esta forma precoz, se convertiría después en un arraigado hábito de la
conducta humana, que había de inspirar maravillas arquitectónicas como las pi-
rámides egipcias y el Taj Mahal» (págs. 71-72).

3.6.   La gran «revolución» del Paleolítico Superior

Lo que llamamos edades, períodos, épocas, etc., al describir el pasado, sea geológico,
prehistórico o histórico, son divisiones establecidas por los científicos para acotar el campo y ordenar dentro de sus límites sus conocimientos y sus hallazgos, pero nunca se debe

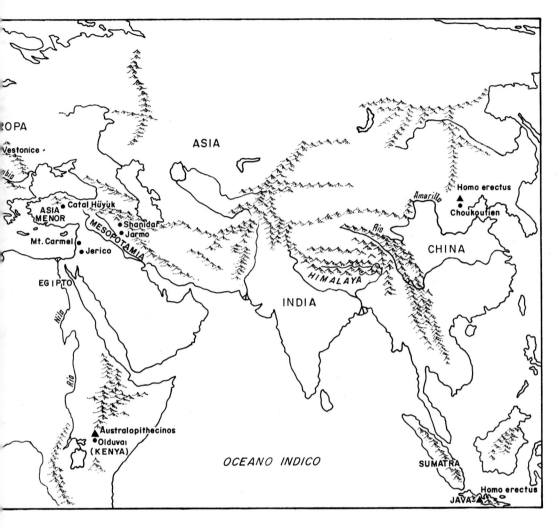

perder de vista que los hechos, la vida, la sucesión de seres vivos... son y han sido siempre infinitamente más ricos y complejos y que no hay mente humana, por profunda que sea, capaz de abarcar completa la realidad ni presente ni pretérita.

Y esto es aún más cierto en el período que vamos considerando, en el que, aunque lo dicho aquí sea tan poco, ya se trasluce que toda la interpretación del larguísimo pasado de la humanidad se apoya en unos cuantos centenares de excavaciones, realizadas desde hace más o menos ciento cincuenta años. Con ello no pretendo rebajar el mérito realmente extraordinario que supone para prehistoriadores y antropólogos haber estructurado en un modelo todos sus hallazgos, al contrario, reconociendo y admirando sinceramente la calidad de su trabajo; lo que pretendo, como ellos mismos, es llamar la atención sobre que lo que parecen saltos bruscos y rapidísimos cambios de decoración, no debieron serlo tanto en la realidad, sino que sólo lo parecen debido a la falta de otros restos arqueológicos —sin duda existentes, pero no encontrados aún— que colmen las lagunas actuales.

Una de estas lagunas existe claramente aún entre los hombres de Neanderthal y los de Cro-Magnon. Muy «cerca» ya de nosotros, en la segunda mitad de la glaciación wurmiense, hace aproximadamente cuarenta mil años se produce un gran cambio en la cultura del Viejo Mundo «y aún nos atreveríamos a decir (que estamos) ante uno de los momentos más decisivos en la historia de la humanidad...» (PERICOT). Desaparece el hombre de *Neanderthal* y aparece el *Homo sapiens, sapiens,* la raza de Cro-Magnon, nuestro inmediato antecesor, en lo que llamamos Paleolítico Superior.

He dicho ya, siguiendo a PERICOT, que acaso neanderthalenses y cromagnones procedían de un antecesor inmediato común. PERICOT cree también que debió haber infinitos cruzamientos entre las dos razas antes de que los neanderthalenses se extinguieran. Es decir, la «extinción» estuvo muy lejos de ser brusca. CAMPBELL, en cambio, piensa que los hombres de *Cro-Magnon,* que venían del Este (lo cual nadie lo duda), fueron desplazando y arrinconando a los neanderthalenses hasta que los aniquilaron. La hipótesis de PERICOT, apoyada en el estudio de los resultados de las excavaciones, es más convincente.

El caso es que con estos hombres la humanidad alcanza su «primer óptimo» —dicho sea con todas las cautelas del caso—. Este hombre fuerte e inteligente es un gran cazador —el Paleolítico Superior es la época de la «gran caza»—, vive en cavernas y en abrigos temporales, en grupos más numerosos que sus antecesores, con una cierta organización social (que desconocemos), pasa de nómada a sedentario, se viste de pieles, habla articuladamente, ocupa por completo el planeta, América incluida, y es un artista genial.

Este hombre de *Cro-Magnon,* cuyos restos descubrieron en 1868 cerca de Les Eyzies (Dordoña) unos obreros que excavaban la zanja de un ferrocarril, fue estudiado por primera vez por Louis LARTET.

A juzgar por los resultados del estudio de sus huesos por este y otros autores, el hombre de *Cro-Magnon* era muy distinto del hombre de *Neanderthal.* Era alto, musculado, de esqueleto robusto, gran capacidad craneana (cerebro de 1.550 a 1.750 cm^3), dolicocéfalo, de cara ancha y corta, frente alta y mandíbula más ligera que los neanderthalenses, de dientes pequeños y barbilla prominente. En alguna de sus modalidades raciales es posible que fuera rubio. En cualquier caso, dada su difusión por todo el mundo, es lógico que de esta raza se deriven una serie de variantes. Desde África (ya en el Neolítico) pasó a las Islas Canarias, «donde el tipo se ha conservado en la plenitud de sus rasgos, hasta el momento actual, como uno de los elementos fundamentales del pueblo guanche»[12]. Posiblemente empleó el ocre rojo para pintarse el cuerpo, y con ese mismo ocre pintaba el cuerpo de sus muertos (CAMPBELL).

El retroceso de los hielos wurmienses liberaba progresivamente amplios territorios en los que a las condiciones árticas sucedían floras y faunas de tundras y estepas. Las grandes llanuras estaban así bien pobladas de bisontes, bueyes y caballos en las zonas más abrigadas, en tanto que en las regiones más frías tenían su hábitat los mamuts, el rinoceronte lanudo y el reno, piezas todas muy codiciadas por estos cazadores.

Evidentemente cazaban en grandes grupos, lo que hace suponer que contarían con una organización social de la que no tenemos idea. Probablemente, uno de los sistemas que emplearían sería «ojear» a las manadas y provocar estampidas de los animales hacia zonas terminadas bruscamente en un acantilado, por el que despeñarían, o hacia una garganta estrecha, donde fuera fácil matarlos. En ambos casos, nuestros antepasados cromagnones ya eran responsables de un notable «despilfarro» de recursos.

---

[12] PERICOT, *ob. cit.,* pág. 64.

De los animales no sólo obtenían carne, sino pieles (para cubrirse y en algunos casos techar sus abrigos temporales de caza), grasa (para las lámparas de su cavernas), huesos, marfil y tendones para coser y tal vez, si los tuvieron como es probable, para sus arcos de lanzar flechas.

Los ríos eran ricos en peces. Las mujeres y los niños contribuían al aprovisionamiento recolectando frutos y otros productos vegetales.

En invierno estos hombres, en número mucho mayor que sus antepasados, habitaban cavernas y abrigos bajo la roca, y en las épocas de caza se construían abrigos temporales. Esto da a entender que estaban saliendo del nomadismo, y al perseguir a los animales, según las estaciones, de unos lugares a otros, para cazarles, estaban, indudablemente, adquiriendo la experiencia que dio luego lugar a la transhumancia.

PERICOT piensa, con mucho fundamento, que ya debió existir algún tipo de comercio entre unos pueblos y otros, y una organización social, poco conocida, en la que, sin embargo, debieron tener mucho peso el totemismo y la magia. Pero lo que hace que este período sea verdaderamente trascendental para la humanidad es la aparición del lenguaje articulado, el poblamiento de América y el nacimiento del arte.

Sobre cada uno de estos hechos se han escrito cientos de libros y, sin duda alguna, se escribirán muchos más; en este momento nos interesa recordar simplemente que cada uno de ellos tuvo una formidable significación y trascendencia para el desarrollo y crecimiento de las generaciones siguientes.

Ya me he referido al misterio del origen del lenguaje, al hablar del que se supone que empleaban los hombres del Neanderthal. Pero al parecer el lenguaje articulado es del comienzo casi de este período. «Según DART (1959), el lenguaje articulado tardó mucho en aparecer. El hombre no empezó a hablar con sonidos articulados hasta el Paleolítico Superior de finales de la Era Glaciar, concretamente hasta el período prehistórico del Auriñaciense, época en que aparecen también las pinturas rupestres».

Aunque los hombres de *Cro-Magnon* no nos hubieran dejado otro legado, éste les conferiría un puesto excepcional en la historia de la humanidad. Con este lenguaje no sólo cazarían mejor los grandes animales de que se alimentaban organizando las partidas cuidadosamente, y no sólo pudieron tener una más complicada organización social que sus antecesores, sino que sobre todo y sin lugar a dudas, con él dio comienzo «la tradición oral», la transmisión de experiencias, de noticias, de historias, de una generación a otra, por medio de las narraciones de unos a otros, confiadas a la memoria. A los hombres de hoy nos cuesta mucho valorar lo que la «tradición oral» ha supuesto para el desarrollo de la cultura de la humanidad. Posiblemente no somos capaces ni de imaginar cuán fiel ha sido esa transmisión. Tal vez pueda darnos una idea aproximada escuchar con qué minuciosidad y riqueza de detalles repite un niño un relato escuchado a un amigo de sus mismos años.

La escritura, al parecer, fue un invento de los sumerios alrededor del año 3000 a. C. y aun así estaba reservada a los sacerdotes y los escribas, como en el Egipto faraónico. En cualquier caso, desde más o menos el 30000-25000 a. C. hasta ese año 3000, toda la experiencia de la humanidad, todo lo que querían que supieran sus sucesores se conservó y transmitió por «tradición oral» gracias a esos dos prodigios formidables que son la mente humana y el lenguaje articulado. Además de esta inapreciable aportación, sin negar la posibilidad de que fueran precedidos por otros hombres, como ya dijimos, no hay duda ninguna de que estos hombres del Paleolítico Superior pasaron a América.

PERICOT dice taxativamente que a la vista de «los hallazgos más viejos que tenemos

Fig. 4.2.2.—*El gran bisonte de Altamira.*

de América, nadie negará cuán justamente los hemos calificado de paleolíticos. Suponemos que este paleolítico procede del asiático, que hoy empezamos a conocer bien. Sin duda, el puente para este poblamiento ha de haber sido el istmo formado por las tierras que hoy están cubiertas por el mar en el estrecho de Bering y que durante la última glaciación estaban emergidas...».

Sin duda, los cazadores, persiguiendo cada vez más al norte sus piezas a medida que los hielos se retiraban, penetraron a través de esta vía en lo que hoy llamamos América.

Si pudiéramos ahora seguir los hechos más de cerca (en el tiempo y en el espacio) es indudable que una exposición tan esquemática como ésta se enriquecería en seguida con nuevos pormenores y precisiones. Por ejemplo: «parece que sólo en parte del Pleistoceno final quedó abierto un paso entre los casquetes glaciares canadienses y Las Rocosas, que permitió pasar hacia el sur, siguiendo la caza, a los grupos que habían atravesado el estrecho (istmo) de Bering».

En cualquier caso, en esta fase «podemos reconstruir la evolución cultural del Paleolítico americano suponiendo que, tras una entrada de elementos retrasados, paralelos a las industrias del Paleolítico Inferior y Medio del Viejo Mundo, llegó a América desde Siberia una industria más perfecta adaptada a la actividad de los grandes cazadores, que en esta época se desarrolla con puntas elaboradas con refinadas técnicas de retoque y que, por su tamaño, deben haber sido disparadas con arco»[13].

---

[13] PERICOT, *ob. cit.*, págs. 88-89.

El arte es otra de las grandes aportaciones de los hombres del Paleolítico Superior. No deja de ser sorprendente, sin embargo, que aparezca tan tarde. Si prescindimos de las bellas y bien terminadas hachas de mano, y contestamos negativamente a la pregunta de si hubo realmente arte con los neanderthalenses, el arte nace en la fase auriñaciense del Paleolítico Superior, hace tan sólo unos 32.000 años.

Ignoro si este arte, primitivo en el tiempo pero bellísimo y acabadísimo en muchos casos, es lo más estudiado del Paleolítico, pero no hay duda alguna de que por su belleza y en muchos casos modernidad es lo más conocido y estimado del gran público. El arte mobiliar puede ofender algunos gustos clásicos por la tosquedad y exageración de formas de las famosas «venus», pero los dibujos y relieves en tablillas son infinitamente más perfectos que esas caricaturas.

En cuanto al arte rupestre, no hay palabras para expresar la admiración y entusiasmo que produce la contemplación de obras tan bellas y llenas de vida.

No es éste lugar para discutir si tenían o no una finalidad propiciatoria de la caza las figuras de animales de las grutas, y ni siquiera si los artistas eran ya, o no, pintores con plena dedicación a su tarea, lo que sin duda les hubiera privado de la visión perfecta del cazador, pero tal vez nos es lícito considerar que esta eclosión del arte refleja ya una mayor independencia del medio ambiente, un mayor grado de libertad y de especialización creadora, precisamente como un resultado más de la elevación de la calidad de vida; del «salto» adelante de la población.

Fig. 4.2.3.—*Altamira. El bisonte encogido.*

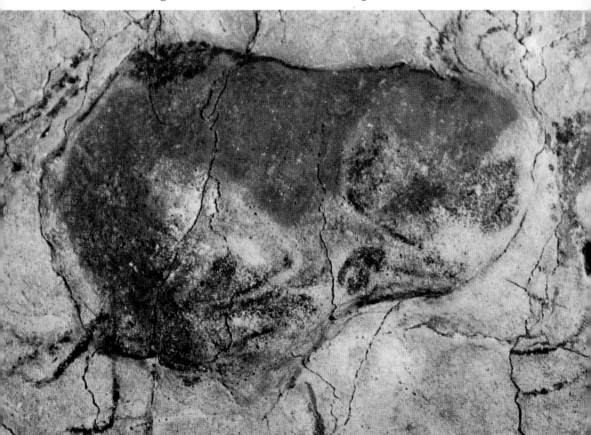

En cualquier caso, con este arte asombroso nuestros antepasados llenaron una laguna formidable en el humano quehacer. Hasta entonces —escribió PERICOT— al hombre, a lo largo de tantos milenios, le faltaba el arte, «esa gran manifestación de la vida espiritual de todo ser racional que constituye, sin duda, una de las características más acusadas de la humanidad frente a esos parientes cada vez más alejados que son los animales superiores»[14].

4. El Mesolítico europeo

El Paleolítico termina en Occidente quizá cuatro mil años más tarde que en Oriente. Mientras en Egipto, Sumeria, Acadia y Siria ya tienen animales domésticos y cultivan el suelo, en el oeste de lo que hoy es Europa entramos en el Mesolítico, o Epipaleolítico, y en lo que hoy es Europa septentrional y central penetran los hombres por primera vez siguiendo (a medida que progresivamente funde su borde meridional) el frente de retroceso de los hielos cuaternarios. El bosque hace lo mismo que las hordas de cazadores y coloniza la gran llanura euroasiática (la «germano-polaca-ruso-siberiana» de los Manuales) obligando a los animales herbívoros, presa de los cazadores, a retirarse también.

Para lo que hoy llamamos Occidente es indudablemente una época de empobrecimiento, que pudo muy bien ir acompañada de una reducción de la población y desde luego lo fue de una reducción de la dieta alimentaria.

Ahora los hombres de este período Aziliense comen moluscos en tales cantidades y durante tanto tiempo que los «concheros» —restos acumulados de su comida—, que se encuentran en todo el mundo, forman verdaderos montículos.

Pero incluso en el propio Occidente no faltan, dentro de esta decadencia general, rincones más prósperos con un arte mejor conservado. Es el conocido caso de la cultura *Natufiense* (de *Wadi-en-Natuf),* de la que se han encontrado restos desde el sur de Turquía a las inmediaciones de El Cairo. Sus hombres cazaban gacelas, pescaban con ayuda de arpones y anzuelos, y utilizaban hoces. Es decir, estaban pasando del Paleolítico al Neolítico; no sólo segaban ya los cereales, sino que tenían defendidas con murallas aldeas que eran ya barruntos de las futuras ciudades.

Estas poblaciones mesolíticas estaban constituidas por tipos antropológicos nuevos y variados. Los hombres mediterráneos aparecen ya claramente diferenciados. En este momento también una variante del hombre de *Cro-Magnon* se instala en el norte de África, la misma que ya en el Neolítico, cuando los hombres pueden navegar, desembarcará en Canarias.

En cuanto al arte, estamos en un momento de transición entre el naturalismo de los hombres de la gran caza y la estilización y simbolismo de los neolíticos, pero el Mesolítico tiene también un arte rupestre propio, americano, africano y en nuestra patria *levantino.*

Después del apogeo del Paleolítico Superior, los cambios climáticos y faunísticos y el empobrecimiento de las industrias mesolíticas hacen pensar en un repliegue, una fase de recesión en Occidente, antes del gran salto que supuso la entrada en la revolucion neolítica. Una revolución que, indudablemente, fue penetrando en Occidente poco a poco por

---

[14] *Ob. cit.,* pág. 65.

un largo y complicado proceso de difusión desde los focos inventores del Oriente Próximo.

5. El crecimiento de la población durante el Paleolítico

A la hora de intentar un resumen de todo cuanto se ha dicho hasta aquí, aunque haya sido tan esquemáticamente, debo comenzar diciendo que en mi propósito el hilo conductor de todo el capítulo es la sencilla idea de que en el larguísimo período que es el pasado Paleolítico de la humanidad la curva que representa a su población a lo largo de siglos y milenios, lejos de ser una línea monótona y lisa, como por necesidades de la escala y falta de datos se representa, es un curva con altibajos pero con una tendencia constante al crecimiento y «bruscos» (a la escala de tiempo del período) cambios de dirección hacia arriba correspondientes a mejoras en las técnicas dominadas por los grupos humanos que, lógicamente, se reflejan en un aumento de la población.

La segunda idea a subrayar es que estos avances, y su consiguiente crecimiento de los efectivos demográficos, no se producen simultáneamente en todos los lugares del mundo, sino en unos focos privilegiados desde donde el «invento» —o si se quiere la «conquista» o el «descubrimiento»— se difunden poco a poco al resto del mundo. Por tanto, el crecimiento de la población es también desigual de unos lugares a otros, y como ocurre siempre con estas representaciones gráficas, las curvas que representan el crecimiento total de la población compendian un fenómeno muy complejo y representarían la suma de muy desiguales y múltiples sumandos si no fuera porque para este larguísimo período de tiempo no disponemos más que de estimaciones cuyo grado de aproximación a la realidad nunca conoceremos.

Estas estimaciones se basan casi siempre en las densidades de población que presentan hoy algunos pueblos «primitivos», supuestamente en condiciones de vida «parecidas» a los hombres del Paleolítico. Es evidente que desde el momento en que «nuestros contemporáneos primitivos» entran en contacto con nosotros sus condiciones de vida distan muchísimo de las de los paleolíticos que, por otra parte, y es una tesis fundamental que no hay que perder de vista, cambiaron varias veces de condiciones de vida —tal vez más veces de lo que podemos pensar— a lo largo de un período de tiempo tan dilatado. No es que un hecho de esta significación se ignore, ni mucho menos, por los que buscan estas analogías para hacer sus cálculos, pero el encontrar —si es que es posible encontrarla— una situación análoga entre unos primitivos actuales y un determinado período del Paleolítico es indudablemente de una dificultad casi insalvable.

Por eso todos los datos que se dan sobre las poblaciones paleolíticas o son deliberadamente vagos e imprecisos o, si son muy concretos (como los que da DEEVEY, Jr. en los cuadros que se reproducen en el capítulo anterior), sus propios autores se apresuran a precisar que no tienen más que un valor estimativo basado en la serie de hipótesis de las que parten. Hemos visto, en el capítulo anterior, que DEEVEY da para el Paleolítico Inferior una población media, en un momento dado, de 125.000 personas para todo el ecumene; que en el Paleolítico Medio calcula un millón de pobladores para el mundo habitado; en el Paleolítico Superior, 3.340.000, y en el Mesolítico —cuyo final para el conjunto del mundo sitúa en el 8000 a. C. (o como dice él: hace 10.000 años)—, 5.230.000, lo que representa, según sus cálculos, 0,04 hab/Km^2, o sea, 0,1 habitante por milla cuadrada. Pues bien, éstos son datos que pone en su bello cuadro sinóptico, pero en el texto dice que para sus cálculos ha partido de una población permanente media de 500.000 hombres en el Paleolítico Inferior y dos millones para el Paleolítico Medio y Superior, apoyándose en los cálculos que sobre pueblos cazadores actuales realizaron R. J. BRAIDWOOD y Ch. REED, aunque, añade (con un excelente sentido del humor y de la justicia): «estos autores no tienen la culpa de mis extrapolaciones».

DEEVEY, Jr. no es geógrafo, sino biólogo, pero sus datos han sido recogidos y utilizados por un excelente geógrafo, TREWARTHA[15], que acepta todas sus conclusiones, y la cifra de cinco millones al final del período.

Peter R. COX[16], en cambio, sin precisar exactamente cuándo, calcula que serían tan sólo unos 20 millones de millas cuadradas de la superficie terrestre las aptas para ser habitadas por los cazadores paleolíticos, y «habiéndose estimado» que eran necesarias dos millas cuadradas para sostener a un cazador, concluye que la población total del mundo habitado no pasaría de unos 10 millones de personas.

COX es demógrafo. La cifra estimada de 10 millones pudo corresponder, según otros autores, a una fase muy avanzada del Paleolítico Superior. El propio W. CLARK, prehistoriador de la Universidad de Cambridge, admite para el mundo durante el Paleolítico Superior entre 10 y 20 millones de habitantes, y en su línea PERICOT calcula que pudo haber 100.000 personas en la Península Ibérica —aunque NOUGIER, para la misma época, calcula sólo 50.000 en Francia—. Pero estos cálculos corresponden a un momento que se sitúa de nosotros a una distancia de 25.000 años tan sólo. Hace unos cien mil años, con los neanderthalenses, durante el Musteriense, las cifras eran muy diferentes. El mismo W. CLARK calcula nada más que un millón de neanderthalenses para todo el ecumene y en ese momento PERICOT sitúa tan sólo 10.000 personas en la Península Ibérica.

La cifra más repetida para el final del Paleolítico oscila entre cinco y diez millones. OHLIN[17] considera, efectivamente, que la población del mundo antes de la introducción de la agricultura estaría entre cinco y diez millones de habitantes. DURAND[18] acepta como máxima la cifra inferior: «Se ha estimado, apoyándose en estudios arqueológicos y antropológicos, que la máxima densidad de las poblaciones paleolíticas, recolectoras y cazadoras, difícilmente podría exceder de una o dos personas por milla cuadrada en las áreas más favorables, y en muchas regiones debió de ser considerablemente menor. Por ejemplo, se piensa que las poblaciones indias de Norteamérica anteriores a Colón tuvieron una densidad media de tan sólo una persona por diez millas cuadradas en las zonas donde no se practicaba la agricultura. Teniendo en cuenta la geografía de las regiones de las que se sabe que fueron habitadas por los hombres paleolíticos, parece que la población del mundo difícilmente podría haber sido mayor de cinco millones, y no sería fácil entender cómo podría haber sido menor de un millón».

[15] Nueva York, 1972, págs. 5 y ss.
[16] Cambridge, 1976, págs. 169 y ss.
[17] Citado por Colin CLARK, *Population growth...*, pág. 63.
[18] «World Population: Trend and Prospects», en DEMKO, ROSE y SCHNELL, *Population Geography: A Reader,* Nueva York, McGraw-Hill, 1970, pág. 39.

5.1. *Natalidad, mortalidad y esperanza de vida al nacer durante el Paleolítico*

Las mismas imprecisiones, vaguedades o insuficiencia de datos —por otra parte inevitables— que acompañan a las cifras de población globales encontramos en lo que se refiere a tres aspectos fundamentales de la geografía de la población: natalidad, mortalidad y esperanza de vida al nacer.

Sería curioso que sobre la natalidad en el Paleolítico hubiera entre los autores modernos opiniones tan diferentes si no fuera porque como tenemos tan pocos datos de base, cada uno de ellos, de la mejor buena fe, por supuesto, saca sus conclusiones según la hipótesis de partida que ha escogido.

Hay, pues, autores que estiman que la fecundidad de las mujeres paleolíticas era muy baja, y esa fue la causa principal del lentísimo crecimiento de la población durante tantos miles de años[19]. Parece que abona esta hipótesis la dureza de la vida nómada y la muy probable larga duración del período de lactancia, ya que no se podía pensar en otro modo de alimentar a los niños.

DEEVEY, Jr. llega a pensar, sin duda influido por las ideas de moda entre muchos demógrafos americanos, que debió haber algún tipo de control de la natalidad en las poblaciones paleolíticas. Rechaza, no obstante, expresamente la explicación de un control ecológico a través de la disponibilidad de alimentos y da una explicación basada en sus ideas preconcebidas. «El número de niños —dice— fue presumiblemente ajustado a las condiciones de vida en los años más pobres» y no a las que constituían un término medio. Y eso ocurrió, porque en término medio las mujeres sólo tuvieron cuatro hijos, de los cuales sólo dos sobrevivían hasta llegar a la edad fecunda.

Es decir, según DEEVEY, en lugar de una natalidad «natural» alrededor de ocho hijos por mujer, sólo hubo una «natalidad controlada» de cuatro hijos por mujer, de los cuales sobrevivían tan sólo dos.

Su curioso y arbitrario cálculo se basa en que según él, la vida media de los que lograban pasar a la adolescencia era de 25 años, y como el 50 % de los niños morían antes de rebasarla, cada pareja debió reducirse a tener cuatro hijos para mantener el mismo número de habitantes.

No obstante, parece que el propio DEEVEY, Jr. no está muy seguro de sus conclusiones, porque en un momento dado dice: «A menos que la esperanza de vida fuera mucho menor de lo que yo he supuesto, debió prevalecer algún grado de *birth* control». Pero efectivamente, la esperanza de vida era mucho menor, porque que tengan una esperanza de vida de 25 años los que han pasado la adolescencia supone que para la generación completa la esperanza de vida al nacer es muchísimo más pequeña. Peter COX, a quien acabo de citar, dice refiriéndose a estas poblaciones: «se ha estimado por aproximación —posiblemente basándose en estudios sobre aborígenes actuales— que el promedio de su esperanza de vida al nacer no pudo haber sido mayor de diez años»[20]. Lo cual no está del todo en contra de los cálculos de DEEVEY, Jr. ya que éste prescinde de los niños muertos antes de la adolescencia.

Por otra parte, si la esperanza de vida era de 25 años para los adultos, está clarísimo

---

[19] DURAND (obra y lugar citados) dice que, si sus cálculos son correctos, «la tasa media de aumento de la población durante el período Paleolítico, asumiendo que duró tan sólo 100.000 años (es decir, desde la aparición del Hombre de Neanderthal), supuso menos del 1,5 por 100 por siglo». Lo que va entre paréntesis ha sido interpolado por el autor de este libro.

[20] *Ob. cit.*, pág. 170.

que muchas mujeres no llegarían a vivir tantos años como hubiera durado su fertilidad de no haber muerto tan pronto, y entonces es obvio que no tuvieran tantos hijos como si hubieran vivido. Es sabido, además, que en los pueblos primitivos actuales la mortalidad femenina es más alta que la masculina entre los 15-49 años, precisamente por causas postpuerperales.

Parece por tanto correcto admitir que la natalidad fue alta y la mortalidad también. CIPOLLA, citando a WOLFE (1933), lo ha resumido muy bien: «No poseemos cifras fidedignas, pero la evidencia indirecta corrobora la opinión de que las poblaciones paleolíticas presentaban un elevado índice de mortalidad. En vista de que la especie sobrevivió, debemos reconocer que la fertilidad también era muy alta».

Todo hace creer que la esperanza de vida al nacer era muy pequeña, aunque sin duda fue alargándose con el transcurso de tantos y tantos años y las mejoras en la condición de vida que progresivamente se iban introduciendo.

CIPOLLA aporta dos datos concretos: los análisis de VALLOIS sobre los restos de 187 neanderthalenses y los de WEINDENREICH sobre los de 38 individuos del grupo de los sinántropos

VALLOIS, antiguo director del Museo del Hombre de París y antropólogo de reconocida solvencia, analizando los restos fosilizados de estos 187 neanderthalenses, dedujo que más de la tercera parte de ellos murieron antes de cumplir los 20 años y la gran mayoría de las otras dos terceras partes lo hicieron entre los 20 y los 40 años. Sólo 16 individuos superaron los 40 años de su edad y murieron seguramente antes de los 50.

WEIDENREICH, con restos mucho más antiguos y escasos, dictaminó la edad alcanzada al morir por 22 de los 38 sinántropos. Quince murieron antes de cumplir los 24 años, tres entre los 15 y los 29 años, otros tres entre los 40 y 50 años, y, al parecer, uno rebasó los 50 años. Pero como dice CIPOLLA, diversos factores, y entre ellos el reducido número de restos analizados, quitan valor a esta muestra.

Es evidente que no resulta difícil encontrar pruebas de muertes violentas entre los restos de los hombres prehistóricos. KRZYWICKI (1934)[21] observó en sus estudios que

Época	Duración media de la vida — Años
Neanderthal.	29,4
Paleolítico Superior	32,4
Mesolítico	31,5
Neolítico (Anatolia)	38,2
Bronce (Austria)	38
Grecia clásica	35
Roma clásica	32
Inglaterra (1276)	48
Inglaterra (1376-1400)	38
USA (1901-1902)	61,5
USA (1950)	70

---

[21] Citado por CIPOLLA.

eran causas frecuentes de muerte el infanticidio, la guerra y la caza de cabezas. Pero no hay que esforzarse mucho para aceptar que las enfermedades y el hambre fueran los principales responsables de la mortalidad, especialmente entre los niños.

El propio DEEVEY, aun después de eliminar de sus cálculos a las personas que no rebasaban la adolescencia, calcula unas esperanzas de vida muy bajas y muy homogéneas a lo largo de los siglos.

Aunque sea adelantarnos al período que consideramos, vale la pena traerlas aquí porque, de ser ciertas, lo que es dudoso, se deduciría una conclusión muy importante para el Paleolítico.

Tendremos ocasión más adelante de matizar y completar esta somera información que DEEVEY nos ofrece, pero consideramos muy interesante el comentario que hace de sus datos: «Lo importante de estos promedios (desde el Neanderthalense al siglo XIX) no son las diferencias entre ellos, sino su semejanza. Sin olvidar la tosquedad de las estimaciones y el hecho de que se omite la mortalidad juvenil, no es difícil entrever que la esperanza de vida al nacer no ha estado nunca lejos de los 25 años —digamos veinticinco, más o menos cinco años— desde la época de Neanderthal hasta nuestro siglo» [22].

La conclusión que se deduce de esto, a mi modo de ver, es que la «revolución» del Paleolítico Superior es mucho más importante de lo que se dice, ya que la longevidad calculada, 32,4 años, es incluso superior a la estimada para la población de la Roma clásica, si bien el autor no nos dice expresamente si para Roma y para todas las poblaciones históricas prescindió también en sus cálculos de los niños muertos antes de la adolescencia o no lo hizo ya, pues en este segundo caso las conclusiones serían muy diferentes.

Aun cuando la verdad es que no sabemos cuánto tiempo lleva el hombre sobre la Tierra, DEEVEY, aceptando que sea un millón de años y que la vida media de cada generación haya sido de 25 años, calcula que 39.000 veces una generación ha sucedido a la anterior, y en virtud de esto, y de sus cifras de partida, considera, y TREWARTHA lo hace suyo también, que antes de la aparición de la agricultura habían pasado ya por el mundo sesenta y seis mil millones de seres humanos.

Esta cifra, sin duda inesperada para muchos lectores, puede servir de contrapunto a la falsa impresión que produce el mirar las cifras absolutas y las densidades de población del Paleolítico en un momento dado sin tener presente la enorme duración del período a escala de la vida humana.

5.2. *Las causas del crecimiento de la población paleolítica*

Quedaría ahora por ver lo más importante, desde el ángulo en que ahora enfocamos el tema: las causas del aumento de la población. Pero en realidad si esas causas no las ha deducido el lector de lo dicho, poco más puede hacer quien, como yo al menos, no tiene a mano datos más concretos.

Es decir, hemos visto que los pequeños grupos paleolíticos a medida que se acercan a nosotros en el tiempo van incorporando una serie de técnicas que les permiten organizar mejor cada vez el espacio en el que viven, su medio ambiente, y por lo tanto vivir menos mal.

Los hemos visto dominando el fuego, protegiéndose con vestidos del frío, albergán-

---

[22] *Ob. cit.*, pág. 53.

dose en cavernas y abrigos temporales, mejorando sus métodos y técnicas de caza, pasando a poseer un lenguaje articulado, ampliando y perfeccionando su vida social, especializando su trabajo, comiendo mejor, cuidando a sus muertos, realizándose con la expresión artística.

Cada uno de estos avances consolidó su posición sobre la tierra y su entorno y, con altibajos inevitables, desde luego, mejoró sus condiciones de vida, pero no sabemos, no podremos quizá saberlo nunca, cómo, cuándo y en qué medida y lugar tuvo efecto todo este formidable progreso que nos ha traído a las puertas de la segunda gran revolución (si es que la revolución del Paleolítico Superior no es ya el comienzo sin solución de continuidad de la revolución neolítica).

Otras cosas que conviene retener creo que se han dicho ya hasta la saciedad: que el progreso se produjo en focos aislados, que las pulsaciones glaciares jugaban un papel decisivo en las migraciones y el definitivo primer poblamiento del ecumene, que tampoco el paso al Neolítico fue sincrónico en todo el mundo, ni mucho menos, sino que se adelantó en el Oriente Próximo en varios milenios.

Una cosa creo que aún se puede, y se debe, añadir —aunque seguramente está en la mente de todos—: que es mucho más, ¡muchísimo más!, lo que ignoramos que lo que sabemos.

Por último, en el Apéndice 4.2.1 se reproduce íntegra, por su interés, una puesta al día del doctor PALAFOX MARQUÉS, sobre el actual enfoque del tema del origen biológico del hombre. Esas páginas completan y precisan lo que se ha resumido antes.

Lecturas ulteriores

ROYO MARÍN (Madrid, 1963). PÍO XII (Roma, 1950; Madrid, 1967). DENZINGER (Barcelona, 1963). DHANIS, VISSER, FORTMANN (Madrid, 1969). OVERHAGE (Madrid, 1973). LEJEUNE (Ed. Lethéelleux, 1975) (México, 1974). BUYTENDIJK (citado por PALAFOX, Madrid, 1936). CRUSAFONT, MELÉNDEZ, AGUIRRE (Madrid, 1976). GILSON (Pamplona, 1976). DE LAUNAY, LEDERBERG, ALIMEN (Madrid, 1969).

CLARK (Londres, 1977). PERICOT (Madrid, 1968). MALUQUER DE MOTES (Madrid, 1969, y Barcelona, 1971). MAC EVEDY and JONES (Penguin Book, 1978). DEEVEY (San Francisco, 1971). PALAFOX (México, 1959, 1971, 1975, 1979) (Madrid, 1976) (Düsserdolf, 1978). GORDON CHILDE (París, 1963) (Barcelona, 1976) (México, 1979). CIPOLLA (Barcelona, 1978). ALMAGRO BASCH (Madrid, 1970). OBERMAIER, GARCÍA BELLIDO, PERICOT (Madrid, 1963). OAKLEF (citado por PALAFOX, Barcelona, 1968). LAFFONT (ed.) (París, 1978). VOGEL (Stuttgart, s/a). SORRE (París, 1961). ORDEIG (Madrid, *Palabra,* 1981). HOWELLS (Barcelona, 1962). LE GROSS CLARK (Londres, 1970) (Edimburgo, 1978). EDWARDS (Cambridge, 1976). BRAIDWOOD (México, 1975). ALIMEN y STEVE (Madrid, 1978). PIRENNE (Barcelona, 1976). MELLART (Norwich, 1978). STARR (Oxford, 1973). NOAH KRAMER (Barcelona, 1978). KELLER (Barcelona, 1977). DURAND (En DEMKO..., Nueva York, 1970). COLE, S. (Londres, 1970).

APÉNDICE

4.2.1.   Emilio PALAFOX MARQUÉS, *Sobre el origen biológico del hombre,* México, 1976.

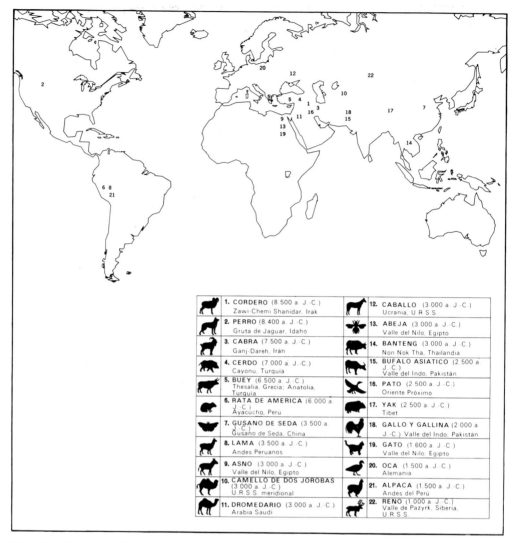

Distribución geográfica global de los primeros animales domesticados. Según J. Norton Leonard y R. H. Dyson Jr. En «Les Origines de l'Homme. Les Premiers Cultivateurs». Ediciones Time-Life Internacional (Holanda), 1974.

APÉNDICE 4.2.1

Emilio PALAFOX MARQUÉS, *Sobre el origen biológico del hombre*, **México, 1976.**

Del análisis de los restos paleoantropológicos —incluyendo los hallazgos fósiles más recientes— surgen las siguientes conclusiones, en orden a rehacer la posible genealogía del hombre actual:

1. La primera es la convivencia, en el tiempo y en el espacio, de las formas que constituyen, respectivamente, los grupos *anthropus, neanderthal* y *sapiens.* No parece resaltar, por el contrario, la sucesión cronológica que postulaba la hipótesis de los tres grupos. Porque ni son más antiguos los restos del grupo anthropus, ni intermedios los neanderthales, ni sólo recientes los fósiles del grupo sapiens.

2. Tampoco los *australopitecos* constituyen el grupo más antiguo y primitivo —una etapa anterior a la serie anthropus-neanderthal-sapiens—, puesto que el cráneo KNM-ER 1470 y los restos anexos —además de la cultura contemporánea— corresponden a una forma humana anterior a los *australopitecos.* Y parecen contemporáneos a éstos los restos humanos de Etiopía.

3. Junto a los bien conocidos restos de *Pithecanthropus* y *Sinanthropus* y en convivencia cronológica con ellos, aparecen otros restos bien estudiados y datados que corresponden al grupo sapiens, tanto en Europa como en África. Los *restos sapiens de Steinheim y Swanscombe,* así como los de *Kanjera,* conviven con *Pithecanthropus erectus y Sinanthropus pekinensis,* y descartan la hipótesis de que estas formas sean antecesoras directas de la humanidad actual. Representarían, en todo caso, una línea colateral, marginal, al proceso evolutivo de la humanidad sapiens: tal vez formas regresivas.

4. Se abre paso, en consecuencia, la opinión de los autores que ya no consideran al pitecantropo, y en general al grupo *Antrophus-Homo erectus* de la terminología más reciente en el origen de la humanidad *sapiens.* Sus rasgos teroides (no humanos), en lugar de primitivos, vendrían a ser consecuencia de una especialización secundaria. Así, FALKENBURGER, ROBINSON PIVETAU, KÄLIN, LEONARDI, entre otros.

5. Más allá de éstos, anterior al *Pithecanthropus modjokertensis,* tal vez contemporáneo al hombre de Heidelberg, aparece en África la *forma sapiens de Kanam,* que nos remonta a una época anterior a los 500.000 años en nuestra búsqueda, y descarta, más aún, la totalidad del *grupo anthropus* en su pretensión de constituir formas originarias de la humanidad actual. Respecto a los restos de Kanam y Kankera, anota L. S. B. LEAKEY: «No se habría suscitado ninguna duda sobre la datación de estos restos si hubieran tenido *rasgos primitivos,* del tipo *Anthropus*». Su carácter *sapiens* sería la causa de esa duda. Sin embargo, «los restos de Kanjera y Kanam demuestran claramente, por los fósiles contenidos en el estrato, que pertenecen a la época media o anterior del período glacial».

6. Algo semejante descubrimos cuando analizamos el *grupo neanderthal.* Los neanderthales son contemporáneos del hombre de Ngandong y de los hombres sapiens de Swanscombe, Steinheim y Kanjera. Carecen, por tanto, los neanderthales de significación evolutiva, puesto que no pueden ser antecesores de su contemporáneo el *Homo sapiens* fósil, constituirían también una rama lateral, tal vez degenerativa.

7. El *grupo sapiens,* por su parte, adquiere su pleno significado como antecesor en línea directa del *hombre actual.* La morfología *sapiens* aparece bien delineada en la más remota antigüedad *(Kanam,* y la mandíbula de Mauer —con dentición sapiens— en el primer intermedio glacial). Se sucede en el tiempo mediante formas como la de *Kanjera,* en el mismo África, y *Swanscombe* y *Steinheim,* en Europa (segundo interglacial), para dar continuidad a la *forma sapiens* en Europa *(hombre de Fontéchevade)* y en Asia *(hombre de Palestina),* en el tercer intermedio glacial, Paleolítico Medio. Antecesores próximos éstos de los *hombres de Cro-Magnon,* del Paleolítico Superior, pobladores de Europa

durante la última glaciación (Würm). Por su parte, *Fontéchevade* y *Palestina* dejan igualmente fuera de la línea de los antecesores directos del Homo sapiens actual a los más recientes neanderthales, los *Neanderthales extremos,* y al *hombre de Rhodesia,* cronológicamente posteriores, pero más primitivos en su morfología.

8. Provisionalmente, al menos, se puede considerar en la línea sapiens al hombre chelense de Olduvai (hallado en 1960), del primer intermedio glacial (Günz-Mindel), contemporáneo del resto sapiens de Kanam. La configuración del hombre chelense es más humana que las formas del grupo anthropus, y su antigüedad tanta o mayor. Descarta también, en consecuencia, a los pitecantropos como etapa anterior al hombre moderno.

9. El reciente hallazgo (año 1972) en *East Rudolf,* al noroeste de Kenya, de una *especie indeterminada* del género *Homo,* con algunas características propias del hombre moderno y con datación posible de 2,9 millones de años, descarta a los australopitecos como antecesores del hombre. Así lo expresó Richard LAKEY —su descubridor— en noviembre de 1972, en una declaración publicada simultáneamente en Londres y Washington, a raíz del descubrimiento. Los datos se confirman en su estudio publicado en 1973. Se desarticula así el conocido esquema de la evolución del hombre en cuatro supuestas etapas: una *fase australopiteco,* anterior a las tres etapas *anthropus-neanderthal-sapiens.* Los australopitecos no serían la forma primitiva que, en un lejano pasado, originó a la humanidad y a los póngidos, en ramas divergentes. Antes que aparecieran los australopitecos existía ya la forma humana sobre la Tierra, en el lejano Plio-Pleistoceno de Kenya. Es el cráneo 1470 y los demás restos hallados en 1972. Hablan también de ese hombre moderno los utensilios humanos encontrados en la misma zona, incluso a niveles de mayor antigüedad que los fósiles encontrados, aunque no asociados a esos restos.

    Los restos fósiles del género *Homo* y de australopitecos, encontrados en Hadar, al norte de Etiopía (entre 1974 y 1975), por Donald C. JOHANSEN y Maurice TAIEB —datados en tres millones de años de antigüedad—, descartan igualmente al australopiteco como antecesor del hombre.

10. STEWARD observó que, bajo la hipótesis de las tres etapas, anthropus-neanderthal-sapiens, se ha llegado a negar la antigüedad de formas con rasgos humanos sapiens, mientras a las que integran el grupo anthropus se tiende, sin más consideración, a datarlas con mayor antigüedad de la que corresponde en realidad. Si descartamos el criterio de unir el concepto de antigüedad al carácter primitivo o bestial de los rasgos de un fósil humano, la *línea sapiens* —no sin que queden puntos oscuros, que son objeto de investigación y de polémica sincera—, parece extenderse a lo largo y a lo ancho —en la geografía y en el tiempo— de la era glacial, dejando a las formas primitivas o simiescas— a los australopitecos y a las formas del tipo anthropus— y a los desconcertantes neanderthales, al margen de la evolución progresiva del hombre, del proceso que ha venido llamándose hominización.

    La hominización, en este sentido, parece realizada desde el plioceno —si consideramos el comienzo del pleistoceno alrededor de 1,8 millones de años—, y domina la época glacial, conviviendo la *forma sapiens* con otras formas primitivas, tal vez de carácter regresivo.

    «Una ancha y rápida corriente» sería para ROBINSON el desarrollo de la humanidad en la época glacial. A lo largo del tiempo y en su despliegue geográfico, ciertos grupos humanos se separan del curso central de esa corriente y se interrumpe el contacto genético de las poblaciones. Aun dentro del curso principal de la corriente —en el despliegue de la humanidad— estos grupos originarían líneas secundarias que bordean la orilla, y remolinos o remansos en ciertos parajes; algunos volverían a integrarse posteriormente en el curso central, otros se desvanecen. Establecer las relaciones exactas de unos grupos con otros y de ellos con el curso central de la humanidad es para Robinson «un trabajo fantástico, por no decir imposible». El resultado sería siempre, según HEBERER, «un cuadro eventual».

El hombre no es un producto casual, sino buscado por la evolución. Ésta es una afirmación que brota de la observación profunda del proceso evolutivo. No podría haber brotado el hombre antes, como fruto prematuro, y —llegada la vida en la evolución ascendente a su punto focal— no podía dejar de brotar. Así brotó de la vida terrestre la humanidad, tras un largo prólogo: la evolución biológica que la gesta y que, en ese sentido, es un largo proceso de hominización. Un proceso que se nos antoja consciente, como consciente se nos hace la finalidad biológica que conduce y da sentido a cada página de biología. La hominización es un proceso hacia la libertad. Es un creciente progreso en la independencia biológica que culmina en la obra maestra de la libertad: el hombre, libre y, a la vez, consciente de su propia libertad.

El estudio de la historia evolutiva de las formas animales hace pensar en una posible relación de continuidad orgánica entre las formas animales más elevadas y la pareja humana originaria. La evolución orgánica del hombre, sin embargo, es un proceso acabado. La forma estructural *Homo sapiens* ha alcanzado ya su meta. Desde el momento en que *el hombre* existe sobre la faz de la tierra —hace más milenios de los que se pensaba—, el hombre tiene ya, potencialmente al menos, todas las cualidades de su elevada naturaleza racional: el hombre es un ser racional desde el instante en que existe como hombre; y entre ser racional y ser irracional —los antropomorfos más afines a la forma humana— existe un abismo insalvable, como lo existe entre el ser y el no ser.

Según este modo de comprender al hombre —y tomando la palabra a BUYTENDIJK—, «en él *despierta* la Naturaleza de su sueño, en sus facciones se anima la risa regocijada que ya puede mostrar la imagen de la Naturaleza. Aun cuando el hombre ve reflejados, por aquí y allá, sus rasgos esenciales de la Naturaleza, y la Naturaleza parece comportar figuradamente el sentido de la vida humana, sin embargo, lo que hace hombre al hombre es la conciencia de su riqueza, el *tener lo otro* y no sólo *lo propio*... El mundo es para él una riqueza dada, que él sólo puede nombrar, no explicar, ni concebir, ni aprehender subjetivamente, sino sólo señalar como *lo otro*. Sólo por esta separación de sujeto y objeto, sólo por este *descubrimiento* de la existencia del mundo es *posible* que aparezcan las típicas cualidades humanas como cultura, lengua, arte, ciencia, religión, el *reír* y la *auténtica inteligencia*».

El hombre lo es desde el principio, desde ese punto de inflexión de la curva evolutiva en el que hace acto de presencia el espíritu encarnado en la materia. El animal gruñe, no habla «porque no tiene nada que decir», según lo expresa Wilhelm WUNDT. No es por defecto de construcción por lo que no habla el animal. «Existen diversos mamíferos cuyo cerebro es, relativamente a la masa corporal, *mayor* que el nuestro, y existen otros en que el grado de cefalización es *más avanzado* que el del hombre» (CRUSAFONT). Pero no basta al animal el cerebro, ni siquiera un voluminoso cerebro. El problema no es cuantitativo: ahí radica la tremenda debilidad del sistema darwiniano. El cerebro más perfecto «necesita, sin embargo, que le añadamos un *operador*» (PENFIELD). El *operador* es el espíritu, que hace accionar al hombre en plenitud su genialidad artística, su admirable heroicidad y su conciencia histórica.

La evolución humana es la historia del desarrollo progresivo de aquellas cualidades que potencialmente posee el hombre desde el principio. «El progreso humano... —escribía Lecomte DU NOÜY— depende de los esfuerzos individuales, que son al propio tiempo su instrumento y su resultado. *Su instrumento:* porque la termodinámica, que domina la materia inerte, no sólo ignora el progreso, sino que impone una inevitable degradación contra la cual lucha el cerebro. *Su resultado:* porque sólo el hecho de que un ser crea en el progreso humano y desee contribuir a él, constituye ese progreso. Ésta es la verdadera diferencia que nos separa del animal. "Un ser inteligente —dijo BERGSON— lleva dentro de sí lo necesario para sobreponerse a sí mismo". Es necesario que lo sepa y es esencial que trate de realizarlo.»

No podría imaginarse hace algunos milenios hasta dónde podría llegar el hombre mediante el progresivo desarrollo de su espíritu, de la cultura y de la técnica. Hoy no sabemos si estamos capacitados para vislumbrar el futuro de nuestra raza. Pero sí sabemos algo muy importante; que el hombre fue hombre desde el principio —desde que surgen los caracteres propios del *Homo sapiens*—, lo ha seguido siendo y conservará su naturaleza adámica, cualquier meta que alcance en el desarrollo de sus virtualidades.

Darwin no alcanzó a vislumbrar el camino; se quedó en la vereda. En el mundo biológico la selección natural, postulada por él como principio explicativo de la evolución, no es creativa. Sin la selección natural la evolución pudo haber tenido lugar», escribió el genetista MORGAN. Y lo explica: «La selección natural no desempeña el papel de un principio creador en la evolución». Y la evolución biológica es creadora por definición, no simple diversificación en formas caprichosas. Por eso, la evolución darwinista no da razón de ser más que la diversificación intraespecífica: son los «arabescos» de la evolución para Schindewolf; en ocasiones, el aspecto regresivo, degenerativo, de la evolución misma. La evolución progresiva es ascendente, creadora, no se nutre de las pequeñas variaciones somáticas —por otra parte, no heredables en su mayoría—, sino de las mutaciones de valor genético, que constituyen la base de la herencia biológica. Ese juicio sobre el darwinismo y su insuficiencia para explicar la evolución biológica y el origen del hombre es al parecer de muchos biólogos y paleontólogos actuales; entre estos últimos, OBERMANIER, GARCÍA y BELLIDO, PERICOT, después de afirmar esa incapacidad del darwinismo, añaden: «Con la formación del hombre —la mayor y más importante *mutación* lograda en el dominio de lo creado— experimenta nuestro género su separación decisiva del resto del reino animal. Comienza una nueva era señoreada por el hombre, cuyo destino y tarea, como usufructuario que es de los valores e ideales del espíritu, están determinados no sólo por la forma corpórea especial, sino, ante todo, por esa inteligencia ingeniosa que le distingue entre todos los animales de la Creación».

La evolución progresa por una ordenada tendencia al fin —finalidad que es esencial a la Naturaleza—; fin, al parecer propuesto, y ciertamente conseguido: el hombre. Para el bioquímico A. SANTOS RUIZ, la evolución orgánica «es un proceso eminentemente finalista, mediante el cual se originan tipos biológicos cada vez más perfectos», que ha culminado en la formación del hombre; y la considera como «el medio previsto por el Sumo Hacedor para actualizar la Creación en el transcurso del tiempo, poniendo el broche final al darnos un alma inmortal». Con él se expresa toda una fecunda corriente de pensamiento que caracteriza la biología de finales del siglo XX.

Estos valores no entran en la pobre cosmovisión de Darwin, que se pierde en el detalle, en la anécdota, sin llegar a interpretar el mensaje que brinda la historia de la vida; por eso se dijo, desde los tiempos de DRIESCH —el gran decepcionado del darwinismo—, de HERTWIG, de VON UEXKULL, que *el darwinismo es insuficiente.*

Hans DRIESCH, tras afirmar la ignorancia de la biología actual sobre las causas de la evolución, añade: «Lo que sabemos es solamente que las teorías especiales ligadas a los nombres de Darwin y Lamarck no aciertan en lo fundamental, es decir, en la causa primera de la diferenciación, y son, por ende, insuficientes (no digo precisamente *falsas*). Pues la *selección natural en la lucha por la existencia* es sólo un factor de eliminación que actúa negativamente».

Ésta fue y sigue siendo la gran objeción a la obra de Carlos DARWIN. La ciega lucha por la vida —*struggle for life*— y la consiguiente *selección de los más aptos* de la teoría darwiniana no crea nuevas formas más evolucionadas, no explican el ascenso de la vida en una línea constante, el desarrollo del sistema nervioso, que desembocará en un primer atisbo en los insectos sociales, y alcanzará, en su día, al hombre, con la fascinante novedad de su libertad, de su inteligencia, de su capacidad creativa y sus ansias de infinito. «Parece precisamente como si la Gran Fuerza Suprapersonal que sirve de fundamento a la historia de las especies orgánicas y al propio tiempo las impulsa —cómo lo hace no lo sabemos en absoluto— se hallase dirigida a producir *conciencia* con claridad cada vez más grande», escribe Hans DRIESCH, y completa así su idea. La Gran Fuerza Suprapersonal a que los organismos deben su existencia ha debido querer también que haya seres *esencialmente* libres (aun cuando no debiera decir *esencialmente*). Estos seres están ahí. De ello es incapaz de dar razón el darwinismo; ha preferido ignorarlo.

Y si la lucha por la vida no nos explica casi nada de la evolución biológica —al nivel animal—, no es ella, ni la consiguiente selección natural, el factor que determina la aparición sensacional, el origen del hombre como especie singular, radicalmente nueva, ni explica tampoco la evolución creciente que se opera en la humanidad misma: civilización y progreso, cultura y sociedad, ciencias del espíritu y de la materia, ideologías e ideales, que se entrecruzan y tejen el azaroso epílogo de la evolución que es la historia del hombre.

«Hay que concebir la filogenia de los vertebrados —escribe el paleontólogo F. R. VON HUENE— como un avance constante de la vida en la historia de la Tierra. Conocemos a grandes rasgos su sucesión, pero no conocemos sus causas. Esta filogenia no puede ser el resultado de una selección condicionada tan sólo por las circunstancias ambientales externas, sino que más bien es una trayectoria totalmente planeada según un sentido superior... Hay que contar con la dirección y con la planificación prevista por el Creador», para explicar «el curso ordenado y lleno de sentido de la filogenia de los vertebrados, que se inicia con las formas más sencillas, pisciformes, y llega hasta el mismo hombre».

En el «hagamos al hombre a nuestra imagen y semejanza» de la narración bíblica no sólo hay un íntimo diálogo en Dios, sino que Dios realiza su idea tomando la tierra e infundiendo su espíritu en ella, dándole la impronta de su propio Ser: hay *como un diálogo con la materia,* en el que ésta responde y presta el fundamento sobre el que se inserta el espíritu de vida que hace al hombre ser animado, *persona viviente.* La materia, la Naturaleza, creada y evolucionada, ha alcanzado ya un prototipo conveniente para recibir la fuerza del espíritu. Y surge así *diagonalmente* el hombre, en su doble origen: divino y terreno. La tierra que asciende en su admirable y pausada evolución progresiva, en búsqueda de una forma apta para albergar el espíritu: ésa es la meta y razón de ser de toda la evolución biológica. El espíritu que desciende de lo alto por la acción creadora. Es el *origen dialogal del hombre,* que marca con su sello su existencia, igualmente dialogal: «existencia dialogal, cuyo protagonista e interlocutor es el Dios personal» (J. B. TORELLÓ).

Surge así el hombre fósil de los paleontólogos, el hombre del que nos hablan la filosofía y la teología, cuando estudian nuestro origen, el Adán bíblico, el verdadero eslabón que enlaza el mundo animal con el espíritu, inaugurando una nueva forma superior de vida, de hombre, que es animal y espiritual: animal racional. El último eslabón ascendente de la escala animal, el primer eslabón del espíritu asumido por la materia.

Hay, por tanto, en el hombre un doble origen. Un origen animal, que nos da la razón de ser de su anatomía especializada y de las funciones que nos son comunes con los demás vivientes. Y hay en el hombre *algo nuevo* —que no es de origen animal—, que la Naturaleza no pudo dar porque no lo tiene: ese *chispazo divino* que es la inteligencia, que es conciencia de la riqueza del propio yo y de su mundo circundante. Y tampoco es de origen animal la voluntad libre, que permite al hombre elegir bienes que no se pueden medir ni pesar, sacrificando por ellos —por decisión libre, sostenida hasta la muerte— otros bienes que se ven y se tocan. Tiene el hombre su origen en la evolución —se ha podido decir—; pero el hombre no es reductible a un animal evolucionado: de ahí su grandeza y su misterio.

La filosofía perenne nos ayuda a encontrar la razón última de esta admirable confluencia entre la evolución progresiva, que apunta al hombre desde la lejanía de los tiempos y de las formas vivientes —como la germinación se dirige a las flores y a sus frutos—, y la voluntad y la acción creadora, que es «voluntad de evolución genética»: creación evolvente de Zubiri, que culmina en el hombre, animal racional. «La evolución necesita integrar a ella la aparición de una psique intelectiva que es esencialmente irreductible a la sensibilidad. Si la evolución es competencia de la ciencia, la índole de la inteligencia es competencia de la filosofía. Al recurrir ésta a la causa creadora, lo hace integrando la creación de la psique al mecanismo evolutivo. La transformación germinal determina la morfología de un modo efector, pero determina la psique intelectiva de un modo exigencial intrínseco. En su virtud, la hominización y tipificación de la humanidad no es *evolución creadora,* sino *creación evolvente.* Desde el punto de vista de la causa primera, de Dios, su voluntad creadora de una psique intelectiva es voluntad de evolución genética» (Xavier ZUBIRI).

Ciertamente, «...sólo un Ser que es vida y pensamiento en acto puede hacer inteligible el hecho que se nos impone en la experiencia de la génesis de un mundo que pasa del orden previviente al orden viviente, y después ve germinar en él seres pensantes». La cita es de Claude TRESMONTANT: nótese que el autor dice *inteligible,* no simplemente *explicable.*

Resumen

Se desarticula el esquema de la evolución del hombre: Australopithecus-Pithecanthropus-Neanderthal-Homo sapiens. El hombre no es un producto casual, sino buscado por la evolución: existe el hombre desde el punto de inflexión de la curva evolutiva en que hace acto de presencia el espíritu encarnado en la materia. El darwinismo sigue siendo insuficiente para explicar la evolución biológica y el origen del hombre. Surge el hombre *dialogalmente* cuando la materia, creada y evolucionada, ha alcanzado el prototipo conveniente. La acción creadora es voluntad de evolución genética: *creación evolvente,* que culmina en el único ser libre y consciente de su libertad.

México, D. F., diciembre de 1976.

Emilio PALAFOX MARQUÉS

BIBLIOGRAFÍA

BUYTENDIJK, F. J. J., «Sobre la diferencia esencial entre el animal y el hombre», *Revista de Occidente,* 154, Madrid, 1936.

CRUSAFONT, C.; MELÉNDEZ, B.; AGUIRRE, E., *La evolución,* Madrid, 1974.

DRIESCH, H., *El hombre y el mundo (Der Mensch und die Welt,* 1945), México, 1960.

FALKENBURGER, F., *Kritische Bemerkungen zur Entwicklung des Sapiens-typus,* Act. 4, Congr. Inter., 1952, Anthropologica I, Viena, 1954.

GILSON, E., *De Aristóteles a Darwin (D'Aristote a Darwin et retour,* 1971), Pamplona, 1976.

VON HUENE, F. R., *Paläontologie und Phylogenie der niedere Tetrapoden,* Jena, 1956.

JOHANSON, D. C., *Ethiopia Yields First «Family» of Early Man,* National Geographic, 150, Washington, 1976.

LEAKEY, L. S. B., *Fóssil and Sub-fossil Hominoidea in East Africa,* Roy. Soc. of South Africa, Cape Town, 1948.

— «Homo habilis, Homo erectus and the Australopithecines», *Nature,* 209, Londres, 1966.

LEAKEY, R. E. F., «Evidence for an Advanced Plio-Pleistocene Hominid from East Rudolf, Kenya», *Nature,* 242, Londres, 1973.

LECOMTE DE NOÜY, P., *El destino humano (Human destiny,* 1947), Buenos Aires, 1948.

LEJEUNE, J., «El hombre nace hombre», *Istmo,* 91, México, 1974.

LEONARDI, P., *La evolución biológica (L'evoluzione dei viventi,* 1950), Madrid, 1957.

MORGAN, Th. H., *La base científica de la evolución (The scientific basis of Evolution,* 1932), Buenos Aires, 1943.

OAKLEY, K., *Cronología del hombre fósil (Frameworks for Dating Fossil Man,* 1968), Barcelona, 1968.

OBERMAIER, H.; GARCÍA Y BELLIDO, A., PERICOT, L., *El hombre prehistórico y los orígenes de la humanidad,* Madrid, 1963.

PALAFOX, E., «Hacia una síntesis de la evolución», *Istmo,* 1, México, 1959.

— «Nueva visión del origen del hombre», *Istmo,* 73, México, 1971.

ROBINSON, J. T., «Further remarks on the relationship between ''Meganthropus'' and Australopithecines», *Amer. J. Phys. Anthrop.,* 13, 1955.

SANTOS RUIZ, A., *Vida y espíritu ante la ciencia de hoy,* Madrid, 1970.

SCHINDEWOLF, O. H., «Entwicklung im Lichte der Paläontologie», *Biologie,* II, 1942.

STEWARD, T. D., *The problem of the earliest claimed representatives of Homo sapiens,* Cold Spring Harbor Symp. on Quant. Biol., 15, 1950.

TEMPLADO, J., *Historia de las teorías evolucionistas,* Madrid, 1974.

TRESMONTANT, C., *Cómo se plantea hoy el problema de la existencia de Dios (Comment se pose aujourd'hui le probleme de l'existence de Dieu,* 1966), Barcelona, 1969.

ZUBIRI, X., «El origen del hombre», *Revista de Occidente,* II, 17, Madrid, 1964

4.3

EL CRECIMIENTO DE LA POBLACIÓN MUNDIAL
Del siglo I a nuestros días

1. Introducción.
2. Del mundo clásico del siglo I al mundo del siglo XVII.
3. La «revolución —o revoluciones— científico-industriales» están en la base del formidable crecimiento de la población mundial en los últimos tres siglos.
   3.1. Consideración global del crecimiento demográfico entre 1650 y 1980.
   3.2. El crecimiento de la población considerado regionalmente.
4. Crecimiento demográfico y crecimiento económico.

Lecturas ulteriores

1. Introducción

Todos los autores que se ocupan del tema coinciden en la poca fiabilidad que puede concederse a los datos de población correspondientes a fechas anteriores a la confección de los censos (que por otra parte, y a pesar de los esfuerzos de la ONU, todavía no cubren el mundo por completo), pero estos mismos autores están de acuerdo en que después de la «revolución neolítica», y sin desconocer dramáticos períodos de disminución, el número de los hombres sobre nuestro planeta crece muy despacio durante muchos siglos y luego aumenta rapidísimamente en los tres últimos. Esta aceleración vertiginosa del crecimiento demográfico a partir de 1650 es, sin ninguna duda, el hecho más destacado de toda la Historia Contemporánea.

Las tablas de Colin CLARK y de TREWARTHA resumen claramente esta situación. Desde el año 14 de nuestra era al año 1650, la población del mundo pasó de 256 millones de personas a 516, 470 ó 545 millones, según se tomen los datos de Colin CLARK, o bien de WILCOX o CARR-SAUNDER, que recoge TREWARTHA. En cualquier caso, la población del mundo necesitó más de 16 siglos para multiplicarse por dos. En cambio, entre 1656 y 1977, en tan sólo 327 años, pasa de más o menos 500 millones de hombres a 4.124 millones; es decir, en tres siglos y 27 años los efectivos demográficos mundiales se multiplican por más de ocho.

Ésta es una situación absolutamente nueva. Como se ha dicho ya, SAUVY[1] ha podido escribir con toda razón: «El hecho nuevo no es el superpoblamiento, ni el hambre; el hecho nuevo es que, tras un largo período de semiparalización, el número de seres (humanos) ha llegado en la mayor parte del mundo a una fase de crecimiento rápido». Colin CLARK[2] habla del «excepcional» crecimiento en los últimos 300 años, y PABLO VI parte en su Encíclica sobre la regulación de la natalidad[3] de que el rápido desarrollo demográfico supone, con otros hechos, un cambio notable en la circunstancias del mundo actual.

Aunque está muy lejos de ser sencillo determinar el peso de cada una de las causas que se entremezclan de diversas formas para dar lugar a este formidable crecimiento, no hay duda de que todo comienza y se acelera con la serie de «revoluciones científico-industriales» que se desencadenan, sin solución de continuidad hasta ahora, a partir del siglo XVIII. Sin entrar en más precisiones, a la situación actual se llega por la universal disminución de las tasas de mortalidad, combinada con los distintos comportamientos demográficos de los grupos humanos, que lógicamente dan como resultado muy distintas tasas de crecimiento de unos grupos a otros.

2. Del mundo clásico del siglo I al mundo del siglo XVII

Acabamos de ver que Colin CLARK, sin una excesiva convicción, es cierto, estima en 250 millones la población del mundo en el momento en que Tiberio es proclamado em-

---

[1] *El problema de la población en el mundo,* pág. 27.
[2] *Population growth and land use,* pág. 61.
[3] *Humanae vitae,* 1-2.

perador (A. D. 14), y considera que en 1650 se contaban, más o menos, 500 millones de hombres. Esto significa que durante esos 1.600 años el promedio del índice de crecimiento anual fue solamente del 0,04 por 100. Incluso admitiendo que la población mundial fuera en el año 14 tan sólo de 190 millones de personas, y que en 1650 llegara a 600 millones, el promedio del índice de crecimiento durante estos años no sería más que el 0,09 por 100 anual.

Estas vacilaciones son lógicas dadas las dificultades de apreciación para períodos de tiempo tan lejanos e indocumentados en buena parte. PRESSAT[4] indica también que las estimaciones de la población del mundo al comienzo de la era cristiana son muy inseguras: entre 150 y 300 millones de personas. Tal vez más cerca de la segunda cifra —dice— si se aceptan los 54 millones que BELOCH atribuye, en el año 14, al Imperio Romano; los 71 millones que da DURAND a China en el año 2, y los 100 a 140 que K. DAVIS considera debía tener la India, nada menos que durante el siglo II a. C.

Evidentemente, durante un período tan largo el crecimiento de la población no fue constante, y con períodos de crecimiento se interpusieron épocas de disminución de la población.

La tabla que se reproduce de Colin CLARK lo recoge de un modo global: Mundo: año 14, 256 millones; año 600, 237 millones; 1200, 384 millones; 1340, 378 millones. América: año 1500, 41 millones; 1700, 13 millones. Europa: año 1340, 84,5 millones; 1500, 67,8 millones.

Peter R. COX[5] recuerda algunos casos concretos muy ilustrativos: «Alguna reducción en el tamaño de la población» debió producirse al colapsar el Imperio Romano. Los datos de que se dispone sobre China dan 70 millones de personas en el año 2 d. C. y 120 en el siglo XII, pero tan sólo 100 en el XIV. Las guerras y las pestes fueron probablemente

TABLA 4.3.1

Población del mundo y los continentes en distintas fechas entre los años 14 y 1800
(Número de habitantes en millones)

Años	14	350	600	800	1000	1200	1340	1500	1600	1650	1700	1750	1800
África	23	30	37	43	50	61	70	85	95	100	100	100	100
América	3	5	7	10	13	23	29	41	15	13	13	15	25
Asia	189	190	173	178	177	248	192	231	303	311	420	484	590
Europa	39,5	27,6	19,3	29,2	39,2	51,5	84,5	67,8	83,4	90,0	105,8	129,8	172,8
Oceanía	1	1	1	1	1	1	2	2	2	2	2	2	2
EL MUNDO	256	254	237	261	280	384	378	427	498	516	641	731	890

Tomado de Colin CLARK, *Population Growth and Land use* (simplificado), que utiliza datos de: BELOCH, CARR-SAUNDER, PUTNAM, BENNET, WILLCOX, USHER, TAYLOR, RUSSELL, CIPOLLA, DURAND y REINHARDT.

---

[4] *Démographie social,* págs. 17-18.
[5] Págs. 172.

las causas de esta disminución. Amplias zonas de Ceilán, ahora ocupadas por la jungla, presentan huellas de un sistema de riegos muy antiguo, posiblemente la civilización asociada con estos riegos alcanzó su clímax en el siglo XII, con una población seguramente mayor que en el siglo XIX. Egipto tenía por lo menos cinco millones de habitantes en los comienzos de la Era cristiana, pero luego, y durante muchos siglos, hasta el siglo XIX, sólo tuvo tres. Guerras, enfermedades, hambres y plagas, actuando aislada y conjuntamente, explican estas fluctuaciones. El descubrimiento de América y el contacto de indígenas y europeos debió suponer una catástrofe demográfica para los primeros, aunque quizá no de las dimensiones que dan a entender los datos de la tabla de Colin CLARK. Por supuesto, también Europa conoció «los flagelos» de la guerra, las hambres consecuencia de las malas cosechas, y las pestes. MC NEILL ha escrito un interesante libro sobre la peste a escala mundial. CHAUNU[6] y sus alumnos la han contemplado en el ámbito de París durante los siglos XVI a XVIII.

HOLLINGSWORTH (citado por P. R. COX) ha confeccionado una lista provisional de lugares, en los que entre los años 1348 y 1630 se perdió, por alguna causa, más del 25 por 100 de su población. La lista se acerca a los cien nombres e incluye los lugares afectados por plagas o terremotos. La *Muerte Negra,* que inspiró tantas «danzas de la muerte» de la literatura medieval, debió barrer un tercio de la población de la mayor parte de Europa. Pero a fines del XVII, y a pesar de estos retrocesos, la población del mundo era dos veces la del siglo I. Según P. R. COX, la mitad de esta población estaba en Asia, y el resto, más o menos en partes iguales, en Europa y África. América y Oceanía, según este competente autor, sólo tenían un millón de habitantes cada una.

Según otro también muy competente autor, Colin CLARK, América tenía 13 millones de habitantes en 1650. Esta enorme diferencia en las estimaciones de autores igualmente serios ilustra de un modo incuestionable sobre la poca fiabilidad de los datos para este período, acerca de la cual ya llamábamos la atención al principio.

3. La «revolución —o revoluciones— científico-industriales» están en la base del formidable crecimiento de la población mundial en los últimos tres siglos

De 1650 a 1980 se pasa de más de 500 a más de 4.200 millones de pobladores del planeta Tierra. La causa de este crecimiento es incuestionable, es el resultado de los cambios introducidos por las llamadas «revoluciones científico-industriales» sobre las condiciones de vida de las sucesivas generaciones de hombres que nos han precedido. En realidad, puede ser más correcto hablar de revolución, en singular, si se recuerda que —sin desconocer los cambios que la preparan desde varios siglos antes— desde el siglo XVIII, no se ha interrumpido el proceso, constantemente acelerado, de mejoras científicas y tecnológicas que, de momento, llega hasta nuestros días. Si se habla de tres revoluciones sucesivas, en razón de la fuente de energía incorporada al proceso tecnológico —1) del carbón y la máquina de vapor; 2) de la electricidad, el petróleo y el motor de explosión; 3) de la energía nuclear y, aun, a mi modo de ver, cabe añadir una, 4) (y no menos importante) del empleo generalizado de los «cerebros» electrónicos— no hay duda de que se trata, simplemente, de un recurso pedagógico para resaltar la importancia de los suce-

---

[6] *La mort à Paris.*

sivos logros, pero en realidad se trata de un solo y grandioso proceso de progreso técnico, material.

El tema es de un enorme interés, y la bibliografía sobre la revolución industrial en sí misma[7] realmente inagotable, ya que en realidad abarca nada menos que toda la Histo-

TABLA 4.3.2

Estimaciones de la población mundial entre los años 1650 y 2000
(Población estimada en millones)

Autores	Total del mundo	África	América Anglosajona	América Latina	Asia (exc. URSS)	Europa y la URSS	Oceanía	Área de poblamiento europeo
WILLCOX para 1650	470	100	1	7	257	103	2	113
CARR-SAUNDER: a 1650	545	100	1	12	327	103	2	118
DURAND (medias):								
1750	791	106	2	16	498	167	2	—
1800	978	107	7	24	630	208	2	—
1850	1.262	111	26	38	801	284	2	—
1900	1.650	133	82	74	925	430	6	—
NACIONES UNIDAS:								
1920	1.860	143	116	90	1.023	482	8,5	696
1930	2.069	164	134	107	1.120	534	10	786
1940	2.295	191	144	130	1.244	575	11,1	860
1950	2.515	222	166	162	1.381	572	12,7	914
1960	2.998	273	199	212	1.659	639	15,7	1.066
1970	3.610	352	226	283	2.027	702	19,3	—
1977	4.124	424	242	342	2.355	738	22,2	—
DURAND para el año 2000	6.130	768	354	638	3.458	880	2	—

Según TREWARTHA, *A Geography of Population: World patterns,* completado para 1970 y 1977, con datos del *Anuario Demográfico,* de Naciones Unidas, de 1977.

---

[7] CIPOLLA (I, págs. 29 y 57) da una sucinta bibliografía sobre la revolución industrial y la revolución científico-filosófica posterior a 1500:
— MANTOUX, P., *The Industrial Revolution in the eighteenth century,* Londres, 1928.
— ASHTON, T. S., *The Industrial Revolution,* Londres, 1950.
— DEANE, P., *The First Industrial Revolution,* Cambridge, 1967.
— HARTWELL, R. M., *The causes of Industrial Revolution,* Londres, 1967.
— LANDES, D. S., *The unbound Prometheus,* Cambridge, 1969.
— MATHIAS, P., *The first industrial nation,* Londres, 1969.
— STEARNS, R., *The scientific spirit in England in early modern times,* en «Isis», núm. 96, 1943.
— HALL, A. R., *The scientific revolution,* Londres, Nueva York, 1954.
— BOAS, M., *The scientific renaissance,* Nueva York, 1962.
—BUTTERFIELD, H., *The origins of modern science,* Nueva York, 1962.
El lector de español tiene más cerca la bibliografía en nuestra lengua:
El propio CIPOLLA (Barcelona, 1978 y 1979) (II), VÁZQUEZ DE PRADA, LESOURD, CROUZET, PALOMARES-RUEDA, etc.

TABLA 4.3.3

Población total del mundo (en millones de habitantes) según distintos autores

Años	Sauvy (1)	Carr-Saunder (2) (3) (5)	Willcox (2) (3)	Durand (4)	Ohlin (6)	Colin Clark (7)	Cox	Schrnerb (9)	Naciones Unidas Estimaciones (10)	Naciones Unidas Estimaciones en Glass	Naciones Unidas Anuario Demográfico 1977	Naciones Unidas Estimación baja (12)	Naciones Unidas Otras estimaciones (12)	Prome
1650	545	545	470		553	516	550							529
1700						641								641
1750	728	728	694 (8)	791	726	731	725							731
1800	907	906	919	978		890		889						914
1850	1.175	1.171	1.091	1.262	1.325		1.325	1.186						1.219
1900	1.620	1.608	1.571	1.650	1.663	1.668		1.571						1.621
1910														
1920	1.834					1.968			1.860	1.810				1.868
1930	2.008					2.145			2.069	2.013				2.058
1940	2.216					2.340			2.295	2.246				2.274
1950	2.476			2.515	2.509	2.499			2.515	2.494	2.501			2.501
1955	2.691									2.722				2.706
1959	2.880									2.854 (11)				
1960									2.998	2.998	2.986			2.986
1962						3.036								
1965											3.288			3.288
1970											3.610			3.610
1976											4.044			4.044
1977											4.124			4.124
1980										4.519			4.330	
2000				6.130						7.522		4.880	{ 4.330 / 6.130 / 6.280	

(1) SAUVY, *El problema de la población en el mundo*, Madrid, 1961. Entre 1650-1900. Utiliza las estimaciones de CARR-SAUDERS. Desd
1920 su fuente es: NACIONES UNIDAS (1953), *Causes et conséquences de l'évolution démographique*.

(2) Ambos en D. V. GLASS, cap. II, Univ. de Cambridge, *Historia Económica de Europa*, tomo VI, parte 7, pág. 74.

(3) Para 1650, ambos en TREWARTHA, pág. 30.

(4) En TREWARTHA, pág. 30. Estimaciones medias de DURAND.

(5) También GRAUMAN utiliza las estimaciones de CARR-SAUNDER.

(6) OHLIN, Goran, *Historical Outline of World Population Growth Comunication WPC/WP/486 al Congreso Mundial de la Pobla*
Belgrado, 1965. Citado por PRESSAT, *Démographie sociale*, pág. 18.

(7) De la tabla III (confeccionada con varias fuentes) de su *Population growth and land use*.

(8) Cifra aportada por Colin CLARK (ob. cit.).

(9) Utiliza las evaluaciones de SUNDABARG y WILLCOX.

(10) NACIONES UNIDAS, *World Population Prospect*, 1966, citado por TREWARTHA.

(11) Cifra para 1958.

(12) NACIONES UNIDAS, *The Future Growth of World Population*, Nueva York, 1958, citado por D. V. GLASS.

Elaboración J.M.C.T.

ria de nuestro tiempo. Evidentemente, lo que interesa ahora y aquí es el impacto de estas «mejoras» tecnológicas sobre los efectivos demográficos de cada momento. La cuestión, considerada en esquema y a largo plazo, parece simple: entre mejoras técnicas y crecimiento demográfico hay una evidente correlación positiva; pero a corto plazo, y vista de cerca, la relación entre unos hechos y otros presenta una casuística tremendamente enrevesada; por eso WRIGLEY ha podido presentar casos en que la revolución demográfica del XVIII precede a la industrial, o tiene lugar en puntos muy distantes de donde se inicia aquélla, y, en un orden más general, todos los autores que se han ocupado de ella coinciden en subrayar los resultados negativos que acompañaron a la «primera revolución industrial»: pésimo urbanismo, hacinamiento de la población obrera, durísimas condiciones del trabajo de niños y mujeres, aumento de la morbilidad y de los accidentes de trabajo...

Pero, a largo plazo, no hay duda de que la «revolución científico-tecnológica» con toda su cohorte de «revoluciones» derivadas de ella: industrial, agraria, comercial, de los transportes, urbana, médica, cultural, ideológica, social, política..., ha sido la causa fundamental de la revolución demográfica que nos ha traído a la situación actual, desde los primeros focos ingleses en los que se inició la difusión de las innovaciones tecnológicas, a través del formidable crecimiento de la población de Europa occidental en la primera mitad del siglo XIX, y de las migraciones europeas (consecuencia de ese crecimiento, que hicieron del XIX, con su expansión, el siglo de los europeos) hasta el progresivo decrecimiento de la natalidad en los países desarrollados que, unido a dos guerras mundiales, y al decrecimiento de la mortalidad en los países subdesarrollados, sin que decrezcan sus tasas de natalidad, nos lleva a un inexorable declinar del «peso» de Europa y América anglosajona y la simultánea aparición, como una esperanzadora y formidable promesa de futuro, de los pueblos del «Tercer Mundo».

El crecimiento de la población en estos últimos tres siglos resume, pues, una historia pormenorizadamente muy complicada, como es lógico: no se ha hecho en todas partes al mismo tiempo, ni con la misma intensidad; mortalidad, natalidad y migraciones han jugado de mil modos distintos en mil lugares diferentes, y sobre cada una de estas «variables» han influido múltiples combinaciones de circunstancias y resultados, que han condicionado el ritmo y el volumen total del crecimiento global.

3.1. *Consideración global del crecimiento demográfico entre 1650 y 1980*

Las cautelas con que hay que acoger los datos de población correspondientes a períodos precensales son mucho más necesarias cuando se manejan cifras correspondientes a la totalidad de la población del mundo como en este caso, pues aun cuando a partir de 1900 se dispone de los censos de buen número de países, no los hay de todos, ni son todos de la misma garantía, y así, como repetidamente se ha manifestado, las cifras globales no pasan de estimaciones más o menos aproximadas. En la tabla 4.3.3 se recogen las de varios autores precisamente para poner de relieve esta circunstancia. Pero en cualquier caso hemos llegado a los 4.200 millones de seres humanos, partiendo de los más o menos 530 de 1650.

Las proyecciones de las Naciones Unidas para los años 1980 —4.330; 4.519 millones de habitantes— y 2000 —4.880; 6.130; 6.280; 7.522 millones— indican una vez más qué aventurado e incierto es meterse a calcular lo que pasará, aunque sea a tan corto plazo.

TABLA 4.3.4

Tasas de crecimiento anual de la población mundial (%)

Período	Autores							ONU Anuario Demográfico 1977
	Sauvy	Carr-Saunder	Willcox	Durand	Pressat y Ohlin	C. Clark	Grauman	
1650-1750	0,3			0,4	0,3			
1750-1800	0,45			0,4			0,4	
1800-1850	0,55	0,51	0,34	0,5	{ 0,6	0,6	0,5	
1850-1900	0,65	0,64	0,73	0,5	{ 0,5	0,7	0,6	
1900-1920	0,625	0,59	0,71	0,5		0,9		
1920-1930	0,88			1,1				
1930-1940	1			1	{ 0,8	{ 0,9	{ 0,9	
1940-1950	1,12			1				
1950-1955	1,67							
1950-1960				1,8	1,8	1,8	1,8	
1960-1970					1,8			
1970-1975					1,9			
1965-1977								1,9
1970-1977								1,9

Lo que está claro es que, como muestra la tabla 4.3.4, las tasas de crecimiento anual de la población del mundo han aumentado muy significativamente; desde 0,3 por 100 en el siglo que va de 1650 a 1750 (según PRESSAT y OHLIN) a 1,9 por 100 desde 1970. El crecimiento, según los datos que preceden —luego se manejarán otros—, marca una brusca aceleración desde 1950 (1950-1970: 1,8 por 100), mientras de 1750 a 1900 se mantuvo entre 0,4 y 0,6 por 100 y entre 1900 y 1950 estuvo en 0,9 por 100.

Este crecimiento sirve de pretexto a todas las lucubraciones de los neomalthusianos actuales y a la política antinatalista que poderosos grupos de presión de países capitalistas exportan ansiosamente a los países del Tercer Mundo. No es, desde luego, un tema que pueda considerarse satisfactoriamente fuera de un contexto mucho más amplio, y obligadamente hemos de volver sobre él, aunque los cristianos tenemos muy claro que el uso de anticonceptivos es moralmente un pecado grave, y el aborto inducido, sea cual sea el motivo que se alegue, el peor de los asesinatos: un parricidio. Por supuesto, eso no significa —¡muy al contrario!— que la gravedad de estos actos no obligue a evitarlos a todos los hombres sea cual fuere su religión y estadio cultural, ya que se trata, en primer lugar, de prohibiciones que, acordes con la dignidad humana, emanan de la ley natural y, por tanto, a todos obligan; pero lo que interesa subrayar ahora es que estas cifras globales de crecimiento son los promedios de las cifras de crecimiento por países y enmascaran una realidad mucho más contrastada, que se pone de manifiesto cuando se considera el crecimiento a escala regional.

3.2. *El crecimiento de la población considerado regionalmente*

Las tablas 4.3.5 y 4.3.6 se han confeccionado para mostrar el crecimiento absoluto de cada continente entre 1650 y 1977, el «peso» de la población de cada uno de ellos, en

TABLA 4.3.5

Población (millones de habitantes) del mundo y los continentes, y tanto por ciento de la población de cada continente sobre la total del mundo en cada año considerado

	Colin Clark								Carr-Saunder			
	1650	% (1)	1700	% (1)	1750	% (1)	1800	% (11)	1850	% (1)	1900	% (1)
El Mundo ...	516	100	641	100	731	100	890	100	1.166	100	1.583	100
Europa y URSS	96	18,60	111,8	17,44	135,8	18,58	178,8	20	274	23,50	423	26,72
Asia	305	59,11	414	64,59	478	65,39	584	65,62	741	63,55	915	57,80
África	100	19,38	100	15,60	100	13,68	100	11,24	90	7,71	95	6
América inglesa	1	0,19	1	0,16	2	0,27	6	0,67	26	2,23	81	5,11
Latinoamérica	12	2,33	12	1,87	13	1,78	19	2,13	33	2,83	63	3,97
Oceanía	2	0,39	2	0,31	2	0,27	2	0,22	2	0,17	6	0,38

TABLA 4.3.5 (continuación)

	Naciones Unidas													
	1920	% (1)	1930	% (1)	1940	% (1)	1950	% (1)	1960	% (1)	1970	% (1)	1977	% (1)
El Mundo ...	1.810	100	2.013	100	2.246	100	2.501	100	2.986	100	3.610	100	4.124	100
Europa y URSS	187	26,91	532	26,43	573	25,5	572	22,87	639	21,40	702	19,45	738	17,90
Asia	966	53,37	1.072	53,25	1.213	54	1.368	54,72	1.644	55,06	2.027	56,15	2.355	57,10
África	140	7,73	155	7,70	172	7,7	219	8,76	273	9,14	352	9,75	424	10,28
América inglesa	117	6,46	135	6,71	146	6,5	166	6,64	199	6,66	226	6,26	242	5,87
Latinoamérica	91	5,03	109	5,41	131	5,8	164	6,56	216	7,23	283	7,84	342	8,29
Oceanía	9	0,50	10	0,50	11	0,5	12,0	0,5	15,0	0,53	19,0	0,53	22,0	0,54

NOTAS: Las estimaciones de NACIONES UNIDAS se han tomado de GLASS hasta 1940 inclusive. De 1950 a 1977 son datos del *Anuario Demográfico* de NACIONES UNIDAS para 1977. GLASS da para Europa, en 1950, 576 millones. En varios casos los porcentajes parciales no totalizan exactamente 100.

Los porcentajes de CARR-SAUNDER se han calculado de nuevo y rectificado. En este autor los totales del mundo no coinciden con la suma de los continentes.

Los totales del mundo de las tres últimas columnas en Colin CLARK están redondeados. Las sumas exactas son: 640,8; 730,8, y 889,8, respectivamente.

tanto por ciento, respecto del total mundial, y la tasa de crecimiento anual de población en cada período de tiempo considerado.

A pesar de su sencillez, las tablas y los gráficos son muy expresivos: *a*) Peso formidable de Asia: siempre más del 50 por 100 del total mundial de población: mínimo 53,25 por 100 (1930), máximo 65,62 por 100 (1800). *b*) En segundo lugar, aunque muy distantes de Asia, Europa y la URSS unidas, mínimo en 1700 (17,44 por 100), máximo 1920

TABLA 4.3.6

Crecimiento anual promedio (%)

	1650-1700	1700-1750	1750-1800	1800-1850	1850-1900	1900-1920	1920-1930	1930-1940	1940-1950	1950-1960	1960-1970	1970-1977
El Mundo ..	0,70	0,26	0,39	0,54	0,61	0,67	1,06	1,10	1,08	1,79	1,79	1,92
Europa y URSS ...	0,43	0,39	0,55	0,86	0,87	0,70	0,88	0,74	—0,02 (*)	1,11	0,94	0,72
Asia	0,61	0,29	0,40	0,48	0,42	0,27	1,04	1,24	1,21	1,85	2,12	2,17
África	0,00	0,00	0,00	—0,21	0,11	1,95	1,02	1,04	2,44	2,23	2,57	2,69
América Anglosajona .	0,00	1,40	2,22	2,97	2,30	1,85	1,44	0,78	1,29	1,82	1,28	0,98
Latinoamérica	0,00	0,16	0,76	1,11	1,30	1,85	1,82	1,85	2,27	2,79	2,74	2,74
Oceanía ...	0,00	0,00	0,00	0,00	2,22	2,04	1,05	0,95	0,87	4,70	2,39	2,02

DATOS DE BASE:
Los de la tabla 4.3.5.
Fórmula aplicada:

$$r = \left(\sqrt[t]{\frac{P_1}{P_0}} - 1 \right) \cdot 100$$

r = Tasa anual en tantos por ciento.
P_0 = Población total al comienzo del período considerado.
P_1 = Población total al final del período considerado.
t = Número de años transcurridos entre P_0 y P_1.

(*) Con los datos de GLASS para Europa en 1950 (576 millones) el crecimiento entre 1940-1950 sería de 0,05 por 100.

En este crecimiento anual se han considerado simplemente las cifras de partida y llegada en los períodos de tiempo escogidos, sin ignorar que engloban los saldos de los movimientos migratorios y los naturales.

Las diferencias de magnitud que pueden encontrarse entre algunas estimaciones de esta tabla y las que para las mismas fechas se recogen en otras anteriores son debidas a los distintos criterios de los autores que se citan y de las estimaciones que se han recogido.

(26,21 por 100). *c*) Gradual decrecimiento del peso demográfico de África desde 1650 (19,38 por 100) a 1900 (6 por 100) y recuperación progresiva a partir de este instante: 1910 (7,73 por 100), 1977: 10,28 por 100. *d*) Máximo de América anglosajona en 1930 (6,71 por 100), muy próximo en 1960 (6,66 por 100), pero salvo este decenio de recuperación, pérdida de peso en el mundo desde 1930. (En 1977: 5,87 por 100.) *e*) Desde 1750 constante incremento de la población latinoamericana en el total de la del mundo (1750:

% PROMEDIO DEL CRECIMIENTO ANUAL DEL MUNDO Y LOS CONTINENTES 1650-1977

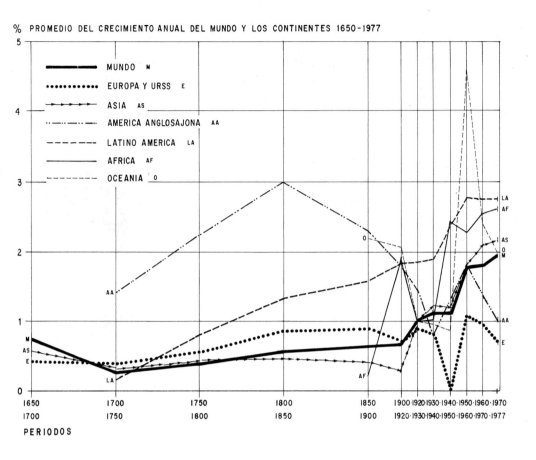

Fig. 4.3.1

1,78 por 100, 1976: 8,29 por 100). *f*) En cuanto a Oceanía, «peso» reducidísimo de su población respecto a los totales mundiales.

Las tasas de crecimiento, como se ha dicho en sus lugares correspondientes, resultan de la combinación de los movimientos naturales y migratorios, por eso la consideración de sus valores en relación con cada momento de la historia pone de manifiesto la repercusión sobre los efectivos demográficos de las circunstancias de la época.

A escala continental Europa y la URSS reflejan en las diferencias de sus tasas de crecimiento las consecuencias de la Primera Guerra Mundial y de la gripe de 1917-1918 (1900-1920: 0,70 por 100), así como las dramáticas reducciones motivadas por la Segunda Guerra Mundial (1940-1950: —0,02 por 100), la pequeña recuperación del decenio siguiente, y desde entonces hasta ahora, su constante declinar de su vitalidad (1960-1970: 0,94 por 100) (1970-1977: 0,72 por 100).

Las cifras y curvas de América anglosajona no pueden ser más expresivas de su historia demográfica y su relación con la historia económica y social del continente. La tasa de crecimiento aumenta espectacularmente hasta el período 1800-1850 (2,97 por 100), correspondiente al formidable aflujo de inmigrantes europeos, acusa netamente la famosa depresión de 1929-1930 (1930-1940: 0,78 por 100), se recupera algo con el *baby-boom* de la postguerra (1940-1950: 1,29 por 100; 1950-1960: 1,82 por 100) y disminuye hasta llegar a 0,98 por 100 en los últimos decenios considerados.

Latinoamérica, que llega al 2,79 por 100 en el decenio 1950-1960, se mantiene desde entonces en 2,74 por 100. África aumenta sus tasas de crecimiento desde 1920 y está ahora en 2,69 por 100, y Oceanía, después de su alta tasa de 1950-1960 (4,70 por 100), debida indudablemente tanto al crecimiento vegetativo como a una política encaminada a favorecer la inmigración, se mantiene por encima del 2 por 100 anual.

En cuanto a Asia, a pesar de las incertidumbres sobre su población, su tasa de crecimiento, como la de todos los continentes subdesarrollados, se incrementa paulatinamente desde 1940 y está ahora, dada su inmensidad, nada menos que en 2,17 por 100.

La causa de este crecimiento en los países en vías de desarrollo es la mejora —aunque no con la intensidad exigible— motivada por las revoluciones científico-industriales, de las condiciones de vida. Mejoras: médicas, en las dietas alimenticias, higiénicas, asistenciales, en el vestido y en el abrigo, etc., aunque, insistimos, todavía con deficiencias terribles.

La situación actual representa un formidable contraste entre los países pobres, subdesarrollados, que presentan tasas de crecimiento muy altas, y los países ricos —absolutamente tanto en cifras globales como relativas— de tasas de crecimiento tan bajas que crecen muy lentamente o sencillamente dejarán de crecer muy pronto.

En temas anteriores se ha llamado repetidamente la atención sobre este hecho, acompañando la alusión con abundante material estadístico. A él remito al lector en este momento.

4. Crecimiento demográfico y crecimiento económico

Creo que se ha dicho ya, hasta con reiteración, que el crecimiento demográfico no depende sólo ni siempre del crecimiento económico, sino de múltiples factores capaces, además, de muy variadas combinaciones; pero como el tema de las relaciones del crecimiento económico con el demográfico pueden permitirnos aportar alguna información que aún no se ha dado, y nos lleva además a la constante oposición entre países desarrollados y subsarrollados, vamos a ocuparnos brevemente de la cuestión, siguiendo preferentemente el texto de *Factores determinantes y consecuencias de las tendencias demográficas,* de Naciones Unidas (Nueva York, 1978).

En los dos últimos siglos, es innegable, se ha producido una notable aceleración de la tasa de crecimiento económico de muchos países, acompañada simultáneamente, pero no en paralelo, de un crecimiento sin precedentes de la población.

El crecimiento económico, hasta hace muy poco, afectó tan sólo a un corto número de países ricos, desarrollados. Hemos subrayado repetidamente el formidable desequilibrio entre la distribución de la riqueza y la población de los países del mundo.

El impulso inicial de la expansión demográfica se produjo en los países hoy desarrollados, pero la tendencia a la aceleración del crecimiento de la población se ha propagado a los países subdesarrollados, cuyo número de habitantes crece ahora muchísimo más de prisa que el de los países desarrollados.

Pues bien, lo interesante, como recuerdan los autores del libro de Naciones Unidas, es que, aunque en general se acepta que el crecimiento demográfico y el económico no son independientes el uno del otro,

> «La naturaleza exacta y el alcance de la relación que los vincula siguen siendo en gran parte desconocidos. Aunque esta falta de conocimientos puede atribuirse, en parte, tanto a que el estudio de estas relaciones, en la forma que han ocurrido, no ha sido satisfactorio como a la escasez de datos en la materia, la razón fundamental de esta ignorancia se debe a la propia naturaleza de las relaciones. *El cambio demográfico y el cambio económico no son resultado de un simple mecanismo de causa y efecto entre ambos.* Tanto los resultados económicos como las estructuras demográficas se encuentran, en última instancia, controladas por un complejo conjunto de factores sociales, culturales, políticos y psicológicos que dan forma a las instituciones y desarrollos de la sociedad y al comportamiento de sus diferentes miembros, y las relaciones que las vinculan son resultado de un complicado sistema de interdependencias entre un gran número de variables y factores que abarcan no sólo a los factores económicos y demográficos, sino también a muchos otros» (pág. 526).

Desde luego, el proceso de crecimiento económico supone mucho más que el simple aumento del ingreso total por persona, lleva consigo cambios importantes en la organización, estructura y funcionamiento de la economía y de la sociedad, y uno de los cambios fundamentales es el que tiene lugar en la distribución de la fuerza de trabajo y su producto, en la que sus efectivos se desplazan de la actividad agrícola a la no agrícola en virtud de la oferta y demanda movilizadas por el progreso tecnológico.

> «Los cambios estructurales que favorecen a las actividades no agrícolas se evidencian en la distribución por sectores del producto nacional, y probablemente también en la de los bienes de capital, pero se manifiestan más claramente en la distribución de la fuerza de trabajo, y en su alejamiento de la agricultura o producción primaria hacia las actividades secundarias y terciarias no agrícolas. Por esta razón, la comparación industrial de la fuerza de trabajo se considera a veces como indicador apropiado del nivel de desarrollo económico. El proceso de transformación estructural implica una reducción en la participación de la fuerza de trabajo agrícola. Esta participación, que es de hasta cuatro quintas partes del producto nacional en la era preindustrial, llega a reducirse a un décimo o aún menos en una etapa adelantada del desarrollo. Como parte de esa evolución, llamada con frecuencia el proceso de industrialización, aumenta la participación del empleo secundario y terciario, aunque no necesariamente al mismo ritmo. Una vez que se ha alcanzado una cierta etapa de desarrollo, el empleo secundario puede estabilizarse o declinar algo en términos relativos, mientras el empleo terciario puede continuar expandiéndose» (pág. 528).

Es sabido que la industrialización lleva consigo la concentración de la población, «la urbanización». El éxodo campesino hacia las ciudades, motivado por un cambio de actividad que le desarraiga de la tierra y lleva a buscar un empleo en el sector secundario, es, lógicamente con la oferta de puestos de trabajo industriales y de servicios, el responsable del formidable incremento de la población urbana del mundo. Pero de nuevo aquí tampoco se conoce con precisión la naturaleza exacta de la interrelación entre industrialización y urbanización, y no hay duda de que por este lado se aúnan ya situaciones realmente «patológicas» en muchos países subdesarrollados donde el crecimiento de la población de sus ciudades va muy por delante del ritmo de desarrollo económico y el progreso industrial.

Junto a estos dos aspectos —transformación estructural y acelerado crecimiento de la población urbana— la tecnología moderna obliga a cambios importantes en la organización de la producción: son necesarios grandes capitales que no puede, en general, aportar el empresario particular o la empresa tradicional; surgen así las empresas estatales, las grandes sociedades económicas, las multinacionales... muchas veces inevitablemente abocadas al comercio internacional. En relación con estas circunstancias, y también con la propiedad de los medios de producción y los vínculos con ellos, surgen nuevas clases de profesionales, ejecutivos, etc., y se altera también la distribución de los ingresos.

«El crecimiento económico, concebido como un incremento sostenido y rápido del ingreso total o del ingreso por habitante, es, como queda dicho, un fenómeno reciente en la historia de la humanidad. Iniciado hace cerca de dos siglos, se ha llegado a asociar su comienzo real con la transformación radical de la economía que se ha conocido con el nombre de revolución industrial. Aunque a menudo se la ha relacionado con el desarrollo de la industria manufacturera, la revolución industrial abarca mucho más que eso. No sólo revolucionó otras actividades económicas, como la agricultura, los transportes, el comercio y la banca, sino que transcendió a todos los niveles de la sociedad y modificó decididamente las instituciones sociales y los modelos de comportamiento. También la población se vio afectada: los cambios económicos y sociales fueron acompañados por profundos cambios demográficos. Así pues, la época moderna de crecimiento económico, además de presenciar un crecimiento económico a largo plazo sostenido y sin precedentes, grandes transformaciones estructurales y cambios generales de la sociedad, constituye claramente una fase de la historia demográfica. Al acompañar la revolución industrial, las nuevas tendencias demográficas que surgieron por entonces han llegado a ser consideradas por muchos como un aspecto integral de la era moderna de crecimiento económico.

Pero las tendencias generales del crecimiento económico y demográfico no reflejan la diversidad de estos procesos en la perspectiva histórica y geográfica. No solamente no toman en cuenta la variada experiencia de los diversos países, sino que además no revelan la limitada difusión del crecimiento económico moderno del que surgió la actual división del mundo en países más y menos avanzados económicamente. Se ha llegado a asociar el período moderno de crecimiento económico con las grandes y crecientes desigualdades de ingresos entre los países más desarrollados y los menos desarrollados. De igual modo, la evolución demográfica del mundo moderno oculta grandes diferencias entre estos grupos de países. Finalmente, las grandes diferencias de niveles, evolución y estructura de la industrialización y la urbanización estaban vinculadas inevitablemente a estas tendencias económicas y demográficas divergentes. Aunque al principio del período moderno las condiciones económicas, demográficas y de otro orden de los países actualmente más y menos desarrollados ya diferían considerablemente, en los dos siglos transcurridos desde entonces se ha ampliado la diferencia» (págs. 529 y 530).

En realidad la experiencia muestra que lo único destacable de las «tendencias históricas y recientes» de las relaciones entre el crecimiento de la población de un país y su crecimiento económico es precisamente que caben todas las combinaciones. Hasta casi la postguerra de 1939-1945 parecía existir una asociación positiva entre ambas variables, la población —sobre todo durante el XIX— tendía a crecer más rápidamente en el grupo de países que experimentaba a su vez el mayor y el más rápido crecimiento económico. Pero ahora está muy claro que la relación se ha invertido, la población crece mucho más deprisa y con tasas nunca alcanzadas antes en los países económicamente más atrasados donde las cifras globales y por persona de la renta son, como hemos visto, muy inferiores a las de los países desarrollados.

Ahora parece que ya está claro que a lo largo de toda la historia moderna, según los países que se consideren, se pueden encontrar ejemplos de tasas altas y bajas de crecimiento de la población asociadas de muy diversas formas con tasas tanto altas como bajas de crecimiento económico. Esta innegable realidad pone en tela de juicio a la famosa teoría de «la transición demográfica».

No debe perderse de vista que el desarrollo de los países actualmente en cabeza en lo económico tuvo lugar en condiciones muy distintas de como se están desarrollando ahora los subdesarrollados. En los primeros la base del desarrollo posterior se estableció a lo largo de muchos años y de ello resultaron niveles de ingresos relativamente altos, una economía diversificada, especialización del trabajo y la producción, red de mercados, etcétera, favorables al crecimiento económico. Los países subdesarrollados, casi todos acabados de nacer a la independencia, contaban de salida con una economía mucho más rudimentaria, y subsidiaria de la de una gran potencia; y, por otra parte, la calidad y la estructura de sus poblaciones son muy diferentes: mientras el crecimiento demográfico de los países desarrollados llegó a su cenit mucho después de iniciado el crecimiento económico, en los países subdesarrollados el crecimiento demográfico se ha producido simultáneamente, e incluso por delante, que el crecimiento económico y con un ritmo muchísimo más rápido del que tuvo nunca en los países desarrollados.

En este punto el documento de Naciones Unidas que vamos resumiendo y comentando indica que, por una parte, el crecimiento económico queda afectado negativamente por el crecimiento demográfico de los nuevos países en vías de desarrollo, pero que también hay pruebas, en otros casos, de que el crecimiento demográfico no ha afectado al crecimiento económico.

De hecho, estamos de nuevo ante un problema de jerarquía de valores y de justicia distributiva. Es indudable que una gran población dependiente como es la amplísima base juvenil de los países en desarrollo exige enormes inversiones sociales: sanidad, vivienda, educación, formación profesional, lo que supone como siempre —la economía es la ciencia de escoger soluciones alternativas con recursos limitados— distraer capitales de otros destinos teóricamente más rentables. Es decir, a la vista de estos hechos, y según este modelo para economistas sin corazón, «en igualdad de circunstancias el crecimiento de la renta será tanto más rápido cuanto más lento sea el crecimiento de la población» (pág. 578).

A este planteamiento hay que contestar 1) que no es el hombre para la economía, sino la economía para el servicio del hombre —¡pero de todos los hombres, de los niños y los viejos también!—. 2) Que el arte de quedarse solos es el más egoísta y suicida de todos, como estamos viendo en Europa. 3) Que no se puede negar que hay países nuevos que no pueden atender como es justo a su población dependiente, y tienen tremendos y dolorosísimos problemas alimentarios, sanitarios, docentes..., pero la solución —y el deber de los países ricos y de las propias Naciones Unidas— es ayudarles a una escala mucho mayor de como ahora se hace y apresurarse a capacitarlos para que se valgan por sí mismos. Lo cual no sería muy difícil si las grandes potencias y los países petroleros se decidieran a reducir sus gastos militares y los de sus oficinas de información.

Por otra parte, como el propio documento de Naciones Unidas reconoce, hay datos sobre el crecimiento del Producto Interior Bruto o de la Renta total y del Crecimiento de la población en los países subdesarrollados que «sugieren que las tasas elevadas de crecimiento demográfico que caracterizan a estos países no han impedido su crecimiento económico», y «además los resultados sugieren que la interrelación existente entre el crecimiento de la renta y el de la población no fue tan estrecha como a menudo se supone»... «tanto el crecimiento del Producto total como el del Producto per cápita no guardaron aparente relación con el crecimiento demográfico». «Esto no significa —añade el documento, y evidentemente no hay nada que objetar—, sin embargo, que el crecimiento demográfico elevado en los países menos desarrollados no afectase su crecimiento económico» (pág. 579).

«La falta de una vinculación definitiva entre el crecimiento de la población y el del ingreso —el texto habla de "ingreso" sin más especificaciones, puede considerarse como se quiera PIB, Renta nacional...— ha llevado a varios autores a concluir que, en comparación con otros factores y determinantes del crecimiento económico, los efectos del crecimiento demográfico no predominan hasta el punto de manifestarse claramente en condiciones diferentes. Esto no significa, se afirma, que las variables demográficas no sean importantes, sino que las relaciones entre el crecimiento demográfico y el crecimiento económico son parte de un conjunto complejo de interrelaciones e interacciones, que permiten suponer que la repercusión sobre los factores económicos pueden variar bajo diferentes configuraciones de factores y condiciones. La comparación de las tendencias en países en que las condiciones difieren ampliamente, como sucede entre los países más desarrollados y los países menos desarrollados, y también dentro de este último grupo, no revela una vinculación estadística significativa entre el crecimiento demográfico y el crecimiento económico» (pág. 579).

Lecturas ulteriores

McNEILL (París, 1978).—CHAUNU (Barcelona, 1976; París, 1978).—CIPOLLA (Barcelona, 1978 y 1979; Glasgow, 1978).—PALOMARES-RUEDA (Madrid, 1978).—CLARK (Madrid, 1968).— MATHIAS, P. (Londres, 1979).—NACIONES UNIDAS (Nueva York, 1978; Núm. de venta S. 71-XIII. 5).—HAUSER (En *The American Assembly,* Englewood Cliffs, 1969).—HABAKKUK (Leicester, 1974).—HEER (México, 1973).—CENTRE NATIONAL DE LA RECHERCHE SCIENTIFIQUE (París, 1976; Coloquio del 3 al 8-IX-1973).—ERRASTI (Pamplona, 1979).—ASHTON (México, 1977).—LIVI BACCI (Turín, 1980).—DERRY-WILLIAMS (Madrid, 1977).—PENNINGTON (Madrid, 1973).—BRAUDEL (París, 1979).—THOMPSON (Barcelona, 1976).—LANDES (Madrid, 1979).— SCHUMPETER (Barcelona, 1971).—BUCHANAN (Londres, 1979).—FÖHLEN (Barcelona, 1978).— MOUSNIER (en CROUZET, Barcelona, 1974 y 1975).—UNIVERSIDAD DE CAMBRIDGE (Jaén, 1977).—THE FONTANA ECONOMIC HISTORY (véase CIPOLLA, 1978).—CROUZET (Barcelona, 1974 y 1975).—RIVOIRE (París, 1970).—VÁZQUEZ DE PRADA (Madrid, 1978).

4.4

EL CRECIMIENTO DE LA POBLACIÓN MUNDIAL
La teoría de la «transición demográfica»

1. Los hechos.
2. El modelo.
    2.1. Fases consideradas en el modelo.
3. Críticas al modelo de la «transición demográfica».

Lecturas ulteriores

1. Los hechos

De todo lo que va dicho en los temas dedicados al crecimiento de la población y de mucho de lo que se ha dicho en temas anteriores —considerados en otro volumen de esta obra— en especial los que tratan de fertilidad, mortalidad, tasas de crecimiento natural, movimientos migratorios y composición de la población (porque el objeto de la geografía de la población —el hombre en sociedad organizando un espacio, mejor dicho: organizando «un medio ambiente» con las técnicas que domina— tiene una coherencia y unidad esencial, que sólo por exigencias del orden que requiere la exposición es lícito presentar separadamente, sin perder de vista nunca que en la realidad cotidiana todas las variables que vamos considerando son inseparables —en su matiz— de cada población), de todo lo que se ha dicho, repito, se deduce que la situación actual en cuanto al crecimiento de la población es la siguiente: los países desarrollados, de niveles de vida material altos, crecieron antes, al ritmo de la revolución industrial, a la que llegaron antes también, y ahora crecen mucho más lentamente, se han estancado o incluso presentan en algunos casos un crecimiento negativo; en cambio, los países subdesarrollados, casi el 80 por 100 de la población del mundo, a los que está llegando aún la revolución industrial y científica, con muy diversos grados de intensidad, comenzaron a incrementar su población mucho después que los países industriales de Europa y América, pero ahora siguen creciendo a un ritmo tan acelerado que nunca lo tuvieron ni en sus momentos álgidos los viejos países industriales. Dos mundos se oponen pues: los países desarrollados, de población envejecida y pocos niños, estancados en su crecimiento, ricos en tecnología y dinero, y los países subdesarrollados, pobres, muchos de ellos paupérrimos, creciendo, con diferentes tasas anuales es cierto, pero siempre mucho, con muchos niños (casi siempre más del 40 por 100 de su población inferior a los 15 años de edad), y pocos viejos.

En muchos de los capítulos que preceden a éste hay numerosas tablas estadísticas en las que se expresan cuantitativamente estos hechos.

TABLA 4.4.1

Tasas de crecimiento aproximado de la población mundial

(Tasas anuales de crecimiento en tantos por ciento)

1750-1800	0,4
1800-1850	0,5
1850-1900	0,5
1900-1920	0,6
1920-1930	1,1
1930-1940	1,0
1940-1950	1,0
1950-1960	1,8
1960-1970	1,9

Según Rostow-Durand.

TABLA 4.4.2

Tasas de crecimiento regional (aproximado) 1750-2000
(Tasa anual de crecimiento en tantos por ciento)

	1750-1800	*1800-1850*	*1850-1900*	*1900-1950*	*1950-2000*
EL MUNDO	0,4	0,5	0,5	0,8	1,8
ASIA (sin la URSS)	0,5	0,5	0,3	0,8	1,9
China (continental)	1,0	0,6	0,0	0,5	1,2
India y Pakistán	0,1	0,3	0,4	0,8	2,2
Japón	0,0	0,1	0,7	1,3	0,8
Indonesia	0,2	1,2	1,2	1,2	2,4
Resto de Asia (sin la URSS)...	0,1	0,5	0,7	1,3	2,5
ÁFRICA	0,0	0,1	0,4	1,0	2,5
Norte de África	0,2	0,5	1,2	1,4	2,8
Resto de África	0,0	0,0	0,2	0,9	2,5
EUROPA (sin la URSS)	0,4	0,6	0,7	0,6	0,6
URSS	0,6	0,6	1,1	0,6	1,4
AMÉRICA	1,1	1,5	1,8	1,5	2,2
Norteamérica (con México) ..	—	2,7	2,3	1,4	1,5
América Central y del Sur	0,8	0,9	1,3	1,6	2,8
OCEANÍA	—	—	—	1,6	1,8

FUENTE: DURAND (citado por ROSTOW).

De ROSTOW[1], que las toma de DURAND, reproduzco estas dos, que complementan algo las que ya se han dado.

A esta situación se ha llegado, como es sabido, por una serie de circunstancias íntimamente vinculadas a las revoluciones «científico-industriales», que el propio ROSTOW resume incluyéndolas dentro de cuatro grandes apartados:

a) *La brusca aceleración del crecimiento de las poblaciones en la segunda mitad del siglo XVIII,* que tuvo lugar en algunos países de Europa —y quizá en China—, asociada con la introducción de cultivos nuevos importados del Hemisferio Occidental, aumento de la superficie de las tierras roturadas en ciertas regiones, agilización del comercio de productos agrarios y un cierto declinar de las enfermedades infecciosas.

Para Europa, en realidad, esto supuso la tercera aceleración de un crecimiento demográfico: el primero había tenido lugar en los siglos XII y XIII (seguido, es cierto, de un retroceso en los siglos XIV y primera mitad del XV); el segundo tuvo lugar después, pero fue detenido en el XVIII, y por fin la expansión se inició en algunos puntos a mediados del XVIII y fue ganando terreno.

---

[1] Londres, 1978.

b)   *El impacto inicial de la revolución industrial.*—Durante el siglo XIX la población de las naciones empeñadas primero en la revolución industrial creció generalmente más deprisa que la población de aquellas naciones que temporalmente habían quedado atrás. La mortalidad infantil y los estragos de las enfermedades infecciosas continuaban siendo importantes flagelos en el oeste industrializado; pero las mejoras en la alimentación, albergue, vestidos, abastecimiento de aguas, sanitarias, etc., redujeron gradualmente las tasas de mortalidad; esta reducción compensó el, en general, algo más lento declinar de las tasas de natalidad y la reducción del tamaño de las familias que también acompañó a la industrialización. «La vida urbana y el incremento de los ingresos por persona fueron sistemáticamente acompañados de causas en pro y en contra de limitar el tamaño de las familias» (ROSTOW).

Es sabido que los excedentes demográficos hicieron también de este siglo la gran época de la emigración europea a América y Australia.

c)   *El formidable impacto de la medicina moderna* se acusó, lógicamente, antes en el siglo XIX en los países pioneros de la revolución industrial, en especial Inglaterra y luego Alemania (ya que Francia manifiesta muy pronto su más débil coeficiente de natalidad). Los avances de la medicina (JENNER, PASTEUR, KOCH) reducen la mortalidad infantil y las defunciones por enfermedades infecciosas. De todos es sabido que la reducción de las tasas de mortalidad continúa después de la Segunda Guerra Mundial, gracias a los antibióticos, la medicina preventiva, la asistencia social y las innovaciones médicas, y todo ello tiene fulgurantes resultados en la reducción de las tasas de mortalidad (sobre todo infantil) de los países subdesarrollados (Asia, África y Latinoamérica) que, al contrario de lo que ocurrió en su momento en Europa, mantienen o reducen sólo muy débilmente sus tasas de natalidad.

d)   *La tendencia al estancamiento de la población en las sociedades industriales adelantadas, entre 1930 y 1980.*—Entre los varios medios de cuantificar este conocido y trascendental aspecto de la demografía actual, ROSTOW elige para ponerlo de relieve el «coeficiente de sustitución» *(Net Reproduction Rate),* es decir, el número de niñas nacidas de todas las mujeres de una población al final de su período fecundo, asumiendo para el cálculo que las tasas y caracteres de la fertilidad y mortalidad se mantendrán constantes. (Como hemos recordado los coeficientes inferiores a 1 indican que en la generación siguiente el número de madres potenciales no podrá reemplazar por completo a las de la anterior.)

No hay duda de que en la actualidad (1980) los cálculos de los coeficientes de sustitución darían en la mayor parte de estos países cifras aún más bajas, pero la tabla basta para mostrar la recuperación de fertilidad que siguió al final de la Segunda Guerra Mundial y la nueva caída que se inicia hacia los años 60.

La situación actual se refleja nítidamente en los Apéndices 4.1.1 y 4.1.2. El lector debe volver sobre ellos. En esencia, ya se ha dicho más de una vez, el panorama es, con algunos matices, que en este momento la población de los países subdesarrollados, o como prefiere llamarles BOGUE, países «en desarrollo», crece muy deprisa, mientras la de los países desarrollados lo hace con muchísima más parsimonia.

Utilizando tres columnas del Apéndice 4.1.1, la situación se resume así:

El mundo: Natalidad (promedio 1965-1977), 31 por 1.000; Mortalidad, 13 por 1.000; Tasa de crecimiento anual, 1,9 por 100.

TABLA 4.4.3

Tasas netas de reproducción de varios países industriales, en distintas épocas

Países	1935-1939	1955-1959	Fechas posteriores
Austria	—	1,12	0,90(1974)
Bélgica	0,96(1939)	1,14	1,04(1971)
Bulgaria	—	1,03	1,07(1968)
Canadá	1,16	1,82	0,91(1973)
Checoslovaquia	—	1,23	1,02(1972)
Dinamarca	0,94	1,19	0,91(1973)
Finlandia	0,99(1936-1939)	1,31	0,81(1971)
Francia	0,86(1935-1937)	1,27(1956-1960)	1,10(1973)
Alemania (República Federal)	—	1,04	0,80(1972)
Alemania (República Democrática)	—	1,11(1959)	1,00(1971)
Hungría	1,04(1930-1931)	1,07	0,90(1973)
Italia	1,18(1936-1939)	1,08(1959)	1,14(1967)
Japón	1,49	0,96	1,05(1967)
Luxemburgo	—	0,98	0,99(1968)
Holanda	1,15	1,46	1,29(1968)
Noruega	0,81	1,32	1,02(1974)
Polonia	1,15(1932-1934)	1,52	1,05(1973)
Suecia	0,78(1936-1939)	1,06	0,90(1974)
Reino Unido (Inglaterra y Gales) .	0,79	1,13	0,96(1973)
Estados Unidos de América	0,96	1,73	0,89(1974)
URSS	1,53(1938-1939)	1,29(1958-1959)	1,14(1972-1973)
Yugoslavia	—	1,55(1950-1954)	1,06(1972)

FUENTE: *Population Index*, abril 1973, abril 1974 y abril 1976. Utilizado por ROSTOW.

Regiones	Natalidad (por 1.000)	Mortalidad (por 1.000)	Tasa de crecimiento anual (por 100)
EUROPA	16	10	0,6
Occidental	15	11	0,4
Meridional	18	9	0,7
Oriental	17	10	0,6
Septentrional	15	11	0,4
URSS	18	8	1
América del Norte	17	9	0,8
Japón	18	7	1,2

TABLA 4.4.4

Grandes regiones del mundo, según la clasificación de la ONU² (Promedios 1965-1977)³ que crecen muy deprisa)

Regiones	Natalidad (por 1.000)	Mortalidad (por 1.000)	Tasa de incremento anual (por 100)
ÁFRICA	46	20	2,7
Occidental	49	23	2,6
Oriental	48	21	2,7
Septentrional	43	15	2,8
Central	44	21	2,4
Meridional	43	16	2,7
América del Sur Tropical	38	9	3,0
América del Sur Continental	42	9	3,3
Caribe	32	9	2,3
Países de Asia Oriental (excepto Japón y China)	32	9	2,2
Asia Meridional Central	41	17	2,5
Asia Meridional Oriental	42	15	2,7
Asia Meridional Occidental	43	15	2,9
Melanesia	41	17	2,5
Polinesia y Micronesia	34	7	2,6

Australia y Nueva Zelanda aparecen conjuntamente en el *Anuario Demográfico* de la ONU para 1977 con unas tasas de natalidad de 19 por 1.000, 9 por 1.000 mortalidad y una de crecimiento de 1,8 por 100. En el *Anuario* para 1976 la tasa de natalidad que se les atribuye es de 20 por 1.000. No cabe, pues, pensar en una errata de imprenta, pero no acierto a explicarme cómo han obtenido de esas cifras una tasa de crecimiento anual de 1,8 por 100.

Por otra parte el *Statesman's Yearbook* de 1979-80 da para Australia: natalidad, 16,37 por 1.000; mortalidad, 8,10 por 1.000, lo cual en ese año sólo, es cierto, da una tasa de crecimiento de 0,87 por 100, y para Nueva Zelanda: natalidad, 17,32 por 1.000; mortalidad, 8,3 por 1.000, lo que supone un incremento de 0,902 por 100 tan sólo, es decir, en todo semejantes a los países industrializados de Europa y Norteamérica.

Frente a estas altas tasas de un conjunto de países que totalizan nada menos que alrededor de 2.000 a 2.500 millones de habitantes, se alinean los países de crecimiento lento.

---

² Los países que integran cada una de estas grandes divisiones regionales de la ONU se mencionan en Apéndice 4.1.2.

³ Se mantienen los valores dados por las publicaciones de Naciones Unidas, aunque no coincidan en ocasiones los resultados de las restas —Natalidad menos Mortalidad— que publican, en atención a que en sus cálculos tienen en cuenta datos que no publican y cifras que redondean. No obstante, en el caso de Australia y Nueva Zelanda, la diferencia resulta inexplicable, y por otra parte, como se indica, las cifras son muy distintas de las que da el *Statesman's Yearbook* para 1976.

Nominalmente, los países pertenecientes a la ONU, cuyos datos de crecimiento se recogen en los Apéndices 4.1.1 y 4.1.2 y cuya distribución mundial se cartografía en el capítulo 4.1, se clasifican así:

Países con tasas de crecimiento anual superiores o iguales al 3 por 100 de su población (promedio 1970-1975)

Kuwait, Libia, Honduras, Kenia, Botswana,. México, Bahrein, Ecuador, Uganda, Nicaragua, Surinam, Jordania, Irak, Siria, Argelia, Emiratos Árabes Unidos, Zambia, Swazilandia, Colombia, Senegal, Perú, Panamá, Israel, Omán, Thailandia, Malasia, Qatar, El Salvador, Brasil, República Dominicana, Mongolia, Arabia Saudí, Líbano, Pakistán, Marruecos.

Países con tasas de crecimiento anual superiores al 2 por 100 e inferiores al 3 por 100 (promedio 1970-1975)

Yemen, Venezuela, Irán, Filipinas, Camboya, Benín, Ghana, Tanzania, Nigeria, Yemen Democrático, Níger, Rwanda, Bolivia, Etiopía, Mauritania, Somalia, Malawi, Costa Rica, África del Sur, Costa de Marfil, Togo, Congo, Gambia, Malí, Sudán, Comores, Birmania, Guinea, Túnez, Afghanistán, Bangladesh, Turquía, Indonesia, Liberia, Alto Volta, Mozambique, Burundi, Nepal, Egipto, Guyana, Lesotho, Laos, Sri Lanka, Samoa, Chad, Madagascar, Paraguay, India, Buthán, Fidji, Papúa-Nueva Guinea, Maldivas.

Países con tasas de crecimiento anual superiores al 1 por 100 e inferiores al 2 por 100

Camerún, Nueva Zelanda, Cuba, Chile, Guinea Ecuatorial, Jamaica, Malta, República Centroafricana, Angola, Haití, Singapur, Sierra Leona, Guinea Bissau, Mauricio, Australia, Canadá, China, Argentina, Uruguay, Japón, República de Irlanda, Gabón, Trinidad y Tobago, España.

Países con tasas de crecimiento anual inferiores al 1 por 100

Polonia, URSS, Yugoslavia, Holanda, Rumanía, Francia, Italia, USA, Chipre, Suiza, Noruega, Grecia, Checoslovaquia, Barbados, Dinamarca, Bulgaria, República Federal Alemana, Suecia, Hungría, Grenada, Finlandia, Islandia, Bélgica, Austria, Portugal, Reino Unido, República Democrática Alemana.

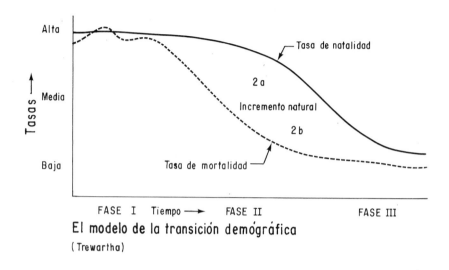

El modelo de la transición demográfica
(Trewartha)

Fig. 4.4.1

2. El modelo

La teoría o modelo de la *transición demográfica* por el que se pretende, según algunos autores, estar en posesión del mecanismo de la regulación del crecimiento de la población a partir del comienzo de la revolución industrial, se apoya en las discutibles ideas de MALTHUS y DARWIN sobre el automatismo que regula y controla el crecimiento en número de todas las especies biológicas, tan queridas y tan de moda entre muchos demógrafos anglosajones y franceses. BOGUE y HABAKKUK, por ejemplo, parten de este automatismo faltal para exponer la teoría; TREWARTHA, en cambio, recuerda que en la especie humana no sólo hay biología, sino también culturas, y esta «circunstancia» explica las diferencias de crecimiento de unos grupos humanos a otros, pero también participa de las ideas de BOGUE y HABAKKUK sin más referencias a la radical diferencia del hombre ser racional, responsable de sus actos, y libre por tanto, con respecto a las demás criaturas irracionales o vegetales.

El modelo de la transición demográfica es elegante y sugestivo, pero todos los autores que he consultado reconocen también que no está exento de fallos y que hasta el presente el mecanismo no ha funcionado como se esperaba en lo que al Tercer Mundo se refiere.

BOGUE prefiere hablar de *teoría de la regulación demográfica* y reserva el nombre de *transición demográfica* al proceso de cambio de una sociedad en una fase de crecimiento con tasas altas de natalidad y mortalidad y crecimiento muy pequeño o nulo, a otra fase de tasas de natalidad y mortalidad bajas y crecimiento nulo o muy pequeño, y expone la teoría en los siguientes términos: «Cada sociedad tiende a mantener sus procesos vitales en un estado de equilibrio tal que la población rellenará las pérdidas por muerte y crecerá en la medida considerada como deseable por normas colectivas. Estas normas son flexibles y se reajustan más bien pronto a los cambios en la capacidad de la economía para soportar la población.»

Todos los autores se han ocupado de explicar este modelo y sacar de él sus consecuencias, pero TREWARTHA es, a mi entender, uno de los que mejor lo han estudiado, y aunque, obviamente, no estoy de acuerdo con sus puntos de partida «materialistas capitalistas» ni con sus conclusiones, en la misma línea, creo que es útil resumir aquí su pensamiento, puesto que da una visión completa el asunto según los autores que están en su línea.

La *transición demográfica* (llamada a veces *revolución vital* o *ciclo demográfico*) está estrechamente relacionada con los dos últimos siglos de la historia de la población mundial, pues es cuando puede seguirse en la evolución de la población de los países desarrollados que han vivido más intensamente la revolución científico-industrial. En el modelo se combinan los cambios en las tasas de fertilidad y mortalidad a lo largo de estos dos siglos, de forma que en el crecimiento de la población de los países dearrollados pueden distinguirse varias «fases»:

Todos los países que en estos dos siglos han pasado de una economía agrícola tradicional a una economía industrial o urbana han evolucionado, pasando al mismo tiempo de unas condiciones de alta fertilidad y mortalidad a otras de natalidad y mortalidad bajas.

En este proceso de cambio ha habido una fase intermedia en la cual la mortalidad ha descendido mucho más deprisa que la natalidad, de donde han resultado una aceleración rápida del crecimiento de la población y cambios muy importantes en su estructura por edades. Otros importantes cambios, en parte efecto y en parte causa de este crecimiento acelerado, son los que afectan la proporción entre población urbana y rural del país en cuestión, la proporción asimismo entre el número de productores y consumidores, y la adecuación de los efectivos demográficos a las reservas naturales.

STOLNITZ[4] (citado por TREWARTHA) aportar al tema las siguientes precisiones:

a) El período de tiempo requerido para que se realice la transición demográfica, aunque varía mucho de unos países a otros, es relativamente largo: abarca dos o más cuartos de siglo, o varias generaciones.

b) La rapidez de la disminución de las tasas vitales supone una importante ruptura con el pasado histórico.

c) La tendencia a que disminuyan las tasas vitales parece ser irreversible a largo, no a corto, plazo.

d) Las actuales bajas tasas de natalidad y mortalidad, características de los países occidentales, pueden haber sido alcanzadas de varios modos a lo largo de los años, pero en todos los casos es muy significativo que la reducción de la mortalidad normalmente ha precedido a la de la natalidad y ha tenido lugar más rápidamente que ésta, lo que ha dado lugar a un gran incremento de los efectivos demográficos.

e) La transición demográfica se ha visto modificada en unos países u otros por movimientos migratorios de gran magnitud; emigración en el caso de Europa, e inmigración en el de América y Oceanía.

f) Por último (y con ello implícitamente contradice lo que ha dicho en el apartado c) hay que subrayar que de 2/3 a 3/4 del total de la población del mundo,

---

4 STOLNITZ, G. J., «The Demographic Transition: From High to Low Birth Rates and Death Rates». En Ronald Freedman (ed.): «Population: The Vital Revolution», Chicago, Aldine, 1965.

correspondiente a los países subdesarrollados, no han completado la transición demográfica, es decir, según este autor, no hay evidencia de que la fertilidad haya disminuido significativamente en la mayor parte de los países en vías de desarrollo, con lo cual sus tasas de crecimiento actuales son las más altas que registra la Historia.

De lo dicho por el propio STOLTNITZ se deduce lo que ya habíamos adelantado: la transición demográfica es un modelo en el mejor de los casos sólo aplicable a Europa, y esto con muchas matizaciones: se inició en los países del noroeste y centro de nuestro continente y se difundió poco a poco al resto de los países europeos. En los otros continentes, aunque las tasas de mortalidad y natalidad son distintas de unos a otros (África: natalidad, 46 por 1.000; mortalidad, 20 por 1.000, Latinoamérica: natalidad, 36 por 1.000; mortalidad, 9 por 1.000), no puede hablarse de transición demográfica según el modelo europeo; la reducción de la mortalidad ha sido mucho más reciente y acelerada que en Europa y la natalidad, excepto en el Japón (que paga su «modelo europeo» el precio de un millón de niños asesinados cada año en el seno de sus madres), no ha comenzado a disminuir significativamente.

2.1. *Fases consideradas en el modelo de la transición demográfica*

En el modelo de la transición demográfica casi todos los autores distinguen, con unos nombres u otros, tres fases en el desarrollo de la población, aunque algunos hablan de cuatro e incluso cinco.

TREWARTHA, siguiendo a PETERSEN, considera tres fases, a las que llama: *Preindustrial, Occidental primitiva* y *Occidental tardía,* a cada una de las cuales corresponde un tipo de sociedad con unas características propias.

Fase	*Fertilidad*	*Mortalidad*	*Crecimiento de la población*	*Economía*
1. Preindustrial 2. Occidental primitiva 3. Occidental moderna	Alta. Alta. Controlada, moderada o baja.	Alta y fluctuante. Disminuyendo. Baja.	Estático o bajo. Alto. Bajo moderado.	Primitiva o agrícola Mixta. Urbano-industrial y mixto.

(Según PETERSEN y TREWARTHA.)

La *fase preindustrial* incluye, según TREWARTHA, todas las culturas anteriores a la Revolución Industrial, lo que no deja de ser una generalización excesiva. Las tasas de natalidad son altas, pero también lo son las de mortalidad (sobre todo la infantil) y la esperanza de vida al nacer es muy corta: ± 35 años. El crecimiento es más bien insignificante o nulo.

TREWARTHA considera que hasta hace unos 40 años ésta debió ser la fase en que se encontraban los pueblos negros africanos localizados al sur del Sahara, que con la penetración de la medicina moderna han pasado probablemente a la fase dos.

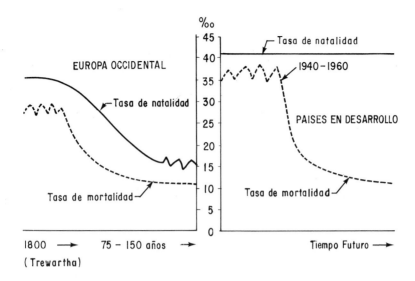

Figs. 4.4.2 y 4.4.3.—*Esquema del crecimiento de la población en un país desarrollado y en otro subdesarrollado.* (Según TREWARTHA.)

Esta *fase* 2 (*Occidental Primitiva,* que otros autores llaman *Transicional Primitiva* [BOGUE] o, simplemente, *primera fase de expansión* [CLARKE]) se caracteriza por el desequilibrio entre natalidad y mortalidad. El declinar del número de las defunciones precede y es más rápido que el de los nacimientos y se refleja en el lógico y considerable incremento natural de la población. A esta fase se llega gracias a la mejora de las técnicas por una gradual reducción del hambre y la morbilidad y una general mejora de la salud y los niveles de vida. Como la mortalidad disminuye rápidamente y la natalidad continúa siendo alta, las dos tasas se separan y esa separación marca el incremento de la población.

Después, en esta fase intermedia y en el modelo europeo, las tasas de natalidad disminuyen y la velocidad de disminución de las tasas de mortalidad se aminora, con lo que ambas tasas vuelven a aproximarse y el incremento de población se reduce.

En la *tercera fase,* fue *Occidental moderna,* fertilidad y mortalidad son bajas, se vuelve en cierto modo a los resultados del débil o nulo crecimiento de la primera fase, pero como resultado de la diferencia entre tasas mucho más bajas.

En la actualidad, si es que se admite el modelo, muy pocos grupos humanos se encuentran en la primera fase, muchos, muchísimos, más de 2/3 del total de la población del mundo (los países en vías de desarrollo) se encuentran en distintos grados de la segunda, y 1/3 o menos (los países económicamente desarrollados) están en la tercera.

En realidad, el número de fases en el modelo de la transición demográfica depende del grado de matización que quieran establecer los autores. Si TREWARTHA estableció tres fases (aunque con dos subtipos en la intermedia), otros autores (CLARKE, BOGUE, la propia *División de Población* de las Naciones Unidas) prefieren considerar cinco, pero en el fondo vienen a decir lo mismo.

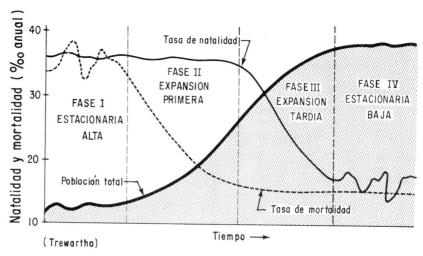

Fig. 4.4.4.—*Fases del modelo teórico «clásico» de la transición demográfica.* (Según TREWARTHA.)

Así, CLARKE distingue las siguientes fases:

1. *Estacionaria alta:* con altas tasas de fertilidad y mortalidad, y crecimiento lento o inexistente.
2. *De expansión antigua primitiva:* con alta fertilidad, mortalidad bajando, incremento en la tasa de crecimiento.
3. *De expansión moderna, o reciente:* curvas de fertilidad y mortalidad declinando, pero ampliamente separadas, fuerte incremento de la población pues.
4. *Estacionaria baja:* fertilidad y mortalidad reducidas; población estacionaria o poco menos.
5. *De declive:* fertilidad inferior a mortalidad.

Ésta es casi la clasificación que desde 1960 utilizan las Naciones Unidas, y también BOGUE, para catalogar, por la intensidad de sus tasas de crecimiento de la población, a los países del mundo:

1. Países con tasas de natalidad y mortalidad altas: África Tropical.
2. Países con tasas de natalidad altas y con tasas de mortalidad también altas, pero declinando suavemente: Sur, Sureste y Este de Asia.
3. Países con tasas de natalidad altas y tasas de mortalidad relativamente bajas: Latinoamérica.
4. Países con tasas de natalidad declinando y tasas de mortalidad bajas: Chile, Cuba, Ceilán.
5. Países con bajas tasas de natalidad y tasas de mortalidad fluctuantes y también bajas: Europa, América del Norte, Japón.

Ray CHUNG, ha cartografiado estas situaciones entre 1905 y 1960, en un conocido artículo recogido por DEMKO.

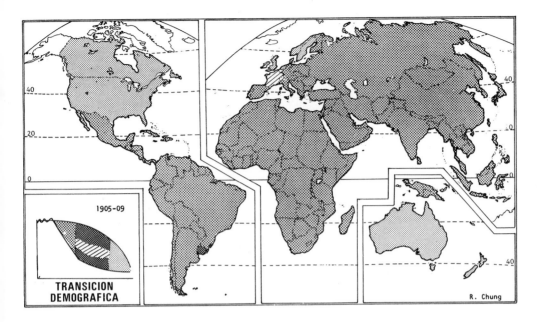

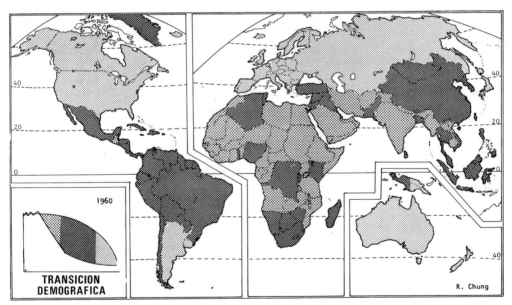

Mapas IV.4.1 y IV.4.2.—*Difusión en el espacio del modelo de transición demográfica en 1905-1909 y 1960.* (DE RAY CHUNG, en DEMKO y otros, págs. 220 a 239.)

3. Críticas al modelo de la «transición demográfica»

En el capítulo de las objeciones y críticas al modelo de la transición geográfica hay que señalar en primer lugar que no es, ni mucho menos, de validez universal, ni siquiera es estrictamente aplicable a la historia de la población occidental, y por supuesto lo es muchísimo menos a la de los países en vías de desarrollo. Como recuerda TREWARTHA, la evolución a partir de la segunda mitad del XVIII de muchos países de Europa Occidental no se inició con la «meseta» de alta fertilidad (con la fase alta) del modelo. En algunos países (Francia) operaban ya controles que mantenían la natalidad más baja; por otra parte en muchos otros países europeos en cambio, como del modelo se deduce, la revolución demográfica se inició con el crecimiento del tamaño de las familias antes del largo proceso de disminución de la fertilidad. En Inglaterra los acontecimientos demográficos sólo se aproximan a la teoría a partir de 1850, cuando los progresos médicos y sanitarios reducen realmente mucho las tasas de mortalidad.

Una publicación reciente de Naciones Unidas [5] resume otras objeciones a la teoría: en primer lugar el modelo se basa en la experiencia de los países de Europa occidental, que por otra parte, tampoco es uniforme, y es muy improbable que pueda aplicarse a otros países. Así, BILLIG (citado por Naciones Unidas) sostiene que el proceso de la evolución demográfica de los países comunistas debe estudiarse separadamente, opinión que comparte VALENTEI (citado también por Naciones Unidas), que duda igualmente de que la experiencia de Europa Occidental sea válida para los países en desarrollo de Asia y África. En realidad, y es lógico, la mayoría de los demógrafos señalan la necesidad de matizar bien las diferencias en el modo de crecer de unos países y otros, aunque no todos niegan de raíz la validez del modelo.

Una objeción más de fondo es la de que la teoría de la transición demográfica no es en realidad una teoría «sino una descripción de acontecimientos históricos que se han producido con cierta regularidad en los países desarrollados» [6].

El resultado de estas objeciones ha sido, tal vez, poner las cosas más en su sitio y no ver la teoría, si es que alguna vez alguien la vio así, como un modelo de precisión para prever el futuro desarrollo de los acontecimientos demográficos en las poblaciones de los países en vías de desarrollo que todavía, según esto, se encontrarían en las fases de crecimiento acelerado.

A ello se une un argumento casuístico. La intervención, realmente tiránica y opresora, de los gobiernos en cuestiones de planificación familiar introduce en el asunto un factor nuevo, no considerado en el modelo y de consecuencias imprevisibles, pues siempre ha sido peligrosísimo —y en ocasiones criminal y suicida— jugar a «aprendiz de brujo».

Obviamente, esto no es desconocer que muchos demógrafos se esfuerzan en creer que la «transición demográfica» está también teniendo lugar en los países subdesarrollados, y no sólo se esfuerzan en creerlo sino que ponen todos los medios a su alcance —propaganda, clínicas, presiones sobre los gobiernos...— para que disminuyan las tasas de crecimiento de las poblaciones de estos países.

---

[5] «Factores determinantes y consecuencias de las tendencias demográficas», vol. I, Nueva York, 1978.

[6] HAUSER y DUNCAN, «Demography as a body of knowledge», 1959; VALENTEI, «Reaktsionnye teorii narodonaselenia», 1963; GLASS, 1965; GUTMANN, 1960, citados por Naciones Unidas, «Factores determinantes...», 1978, pág. 63.

Lecturas ulteriores

UNITED NATIONS (Nueva York, 1979, *Demographic Transition...*). PRESSAT (París, 1978). ROSTOW (Londres, 1978). BOGUE (Nueva York, 1969) (en STANFORD, Oxford, 1972). HABAKKUK (Leicester, 1973). COALE (San Francisco, 1974). STANFORD (Editor, Oxford, Toronto, 1972). SCHNELL (en STANFORD).

Demographic Transition and the socioeconomic development of societies, en FORD, T. R., y JONG, G. F.: «Social Demography», parte 5, págs. 623-670 (se cita por referencias).

VAN NORT, L., y KARON, B. P. (en The Americal Sociological Review, n.° 20, 1955) (se cita por referencias).

RAY CHUNG (en DEMKO y otros).

COALE, A. J. (Lieja, 1973).—MAULDIN, W. P. (Manila, 1981).—HERNANDO OCHOA (Manila, 1981).—PAGE y otros (Manila, 1981).—GAISIE, S. (Manila, 1981).—SRINIVASAN, K.; PATHAK, K. B. (Manila, 1981).—DEBAVALYA (Manila, 1981).—COALE (Lieja, 1973).—MAULDIN.

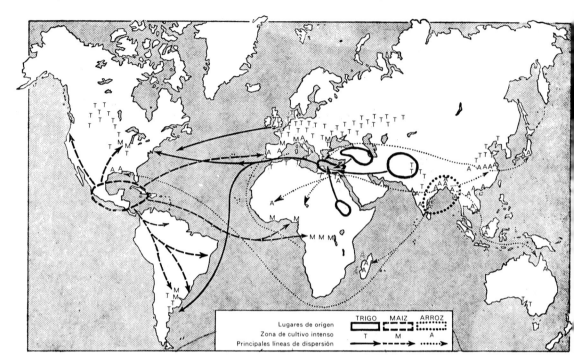

Focos de dispersión de los principales cereales. Según Max Sorre, en «L'Homme sur la Terre». París, 1961.

V

EL PROBLEMA DE LA ADECUACIÓN POBLACIÓN/RECURSOS

5.1.   La cuestión del equilibrio entre población y recursos.
5.2.   La cuestión del desfase entre población y recursos.

5.1

LA CUESTIÓN DEL EQUILIBRIO ENTRE POBLACIÓN Y RECURSOS

Introducción

1. El desigual crecimiento de la población de los países desarrollados y de los subdesarrollados.
2. Distintos tipos de recursos.
3. La tierra disponible para la agricultura.
   3.1. La «revolución verde» y sus dificultades.
4. Hambre y malnutrición en el mundo actual.
   4.1. Producción de alimentos y población.
   4.2. Suministro de alimentos por persona.
      4.2.1. Composición del suministro de alimentos por persona.
   4.3. El problema de la malnutrición.
      4.3.1. La pobreza de la tierra y de las gentes.
      4.3.2. Diferencias entre ciudad y campo.
      4.3.3. Bebés y madres lactantes.
      4.3.4. Niños pequeños.
      4.3.5. Hay alimentos para todos, pero están mal distribuidos.
   4.4. La persistencia de la malnutrición.
   4.5. La situación actual.

Lecturas ulteriores

Apéndices

5.1.1. Suministro diario de calorías y proteínas por persona, por países determinados, 1961-63 y 1972-74.
5.1.2. Suministro diario de alimentos por persona. Todo el mundo. Todos los países desarrollados. Todos los países en desarrollo.

Introducción

Los enunciados de este capítulo y del que le sigue corresponden a enfoques distintos de un mismo tema. En realidad —como recuerda CLARKE—, cuando se estudian la distribución y la cuantía de una población se suscitan en seguida las cuestiones de si el espacio está ocupado de la forma mejor o si, por el contrario, caben aún, o sobran ya, hombres. Es decir, se plantea el tema del *óptimo de población,* la *subpoblación* o la *superpoblación* de un territorio, nociones todas bastante subjetivas, ya que dependen del punto de vista de que se parta y de la escala de valores que se maneje.

Considerando la totalidad del mundo —aunque sin desconocer su diversidad regional—, el problema actual es obvio: el rapidísimo incremento de la población en los dos últimos siglos, que alcanza ahora, precisamente, su punto álgido en los países en vías de desarrollo, no puede continuar indefinidamente dentro del planeta Tierra, que es finito, limitado. ¿Hasta cuándo podrá seguir creciendo el número de los hombres que lo pueblan? ¿Cuándo y cómo —a escala planetaria— se detendrá el crecimiento?

Es el problema de la adecuación población/recursos a escala mundial. En realidad, no sólo de la adecuación población/alimentos, sino, como es público, de la adecuación población/energía, población/materias primas, población/disponibilidades de capital, población/calidad de vida, población/recursos naturales, es decir, agua, aire puro e, incluso, espacio..., etc.

A escala regional son evidentes, y sangrantes, las tremendas e injustas desigualdades entre unos países y otros, y dentro de cada país entre unos grupos y otros. Pero a escala del mundo, el primer problema es: ¿cuántos cabemos?, ¿con qué calidad de vida?, ¿con cuáles tecnologías?

Sobre esta cuestión, que hace terriblemente actual el acelerado crecimiento de los efectivos demográficos de los países en vías de desarrollo, se han escrito innumerables libros y artículos, con más buena voluntad que acierto en muchos casos. Evidentemente, según las hipótesis que se formulen y las ideas que se profesen, serán las teorías y doctrinas que se sostengan sobre la conveniencia de seguir creciendo, o dejar de crecer, y según las conclusiones a que se llegue y los ideales de vida que se tengan serán las políticas demográficas que se postulen, recomienden, o lleguen a imponerse por los gobiernos de unos países u otros, y —en las esferas de sus atribuciones— por los grandes organismos internacionales, sean el Banco Mundial, la OCDE o las mismas Naciones Unidas.

El asunto es, pues, de la máxima importancia; quizá no hay otro que en este momento la tenga mayor, pero en esquema se reduce a estas dos posturas: la de los *pesimistas,* que contemplan asustados —es un terror quizá equivalente al del año 1000, sólo que «científico», y en los albores del año 2000— el crecimiento de los efectivos demográficos del Tercer Mundo; y la de los *optimistas,* que piensan que aún hay recursos para muchos más miles de millones de habitantes y que la tecnología futura permitirá acoger a muchos más aún. Los primeros son los *neomalthusianos* y los *ecologistas,* decididamente partidarios del control de la natalidad (aun a costa de la prostitución del amor —métodos anticonceptivos—, del frío y criminal asesinato de los niños en el seno de su madre —aborto— y de la privación a los seres humanos de su capacidad de engendrar —esterilización—). Los segundos son los que apuestan por los niños y la vida, a los que podríamos llamar *vitalistas;* en la práctica las gentes de los países del Tercer Mundo, doctrinalmente, además, los católicos y a veces algunos marxistas. Los católicos con ideas muy claras en su jerarquía y su doctrina, y conductas desiguales de heroísmos y flaquezas; los marxistas con políticas demográficas diametralmente opuestas de unas ocasiones a otras en los países donde detentan el poder. Está claro que la diferencia entre unos y otros proviene de las distintas conclusiones que sacan ante los mismos hechos y las políticas demográficas que, de acuerdo con ellas y su concepción del mundo y la condición del hombre, recomiendan. Pero está más claro aún que la norma moral, natural y cristiana, es objetiva e inmutable, y, como la verdad, no depende de lo que queramos o no queramos opinar.

Lamentablemente, una gran mayoría de los demógrafos occidentales no son doctrinalmente cristianos, y amplios sectores de población de sus respectivos países tampoco lo son; de aquí se sigue que las doctrinas y políticas demográficas que defienden —en nombre del bienestar de los hombres que ya existen— sean terriblemente crueles y lleven implícitas una total ignorancia de la grandeza y profundidad del amor de los cónyuges, y la plena condición humana, desde el primer instante, del concebido. Por eso no conceden importancia al intercambio sexual, tanto dentro como fuera del matrimonio, evitando la concepción, por medios físicos intrauterinos o con la ingestión de medicamentos, la esterilización y el aborto.

Los católicos sabemos que el poder de engendrar es una participación en el poder creador de Dios, y que el acto sexual no puede nunca limitarse al placer, sino que debe quedar siempre abierto a dar la vida y a incrementar en el mutuo amor a los esposos. Sabemos igualmente que la vida humana es sagrada desde el instante mismo de la concepción, que Dios gobierna el mundo con su providencia y que hay una moral objetiva, insoslayable, de la que no es lícito apartarse.

La Iglesia no desconoce las dificultades de la vida actual, como no cierra los ojos a la realidad de cualquier época, y en ésta en que los cónyuges tienen que afrontar dificultades económicas, de alojamiento y trabajo, posiblemente mayores que nunca, ha desarrollado la doctrina de la *paternidad responsable*[1], basada en la generosidad de los padres —cristianos o no, pues a todos va destinada— y en la licitud, mediando causa grave, del recurso a medios acordes con la naturaleza y la dignidad humanas —Ogino, temperatura, Billing, etc.— abiertos siempre a la vida, para espaciar los nacimientos y lograr el número de hijos que en conciencia consideran los esposos que pueden traer al mundo.

Vivir esto puede ser arduo y hasta heroico, pero nadie que conozca la vida ha dicho nunca que el matrimonio no exija sacrificio y abnegación, ¡al contrario!: la admiración y el amor de los hijos por sus padres se apoyan no sólo en la identidad de sangre, sino en el conocimiento por el contacto cotidiano de lo que es y ha sido su amor desinteresado por ellos. Desde luego, lo dicho tiene vigencia para todo verdadero matrimonio, aunque sea tan sólo de derecho natural, pero tampoco debe perderse de vista que el matrimonio cristiano no es sólo un contrato, sino ante todo es un Sacramento y, como tal, confiere una gracia de estado a los esposos encaminada precisamente a facilitarles el cumplimiento de sus deberes.

El tema de si cabremos o no en el mundo, de si es bueno o malo seguir creciendo, se plantea con MALTHUS y no ha dejado desde entonces de preocupar a los estudiosos de las ciencias sociales. Ahora, después de la polémica alrededor de los primeros informes

---

[1] Cfr. SORIA, J. L., *Paternidad responsable,* Madrid, 1976.

TABLA 5.1.1

Población mundial por regiones. Estimaciones y proyecciones 1940-2000 (variante intermedia de la ONU)

(Cifras de población en millones, porcentajes del total anual entre paréntesis)

	1940	1950	1960	1970	1980	1990	2000
El mundo	2.295	2.516	2.998	3.635	4.468	5.457	6.514
Regiones desarrolladas[2]	821 (35,8)	858 (34,1)	976 (32,6)	1.090 (30)	1.210 (27)	1.337 (24,5)	1.453 (22,3)
Europa	379 (16,5)	392 (15,6)	425 (14,2)	462 (12,7)	497 (11,1)	533 (9,8)	568 (8,7)
URSS	195 (8,5)	180 (7,1)	214 (7,2)	243 (6,7)	270 (6)	302 (5,5)	350 (5,1)
Norteamérica	144 (6,3)	166 (6,6)	199 (6,6)	228 (6,3)	261 (5,8)	299 (5,5)	333 (5,1)
Japón	72 (3,1)	83 (3,3)	93 (3,1)	103 (2,8)	116 (2,6)	125 (2,3)	133 (2)
Otros	31 (1,4)	37 (1,5)	45 (1,5)	54 (1,5)	66 (1,5)	78 (1,4)	89 (1,4)
Regiones subdesarrolladas[3]	1.474 (64,2)	1.658 (65,9)	2.022 (67,4)	2.545 (70)	3.258 (73)	4.120 (75,5)	5.061 (77,7)
Asia Meridional	610 (26,6)	697 (27,7)	865 (28,8)	1.126 (31)	1.486 (33,3)	1.912 (35)	2.354 (36,1)
Asia Oriental	543 (24,5)	601 (23,9)	701 (23,4)	827 (22,7)	979 (21,9)	1.140 (20,9)	1.291 (19,8)
África	191 (8,3)	222 (8,8)	273 (9,1)	344 (9,5)	457 (10,2)	616 (11,3)	818 (12,6)
Latinoamérica y Oceanía	110 (4,8)	138 (5,5)	183 (6,1)	248 (6,8)	336 (7,6)	452 (8,3)	598 (9,2)

Tomado de BERRY, CONKLING y RAY, pág. 41.
FUENTE: NACIONES UNIDAS, *World Population as assessed in 1968, Prospects, 1965-2000.*

[2] Según las Naciones Unidas, en regiones más desarrolladas se incluyen: Europa, URSS, Norteamérica, Japón, América del Sur templada, Australia y Nueva Zelanda.

[3] Regiones subdesarrolladas incluye: Asia Oriental, menos Japón; Asia Meridional; África; América Latina, excluyendo América del Sur templada, y Oceanía, menos Australia y Nueva Zelanda. Las proyecciones para los años 1980, 1990 y 2000 son la «variación intermedia» de las proyecciones de Naciones Unidas. No hay que tomarlas más que como una aproximación. Su fecha, como se indica, es 1968.

al CLUB DE ROMA, es de plena actualidad. De las posiciones que se adopten dependerán las políticas demográficas que se defiendan. Para el mundo de los materialistas —agnósticos de una u otra procedencia—, la doctrina católica suena a utopía de la peor especie —y no faltan autores que, defendiendo el aborto, se han permitido insultar a PABLO VI por defender la vida y la santidad del matrimonio—. Pero, en realidad, la doctrina católica es la única no utópica y humana. La terrible situación del mundo actual es fruto del pecado —original y actual—. Es absurdo pretender un mundo sin dolor; el pecado ha traído, es de fe, al mundo la muerte y el dolor, y mientras haya mundo habrá dolor. Por otro lado, junto a la eternidad, los días del hombre sobre la Tierra son un instante, después de la muerte entenderemos el orden de la creación en sus verdaderas dimensiones y sentido. Entre tanto, eso sí, hemos de utilizar nuestra libertad para con todas nuestras fuerzas mitigar el dolor y la injusticia compartiendo con todos los hombres «el peso del día y del calor».

1. El desigual crecimiento de la población de los países desarrollados y de los subdesarrollados

En nuestro planeta —como todo lo creado—, de recursos y dimensiones finitas, el número de hombres crece aceleradamente desde hace dos siglos y medio; con los hombres crece la utilización de los recursos y mejoran de forma inimaginable para nuestros antepasados las técnicas con las que las actuales generaciones los utilizamos. En los capítulos anteriores se ha dado ya mucha información sobre los diversos grados de intensidad y eficacia con que, regionalmente —por países o por grandes regiones—, se utilizan los recursos: la distribución entre países desarrollados y subdesarrollados subyace siempre en cualquier tema de geografía de la población, y en éste precisamente se pone en primer plano en cuanto se baja a la escala regional. La diferencia entre PD y PSD no es sólo de rentas per cápita; es, lo hemos visto, de tasas de fertilidad y mortalidad, esperanzas de vida al nacer, tasas de crecimiento, morbilidad, consumo de calorías y proteínas..., de calidades de vida en una palabra. La tabla 5.1.1 nos ilustra, una vez más, sobre la velocidad del crecimiento, las diferencias regionales del mismo y el peso creciente —con el transcurso del tiempo— en lo demográfico de los países subdesarrollados.

Estas diferencias regionales las ha puesto de manifiesto ACKERMAN[4] en su conocida clasificación de las regiones del mundo sobre la base de las *ratios población/recursos* y las *tecnologías* disponibles:

1. *Tipo de los Estados Unidos.*—Alrededor de 1/6 de la población mundial vive en zonas de *tecnología muy avanzada,* con *bajas* ratios población/recurso (América del Norte, Australia, Nueva Zelanda y la URSS).
2. *Tipo europeo.*—Otro sexto de la población mundial vive en zonas de *tecnología muy avanzada,* con *altas* ratios población/recursos, donde la industrialización y la tecnología han permitido un incremento de los recursos por medio del comercio internacional (la mayor parte de Europa y el Japón).

---

[4] «Population and natural resources» en *The Study of Population,* editado por HAUSER y DUNCAN, págs. 621-650.

3. *Tipo egipcio.*—Aproximadamente la mitad de los habitantes del mundo viven en áreas *tecnológicamente deficientes,* con *altas* ratios población/recursos (India, China, Pakistán).

4. *Tipo brasileño.*—El último sexto de la población vive en zonas *tecnológicamente deficientes,* con *bajas* ratios población/recursos (Latinoamérica, África y el sudeste de Asia).

5. *Tipo ártico y desiertos.*—Estas zonas, como es lógico, son las más deficientes tecnológicamente y, al menos de momento, tienen un potencial alimenticio muy bajo.

De cara al futuro los términos del problema son obvios: ¿Qué clase de recursos son necesarios para subsistir? ¿Qué cantidad de ellos hace falta? ¿Qué cantidad de ellos hay accesible? ¿Cuánto tiempo se tardará en consumir estos recursos si se mantienen los actuales modos de explotarlos? Y también: quienes lo poseen, ¿estarán siempre dispuestos a facilitarlos en las condiciones actuales? (La experiencia de cada día hace ver que ciertamente sus detentadores no lo están, y aún lo estarán menos a medida que se encarezcan.)

Evidentemente, los productos fundamentales para las generaciones futuras, o recién llegadas al mundo, son los necesarios para la producción de *alimentos* y la propia vida: suelos y recursos bióticos, desde luego, pero también muchos otros: minerales —y entre ellos prioritariamente los combustibles— y, por supuesto, algunos tan comunes que sólo hace pocas décadas de años ha comenzado a verse que son bienes escasos cuya cantidad y calidad hay que mantener; es decir: el aire puro y el agua no contaminada, piezas esenciales de la calidad del *medio ambiente* —cada vez más amenazado—, absolutamente necesarias porque la atmósfera limpia y el agua pura son imprescindibles para que la Tierra conserve su capacidad de producir alimentos.

2. Distintos tipos de recursos

Por *recurso* podemos entender cualquier cosa que se considera necesaria para que los humanos satisfagamos nuestras necesidades. Cabe, pues, distinguir entre *recursos humanos* (trabajo, creaciones intelectuales y económicas...) y *recursos naturales* (que pueden ser tomados directamente de la naturaleza).

Desde luego, para que algo constituya un «recurso» hace falta que unos hombres lo consideren así, y sólo entonces, cuando se le valora para utilizarlo, lo es. Esto quiere decir que, según el grado de cultura y las técnicas que domine un grupo humano, un mismo producto de la naturaleza tendrá o no la consideración de recurso.

Según las tecnologías que se dominen habrá más o menos *recursos renovables* (bosques, ganados, peces...). Otros —los productos de actividades extractivas— serán *recursos no renovables,* y aun otros, los *recursos que fluyen,* que no se agotan, pero que si no se utilizan en el instante en que se producen se pierden, en lo que a los de ese instante se refiere: agua corriente, viento, mareas, energía solar.

No cabe ni imaginar la posibilidad de confeccionar un catálogo completo de recursos y necesidades humanas que permita establecer una adecuación matemática entre unos y otras. Y esto por varias razones: *a)* la desigual información de que se dispone en unos países y otros; *b)* exceptuadas las de primer orden —comer, dormir, vestirse...—, el carácter subjetivo de las necesidades; *c)* la posibilidad de acceder a recursos más difíciles de lograr —minas más profundas, tierras marginales— por mejoras técnicas, *d)* las posibilidades siempre crecientes de reciclaje y de sustitución de unos productos por otros; *e)* las mismas diferencias de criterio sobre las necesidades alimenticias y de equipado entre los propios científicos; *f)* los costos de deterioro del medio ambiente y también los de la congestión de las áreas urbanas —tráfico, contaminación, criminalidad...—, etcétera.

No obstante, los progresos en la acumulación de información estadística a escala del mundo han sido formidables desde la fundación de la ONU y, gracias a ellos, podemos manejar datos que dan idea de las características del problema, pero no hay que olvidar que todas estas tablas se calculan sin poder reflejar en ellas las enormes, e irritantes, desigualdades reales en el disfrute de los bienes entre los habitantes de un mismo país. (Uno de los hechos que caracterizan a los países subdesarrollados es precisamente la inconcebible distancia entre la riqueza de unos pocos miembros de las clases altas y la espantosa miseria de la mayoría del pueblo.) Más adelante veremos que para expresar la diferencia entre países desarrollados y en desarrollo se ha propuesto por algunos autores que en lugar del Producto Nacional Bruto «per cápita» (PNB), se utilice el NEW (Net Economic Welfare) (SAMUELSON) obtenido por ajuste del PNB, deduciendo de él lo que le cuesta a la sociedad el deterioro del medio ambiente y la concentración en las áreas urbanas (aunque estas dos deducciones no son precisamente fáciles de calcular).

3. La tierra disponible para la agricultura

L. DUDLEY STAMP planteó el tema, con mucho criterio geográfico, en un libro publicado en inglés en 1960 y traducido al español en 1966[5]. Sus cifras han quedado anticuadas y, de momento al menos, las actualizan las que he reunido en las tablas 5.1.2 a 5.1.5. El estudio pormenorizado de los datos de estas tablas se confía al cuidado del lector, ahora basta recordar lo más sobresaliente.

En esta tabla 5.1.2, confeccionada utilizando como fuente datos para 1975 del «Department of International Economic and Social Affairs» de Naciones Unidas[6], es decir: no directamente de la FAO como en las otras tablas que siguen, se ponen ya de manifiesto unos cuantos hechos fundamentales: de los 133.920.000 Km² de tierras emergidas de nuestro planeta más de 45 millones (45.530.000) (el 34 por 100 del total emergido) son, en sentido amplio, terrenos agrícolas; 41.560.000 Km² (31,03 por 100) lo ocupan los bosques, y 43.660.000 Km² quedan estériles o destinados a utilizaciones no agrarias (32,60 por 100).

Como se indica en el pie de la tabla 5.1.2, por superficie agrícola se entiende prácticamente toda la que no ocupan los bosques, los yermos, ni la destinada a usos urbanos y no agrarios, pero aun así resulta que con arreglo a la cifra de población de 1975 (3.967 millones de habitantes) *corresponden sólo 1,15 hectáreas de superficie agrícola a cada habitante del Globo,* y si se suman las de *bosque (1,05 hectáreas por habitante) y otras tierras (1,10),* resultan en total tan sólo *3,25 hectáreas por habitante.*

---

[5] *Población mundial y recursos naturales.*
[6] *World Statistics in Brief,* Nueva York, 1978.

TABLA 5.1.2

Superficie emergida de la Tierra y su utilización. Año de las cifras: 1975.

Regiones	Cifras en millones								Millones de hectáreas					
	Superficie total (has)	% de (1)	Población	%	hab/Km²	Superficie agrícola	% de (1)	Sa/hab (has)	Bosques	% de (1)	Bo/hab	Otras tierras	% de (1)	OT/hab
Mundo	13.392	100	3.967	100	30	4.553	34	1,15	4.156	31,03	1,05	4.366	32,60	1,10
África	3.031	22,63	401	10,11	13	1.009	7,53	2,52	641	4,79	1,60	1.315	9,82	3,28
Norteamérica	2.246	16,77	237	5,97	10	613	4,58	2,59	729	5,44	3,08	799	5,97	3,37
Latinoaméri-ca	1.783	13,31	324	8,17	18	548	4,09	1,69	927	6,92	2,86	280	2,09	0,86
Asia	2.753	20,87	2.256	56,87	82	1.031	7,70	0,46	601	4,49	0,27	1.040	7,7	0,46
Europa	487	3,64	473	11,92	97	230	1,72	0,49	153	1,14	0,32	90	0,67	0,19
Oceanía	851	6,35	21	0,53	2	517	3,86	24,6	186	1,39	8,86	140	1,05	6,67
URSS	2.240	16,73	255	6,43	11	604	4,51	2,37	920	6,87	3,61	703	5,25	2,76

Las cifras no cuadran: Se han respetado los datos de la fuente, que prescinde de los seis últimos dígitos.

En esta tabla: Norteamérica significa sólo Canadá y Estados Unidos. Europa y Asia no incluyen los territorios de la URSS. Las cifras de superficie abarcan la total: emergida y aguas continentales (ríos y lagos). Se excluyen las regiones polares y las islas deshabitadas.

Superficie agrícola, incluye: tierra de labor (arable) (tierra de cultivos temporales, y prados de corte y para pastos, huertas y tierras en barbecho o dejadas en descanso), tierra con cultivos permanentes, pero excluyendo las tierras plantadas de árboles para leña y madera de construcción.

Por bosques se entienden las áreas de arbolado natural o de repoblación, sean o no productivas, incluyendo aquellas que han sido desforestadas pero que se proyecta repoblar de nuevo.

Otras tierras. Incluye tierra sin uso, pero potencialmente productiva, zonas edificadas, terrenos baldíos, parques, jardines, carreteras y cualquier clase de tierras no reseñadas antes.

FUENTE: *World Statistics in Brief,* Naciones Unidas, 1978. Elaboración J.M.C.T.

TABLA 5.1.3

Usos del suelo. Cifras en miles de hectáreas.

Fecha de los datos 1977	Superficie total (1)	Superficie continental (2)	Tierra de labor más cultivos permanentes	Tierra de labor	Cultivos permanentes	Pastos permanentes	Bosques	Otras tierras
Mundo	13.390.160	13.073.605	1.462.017	1.373.917	88.100	3.057.986	4.077.002	4.476.600
África	3.031.168	2.964.612	208.724	193.669	15.055	797.935	637.003	1.320.950
Norteamérica	2.241.492	2.135.536	266.643	260.383	6.260	354.023	718.189	796.681
Sudamérica	1.781.851	1.753.562	107.675	85.160	22.515	442.964	920.807	282.116
Asia	2.757.442	2.676.993	457.901	434.322	23.579	537.495	571.174	1.110.423
Europa	487.031	472.796	142.199	127.368	14.831	87.118	154.656	88.823
Oceania	850.956	842.906	46.471	45.515	956	464.851	155.173	176.411
URSS	2.240.220	2.227.200	232.404	227.500	4.904	373.600	920.000	701.196
Regiones de								
Economías de mercado desarrolladas	3.276.030	3.157.815	392.565	376.186	16.379	883.493	884.500	997.257
Economías de mercado en desarrollo	6.592.708	6.439.688	672.452	609.317	63.135	1.444.045	2.072.073	2.251.118
Economías de planificación centralizada	3.521.422	3.476.102	397.000	388.414	8.586	730.448	1.120.429	1.228.225
Todos los países desarrollados	5.618.142	5.484.692	671.209	647.680	23.529	1.272.366	1.833.568	1.707.549
Todos los países en desarrollo	7.772.018	7.588.913	790.808	726.237	64.571	1.785.620	2.243.434	2.769.051

(1) Superficie total emergida, incluida la superficie ocupada por las aguas continentales (lagos, ríos).
(2) Superficie continental sin la de las aguas superficiales.

FUENTE: FAO, *Anuario FAO de Producción año 1977*, vol. 32. Elaboración J.M.C.T.

Es decir, aunque es muy parca en información, esta tabla recoge unos porcentajes importantes: alrededor del 30 por 100 de la superficie total emergida es superficie agrícola, y más o menos la misma proporción la ocupan los *bosques* y *otras tierras*. La relación superficie por persona en tierras agrícolas, bosques y «otras tierras» era, en esta fecha, 1,15, 1,05 y 1,10 hectáreas, respectivamente.

Las cifras de las tablas 5.1.3 y 5.1.4 tomadas de publicaciones de la FAO, con datos de fechas más recientes, separan la *superficie arable* (tierra de labor) de la ocupada por *cultivos permanentes* y la dedicada a *pastos permanentes*.

Distinguen también *superficie emergida total* de *superficie continental* —es decir: excluyendo de la primera la ocupada por lagos y ríos—. Esta última, a la que se refieren los porcentajes de la tabla 5.1.4, es de 130.736.050 Km², y así resulta que para 1977-78, la *superficie arable* era sólo el *10,51 por 100* de la *continental, los cultivos permanentes,* ocupaban el *0,67 por 100, los pastos permanentes el 23,39 por 100, los bosques el 31,18 por 100* y las *«otras tierras» el 34,32 por 100.* (Por supuesto, todos los porcentajes se refieren a la extensión de la «superficie continental».)

Refiriendo estas superficies a la población en 1978 (tabla 5.1.5) resulta que a *cada habitante del mundo* le correspondían, en aquella fecha, *0,33 hectáreas de tierra de labor; 0,02 hectáreas de superficie destinada a cultivos permanentes; 0,73 hectáreas de pastos permanentes; 0,97 hectáreas de bosques,* y *1,07 hectáreas de «otras tierras».*

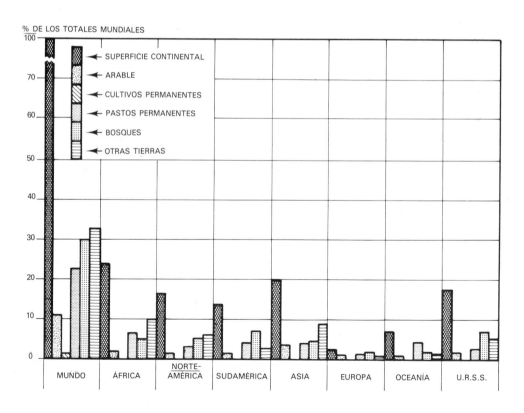

Gráfico 5.1.1.—*Usos del suelo.* Base: Tabla 5.1.4.

TABLA 5.1.4

Porcentajes de la tabla 5.1.3 y relación de habitantes con cifras para ellos de 1978 (tabla 5.1.5).

Fecha de los datos 1977-78	Superficie continental (1)		Arable (Tierra de labor)		Cultivos permanentes		Pastos permanentes		Bosque		Otras tierras	
	%	ha/hab	%	A/hab	%	Cp/hab	%	P/hab	%	B/hab	%	OT/hab
Mundo	100	3,13	10,51	0,33	0,67	0,02	23,39	0,73	31,18	0,97	34,32	1,07
África	22,68	6,86	1,48	0,45	0,12	0,03	6,10	1,85	4,87	1,48	10,10	3,06
Norteamérica	16,33	5,99	1,99	0,73	0,05	0,02	2,71	0,99	5,49	2,01	6,09	2,24
Sudamérica	13,41	7,54	0,65	0,37	0,17	0,10	3,39	1,90	7,04	3,96	2,16	1,21
Asia	20,48	1,12	3,32	0,18	0,18	0,01	4,11	0,22	4,37	0,24	8,49	0,46
Europa	3,62	0,99	0,97	0,27	0,11	0,03	0,67	0,18	1,18	0,32	0,68	0,19
Oceanía	6,45	38,08	0,35	2,06	0,01	0,04	3,56	21,00	1,19	7,01	1,35	7,97
URSS	17,04	8,53	1,74	0,87	0,04	0,02	2,86	1,43	7,04	3,52	5,36	2,68
Regiones de												
Economías de mercado desarrolladas	24,15	4,09	2,88	0,49	0,13	0,02	6,76	1,14	6,77	1,14	7,63	1,29
Economías de mercado en desarrollo	49,26	3,09	4,66	0,29	0,48	0,03	11,05	0,69	15,85	0,99	17,22	7,94
Economías de planificación centralizada	26,59	2,62	2,97	0,29	0,07	0,01	5,59	0,55	8,57	0,84	9,39	0,93
Todos los países desarrollados	41,95	4,79	4,95	0,57	0,18	0,02	9,73	1,11	14,02	1,60	13,06	1,49
Todos los países en desarrollo	58,05	2,50	5,5	0,24	0,49	0,02	13,66	0,59	17,16	0,74	21,18	0,91

(1) Excluida la de las capas de agua continentales.

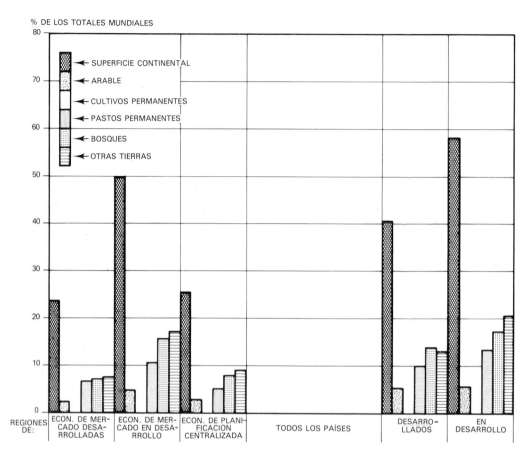

Gráfico 5.1.2.—*Usos del suelo en países desarrollados y subdesarrollados.* Base: Tabla 5.1.4.

Las diferencias regionales (de las grandes regiones, que, a efectos estadísticos, establecen la ONU y la FAO) puede y debe deducirlas el lector del análisis de las tablas; subrayemos tan sólo, como siempre, las diferencias entre países desarrollados y subdesarrollados, tanto en riqueza como en estructura de la población activa (tabla 5.1.5). Países desarrollados: porcentaje de su población económicamente activa en la agricultura: 13,6. Países subdesarrollados: 60,7.

La tabla 5.1.6 completa las anteriores con una información por productos, cuyo estudio hemos dejado también al cuidado del lector, y se completa con una *clave,* que indica el contenido de los ámbitos regionales establecidos por la FAO para sus síntesis estadísticas.

DUDLEY STAMP, ha resumido lo que de las tablas se deduce en términos mucho más sencillos: *las áreas negativas* para la agricultura y la población —excepto si otros recursos, por ejemplo minerales, incitan a ser pobladas— ocupan tres quintas partes de la superficie de la Tierra, y son: 1) las cubiertas permanentemente de hielo y nieve —Antártida y Groenlandia—, así como las de *perma-frost* —extensas zonas de Canadá, Alaska y

% DE LOS TOTALES MUNDIALES

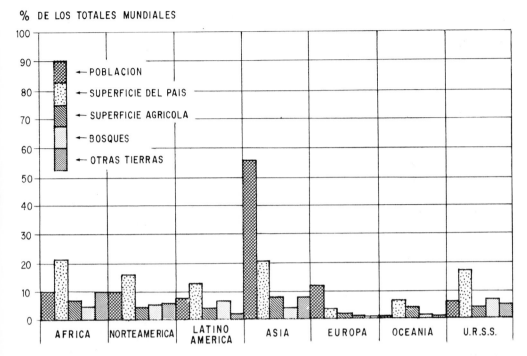

Gráfico 5.1.3.—*Usos del suelo, población y extensión de siete grandes «regiones».* Base: Tabla 5.1.2.

la URSS—. 2) las tierras ocupadas por montañas y altiplanos «tan abruptas o tan elevadas» que no permiten los cultivos. 3) los desiertos y regiones áridas. Si a ello añadimos el 10 por 100 que suponen las zonas donde no existe o es muy escasa la tierra cultivable, resulta que sólo un 30 por 100 más o menos de la superficie terrestre emergida es utilizable agrícolamente, conclusión, recuerda STAMP, a la que ya había llegado en 1930 C. B. FAWCETT.

TABLA 5.1.5

Población: total, agrícola y económicamente activa. Cifras en miles. Fecha de los datos 1978.

Continentes y macrorregiones	Población		Población económicamente activa		
	Total	Agrícola	Total	En la agri-cultura	% en la agricultura
Mundo	4.182.440	1.963.630	1.726.880	797.105	46,2
África	431.862	279.404	161.809	107.999	66,7
Norteamérica	356.447	51.612	143.405	16.913	11,8
Sudamérica	232.578	78.361	74.492	24.586	33,0
Asia	2.399.390	1.427.590	991.526	586.895	59,2
Europa	478.833	74.879	214.453	34.848	16,2
Oceanía	22.134	4.599	9.429	2.057	21,8
URSS	261.200	47.189	131.771	23.806	18,1
Regiones de					
Economías de mercado desarrolladas	772.600	72.488	341.826	31.429	9,2
Economías de mercado en desarrollo	2.083.540	1.222.250	750.704	450.564	60,0
Economías de planificación centralizada	1.326.300	668.893	634.355	315.112	49,7
Todos los países desarrollados ...	1.144.740	151.868	532.355	72.371	13,6
Todos los países en desarrollo	3.037.700	1.811.760	1.194.530	724.735	60,7

FUENTE: *Anuario FAO de Producción, año 1978,* vol. 32. Elaboración J.M.C.T.

TABLA 5.1.6

Producción de recursos alimenticios en 1978

Producción en miles de toneladas	Mundo	Economías de mercado desarrolladas	América del Norte desarrollada	Europa Occidental	Oceanía desarrollada	Otros países de mercado desarrollados	Economías de mercado en desarrollo
Cereales	1.580.822	538.136	315.031	167.264	26.415	29.426	449.002
Trigo	441.474	154.455	70.099	63.428	18.657	2.272	90.942
Arroz en cáscara	376.448	24.403	6.251	1.659	490	16.003	201.877
Maíz	362.971	222.329	184.101	27.913	362	9.954	75.623
Cebada	196.123	80.153	20.123	53.311	4.282	438	17.527
Raíces y tubérculos	522.947	79.708	19.496	52.856	990	6.367	185.497
Patatas	272.975	76.768	18.809	52.704	979	4.276	29.517
Legumbres total	62.008	3.426	1.316	1.719	128	263	24.833
Hortalizas y melones	327.177	92.796	26.445	47.182	1.337	17.832	113.334
Frutas	261.911	95.092	25.182	56.510	2.229	11.172	132.984
Uvas	56.030	35.685	4.093	29.236	816	1.540	11.264
Cítricas	50.913	25.415	12.893	6.117	462	5.943	23.901
Bananas	36.892	682	2	418	93	170	35.163
Manzanas	31.280	15.753	3.870	10.186	430	1.267	4.370
Nueces total	3.595	1.531	415	1.038	2	76	1.599
Oleaginosas (equivalente aceite)	48.014	15.983	12.964	2.741	139	408	22.269
Azúcar	90.983	25.832	5.378	14.919	2.900	2.635	46.685
Cacao	1.403						1.403
Café verde	4.583	1	1				4.562
Té	1.833	107				106	1.240
Fibras vegetales	20.347	2.935	2.388	248	49	250	10.413
Fibra de algodón	12.951	2.700	2.360	171	44	124	5.482
Yute y sustitutos	4.772	1				1	3.203
Tabaco	5.710	1.647	1.029	388	17	213	2.339
Caucho natural	3.698						3.600
Carne total	133.438	62.190	27.839	26.344	4.212	3.805	24.732
Leche total	457.960	219.373	62.905	135.670	11.398	9.401	94.994
Huevos de gallina	25.666	11.951	1.265	5.155	259	2.271	4.162
Lana sin lavar	2.597	1.309	47	162	987	113	634

TABLA 5.1.6 (continuación)

Producción de recursos alimenticios en 1978

Producción en miles de toneladas	África en desarrollo	América Latina	Oriente Próximo	Asia y Extremo Oriente en desarrollo	Otras economías en desarrollo	Economías de planificación centralizada	Asia Central	Europa Oriental URSS	Desarrollados (incluidas Europa y URSS)	Subd arro dos cluid Asi Centr
Cereales	47.962	84.037	54.602	262.355	46	593.683	28.562	312.121	850.258	730.5
Trigo	5.258	14.777	30.353	40.553		196.077	44.753	151.324	305.779	135.6
Arroz en cáscara	5.599	13.437	4.909	177.896	37	150.168	147.905	2.263	26.666	349.7
Maíz	14.632	38.823	5.635	16.526	6	65.019	35.510	29.509	251.838	111.1
Cebada	3.961	1.782	7.956	3.828		98.442	20.423	78.019	158.172	37.9
Raíces y tubérculos	77.024	47.096	5.923	53.928	1.526	257.742	104.633	153.110	232.817	290.1
Patatas	2.660	10.997	5.476	10.337	7	166.690	13.581	153.109	229.877	43.0
Legumbres total	4.370	4.661	1.864	13.914	25	33.748	25.229	8.519	11.946	50.0
Hortalizas y melones	11.541	15.237	29.409	56.856	290	121.047	75.885	45.162	137.958	189.2
Frutas	25.796	53.663	16.120	36.173	1.142	33.925	8.725	25.201	120.293	141.6
Uvas	696	4.796	5.434	337		9.081	175	8.906	44.591	11.4
Cítricas	2.404	15.370	3.232	2.875	19	1.598	1.393	205	25.619	25.2
Bananas	4.354	18.355	313	11.212	928	1.047	1.047		682	36.2
Manzanas	60	1.505	1.614	1.192		11.157	931	10.226	25.979	5.3
Nueces total	425	168	772	231	4	464	308	156	1.687	1.9
Oleaginosas (equivalente aceite)	3.967	5.335	1.526	11.053	388	9.762	5.220	4.542	20.525	27.4
Azúcar	3.163	26.848	2.738	13.620	316	18.466	4.595	13.871	39.703	51.2
Cacao	846	491		32	34					1.4
Café verde	1.091	3.009	4	410	48	21	21		1	4.5
Té	195	36	111	891	7	486	375	111	218	1.6
Fibras vegetales	733	2.257	1.518	5.905	1	6.999	3.669	3.329	6.265	14.0
Fibra de algodón	464	1.683	1.481	1.854		4.770	2.108	2.662	5.362	7.5
Yute y sustitutos	19	89	2	3.093		1.567	1.517	50	51	4.7
Tabaco	208	814	342	975		1.724	1.066	657	2.304	3.4
Caucho natural	240	38		3.318	5	98	98			3.6
Carne total	3.963	13.313	3.107	4.465	66	46.516	21.484	25.032	87.221	46.2
Leche total	7.530	34.659	14.085	38.663	58	143.592	7.321	136.271	355.645	102.3
Huevos de gallina	526	1.993	593	1.042	9	9.553	4.277	5.276	17.227	8.4
Lana sin lavar	67	321	170	76		654	83	571	1.880	7

Fuente: *Anuario FAO de Producción*, Vol. 32. Año 1978. Elaboración J.M.C.T.

En el *Anuario* se precisan los productos incluidos dentro de estas grandes rúbricas.
El *Anuario* da datos por países y productos con mucho más pormenor que en este cuadro simplificado.

CLASIFICACIÓN DE LOS PAÍSES POR CLASES ECONÓMICAS Y REGIONES ESTABLECIDA POR LA FAO

En todos los cuadros en que figuran totales continentales aparecen también los regionales, incluso cuando éstos coinciden exactamente con aquéllos o cuando, a base de los primeros, se hubieran podido calcular fácilmente para evitar toda posible ambigüedad.

Las clases económicas y regiones en las cuales se ha dividido el mundo, para los estudios analíticos de la FAO, son las siguientes:

Clase I.—Economías de mercado desarrolladas

Región A.—América del Norte: Canadá, Estados Unidos.

Región B.—Europa Occidental: Alemania (República Federal de) (inclusive Berlín occidental), Andorra, Austria, Bélgica-Luxemburgo, Dinamarca, España, Finlandia, Francia, Gibraltar, Grecia, Irlanda, Islandia, Islas Faeroe, Italia, Liechtenstein, Malta, Mónaco, Noruega, Países Bajos, Portugal (inclusive Azores y Madera), Reino Unido (inclusive Islas Normandas, Isla de Man), San Marino, Santa Sede, Suecia, Suiza, Yugoslavia.

Región C.—Oceanía: Australia, Nueva Zelanda.

Región D.—Otras economías de mercado desarrolladas: Israel, Japón (inclusive islas Bonin y Ryukyu), Sudáfrica.

Clase II.—Economías de mercado en desarrollo

Región A.—África: Alto Volta, Angola, Argelia, Benin, Botswana, Burundi, Cabo Verde, Camerún, Comoras, Congo, Costa de Marfil, Chad, Djibouti, Etiopía, Gabón, Gambia, Ghana, Guinea, Guinea-Bissau, Guinea Ecuatorial, República Centroafricana, Kenya, Lesotho, Liberia, Madagascar, Malawi, Malí, Marruecos, Mauricio, Mauritania, Mozambique, Namibia, Níger, Nigeria, Norte de África española, Reunión, Rhodesia, Rwanda, Sáhara Occidental, Santa Elena, Santo Tomé y Príncipe, Senegal, Seychelles, Sierra Leona, Somalia, Swazilandia, Tanzania, Territorio británico del Océano Índico, Togo, Túnez, Uganda, Zaire, Zambia.

Región B.—América Latina: Antigua, Antillas neerlandesas, Argentina, Bahamas, Barbados, Belize, Bolivia, Brasil, Colombia, Costa Rica, Cuba, Chile, Dominica, Ecuador (inclusive Archipiélago de Colón), El Salvador, Grenada, Guadalupe, Guatemala, Guayana francesa, Guyana, Haití, Honduras, Islas Caimán, Islas Malvinas (Falkland), Islas del Turco y Caicos, Islas Vírgenes (EE.UU.), Islas Vírgenes (Reino Unido), Jamaica, Martinica, México, Montserrat, Nicaragua, Panamá, Panamá (Zona del Canal), Paraguay, Perú, Puerto Rico, República Dominicana, San Cristóbal y Nieves-Anguilla, Santa Lucía, San Vicente, Surinam, Trinidad y Tobago, Uruguay, Venezuela.

Región C.—Cercano Oriente: África: Egipto, Libia, Sudán. *Asia:* Afghanistán, Arabia Saudí, **Bahrein**, Chipre, Emiratos Árabes Unidos, Gaza, faja de (Palestina), Irak, Irán, Jordania, Kuwait, Líbano, Omán, Qatar, República Árabe del Yemen, Siria, Turquía, Yemen Democrático.

Región D.—Lejano Oriente: Bangladesh, Bhután, Birmania, Brunei, Corea (República de), Filipinas, Hong Kong, India, Indonesia, Laos, Macao, Malasia (Malasia Peninsular, Sabah, Sarawak), Maldivas, Nepal, Pakistán, Singapur, Sri Lanka, Thailandia, Timor oriental.

Región E.—Otras economías de mercado en desarrollo: América: Bermudas, Groenlandia, San Pedro y Miquelón. *Oceanía:* Fidji, Guam, Isla Christmas (Australia), Isla Niué, Isla Norfolk, Isla Pitcairn, Isla Wake, Islas Canton y Enderbury, Islas Cocos, Islas Cook, Islas del Pacífico (Territorios en fideicomiso), Islas Gilbert, Islas Johnston, Islas Midway, Islas Salomón, Islas Wallis y Futuna, Nauru, Nueva Caledonia, Nuevas Hébridas, Papua-Nueva Guinea, Polinesia Francesa, Samoa, Samoa Americana, Tokelau, Tonga, Tuvalu.

Clase III.—Economías de planificación centralizada

Región A.—Asia: Corea (República Democrática Popular de), China, Kampuchea Democrática, Mongolia, Vietnam.

Región B.—Europa Oriental y URSS: Albania, Bulgaria, Checoslovaquia, Hungría, Polonia, República Democrática Alemana (inclusive Berlín oriental), Rumanía, URSS.

Todos los países desarrollados

Incluye las economías de mercado desarrolladas y la Región B de las economías de planificación centralizada.

Todos los países en desarrollo

Incluye las economías de mercado en desarrollo y la Región A de las economías de planificación centralizada.

3.1. *La «revolución verde» y sus dificultades*

Evidentemente, dos modos claros de contribuir a resolver la creciente demanda de alimentos son: poner nuevas tierras en cultivo y hacer producir más a todas las que se cultivan. Lo que no es tan sencillo como parece. Otro tercer modo, sin duda mucho más eficaz aún, puesto que alimentos hay, sería lograr una más justa y equitativa distribución de los recursos entre todos los países y dentro de cada país entre todos sus habitantes; pero esto al parecer, dada la dureza de nuestro corazón, es lo más difícil de todo.

Poner nuevas tierras en cultivo supone enfrentarse con el problema de las llamadas «tierras marginales» y tomar en consideración en cada caso las características de los cli-

Aldea en las cercanías de Los Baños (Luzón - Filipinas). Foto: Casas Torres.

mas y los suelos, lo que no es de este lugar, ya que son cuestiones que se consideran en profundidad en otras disciplinas geográficas. Aumentar la producción por hectárea es el objetivo, no siempre conseguido, de la «revolución verde». WEEKS ha resumido en qué consiste y qué límites tiene esta «revolución». El término *Green Revolution* lo acuñó en 1968 la Agencia Norteamericana para el Desarrollo Internacional, pero los comienzos son de 1940. En ese año el Centro para la Mejora del Trigo y el Maíz, de la *Fundación Internacional Rockefeller,* obtuvo un trigo «enano», en la línea de lo que se buscaba: variedades de altos rendimientos (*high-yield-varieties:* HYV). En los años 60 este trigo se introdujo con éxito en la India y el Pakistán. En 1962, la *Fundación Ford* comenzó a investigar con el arroz y pocos años después obtuvo un arroz «enano» que incrementó mucho la producción de la India, Pakistán, Filipinas, Indonesia, Vietnam del Sur...

El éxito inicial fue espectacular, y puede ser un indicio, si se corrigen los obstáculos detectados luego, de lo que habrá que hacer en el futuro. En 1965 sólo 80 hectáreas estaban sembradas en el mundo con trigo HYV, pero en 1971 había 20 millones de hectáreas sembradas de estas variedades enanas. En la India la producción de trigo pasó de 11 millones de toneladas, en 1965, a 27 millones en 1968 (BROWN, 1973, citado por WEEKS).

Pero detrás de estos éxitos hay una serie de inconvenientes para los países subdesarrollados. El que los resume todos es que esta «revolución» requiere los gastos y medios de que disponen los países desarrollados: abonos, plaguicidas, riegos... y todo esto, aparte de ser costoso, exige cantidades crecientes de petróleo, lo que lo encarece aún más. A ello se suma el que en los países en desarrollo la organización social de la agricultura —pequeños labradores, policultivos, agricultura de subsistencia...— es diametralmente opuesta de la americana y canadiense, lo que es lo mismo que decir que es diametralmente opuesta a las exigencias de espacio y monocultivo que esta «revolución verde» comporta.

A ello se suma además que, al parecer (WEEKS), entre 1960 y 1972 los países subdesarrollados eran sólo casi autosuficientes en la producción de granos, mientras los países desarrollados, después de autoabastecerse, tenían aún márgenes de producción para atender la exportación a los países subdesarrollados. En efecto, entre 1960 y 1974 la población del mundo aumentó en un 33 por 100, mientras la producción mundial de granos se incrementaba en un 48 por 100 (ABELSON, 1975, citado por WEEKS). Evidentemente, a escala regional, esto no excluye las fluctuaciones y los cambios de signo de la producción, pero tampoco los excluye, de unos años a otros a escala mundial, y es lógico que sea así tratándose de algo tan fluctuante como las cosechas[7]. La India, en 1965, tuvo que importar 11 millones de toneladas de granos; en 1972, en cambio, fue casi autosuficiente; y en 1975, a causa de una mala cosecha, tuvo que importar 7 millones de toneladas.

El tema constante, la gran cuestión, es siempre la adecuación recursos alimentarios: número de habitantes. Unos y otros crecen, y a lo largo de los años la proporción, con oscilaciones en más y en menos, se mantiene. Acabamos de recordar una vez más, sin embargo, que las cifras de conjunto, para el mundo, encierran tremendas e injustas desigualdades a escala regional; como se ha dicho antes, la distinción entre países desarrollados y subdesarrollados —o en desarrollo— aparece siempre, en cualquier tema de la geografía de la población como un gran motivo de fondo, pero en este caso el tema se presenta inmerso en una niebla de vaguedades e imprecisiones que no pocas veces oculta la falta de datos más precisos, y en ocasiones da lugar a polémicas en las que no entra solamente la pasión científica.

A pesar del interés del personal de la FAO, recoger información es más difícil en este que en otros temas de la estadística. Es muy de temer, incluso, que muchos gobiernos no se atrevan a confesar la triste situación de sus ciudadanos, o que en realidad la desconozcan científicamente; tampoco están del todo acordes los autores en lo que se debe entender por *hambre* y *malnutrición,* de donde se sigue que el número de hambrientos y malnutridos arroja cifras distintas según la información, y el «criterio» que ha tenido en cuenta cada autor y, también, por supuesto, lo que hay detrás de algunas cifras que se

---

[7] JACKSON (Bucarest, 1974, pág. 233) escribe a este propósito: «El peligro de *crisis alimentarias* repetidas a corto plazo se ha superpuesto sobre dificultades a más largo plazo. En *1965-66* se produjo una crisis de esta naturaleza que pudo contenerse gracias, principalmente, a la existencia de importantes reservas de cereales en América del Norte que pudieron utilizarse para hacer frente a los déficit en la India y otros países. Otra crisis mucho más grave comenzó en *1972* a causa del mal tiempo generalizado. Por primera vez desde la Segunda Guerra Mundial se registró un descenso de la producción alimentaria mundial, en términos absolutos y no solamente en relación con el crecimiento de la población. Las reservas de cereales descendieron a niveles peligrosamente bajos y los precios subieron astronómicamente. En *1973,* por falta de reservas suficientes, el suministro mundial de alimentos dependía precariamente de las cosechas de un solo año y, por tanto, del tiempo. En *1974,* la situación sigue siendo la misma. Otros muchos factores ajenos a la economía alimentaria se han conjugado para hacer que esta crisis sea particularmente peligrosa. A pesar de las cuantiosas cosechas de 1973, la crisis persiste y las perspectivas de las cosechas para el año en curso en algunas importantes regiones productoras ya no son tan buenas como se esperaba en un principio. Esta crisis ha constituido el principal estímulo para la celebración en noviembre de la Conferencia Mundial de la Alimentación, organizada por las Naciones Unidas».

Estación experimental (para la mejora de rendimientos del arroz) de la Fundación Rocke-feller, en Los Baños (Luzón - Filipinas). Foto: Casas Torres.

manejan es el deseo de utilizarlas con fines de propaganda —campañas antinatalistas— o de interesar a los gobiernos y organismos internacionales en el incremento de la asignación de fondos para los centros de investigación científica. Pero sin desconocer estas insuficiencias, ni perderlas de vista al interpretar las cifras, puede obtenerse una visión de conjunto del problema alimentario de nuestro mundo gracias a los científicos de la FAO y a sus publicaciones. En ellas se apoya toda la parte final de este capítulo.

4. Hambre y malnutrición en el mundo actual

Con la sencillez de un gran maestro resumió L. DUDLEY STAMP lo esencial del problema de nuestra alimentación. «Haremos bien recordándonos que consumimos alimentos por tres razones: *a*) para *mantener* nuestro organismo suministrándole calor y energía, sobre todo por medio de los *hidratos de carbono; b*) para *desarrollarnos,* para lo que necesitamos sobre todo *proteínas,* y también *vitaminas* y pequeñas cantidades de *calcio, yodo, hierro* y *sustancias orgánicas; c*) y porque en ello, añade STAMP, hay una *satisfacción* que, sabemos, contribuye a la asimilación de los alimentos».

«La suficiencia de nuestro alimento diario para mantener la máquina humana en acción... se mide por la asimilación de *calorías.*»

La caloría alimentaria es la *kilocaloría,* es decir, la cantidad de calor necesaria para elevar en un grado centígrado la temperatura de mil gramos de agua. Más exactamente, para hacer pasar a ese litro de agua de 15 °C a 16 °C de temperatura.

Hay, pues, un consumo óptimo de calorías en un proceso vital normal, por encima y por debajo del cual los consumos no serán tan favorables; y hay también un consumo mínimo, por debajo del cual, si la situación es prolongada o crónica, se producen efectos negativos en el organismo, de mayor o menor gravedad según la cuantía del déficit.

Naturalmente, los consumos óptimo y mínimo necesarios varían con la edad y la época de la vida de la persona, la talla y peso de su cuerpo, el trabajo o actividad que realiza, el clima bajo el que vive, la clase de vida que lleva... Como es de dominio general, los límites de 3.000 y 2.000 calorías diarias señalan los dos extremos, más de 3.000 suele ser excesivo —excepto en el caso de trabajos particularmente duros— y menos de 2.000 es ya muy poco. Una opinión corriente establece el óptimo entre 2.400-2.700 calorías.

Naturalmente, por debajo de este consumo diario de calorías están el *hambre* y la *malnutrición,* pero no es sencillo definirlas.

La *subnutrición* —*el hambre*— es una deficiencia crónica en la *cantidad de alimentos ingeridos,* la *malnutrición* es «una deficiencia en la *calidad* de la dieta, es decir, en su contenido de proteínas, vitaminas y minerales» (MOULIK).

Hambre y malnutrición coinciden muchas veces en la misma persona, y en ese caso se habla de *malnutrición proteínico-energética.*

Las disensiones entre los autores provienen de sus diferencias de criterio sobre el número de calorías y proteínas de consumo diario que se consideran necesarias para una alimentación normal.

Por vía de ejemplo puede citarse la discusión entre la FAO y la antropóloga Margaret MAC ARTHUR, en 1964, recogida por Colin CLARK en su libro *El aumento de la población.* MAC ARTHUR pensaba que la cifra de 2.354 calorías considerada por la FAO como mínimas para no pasar hambre era muy alta, y analizando la «cesta de la compra» de las amas de casa japonesas, dedujo, ironizando, que según los datos de la FAO la tercera parte de las familias japonesas debían estar muriéndose de hambre. Colin CLARK añade, por su cuenta, que «si el número de calorías de la FAO fuera correcto, la mayor parte de los chinos hubieran muerto ya hace años, pues consumen todavía menos calorías que los japoneses»[8] y recuerda que el propio doctor SUKHATME, director del Departamento de Estadística de la FAO, «admitió que no podía defender los datos sobre las necesidades de calorías facilitadas por el organismo»[9].

Pero tampoco pudo SUKHATME admitir las cifras de Colin CLARK. Este último autor, que es un agrónomo economista muy competente, considera, como ya se deduce de lo dicho, que la FAO «sobreestima el número de calorías necesarias»[10]. En realidad, dice, el número de las necesarias es mayor en los climas fríos, de habitantes altos, pero disminuye mucho en los climas cálidos, de habitantes más bajos de talla. En su opinión, el número de calorías diarias necesarias en un país como la India parece ser sólo de 1.625, aunque hay pruebas de que el 25 por 100 de su población no llega a consumirlas. Con esta información y la que aporta África, Latinoamérica y China, llega a la conclusión de que sólo el 10 por 100 de la población mundial recibe menos calorías de las necesarias y «en consecuencia» pasa hambre. Esta estimación está en franca oposición con las de otros autores, que veremos más adelante, y de la propia FAO, y viene a de-

---

[8] *El aumento de la población,* pág. 108.
[9] CLARK: *El aumento de la población,* pág. 109.
[10] Idem, pág. 102.

mostrarnos qué poco seguros son aún los datos que se manejan sobre una cuestión tan importante.

SUKHATME, refutando a MAC ARTHUR y CLARK, subraya que ambos autores se refieren a un concepto de *subnutrición* diferente al utilizado por la FAO, según el cual en los casos leves no es necesario llegar a un reconocimiento clínico de los sujetos. En efecto MAC ARTHUR, apoyándose en un trabajo de COLLUMBINE, que recoge su experiencia en Ceilán, sostiene que el grado de subnutrición debe determinarse mediante el reconocimiento clínico de los sujetos, pero SUKHATME insiste en que eso sólo es obligado en los casos graves, pero no en los casos leves, aunque, como en ellos también hay subnutrición, no hay que aceptarla como normal, sino todo lo contrario, reconocerla como una deficiencia y procurar corregirla.

«Resulta evidente que CLARK y MAC ARTHUR se refieren a un concepto diferente de subnutrición. La "subnutrición", tal como los especialistas la han definido, significa la inadecuación cuantitativa de la dieta, es decir, de la ingesta de calorías que, al prolongarse durante un dilatado período de tiempo, da lugar a una disminución del peso normal o a una reducción de la actividad física o bien a ambos fenómenos a la vez. Así entendida, la subnutrición puede manifestarse en forma aguda o en grado menor. Un estado de subalimentación agudo puede identificarse clínicamente, comprendiendo el estado de semiinanición y los casos extremos. Mas son precisamente los grados menores de subnutrición los que, si bien no son identificables clínicamente, contribuyen a mermar la actividad física o a la disminución de peso, pudiendo provocar ambos fenómenos paralelamente. Aceptar esta subnutrición como algo normal y característico de los pueblos de las regiones subdesarrolladas equivale a condenarlos a un permanente estado de peso insuficiente y a un bajo nivel de actividad física. La pereza y el letargo de los trabajadores, según muchos observadores, se deben en parte a la necesidad de reposo entre los períodos de trabajo para compensar la insuficiencia del aporte de calorías»[11].

En cuanto a la *malnutrición,* tan frecuente en los países subdesarrollados, este mismo autor señala que son sus exponentes la gran proporción de calorías derivadas de hidratos de carbono y la relativa escasez de proteínas, en particular las de origen animal. La escasez de estos nutrientes puede provocar enfermedades carenciales específicas y en casos más benignos reducir las defensas contra infecciones y originar un escaso desarrollo corporal.

Como el mismo SUKHATME concluye: «Estimar la incidencia de la malnutrición es tarea difícil, "ya que no hay datos suficientes para valorar directamente esta incidencia sobre las enfermedades carenciales específicas", y la "incidencia de la malnutrición subclínica no puede estimarse de modo directo"».

Estos obstáculos y diferencias de criterio explican en parte no sólo las dificultades para definir lo que son hambre y malnutrición, sino también, y todavía más, los distintos pareceres y estimaciones a la hora de calcular *cuántos* son los subalimentados y cuántos los malnutridos.

En realidad, detrás de esta «danza de los números» —la FAO y sus hombres por un lado, sobreestimando las cifras de hambrientos en el mundo, y Colin CLARK, quizá sub-

---

[11] SUKHATME, P. V., *La provisión mundial de alimentos.* Discurso en la Royal Statistical Society de Londres, en febrero de 1966, en *Estudios de la FAO sobre los alimentos y la población,* páginas 111 a 139.

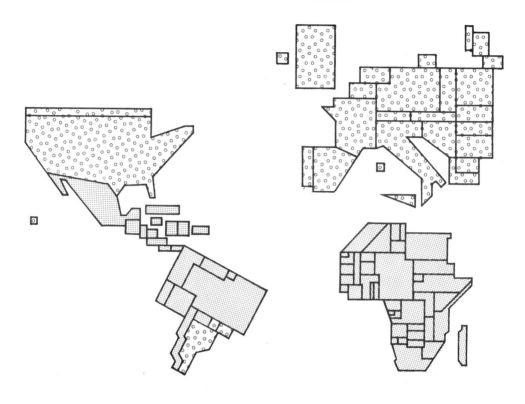

Gráfico 5.1.4.—*Comparación de los suministros de calorías entre dos grupos de países.* La superficie de los países en relación con su población. De FAO, «Seis mil millones de bocas», Roma, 1963.

estimando sus efectivos— hay varias circunstancias que la explican: en primer lugar, la diferencia de calidad en la información de la FAO desde sus primeros pasos, hacia los años 50, hasta la actualidad; en segundo, su deseo, inconsciente o confesado, de exagerar las cifras para llamar la atención de los gobiernos y obtener mayores asignaciones presupuestarias y, en tercer lugar, el deseo de algunos autores de apoyar la furiosa propaganda —casi con espíritu misionero como dice VILLEGAS— [12] en favor del control de la natalidad en los países subdesarrollados.

En el lado opuesto, con el generoso propósito de salvar tantos millones de vidas amenazadas por los poderosos grupos neomalthusianos de los países desarrollados, Colin CLARK ha insistido en que en nuestro planeta hay recursos para todos y aún caben muchísimos más humanos de los que ahora lo ocupamos. CLARK ha prestado otro gran servicio: sus críticas a las primeras publicaciones de la FAO y sobre todo a los discursos de sus

---

[12] VILLEGAS, Bernardo M., «Innovar más que imitar», trabajo preparado para CERES, Revista FAO sobre el desarrollo, vol. 6, núm. 6, 1973, recogido también en *Estudios de la FAO sobre los alimentos...,* págs. 207 a 214.

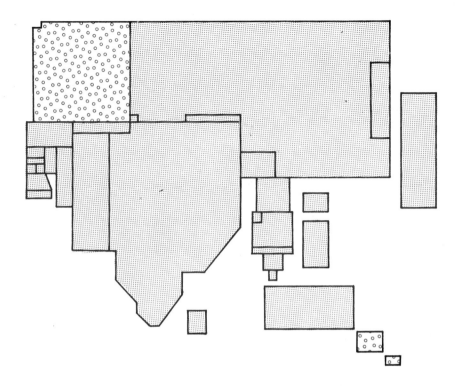

PAISES DEL GRUPO I - 2150 CALORIAS POR PERSONA Y DIA

PAISES DEL GRUPO II - 3050 CALORIAS POR PERSONA Y DIA

dirigentes han ayudado a este importantísimo organismo internacional a depurar sus datos y a trabajar cada vez con más conocimiento de causa y eficacia. Ahora, gracias a las publicaciones de FAO, en especial *La Cuarta Encuesta Alimentaria* y *El estado mundial de la agricultura y la alimentación,* es posible, a la vista de sus pormenorizadas tablas estadísticas, formarse una idea de la situación, si se desea, incluso, país por país (aunque sin la endeblez de muchas de las estadísticas alimentarias nacionales).

Algunas citas bastan para poner de relieve las vaguedades e inmensas diferencias en la evaluación del hambre y la malnutrición en el mundo.

En 1950, al retirarse de la dirección de la FAO Lord BOYD-ORR —«un distinguido científico y veterinario escocés a quien le gustaba meterse en política y en economía, materias de las que no sabía casi nada» (Colin CLARK)—, dijo en la revista *Scientific American* que *dos tercios de la población mundial pasaba hambre.* Las críticas de CLARK a esta afirmación procuró refutarlas en parte SUKHATME[13].

---

[13] «¿Se equivocó Lord BOYD ORR?», en *Estudios de la FAO sobre los alimentos...,* págs. 139 a 141.

En 1961 «Rockefeller III»[14] dio por sentado que aún hoy la mitad de la humanidad padece desnutrición.

En el mismo año SUKHATME[15] precisaba que «por lo menos» el 20 por 100 de la población de los países subdesarrollados está subalimentado, y aproximadamente el 60 por 100 está malnutrido, es decir, no se nutre con los alimentos apropiados.

Estas cifras fueron recogidas en 1967 de un Informe de la FAO, por el Comité de Asesoramiento Científico del Presidente de los Estados Unidos, en un estudio en tres volúmenes titulado *The World Food Problem* (citado por CLARK) que no me ha sido posible consultar. De este estudio las tomó EHRLICH, autor de gran audiencia en los Estados Unidos, de cuyas obras hace CLARK una crítica demoledora[16].

En 1964, apoyándose en la Tercera Encuesta Alimentaria Mundial de la FAO, SEN[17] afirmaba que cerca de 1.500 millones de personas, o sea la mitad de la población mundial en aquel año, estaban malnutridas.

Un año antes, en 1963, PALEWSKI[18] había dado unas cifras parecidas: insuficientemente alimentados (hambre, pues) de 300 a 500 millones de seres humanos, y agregando a ellos el número de mal alimentados, la cifra igualaba o excedía el 50 por 100 de la humanidad.

---

[14] En *Estudios de la FAO sobre alimentos...*, págs. 39-42.

[15] Londres, 1966, pág. 112.

[16] «El profesor EHRLICH hace también dudosas y discutibles afirmaciones sobre la extensión del *hambre y la desnutrición* en el mundo. En *The Population Bomb* (pág. 19) asegura que cinco millones de niños mueren anualmente en la India por falta de alimentos. Tal afirmación la basa en un artículo publicado el 8 de agosto de 1965 en *The New Republic* —una revista no científica ni médica—, y, si fuera cierta, la India sería un país en el que apenas hay enfermedades, pues ese número de niños muertos por desnutrición se aproxima mucho al total de niños que mueren anualmente.»

«El profesor EHRLICH dice también que entre diez y 20 millones de personas murieron de hambre en 1965, pero no aporta ninguna prueba, lo mismo que cuando hace la asombrosa afirmación *(Population Resources and Environment,* pág. 1) de que "muchos millones de nuestros conciudadanos norteamericanos se van a la cama hambrientos todas las noches"» (Colin CLARK, *El aumento de la población,* págs. 112 y 133).

«Mucha gente, en los Estados Unidos, ha sacado sus ideas sobre el tema de los recursos de dos obras del profesor EHRLICH. Una de ellas, más extensa, se titula *Population Resources and Environment* (W. H. Freeman and Co., San Francisco, 1970), y la otra, más breve, *The Population Bomb* (Sierra Club Ballantine, Nueva York, 1968 y 1971).»

«*Population Resources and Environment* es una extraña mezcla de afirmaciones científicas, especulaciones de dudoso fundamento y crasos errores de hecho. *The Population Bomb,* por su parte, contiene más escasa proporción de ciencia y más alta de afirmaciones falsas. Las especialidades del profesor EHRLICH son la zoología y la ecología, sus conocimientos de agricultura parecen ser sumamente deficientes.

»Algunas de sus especulaciones científicas son admisibles, otras, muy dudosas.»

«Tal vez una de las mejores instituciones científicas dedicadas a estudiar los problemas alimentarios del mundo sea el Instituto de Investigaciones Alimenticias de la Universidad de Stanford (California), la propia Universidad del profesor EHRLICH. Pues bien, el profesor EHRLICH, que se propone escribir sobre las posibilidades alimenticias del mundo, no ha consultado, al parecer, a ese Instituto, ya que no hay una sola referencia al mismo en ninguno de sus libros» (C. CLARK, *El aumento de la población,* págs. 59 y 60).

[17] SEN, B. R., Discurso ante la Sesión Plenaria del 38.º Congreso Eucarístico Internacional, Bombay, noviembre 1964, en *Estudios de la FAO sobre alimentos...*, págs. 7 a 82.

[18] PALEWSKI, Gastón, Disertación ante el Congreso Mundial de la Alimentación, Washington, junio 1963, «Población y valores humanos», en *Estudios de la FAO sobre los alimentos y la población,* págs. 43 a 54.

Por último, en 1974, hablando en nombre de la FAO ante la *Conferencia Mundial sobre Población* de Bucarest, JACKSON[19] daba 400 millones de personas aquejadas de *desnutrición proteínica,* viviendo en condiciones infrahumanas. El documento preparado por la FAO para la Conferencia estimaba, además, que posiblemente una mitad del total de niños de los países subdesarrollados sufrían en algún grado de malnutrición.

El propio JACKSON señalaba lo verdaderamente importante de estas cifras: «En el pasado, estas cifras han sido con frecuencia objeto de controversias un tanto estériles. Lo que importa, sin embargo, no es la exactitud de las cifras, sino que el número de personas afectadas sea indudablemente de una magnitud imponente. Incluso suponiendo que algunas tengan la suerte de encontrar un empleo productivo, su salud, su vigor y su actividad productiva se ven gravemente menoscabados por diversas deficiencias nutricionales. Y esas deficiencias causan también innumerables muertes. En una encuesta sobre la mortalidad infantil realizada recientemente en América Latina se llega a la conclusión de que en algunos países se debe, directa o indirectamente, a la malnutrición infantil».

Nadie puede dudar efectivamente de que, sea cual sea el margen de error en la cifras barajadas, lo importante y gravísimo es que tantos millones de seres humanos están en tan penosas condiciones, pero éste no es un problema de adecuación entre población y recursos, sino primordialmente de *mala e injusta distribución* de los recursos. Es la tremenda desigualdad entre ricos y pobres, entre desarrollados y subdesarrollados.

Entre tantos textos como pueden aportarse, éste —que ya se ha dado parcialmente antes— de BEKELE[20], un economista etíope, pone muy de relieve la desigualdad entre el mundo del subdesarrollo, paupérrimo y acorralado, y el de los países desarrollados, irritantemente riquísimo.

«Los profetas de calamidades sostienen que tanto la estructura de la población africana como su volumen potencial —en cuanto componente del potencial del Tercer Mundo— constituyen una amenaza a la prosperidad general del mundo y un disuasivo para el desarrollo económico en los países africanos y consideran que el único remedio del inminente desastre originado por el descenso de la mortalidad, fruto de una mejor asistencia sanitaria, es una reducción absoluta de la natalidad (pág. 170).

Este enfoque unilateral lleva invariablemente a presionar sobre los gobiernos africanos para que adopten programas de control de la natalidad como panacea a sus propios males y a los del mundo. También ha determinado afirmaciones sumamente simplistas y material de propaganda sin sensibilidad política muchas veces, que insinúan en algunos casos la amenaza que para los niños blancos supone un aumento de la población de color.

Pero veamos qué les prepara el futuro en realidad (a estos niños blancos): una probabilidad del ciento por ciento de acabar la escuela secundaria; una probabilidad de más del 50 por 100 de recibir enseñanza universitaria y, si viven

---

[19] JACKSON, Roy I., Discurso pronunciado ante la Conferencia Mundial de Población, Bucarest, agosto 1974, en *Estudios de la FAO sobre los alimentos...,* págs. 221-228.
[20] BEKELE, Maaza, «Una explosión en el vacío», trabajo preparado para CERES, vol. 6, número 4, 1973. En *Estudios de la FAO sobre los alimentos y la población,* págs. 167-176.

en San Francisco, Londres, Estocolmo o Moscú, un consumo de los recursos del planeta proporcionalmente mucho mayor que el de cualquier niño nacido en Addis Abeba, Accra, Lagos o Argel, y varios miles de veces más que los niños nacidos en las vastas zonas rurales del sur del Sahara. Barbara WARD y René DUBOS lo expresan más gráficamente en su libro titulado *Only one earth:*»

«...todo niño nacido en la economía americana —según las estadísticas de 1968— consumirá cada año cuando sea mayor más de un millón de calorías y 13 toneladas métricas en equivalente de carbón (o unos 10.000 litros de gasolina) en energía. Le están asignadas probablemente 10 toneladas métricas de acero para diversos usos, especialmente para el automóvil que va a tener uno de cada dos ciudadanos. Probablemente tiene otros 150 kilogramos de cobre y otros tantos de bronce y 100 kilogramos de aluminio y de zinc empleados en diversos utensilios y aparatos... El bebé americano... es realmente sólo un 2 por 100 de un 6 por 100 de la población del mundo. Pero ayudará a su comunidad a crear más del 30 por 100 de la demanda mundial de recursos no renovables.»

No hay duda de que la cuestión se hace más embarullada cuando se la considera desde el punto de vista de las sociedades de consumo elevado en contraposición con el punto de vista africano. ¿Estriba el punto crucial del problema en el número de personas que pretenden beneficiarse de los recursos mundiales, en cómo sean utilizados y distribuidos estos recursos, o radica entre ambas cosas?

Tres años antes de esta denuncia de BEKELE, PABLO VI[21], hablando ante la FAO en Roma, había expuesto sin ambages su defensa del niño y de la dignidad del amor de sus padres:

«Ciertamente, ante las dificultades que hay que superar, existe la gran tentación de usar la autoridad para disminuir el número de los comensales más que multiplicar el pan a repartir. No ignoramos ninguna de las opiniones que en los organismos internacionales proponen un control planificado de los nacimientos capaz —así se cree— de aportar una solución radical a los problemas de los países en vías de desarrollo.

Nos, volvemos a repetirlo hoy: la Iglesia por su parte invita el progreso científico y técnico en todo el campo de la actividad humana, pero reivindicando siempre el respeto de los derechos inviolables de la persona humana, cuyos garantes son en primer término los poderes públicos. Firmemente opuesta a un control de los nacimientos que, según la justa expresión de nuestro venerado predecesor, el Papa JUAN XXIII, se llevaría a cabo por métodos y medios indignos del hombre, la Iglesia hace un llamamiento a todos los responsables a obrar con audacia y generosidad por un desarrollo integral y solidario, el cual, entre otros efectos, favorecerá sin ninguna duda una dominación razonable de

---

[21] Su Santidad el Papa PABLO VI, Discurso pronunciado ante la Conferencia Conmemorativa General de la FAO, Roma, noviembre 1970, en *Estudios de la FAO sobre los alimentos y la población,* págs. 159 a 166.

la natalidad por parte de las parejas humanas que se habrán hecho capaces de asumir libremente su destino. Por vuestra parte, es el hombre a quien vosotros aseguráis, es el hombre a quien sostenéis. ¿Cómo podréis jamás obrar contra él, si no existís más que para él y por él, y no podéis seguir adelante más que con él?»

Y en 1974[22] volvería a poner el dedo en la llaga ante los miembros de la Conferencia Mundial de la Alimentación:

«Es inadmisible que los que controlan las riquezas y los recursos de la humanidad traten de resolver el problema del hambre prohibiendo que nazcan pobres o dejando morir de hambre a niños cuyos padres no encajan en la estructura de planes teóricos basados en puras hipótesis sobre el futuro de la humanidad. En otros tiempos, en un pasado que esperamos haya terminado para siempre, las naciones solían hacer la guerra para apoderarse de las riquezas de sus vecinos. Ahora bien, ¿no es una nueva forma de hacer la guerra imponer a las naciones una política demográfica restrictiva para asegurarse de que no reclamarán la parte que les corresponde de los productos de la tierra?»

Es doloroso comprobar que desde entonces las cosas no han mejorado, sino que pueblos inteligentísimos y llenos de virtudes humanas tienen sobre sus conciencias la «masacre», que no cesa de incrementarse, de millones de niños inocentes.

La situación actual

La situación «actual» —de hecho, en realidad, sólo entre 1975-1978— se presenta aquí utilizando como documentos de base los de tres publicaciones de la FAO: la *Cuarta Encuesta Alimentaria Mundial,* 1977; *El Anuario FAO de la Producción,* 1978, y *El Estado Mundial de la Agricultura y la Alimentación,* 1978.

Como la FAO publica sus cifras globales con arreglo a una clasificación propia de los países, en esa misma forma es obligado recogerlas; por otra parte, como el mismo alto organismo internacional recuerda, no hay que perder de vista que «en algunos cuadros las expresiones "economías desarrolladas" y "economías en desarrollo" se usan con fines estadísticos y no representan necesariamente un juicio acerca del nivel alcanzado en el proceso de desarrollo por un país o área determinados».

El plan seguido en esta parte consiste en comentar ligeramente la información aportada por FAO siguiendo casi el mismo orden de la *Cuarta Encuesta Alimentaria:*

4.1.   Producción de alimentos y población.
4.2.   Suministro de alimentos por persona.
4.2.1.   Composición del suministro de alimentos por persona.
4.3 y 4.4.   La magnitud de la malnutrición.
4.5.   La situación al comenzar 1979.

---

22 Su Santidad el Papa PABLO VI, Discurso pronunciado ante la Conferencia Mundial de la Alimentación, Roma, noviembre 1974, en *Estudios de la FAO sobre los alimentos y la población,* páginas 229 a 238.

4.1. Producción de alimentos y población

Gracias a la enorme cantidad de información que la FAO acopia de los gobiernos correspondientes, le es posible luego confeccionar las tablas resúmenes que permiten una visión de conjunto de las variables y las líneas de tendencia.

En este caso, la pieza clave es el cuadro 1.1.1 de la *Cuarta Encuesta Alimentaria,* reproducido aquí con la referencia tabla 5.1.7.

Se trata de una tabla resumen de las tasas anuales medias de crecimiento, tanto de la población como de la producción de alimentos, en los períodos 1961 a 1970 y 1970 a 1976.

La trágica diferencia, a que tantas veces nos hemos referido en este mismo capítulo, entre países desarrollados y subdesarrollados vuelve a ponerse de manifiesto, con una

TABLA 5.1.7

Tasas anuales medias de crecimiento de la producción de alimentos en relación con la población: total mundial y regiones, 1961-65 a 1970 y 1970-76

Regiones	Población		Producción de alimentos			
			Total		Por persona	
	1961 a 1970	1970 a 1976	1961 a 1970	1970-1976	1961 a 1970	1970-1976
	Porcentaje anual					
Economías de mercado desarrolladas	1,0	0,9	2,2	2,4	1,2	1,5
América del Norte	1,2	0,9	1,9	3,1	0,7	2,1
Europa Occidental	0,7	0,6	2,3	1,6	1,6	1,0
Oceanía	1,8	1,7	2,9	3,1	1,1	1,3
Otras economías de mercado desarrolladas ..	1,4	1,6	3,3	2,1	1,8	0,6
Europa Oriental y la URSS	1,0	0,9	2,9	1,9	1,9	1,0
Total de países desarrollados	1,0	0,9	2,4	2,3	1,4	1,4
Economías de mercado en desarrollo	2,6	2,6	3,3	2,8	0,7	0,2
Países MGA*	2,4	2,5	3,1	2,1	0,7	—0,4
Otros países	2,7	2,7	3,3	3,4	0,6	0,7
África	2,5	2,7	2,7	1,2	0,1	—1,4
América Latina	2,7	2,8	3,5	3,3	0,8	0,5
Cercano Oriente	2,7	2,8	3,0	4,2	0,3	1,4
Lejano Oriente	2,5	2,5	3,5	2,8	0,9	0,2
Otras economías de mercado en desarrollo ..	2,5	2,5	2,1	1,5	—0,4	—1,0
Economías asiáticas de planificación centralizada	1,8	1,7	2,7	2,4	0,9	0,6
Total de países en desarrollo	2,3	2,3	3,1	2,7	0,7	0,3
Total mundial	1,9	1,9	2,7	2,4	0,8	0,5

* MGA: Más gravemente afectados.
Procedencia: FAO, *Cuarta Encuesta Alimentaria,* pág. 4.

matización del mayor interés: los países MGA, es decir, «los más subdesarrollados de los subdesarrollados»[23].

Entre los dos períodos que se consideran, en los países desarrollados la tasa de crecimiento anual de la *población* disminuye en todos excepto en la región de la FAO, «Otras economías de mercado desarrolladas»; en cambio, en los países en desarrollo esta tasa se mantuvo más o menos constante, o ligeramente superior, entre 1970-76, y siempre, como es sabido, en unos porcentajes notablemente más altos que los de los países desarrollados. En cuanto a la *producción total de alimentos,* las tasas de crecimiento fueron más altas en los países en desarrollo (3,3 y 2,8 por 100) que en los desarrollados (2,2 y 2,4 por 100), pero ya se ve que en los desarrollados la tasa se incrementó en 1970-76, mientras que en los países en desarrollo ocurría exactamente lo contrario, la tasa (2,8 por 100) fue más baja en el segundo período, el más reciente.

Bajando del análisis de los datos globales a los correspondientes a las «regiones» hay, sin embargo, que señalar que en los países desarrollados se registran importantes reducciones en la tasa de crecimiento anual de producción de alimentos de 1970-76 con respecto a las del período 1961-1970. Así, Europa occidental pasa de 2,3 a 1,6 por 100, otras economías de mercado desarrolladas de 3,3 a 2,1 por 100, Europa Oriental y la URSS de 2,9 a 1,9 por 100. Sólo Norteamérica presenta un crecimiento espectacular y pasa de 1,9 a 3,1 por 100.

---

[23] En la propia *Cuarta Encuesta Alimentaria Mundial de la FAO* (pág. 72) se relacionan los países en desarrollo MGA y los países simplemente en desarrollo:

ii) Economías de mercado en desarrollo clasificadas como MGA (Más Gravemente Afectadas) y países no MGA.

Países MGA: Afghanistán, Bangladesh, Benin, Burundi, Camerún, Cabo Verde, República Centroafricana, Chad, Egipto, El Salvador, Etiopía, Gambia, Guatemala, Guinea, Guinea-Bissau, Guyana, Haití, Honduras, India, Costa de Marfil, Kenia, Laos, Lesotho, Madagascar, Malí, Mauritania, Mozambique, Nepal, Níger, Pakistán, Rwanda, Senegal, Sierra Leona, Somalia, Sudán, Sri Lanka, Tanzania, Uganda, Alto Volta, Samoa, República Árabe del Yemen, Yemen Democrático.

Países no MGA: Argelia, Samoa Americana, Angola, Antigua, Argentina, Bahamas, Bahrein, Barbados, Bermudas, Bhután, Bolivia, Botswana, Brasil, Belize, Territorio británico del Océano Índico, Brunei, Islas Cantón y Endebury, Islas Caimán, Chile, Islas Christmas (Australia), Islas Cocos (Keeling), Colombia, Comoras, Congo, Islas Cook, Costa Rica, Cuba, Chipre, Djibouti, Dominica, República Dominicana, Timor Oriental, Ecuador (inclusive Islas Galápagos), Guinea Ecuatorial, Islas Malvinas (Falkland), Fidji, Guayana Francesa, Polinesia Francesa, Gabón, Zona de Gaza (Palestina), Islas Gilbert, Groenlandia, Grenada, Guadalupe, Guam, Hong Kong, Indonesia, Irán, Irak, Jamaica, Isla Johnston, Jordania, República de Corea, Kuwait, Líbano, Liberia, Libia, Macao, Malawi, Malasia (Malasia Peninsular, Sabah, Sarawak), Maldivas, Martinica, Mauricio, México, Islas Midway, Montserrat, Marruecos, Namibia, Nauru, Antillas Neerlandesas, Nueva Caledonia, Nuevas Hébridas, Nicaragua, Nigeria, Isla Niué, Isla Norfolk, Omán, Islas del Pacífico (Territorio en fideicomiso), Panamá, Panamá (Zona del Canal), Papúa-Nueva Guinea, Paraguay, Perú, Filipinas, Isla Pitcairn, Puerto Rico, Qatar, Rhodesia, Reunión, Santa Elena, San Cristóbal y Nieves-Anguilla, Santa Lucía, San Pedro y Miquelón, San Vicente, Santo Tomé y Príncipe, Arabia Saudí, Seychelles, Sikkim, Singapur, Islas Salomón, África del Norte española, Surinam, Swazilandia, Siria, Thailandia, Togo, Tokelau, Tonga, Trinidad y Tobago, Túnez, Turquía, Islas del Turco y Caicos, Tuvalu, Emiratos Árabes Unidos, Uruguay, Venezuela, Islas Vírgenes (Reino Unido), Islas Vírgenes (Estados Unidos), Isla Wake, Islas Wallis y Futuna, Sahara Occidental, Zaire, Zambia.

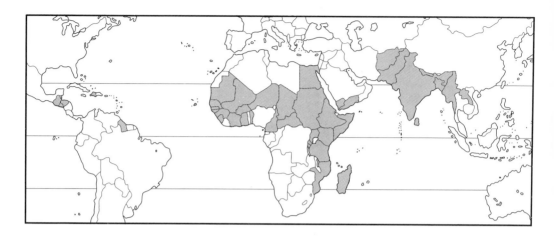

Mapa V.1.1.—*Países MGA.*

La gravedad de la situación en los países subdesarrollados no se deduce tanto de los cambios en las tasas de crecimiento totales de la producción de alimentos, sino, sobre todo, de los acaecidos en las tasas de crecimiento de la producción por persona.

En las tasas totales, aunque se acusan las disminuciones de los porcentajes de crecimiento, sólo son muy fuertes en los países MGA (3,1-2,1 por 100) y África (2,7 y 1,2 por 100), y es en cambio espectacular —en caso de que los datos de base sean fidedignos— el crecimiento de los que corresponden al «cercano» Oriente (3,0 y 4,2 por 100).

Pero las tasas de crecimiento de la producción por persona reflejan mucho mejor la desigualdad crónica —acentuándose— entre países desarrollados y en desarrollo.

En estos últimos, de tasas de crecimiento anual de la producción de alimentos por persona en 1961-70, siempre ligeramente por encima de cero, se pasa en el período siguiente a —0,4 por 100 para los países MGA, —1,4 por 100 para África en su totalidad y —1,0 por 100 para «otras economías de mercado en desarrollo»[24].

La separación entre países desarrollados y subdesarrollados, como ya es sabido, no ha hecho más que acentuarse durante estos años, si se exceptúa de los subdesarrollados a los países petroleros, que, como ha reconocido el Banco Mundial, forman ya un grupo aparte.

---

[24] Otras economías de mercado en desarrollo: América: Bermudas, Groenlandia, San Pedro y Miquelón. Oceanía: Samoa americana, Islas Cantón y Endebury, Isla Christmas (Australia), Islas Cocos (Keeling), Islas Cook, Fidji, Polinesia Francesa, Islas Gilbert, Guam, Isla Johnston, Islas Midway, Nauru, Nueva Caledonia, Nuevas Hébridas, Islas Niué, Isla Norfolk, Islas del Pacífico (Territorio en fideicomiso), Papúa-Nueva Guinea, Isla Pitcairn, Samoa, Islas Salomón, Tokelau, Tonga, Tuvalu, Islas Wallis y Futuna.

No se olvide que en las clasificaciones de la FAO los países MGA no forman «una región, sino una categoría donde se incluyen países de distintas regiones —que como es lógico figuran también en ellas, cada uno en la suya— para indicar simplemente la particular gravedad de su situación».

4.2. *Suministros de alimentos por persona*

La base de esta información son las «Hojas de Balance de Alimentos», preparadas para 162 países por la FAO. En ellas se resume la incidencia de los crecimientos de la población y la producción agrícola y alimentaria sobre los suministros alimentarios por persona expresados en términos de calorías, proteínas y grasas.

En esas hojas, que contienen una pormenorizada información sobre la procedencia y cantidad de cada producto, se especifica también para cada producto y país el destino del primero, subdividiendo este concepto en: cantidades destinadas a la exportación y destinadas al consumo interior para: alimentación del ganado, utilización como semillas o para manufacturación, pérdidas durante el transporte y almacenamiento y *utilizadas para el consumo humano al por menor*.

La FAO calcula el abastecimiento por persona de cada producto alimenticio dividiendo la cantidad disponible de las existencias «para el consumo humano» por el número de personas que lo comparten y lo expresa en términos de valor calórico, proteico y contenido en grasas. Es obvio, pero no conviene olvidarlo, que estos datos representan un valor teórico: el suministro medio de alimentos para el conjunto de una población, pero nunca el consumo real de cada persona de los que la componen.

La tabla 5.1.8, preparada por la propia FAO como síntesis de sus 162 Hojas de Balance de Alimentos, nos da no sólo una visión de conjunto, a escala mundial y regional, del suministro de calorías desde 1961 a 1974, sino también un avance de lo que más nos interesa: la indicación en tantos por ciento de los excesos o déficit del suministro de calorías.

En esta tabla se pone de manifiesto que tanto los países desarrollados como en desarrollo han aumentado su suministro de calorías día por persona, pero mientras los desarrollados consumían un 31 por 100 más de lo necesario en 1972-74, los países en desarrollo estaban aún un 4 por 100 por debajo de la cifra considerada como mínima.

A escala regional, América del Norte iba en cabeza del consumo de kilocalorías día por persona, seguida de Europa Oriental y la URSS, mientras en el otro extremo, debido a las malas cosechas de 1972, entre otras causas, tanto África como los países todos incluidos en la categoría MGA, presentaban en el período 1972-74 un consumo menor de calorías que en el período 1969-1971.

La tabla 5.1.9 resume, también a escala mundial y regional, el suministro diario de proteínas.

La diferencia entre países desarrollados y en desarrollo es aún más acusada que en el caso de las calorías, debido sobre todo al mayor consumo de proteínas de origen animal por parte de las poblaciones de los países desarrollados.

De nuevo América del Norte y Europa Oriental y la URSS marcan las cotas de consumo más altas, mientras las más bajas entre los países en desarrollo corresponden al Lejano Oriente.

En cuanto al suministro de grasa en 1961-63, los países desarrollados dispusieron de 106,3 gramos por persona y día, y los países en desarrollo de 23,1 gramos; en 1972-74 las disponibilidades fueron de 124,9 gramos por persona y día y 34,3 gramos, respectivamente. Una vez más se pone de relieve la diferencia entre ricos y pobres.

TABLA 5.1.8

Suministro diario de alimentos por persona en términos de calorías. Cifras absolutas y como porcentaje de las necesidades

Regiones	Suministro de calorías				Suministro como porcentaje de las necesidades			
	Kilocalorías por persona				Porcentaje			
	1961-63	1964-66	1969-71	1972-74	1961-63	1964-66	1969-71	1972-74
Economías de mercado desarrolladas	3.130	3.170	3.280	3.340	123	124	129	131
América del Norte	3.320	3.360	3.500	3.530	126	127	133	134
Europa Occidental	3.200	3.230	3.330	3.390	125	126	130	132
Oceanía	3.300	3.320	3.320	3.370	124	125	125	127
Otras economías de mercado desarrolladas	2.570	2.650	2.760	2.850	109	112	117	121
Europa Oriental y la URSS	3.240	3.270	3.420	3.460	126	127	133	135
Total de países desarrollados	3.170	3.200	3.330	3.380	124	125	132	132
Economías de mercado en desarrollo	2.110	2.130	2.190	2.180	92	93	96	95
Países MGA	2.040	2.030	2.080	2.030	91	90	92	90
Otros países	2.210	2.250	2.330	2.360	95	96	100	101
África	2.070	2.100	2.150	2.110	89	90	92	91
América Latina	2.400	2.470	2.530	2.540	101	104	106	107
Cercano Oriente	2.290	2.340	2.410	2.440	93	95	98	100
Lejano Oriente	2.010	2.000	2.070	2.040	91	90	94	92
Otras economías en desarrollo	2.130	2.200	2.290	2.340	93	96	100	103
Economías asiáticas de planificación centralizada	1.960	2.110	2.220	2.290	83	90	94	97
Total de países en desarrollo	2.060	2.120	2.200	2.210	89	92	95	96
Total mundial	2.410	2.460	2.540	2.550	101	103	106	107

Procedencia: FAO, *La Cuarta Encuesta Alimentaria Mundial*, pág. 17.

TABLA 5.1.9

Suministro diario de alimentos por persona en términos de proteínas (totales y de origen animal)

Regiones	Proteínas totales				Proteínas de origen animal			
	1961-63	1964-66	1969-71	1972-74	1961-63	1964-66	1969-71	1972-74
	Gramos							
Economías de mercado desarrolladas	90	91	94	95	48	50	55	56
América del Norte	101	102	104	104	67	69	72	71
Europa Occidental	88	89	92	93	44	46	50	52
Oceanía	98	100	100	101	64	66	67	67
Otras economías de mercado desarrolladas	74	76	82	85	26	28	36	39
Europa Oriental y la URSS	95	95	101	103	38	39	47	50
Total de países desarrollados	91	92	97	98	45	47	52	54
Economías de mercado en desarrollo	53	53	55	54	11	11	12	11
Países MGA	53	52	53	51	7	7	8	7
Otros países	54	55	57	57	15	15	16	16
África	52	53	54	53	10	10	11	10
América Latina	64	65	66	65	25	25	26	25
Cercano Oriente	63	64	65	65	13	13	14	14
Lejano Oriente	49	48	50	49	7	7	7	7
Otras economías en desarrollo	44	46	49	51	15	16	18	20
Economías asiáticas de planificación centralizada	54	58	61	63	11	12	13	13
Total de países en desarrollo	53	55	57	57	11	11	12	12
Total mundial	65	67	68	69	22	22	24	24

Procedencia: FAO, *La Cuarta Encuesta Alimentaria Mundial*, pág. 19.

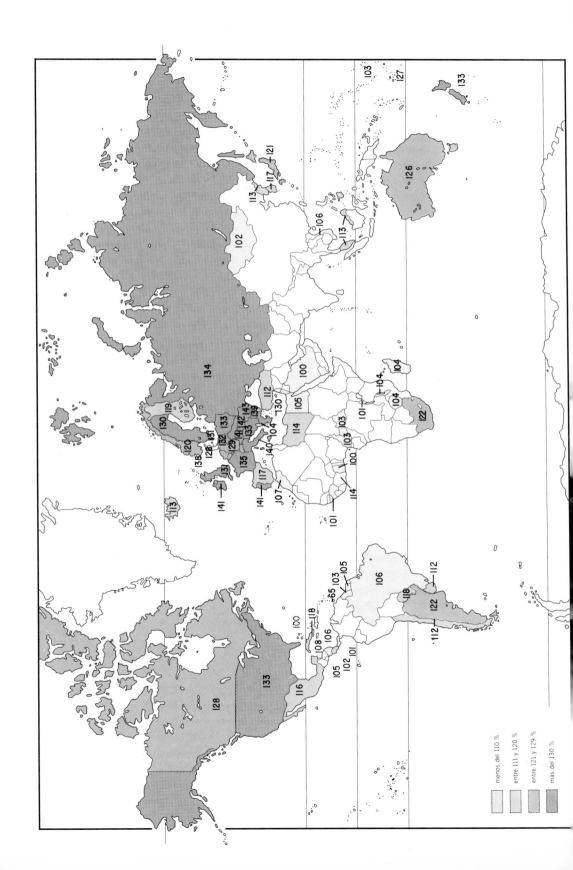

menos del 110 %

entre 111 y 120 %

entre 121 y 129 %

más del 130 %

4.2.1. *Composición del suministro de alimentos por persona*

Las diferencias entre países desarrrollados y en desarrollo a que constantemente nos estamos refiriendo se ponen de nuevo de manifiesto al considerar la composición del suministro de alimentos por persona: en general, en los países en desarrollo la dieta no sólo es menor que en los desarrollados, e insuficiente, sino mucho más monótona.

Las tablas 5.1.10 y 5.1.11, ambas de la *Cuarta Encuesta Alimentaria* de la FAO, resumen la situación para los años 1961 y 1974.

El peso de los productos vegetales en la dieta de los pueblos en desarrollo es casi un 25 por 100 mayor que en los países desarrollados; en cambio, el de los productos animales es cinco veces más pequeño en el caso de los países MGA y tres en el de los otros.

Entre estos dos extremos Europa Oriental y la URSS ocupan una posición intermedia, utilizan menos productos vegetales que los países en desarrollo, pero más que los países desarrollados de economía de mercado libre, y en cambio utilizan menos productos animales que estos países de economía de mercado libre, y mucho más que los países en desarrollo.

Las proporciones en el consumo de los productos vegetales y animales de los que se obtienen las proteínas son sensiblemente parecidas a lo que acabamos de ver en el caso de las calorías.

Mercado dominical en Pisac (Andes peruanos). (Foto Casas-Torres.)

Mapa V.1.2.—*Países por encima del 100 por 100 de suministro de calorías por persona, como porcentaje de las necesidades.* Promedio 1972-1974. Base: Apéndice 5.1.1.

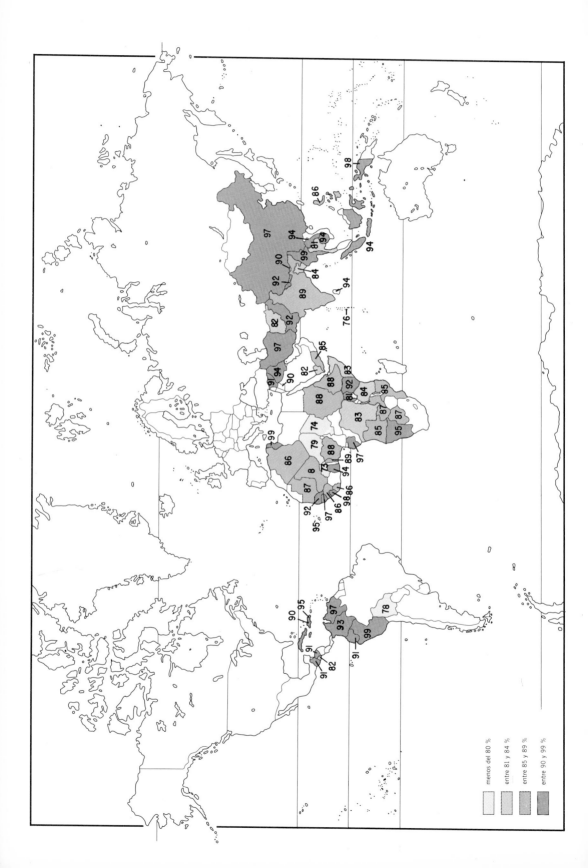

menos del 80 %

entre 81 y 84 %

entre 85 y 89 %

entre 90 y 99 %

TABLA 5.1.10

Contribución porcentual de diversos grupos de alimentos al suministro diario de calorías por persona en los países desarrollados y en desarrollo, y en todo el mundo

Grupo de alimentos	Países en desarrollo						Países desarrollados				Total mundial	
	Economías de mercado en desarrollo				Economías asiáticas de planificación centralizada		Economías de mercado desarrolladas		Europa Oriental y la URSS			
	Países MGA		Otros países									
	1961-63	1972-74	1961-63	1972-74	1961-63	1972-74	1961-63	1972-74	1961-63	1972-74	1961-63	1972-74
Número de calorías	2.040	2.030	2.210	2.360	1.960	2.290	3.130	3.340	3.240	3.460	2.410	2.550
					Porcentaje							
Productos vegetales	93,9	93,8	89,6	89,7	90,0	90,8	67,9	66,6	76,3	71,9	82,7	82,6
Cereales	64,6	65,8	50,5	51,6	61,9	65,4	31,0	26,4	46,3	39,2	50,2	49,4
Leguminosas, nueces y semillas	9,4	7,2	6,0	5,1	7,3	7,0	2,7	2,7	1,7	1,8	5,5	4,9
Raíces y tubérculos	3,8	4,2	11,1	9,2	11,4	11,1	4,8	3,8	7,9	6,4	7,4	6,8
Azúcar	7,5	7,8	9,7	10,7	1,7	2,6	12,1	13,2	10,3	12,2	8,5	9,3
Verduras y frutas	3,7	3,6	5,2	5,2	2,2	2,0	4,5	4,8	2,5	3,2	3,7	3,9
Aceites y grasas vegetales	4,1	4,4	5,2	5,9	2,4	2,4	7,4	9,3	4,6	5,2	5,0	5,7
Otros productos vegetales	0,8	0,8	1,9	2,0	0,1	0,3	5,4	6,4	3,0	3,9	2,4	2,6
Productos animales	6,1	6,2	10,4	10,3	10,0	9,3	32,1	33,4	23,7	28,1	17,3	17,4
Leche	3,1	3,2	2,9	2,8	0,5	0,4	9,0	8,6	8,5	9,5	5,0	4,7
Huevos y pescado	0,5	0,5	1,1	1,4	1,6	1,9	3,0	3,4	2,0	2,8	1,7	2,0
Aceites y grasas animales	1,3	1,3	1,4	1,4	0,9	0,8	6,9	6,4	4,8	5,4	3,3	3,0
Carne y vísceras	1,2	1,2	5,0	4,7	6,9	6,1	13,1	15,0	8,2	10,3	7,3	7,3
Todos los grupos de alimentos	100	100	100	100	100	100	100	100	100	100	100	100

Procedencia: FAO, *Cuarta Encuesta Alimentaria*, pág. 23.

◄ **Mapa V.1.3.**—*Países por debajo del 100 por 100 de suministro de calorías por persona, como porcentaje de las necesidades.* Promedio 1972-1974. Base: Apéndice 5.1.1.

TABLA 5.1.11

Contribución porcentual de diversos grupos de alimentos al suministro diario de proteínas por persona en los países desarrollados y en desarrollo, y en todo el mundo

	Países en desarrollo						Países desarrollados				Total mundial	
	Economías de mercado en desarrollo				Economías asiáticas de planificación centralizada		Economías de mercado desarrolladas		Europa Oriental y la URSS			
	Países MGA		Otros países									
Grupo de alimentos	1961-63	1972-74	1961-63	1972-74	1961-63	1972-74	1961-63	1972-74	1961-63	1972-74	1961-63	1972-74
Proteínas (gramos)	52,8	51,1	53,8	57,1	53,5	62,9	89,8	95,4	94,5	103,3	65,4	68,5
						Porcentaje						
Productos vegetales	86,0	85,4	72,1	71,3	79,7	79,3	46,3	41,4	59,7	51,2	66,9	64,9
Cereales	59,9	63,3	48,5	49,6	49,4	50,8	30,8	26,2	45,9	37,9	45,4	44,6
Leguminosas, nueces y semillas.	19,2	14,8	12,7	11,5	20,8	19,2	5,3	5,1	3,6	3,5	12,1	10,9
Raíces y tubérculos	1,6	1,7	4,8	4,2	5,1	5,0	3,6	3,0	6,5	5,1	4,1	3,7
Azúcar	0,5	0,5	0,1	0,1	—	—	—	—	—	—	0,1	0,1
Verduras y frutas	3,8	3,9	4,6	4,6	4,2	4,0	4,6	4,9	3,2	3,6	4,1	4,3
Aceites y grasas vegetales	—	—	—	—	—	—	—	0,1	0,1	—	—	—
Otros productos vegetales	1,0	1,2	1,4	1,3	0,2	0,3	1,9	2,1	0,5	1,0	1,1	1,3
Productos animales	14,0	14,6	27,9	28,7	20,3	20,7	53,7	58,6	40,3	48,8	33,1	35,1
Leche................	7,0	7,3	7,0	7,2	1,1	0,9	18,3	17,9	16,1	18,2	10,6	10,4
Huevos y pescado	2,8	3,2	5,6	7,5	8,1	10,0	11,1	12,2	8,0	10,8	7,4	8,9
Aceites y grasas animales	—	—	0,1	0,1	—	—	0,1	0,1	0,2	0,2	0,1	0,1
Carne y vísceras..........	4,1	4,1	15,2	14,0	11,1	9,8	24,1	28,4	15,9	19,5	14,9	15,8
Todos los grupos de alimentos .	100	100	100	100	100	100	100	100	100	100	100	100

Procedencia: FAO, *Cuarta Encuesta Alimentaria*, pág. 27.

4.3. El problema de la malnutrición

De lo que llevamos dicho y de los datos reunidos por la FAO se deduce con plena seguridad que, a escala del mundo, los alimentos disponibles son suficientes para permitir a todos sus habitantes una dieta adecuada a sus necesidades. La realidad de cada día, en cambio, nos hace ver que la distribución de los alimentos es desigual e injusta entre unos países y otros, y también que hay países que no podrían alimentar adecuadamente a sus habitantes con sólo su propia producción de alimentos, aunque —lo que no ocurre— se distribuyeran equitativamente entre todos ellos.

La mala distribución tiene dos aspectos. Hay primero la sangrante desigualdad entre países ricos y pobres, pero hay también dentro de cada país esta misma desigualdad; tanto en unos como en otros países hay personas y grupos con un suministro excesivo de alimentos, mientras otras personas y grupos no tienen acceso, a veces, al mínimo vital necesario. Hay, pues, como se ha dicho por activa y por pasiva, una situación de injusticia social, tanto en el ámbito internacional como en el interno de cada país, detrás del problema de la insuficiencia de alimentos. Como dicen los redactores del texto de la *Cuarta Encuesta Alimentaria Mundial,* «las medidas de socorro pueden aliviar problemas críticos a corto plazo, como las que surgen a consecuencia de catástrofes naturales, pero la persistente insuficiencia de alimentos afecta a mucha gente pobre» y obviamente es mucho más difícil de resolver.

La *Cuarta Encuesta* considera que la malnutrición se encuentra especialmente extendida en o entre:

a) Las regiones ecológicamente adversas a la agricultura y la producción de alimentos, con medios escasos o inadecuados para el transporte desde otras regiones y el mercadeo.

b) Los sectores de población con ingresos tan bajos que no les bastan para comprar su comida mínima, en especial las personas desocupadas en las ciudades; las que no tienen empleo fijo y los jornaleros agrícolas sin tierra propia.

c) Las mujeres encinta y lactantes, sobre todo en los países en desarrollo, y los bebés y los niños pequeños, que como es sabido tienen especiales necesidades nutricionales.

En este mismo orden se resume a continuación el texto de la *Cuarta Encuesta.* En todo lo que sigue no debe perderse de vista que faltan aún datos de muchos países y no se dispone de encuestas minuciosas y satisfactorias, preparadas por los respectivos gobiernos, más que en el caso de unos cuantos países, muy pocos.

4.3.1. La pobreza de la tierra y de las gentes

Como hemos visto, los países incluidos en la categoría MGA son los más subdesarrollados de todos y corresponden en buena parte a las zonas áridas y semiáridas de nuestro planeta. En ellos, los suministros medios de calorías diarias por persona fueron, en el período 1961-63, inferiores en 170 calorías a los de los otros países subdesarrollados y, en 1972-74, la diferencia se acentuó a 330 calorías. En ellas, aunque no sólo en ellas, la *malnutrición proteicoenergética (PEM)* afecta a altos porcentajes de niños y adultos. Por ejemplo, en El Salvador una encuesta sobre niños de 0 a 4 años realizada en 1967 daba los siguientes porcentajes de *PEM:* grave, 3,1; moderado, 22,9. En Guatemala una encuesta semejante de la misma fecha aún arrojaba porcentajes más altos: grave, 5,9; moderada, 26,5, y en Venezuela una encuesta de 1971 para niños de 1 a 6 años daba: grave, 0,9; moderada, 14,5[25].

En los países MGA, entre el 25-50 por 100 de los niños pequeños sufren malnutrición proteicoenergética.

Como es lógico, dentro de cada país los porcentajes de malnutrición son mayores en las regiones más pobres. En el Brasil una encuesta en los años 60 dio un suministro alimentario de 3.057 calorías por persona y día en el sur y 2.145 en el noroeste, y la misma diferencia entre regiones pobres y ricas indican los datos que se poseen de Kenia y la India.

También, como se ha dicho, y es obvio, las diferencias económicas entre los grupos sociales se reflejan en las diferencias en el suministro de alimentos; los grupos más pobres en muchos países tienen ingestas de alimentos insuficientes para su correcta alimentación. En el momento de publicar su *Cuarta Encuesta Alimentaria,* la FAO disponía de datos suficientes sobre disponibilidades de calorías por grupos de ingresos sólo de cinco países: India, Ceilán (Sri Lanka), Brasil, Madagascar y Túnez, pero en todos los casos se confirmaba lo dicho.

TABLA 5.1.12

Disponibilidad media de calorías y proteínas por unidad de consumo en los hogares, por grupos de gastos, India, 1971-72

Gastos (rupias por persona y mes)	Ciudad			Campo		
	Porcentaje de hogares	Calorías (por unidad de consumo al día)	Proteínas (gramos por unidad de consumo al día)	Porcentaje de hogares	Calorías (por unidad de consumo al día)	Proteínas (gramos por unidad de consumo al día)
0-15	0,9	1.228	37	3,9	1.493	46
15-21	3,7	1.582	46	10,5	1.957	60
21-24	3,6	1.821	54	7,1	2.287	69
24-28	6,0	1.970	58	10,2	2.431	73
28-34	10,2	2.130	62	15,2	2.734	82
34-43	14,9	2.343	69	17,7	3.127	93
43-55	15,4	2.622	76	14,4	3.513	105
55-75	16,9	2.872	82	11,5	4.016	121
75-100	11,3	3.190	91	5,2	4.574	139
Más de 100	17,0	3.750	110	4,2	6.181	182

Procedencia: FAO, *Cuarta Encuesta Alimentaria Mundial,* pág. 35.

---

[25] *Cuarta Encuesta Alimentaria de la FAO,* pág. 32.

TABLA 5.1.13

Disponibilidad diaria de calorías por persona por grupos de ingresos, Brasil*

| Ingresos (cruzeiros por hogar y año) | Nordeste | | | | Este | | | | Sur | | | |
| | Ciudad | | Campo | | Ciudad | | Campo | | Ciudad | | Campo | |
	% de hogares	Calorías por persona/día	% de hogares	Calorías por persona/día	% de hogares	Calorías por persona/día	% de hogares	Calorías por persona/día	% de hogares	Calorías por persona/día	% de hogares	Calorías por persona/día
Menos de 100 .	9	1.240	18	1.500	5	1.180	7	1.420	1	1.480	4	2.380
100-149	13	1.500	14	1.810	5	1.530	10	2.100	3	1.740	4	2.900
150-249	26	2.000	25	2.140	17	1.880	20	2.210	11	1.970	16	2.500
250-349	17	2.320	13	1.820	14	2.090	15	2.720	13	2.050	15	1.860
350-499	14	2.420	10	2.228	17	2.220	13	2.670	20	2.360	18	2.970
500-799	11	2.860	11	2.370	20	2.630	13	2.920	22	2.470	21	3.000
800-1.199	5	3.310	5	3.380	11	2.820	8	3.060	14	2.780	9	3.780
1.200-2.499	4	4.040	3	2.870	9	3.270	11	3.040	12	3.080	10	4.160
Más de 2.500 ..	1	4.290	1	2.900	2	3.750	3	4.100	4	3.170	3	4.770

* El consumo de alimentos en el Brasil: Encuesta de presupuestos familiares a comienzos del decenio de 1960. Fundación Getulio Vargas, Brasil, 1970.

Procedencia: FAO, *Cuarta Encuesta Alimentaria Mundial*, pág. 37.

Al comentar estos datos no debe perderse de vista que también en estos grupos sociales hay muy diferentes ingestas de alimentos dentro de cada categoría de ingresos, y en el caso de poblaciones campesinas hay también formas más o menos intensas de complemento de las dietas por autoabastecimiento, de muy difícil valoración, aunque se tomen en cuenta por los encuestadores.

De todas formas las encuestas demostraron que los síntomas clínicos de malnutrición eran más frecuentes en personas pertenecientes a los grupos económicos inferiores. La encuesta de la India, por ejemplo, dio que «ninguno de los niños de la clase de mayores ingresos tenía un peso corporal inferior al 60 por 100 del peso de referencia (el nivel adoptado convencionalmente como indicador es un PEM grave), mientras que en la clase económica media el 2,9 por 100 y en la baja el 10,5 por 100 de los niños no alcanzaba este nivel y podían considerarse gravemente malnutridos. Los porcentajes de la malnutrición moderada, o subclínica, eran del 13, el 28 y 47 por 100 para los niños de la clase alta, media y baja, respectivamente... La altura y el peso de los adultos seguían una tónica parecida, por cuanto las personas de la clase alta y media eran más pesadas y más altas que las de las clases bajas»[26].

4.3.2. Diferencias entre ciudad y campo

Quizá no haya todavía estudios suficientes para llegar a conclusiones de validez general, a escala de la Tierra, pero de las encuestas que FAO pudo utilizar en su *Cuarta Encuesta Alimentaria* (India, Ceilán y Brasil) se deduce claramente que los sectores pobres de las ciudades tienen menos disponibilidades de calorías que los sectores pobres de los ambientes rurales. Por otro lado, tampoco puede olvidarse que buena parte, si no toda, de la población pobre de las ciudades la integran inmigrantes rurales que han acudido a la ciudad (liberando al campo de su manutención) en busca de mejor fortuna.

De las encuestas de la FAO resulta que los grupos urbanos más pobres tienen una disponibilidad diaria de calorías de 300 a 400 por debajo de los campesinos, y ello sin olvidar que estos últimos tienen una dieta en el borde, o inferior, al límite mínimo nutricional. Los campesinos siempre tienen, además, más a mano la posibilidad de autoabastecerse de determinados productos, mientras el hombre de la ciudad, a no ser que no se haya desvinculado del todo del campo, debe adquirirlo todo con dinero, por eso los parados en las ciudades están mucho más expuestos a la malnutrición. En el caso de los bebés ésta se ve agravada por el hecho de que en los ambientes urbanos, a causa del trabajo de la madre, se les quita el pecho demasiado pronto.

En el campo, como cabía temer, los grupos más vulnerables son los de las familias de jornaleros agrícolas, sin tierra propia, por tanto, y sujetos al paro estacional.

Otros grupos afectados por la malnutrición crónica son los constituidos por tribus nómadas y los campesinos que practican una agricultura de subsistencia, expuestos siempre a las irregularidades meteorológicas y a la escasez de alimentos al final del año agrícola más o menos tiempo antes de recoger la nueva cosecha.

---

[26] RAD, D. A., y SATYANARAYANA, K., «Nutritional status of people in different socio-economic groups in a rural area with special reference to preschool children», en *Ecol. Food Nutr.*, 4: 237-242. Citado en la *Cuarta Encuesta Alimentaria Mundial*, pág. 39.

4.3.3. *Bebes y madres lactantes*

Es de dominio común que las fases de crecimiento y reproducción son las que más exigen una alimentación adecuada, por eso los niños y las mujeres embarazadas y las lactantes acusan antes los resultados de una alimentación insuficiente.

El estado nutricional de las madres se refleja en el peso del hijo al nacer. El peso del niño está condicionado por muchos factores, pero, como la Organización Mundial de la Salud ha recordado, una buena parte de los niños que pesan menos de 2.500 gramos al nacer lo deben a la mala nutrición a corto y largo plazo de sus madres, y esta circunstancia está relacionada con una alta mortalidad infantil. La OMS calcula que una sexta parte de los niños que nacen al año en el mundo tienen menos de 2.500 gramos de peso al nacer y alrededor del 95 por 100 de estos niños nacen en los países subdesarrollados.

TABLA 5.1.14

Porcentaje de recién nacidos vivos con peso inferior a 2.500 gramos*

Región	Porcentaje de peso bajo al nacer
América del Norte	7
Caribe	11
América del Sur Tropical	20
Norte de Europa	4
Europa Occidental	7
Norte de África	10
África Occidental	15
África Central	15
Sudoeste de Asia	10
Asia Meridional	30
India	30

* Documento inédito de la OMS, reproducido por la FAO en su *Cuarta Encuesta Alimentaria Mundial,* pág. 45.

4.3.4. *Niños pequeños*

Es sabido que los niños de corta edad —«los niños chicos», como dicen los andaluces— son particularmente vulnerables a las deficiencias de alimentación.

La producción de leche materna se puede ver reducida en las mujeres malnutridas, aunque normalmente sólo se interrumpe en condiciones de desnutrición excepcionalmente graves.

Las diferencias nutricionales entre países y entre distintos grupos socioeconómicos se reflejan en la condición nutricional de los niños pequeños.

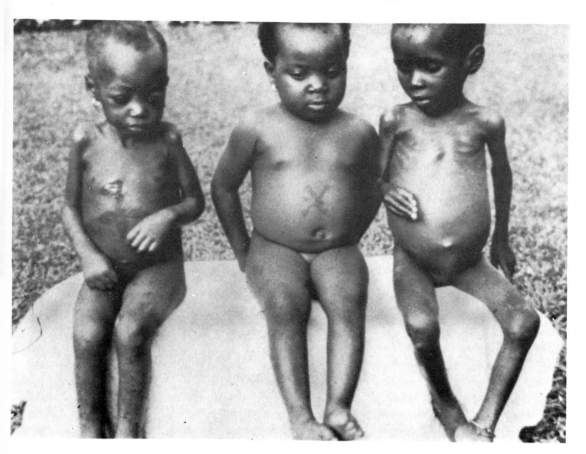

Nigeria: izquierda, niño víctima del Kwashiorkor (dos años y medio); centro, niño sano (dos años); derecha, niño que padece el marasmo (cuatro años). Foto: D. Morley. De FAO, «Estudiemos la nutrición», Roma, 1968 (3.ª ed., 1975).

TABLA 5.1.15

Ingesta de calorías por persona en el hogar, y peso corporal de los niños en edad preescolar (0-5 años) por clase económica (distrito rural de la India)

Clase económica	Ingesta de calorías por persona en el hogar	Peso corporal como porcentaje del peso normal			
		> 90	75-88,9	60-74,9	< 60
		Porcentaje de niños			
Alta	2.435	32,5	54,2	13,3	—
Media	2.306	16,2	53,0	27,9	2,9
Baja	2.140	6,4	36,3	46,8	10,5

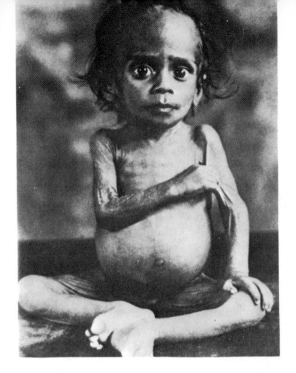 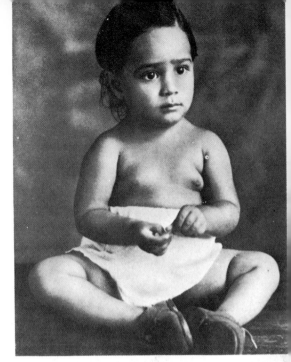

Venezuela: Niña de cinco años enferma de marasmo y la misma niña al cabo de diez meses de tratamiento y adecuada alimentación. Foto: O.M.S. De FAO, «Estudiemos la nutrición», Roma, 1968.

La malnutrición es muy rara durante los primeros seis meses de vida en los niños alimentados al pecho, pero luego en los países en desarrollo un complemento alimentario insuficiente de la leche materna y las repetidas exposiciones a la infección son causas del crecimiento defectuoso de una buena parte de los niños de estos países subdesarrollados. Según la OMS, en el segundo año, habitualmente el del destete, se producen (sobre todo por falta de calorías) con mayor frecuencia casos de PEM (kwashiorkor, marasmo, o una forma combinada de ambos)[27].

---

[27] La malnutrición proteica es consecuencia de la carencia en cantidad o calidad de alimentos proteicos, pero puede también deberse a la alteración de la absorción de proteínas, o a pérdidas anormales de proteínas.

El término *kwashiorkor* se aplica a un síndrome clínico resultante de una grave deficiencia proteica. Es la forma de distrofia más grave y predomina en los países subdesarrollados. La palabra hace referencia al niño que ha sido «apartado», destetado. Donde es común, la estatura y peso de los niños pequeños a partir del destete es inferior a la de los niños de la misma edad bien alimentados.

En estos niños enfermos los edemas se desarrollan precozmente, son muy propensos a las infecciones, y las diarreas acompañan muy pronto a los edemas. Las dermitis son comunes; con frecuencia el cabello es escaso y delgado.

La anorexia, los vómitos y la diarrea continua complican el tratamiento del niño. Los músculos son débiles y atróficos... Los cambios mentales, en forma de irritabilidad y apatía, son frecuentes. Es común la existencia de una hepatomegalia... Además de un retraso general del desarrollo, el crecimiento óseo suele ser lento.

El tratamiento requiere la inmediata corrección de todos los problemas agudos producidos por la diarrea u otras causas, y finalmente la reposición de las sustancias nutritivas deficitarias.

TABLA 5.1.16

Ingresos familiares, ingesta de alimentos y estado nutricional de los niños (de 6 a 24 meses de edad) en las zonas rurales de la India (Punjab)

Grupo socioeconómico	Ingreso familiar mensual medio	Porcentajes medios de la ración de nutrientes*		Incidencia del PEM**		Promedio de hijos muertos
	Dólares USA	Porcentaje				
Propietarios	45,00	Kcal:	63,6	PEM moderado:	35,2	0,49
		Proteínas:	87,0	PEM grave:	3,6	
		Vitamina A:	86,1	Total:	38,8	
		Hierro:	38,0			
Servicios	29,00	Kcal:	60,7	PEM moderado:	37,5	0,53
		Proteínas:	85,5	PEM grave:	10,4	
		Vitamina A:	85,6	Total:	49,7	
		Hierro:	36,8			
Trabajadores sin tierra.	20,00	Kcal:	59,2	PEM moderado:	45,1	
		Proteínas:	83,3	PEM grave:	12,3	
		Vitamina A:	83,2	Total:	57,4	
		Hierro:	35,1			

* Ingesta de nutrientes comparada con las «raciones diarias de nutrientes para los niños», preparadas por el Consejo Indio de Investigaciones Médicas, 1968.

** Clasificación de Gómez: PEM moderado —malnutrición de segundo grado—: 60-75 por 100 del peso normal para la edad; PEM grave —malnutrición de tercer grado—: 60 por 100 del peso normal.

Procedencia: FAO, *Cuarta Encuesta Alimentaria Mundial*, págs. 39 y 42.

En los países en desarrollo la malnutrición infantil no se encuentra sólo en los grupos más pobres, sino también en los de mayores ingresos. Tampoco está claro si los niños que habitualmente viven en ciudades están mejor nutridos que los niños campesinos. Hay una cosa clara en cambio: la disminución de la lactancia natural, mucho más acusada en las ciudades que en el campo, así como la reducción de su duración, repercute en la malnutrición infantil de los niños de madres pobres. Las causas de esta reducción son la creciente participación de las madres en la fuerza de trabajo y la promoción de sucedáneos de la leche materna, incluso el empleo del biberón como elemento de prestigio social. Pero entre los grupos urbanos más pobres y que viven en peores condiciones higié-

---

Otra enfermedad por causa de la malnutrición es el *beriberi,* ocasionado por la falta de vitamina B_1 (tiamina). En otros casos el raquitismo y la anemia se deben a la carencia de vitamina D y de hierro.

La falta de vitamina A es causa frecuente de síntomas carenciales relacionados con la ceguera.

La *pelagra* se caracteriza por erupciones cutáneas, trastornos digestivos y perturbaciones mentales que pueden rayar con la locura. Se debe a la falta de vitamina B y a la mala calidad de la proteína de maíz. Es endémica en las poblaciones que se alimentan con este cereal (África, Oriente Próximo), pero sólo esporádica en América Latina.

Nota.—Debo esta información, que agradezco cordialmente, a mi amigo el doctor Joaquín Danvila, del Hospital del Niño Jesús de Madrid.

nicas el empleo del biberón da lugar con frecuencia a diarreas e infecciones gastrointestinales, y, unido a la frecuente adulteración de la leche, a una grave incidencia de PEM.

Alimentar a un niño sin darle el pecho no sólo es peor para su salud, sino muchísimo más caro. La OMS estima que si todas las madres de niños de pecho «estuvieran simultáneamente en plena lactancia, la cantidad sería de 30.000 millones de litros le leche, que representan alrededor de 22.500 miles de millones de calorías y 400.000 gramos de proteínas». Por otra parte, se ha calculado que el costo de una fórmula adecuada para alimentar un niño sin darle el pecho es el 50 por 100 del salario mínimo de Tanzania y Kenia. En la India una trabajadora de bajos ingresos tendría que destinar íntegramente su salario a la compra de leche en cantidad suficiente.

Los datos de la OMS sobre América del Sur y la India muestran que la mortalidad es más alta entre los niños no alimentados al pecho, o destetados prematuramente.

La malnutrición en los bebés y niños pequeños es un factor que se combina con mucha fuerza con la infección entre las causas de muerte. Un estudio de la mortalidad infantil en América Latina [28] demostró que «la deficiencia nutricional era un factor de más del 50 por 100 de las muertes producidas por enfermedades infecciosas».

4.3.5. *Hay alimentos para todos, pero están mal distribuidos*

En varias ocasiones hemos insistido en que el problema de la malnutrición en el mundo entraña ante todo un problema de justicia social y no de carencia de recursos, y en que de nuevo, en este punto también, se pone de relieve la trágica e irritante diferencia entre países desarrollados y subdesarrollados. Ahora se trae aquí una larga cita de la FAO, que viene a decir lo mismo, pero con la autoridad y el conocimiento de causa de este alto organismo de las Naciones Unidas.

«Los datos examinados hasta ahora indican en general que los suministros globales de alimentos, aunque en la actualidad no son abundantes, podrían ser suficientes para atender a las necesidades nutricionales de la población mundial si la distribución entre los países y dentro de los mismos fuera ideal desde el punto de vista nutricional. Es evidente que las personas malnutridas se encuentran particularmente en los países más pobres y, sobre todo, en los países MGA, así como en las secciones más pobres de la población urbana y en las zonas rurales donde las condiciones ecológicas desfavorables, los sistemas de tenencia de la tierra y los factores económicos dan lugar a la aparición de abundantes grupos de población carentes de tierra o desempleados. Estos grupos vulnerables no pueden comprar o cultivar bastantes alimentos para atender a sus necesidades, y tienden a tener menor acceso a los servicios sanitarios, sociales y educacionales, lo que empeora aún más su privación. Dentro de esos grupos, los que sufren con más frecuencia y más gravemente de la nutrición deficiente son los niños en edad preescolar, las mujeres jóvenes y los niños en edad escolar [29]».

---

[28] PUFFER, R. R., y SERRANO, C. V., *Patterns of mortality on Childhood,* Washington D. C., Pan American Health Organization, Scientific Publ., núm. 262, 1973. Citado en la *Cuarta Encuesta Alimentaria Mundial,* pág. 48.

[29] FAO, *Cuarta Encuesta Alimentaria...,* pág. 48.

4.4. *La persistencia de la malnutrición*

Hemos visto ya que los autores más citados no sólo no están de acuerdo en sus estimaciones sobre cuánta gente cabe en nuestro planeta, sino que tampoco lo están sobre dónde deben colocarse los límites de la malnutrición, incluso tomando en consideración los márgenes que deben dejarse en ella al clima, el sexo, los cambios fisiológicos, el peso corporal, la actividad de las personas, etc.

Ante estas dificultades la FAO ha optado por «comparar el promedio de la ingesta calórica por persona con el límite crítico derivado de consideraciones fisiológicas básicas». El límite crítico que se adoptó en la *Cuarta Encuesta...* fue el determinado por el costo de mantenimiento del cuerpo humano en términos de energía. Un Comité de Expertos[30] estableció ese costo en 1,5 veces el índice del metabolismo basal (BMR), es decir: si los alimentos que consume una persona proporcionan energía por debajo de 1,5 veces el BMR de esa persona, esta persona probablemente estará subnutrida, ya que en esas necesidades no se ha tenido en cuenta lo consumido por su actividad. Sin embargo, aun prescindiendo de la actividad, hay una variación del BMR individual a la que se ha dado un coeficiente del 10 por 100. Teniendo en cuenta esta variación, un nivel «bastante bajo» de ingesta llega a 0,8 × 1,5 BMR, es decir, 1,2 BMR, y en él consideró el Comité de Expertos de la FAO que está el límite crítico razonable, y por debajo de él las personas se verán afectadas de una forma u otra de una carencia de parte de la energía necesaria.

Es obvio que en los casos extremos la privación nutricional se detecta fácilmente, pero aun no habiendo síntomas visibles de la malnutrición, las deficiencias en la dieta pueden afectar gravemente a la salud, el crecimiento y la capacidad de trabajo de la persona.

En los países en desarrollo son frecuentes ingestas inadecuadas de energía y proteínas, de graves consecuencias sobre la salud. Hay además otras enfermedades nutricionales causadas por la falta de determinados nutrientes. La pelagra y el escorbuto han disminuido, pero otras enfermedades, como las motivadas por la deficiencia de vitamina A, el bocio y las anemias nutricionales, están muy extendidas.

La FAO recoge en su *Cuarta Encuesta Alimentaria Mundial* una información realmente sonrojante sobre estas enfermedades por inadecuada y escasa alimentación.

Las deficiencias en la ingestión en vitamina A son muy acusadas en el Pacífico occidental, Lejano Oriente, zonas semiáridas de África y algunas regiones de Latinoamérica. Este déficit tiene gran influencia sobre las enfermedades oculares. Se calcula que de 50.000 a 100.000 niños se quedan ciegos todos los años debido a la *keratomalaria.*

Las *anemias nutricionales* son más frecuentes y graves en los países en desarrollo. Los niños pequeños y las mujeres en edades fecundas son los más afectados. La incidencia se estima en 20-25 por 100 de niños, 20 a 40 por 100 en mujeres adultas y 10 por 100 en los hombres. Predomina la anemia debida a deficiencias de hierro.

Se calcula que el *bocio endémico* afecta a más de 200 millones de personas en el mundo. Las mujeres, y en particular las adolescentes, son las más vulnerables. Es debido, en general, a una ingesta insuficiente de iodina en los alimentos, pero existen tam-

---

[30] *Necesidades en energía y proteínas,* Informe de un Comité Especial Mixto FAO/OMS de Expertos. Reuniones de nutrición de la FAO, núm. 52. Serie de informes técnicos de la OMS, número 522, Roma, 1973, citado en la *Cuarta Encuesta...,* pág. 53.

Mapa V.1.4.—*Países con poblaciones de ingesta de calorías inferiores a 1,2 BMR.* Porcentajes en 1972-1974. Base: Tabla 5.1.18.

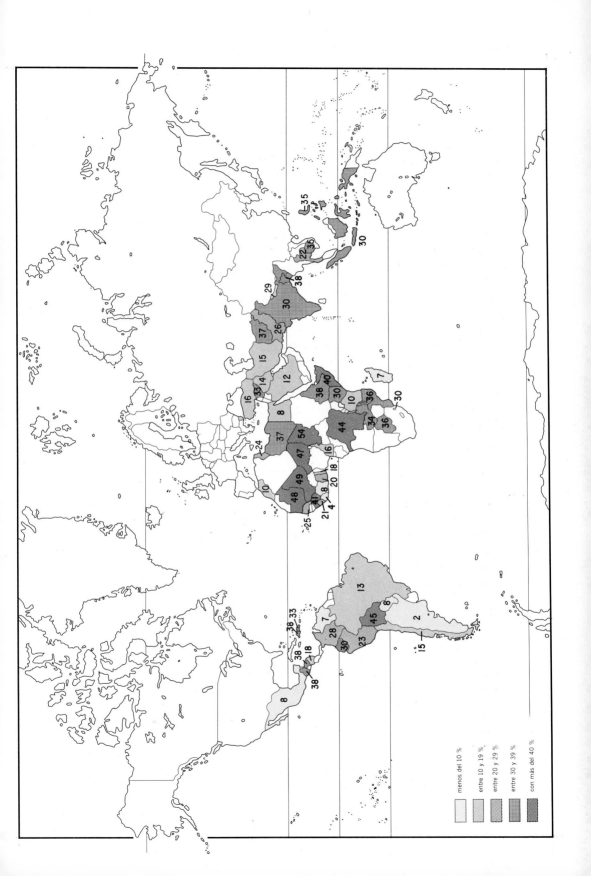

menos del 10 %

entre 10 y 19 %

entre 20 y 29 %

entre 30 y 39 %

con más del 40 %

La «oncocercosis» o «ceguera de los ríos» en el Chad. De «La Documentation Photographique», núm. 6.010, 1974.

bién sustancias biogenéticas que, a través de los alimentos que las contienen, pueden
influir en su aparición.

En resumen, a escala mundial, el suministro de energía para el cuerpo humano supera a las necesidades medias por persona. El exceso fue de un 7 por 100 en el período
1972-74, algo mayor, pues, que en el período 1961-63. Pero, como siempre, la diferencia
entre países subdesarrollados y desarrollados se marca también aquí; los desarrollados
consumieron por término medio un 32 por 100 más de lo que necesitaban —en 1961-63
un 24 por 100 más—; en cambio, el suministro de energía dietética en los países en desarrollo fue todavía un 4 por 100 inferior a las necesidades —en 1961-63, 11 por 100 inferior.

La FAO dio en su *Cuarta Encuesta Alimentaria Mundial* una relación de países con
indicación del suministro de calorías, y porcentaje de ese suministro con arreglo a sus
necesidades, que reproducimos en el Apéndice 5.1.1.

Es obvio que, como ocurre en muchos otros casos, los promedios por países no reflejan las disparidades dentro de cada país. Sobre estas desigualdades no se dispone aún de
información a escala mundial satisfactoria, debido al corto número de encuestas de que

se puede echar mano; no obstante, con las que se poseen y haciendo uso de otras fuentes (por ejemplo, las encuestas sobre presupuestos de gastos en productos alimenticios) se puede llegar a estimaciones globales y datos por países siempre que no se les quiera atribuir un rigor de exactitud que no pretenden tener. Así, por ejemplo, parece que el 50 por 100 de los niños de los países en desarrollo pueden estar insuficientemente nutridos; y también, con las debidas cautelas, pueden utilizarse las estimaciones de la FAO sobre el número de personas que no alcanzan el mínimo crítico de ingesta de energías en algunos países seleccionados, teniendo en cuenta también, como ella misma recomienda, que en el período 1972-74 la producción de alimentos bajó en muchos países debido a las malas cosechas.

TABLA 5.1.17

Número estimado de personas con una ingesta de alimentos inferior al límite mínimo crítico: regiones en desarrollo (sin incluir las economías asiáticas de planificación centralizada).

Región	Población total		Porcentaje por defecto de 1,2 BMR		Número total por defecto de 1,2 BMR	
	1969-71	1972-74	1969-71	1972-74	1969-71	1972-74 revisado
	Millones				Millones	
África	278	301	25	28	70	83
Lejano Oriente	968	1.042	25	29	256	297
América Latina	279	302	16	15	44	46
Cercano Oriente	167	182	18	16	31	20
MGA	954	1.027	27	30	255	307
Otros países	738	800	20	18	146	148
Países en desarrollo . .	1.692	1.827	24	25	401	455

Procedencia: FAO, *Cuarta Encuesta Alimentaria Mundial*, pág. 56.

Las estimaciones dan unos 400 millones de personas subnutridas en los países subdesarrollados, sin incluir entre ellas las correspondientes a los países asiáticos de economía de planificación centralizada.

Más del 60 por 100 del número de personas que se consideran gravemente subnutridas de los países en desarrollo de economía de mercado libre se encuentran en países MGA, la mayoría localizadas en el Lejano Oriente y África. Algunos de estos países son grandes (Bangladesh, Birmania, India, Indonesia, Pakistán, Filipinas, Etiopía, Nigeria, Sudán, Tanzania, Zaire, Brasil, Colombia).

TABLA 5.1.18

Suministro de calorías por persona y porcentaje y número de individuos malnutridos en países seleccionados, 1969-71 y 1972-74.

País	Suministro de calorías por persona		Límite crítico	Población con ingesta de calorías inferior a 1,2 BMR			
				Porcentaje		Número (.000)	
	1969-71	1972-74	(1,2 BMR)	1969-71	1972-74	1969-71	1972-74
Afganistán	1.947	2.000	1.548	43	37	7.301	6.774
Argentina	3.342	3.281	1.631	2	2	475	494
Bangladesh	1.945	1.949	1.512	38	38	25.723	27.026
Bolivia	1.808	1.860	1.545	52	45	2.486	2.315
Botswana	2.116	2.025	1.517	33	36	204	237
Brasil	2.507	2.538	1.545	14	13	13.329	13.478
Birmania	2.184	2.131	1.487	19	22	5.272	6.555
Camerún	2.407	2.383	1.526	14	16	817	990
Chad	2.088	1.765	1.526	34	54	1.238	2.063
Chile	2.802	2.736	1.554	11	15	1.031	1.484
Colombia	2.152	2.164	1.487	29	28	6.402	6.806
República Dominicana	2.023	2.158	1.517	38	33	1.650	1.581
Ecuador	2.062	2.087	1.507	30	30	1.809	1.995
Egipto	2.676	2.632	1.557	7	8	2.333	2.866
Etiopía	2.168	2.051	1.512	26	38	6.462	10.174
Ghana	2.273	2.302	1.498	22	20	1.898	1.866
Guatemala	2.015	1.987	1.493	38	38	2.013	2.197
Guinea	2.071	1.994	1.517	38	41	1.490	1.725
Haití	1.964	2.029	1.523	43	38	1.821	1.678
Honduras	2.178	2.052	1.517	32	38	817	1.075
India	2.034	1.970	1.486	26	30	41.214	175.162
Indonesia	1.965	2.033	1.507	34	30	40.619	38.742
Irán	2.162	2.326	1.508	23	15	6.523	4.647
Irak	2.300	2.392	1.528	17	14	1.591	1.447
Costa de Marfil ..	2.608	2.626	1.517	9	8	388	371
Kenia	2.241	2.137	1.517	24	30	2.699	3.722
República de Corea	2.707	2.749	1.531	4	4	1.255	1.332
Liberia	1.943	1.976	1.517	42	37	640	603
Libia	2.553	2.698	1.526	13	7	252	149
Madagascar	2.463	2.360	1.517	14	17	970	1.285
Malawi	2.340	2.414	1.517	19	14	828	655
Malí	2.056	1.759	1.526	38	49	1.918	2.656
Mauritania	1.993	1.867	1.517	36	48	418	591
México	2.661	2.693	1.512	9	8	4.528	4.435
Marruecos	2.480	2.593	1.528	14	10	2.118	1.650
Mozambique	2.019	1.989	1.536	34	36	2.800	3.173

TABLA 5.1.18 (continuación)

Suministro de calorías por personas y porcentaje y número de individuos malnutridos en países seleccionados, 1969-71 y 1972-74.

País	Suministro de calorías por persona		Límite crítico	Población con ingesta de calorías inferior a 1,2 BMR			
				Porcentaje		Número (.000)	
	1969-71	1972-74	(1,2 BMR)	1969-71	1972-74	1969-71	1972-74
Nepal	2.041	2.015	1.486	27	29	3.033	3.499
Nicaragua	2.417	2.384	1.523	17	18	335	391
Níger	1.989	1.857	1.526	36	47	1.446	2.048
Pakistán	2.148	2.132	1.512	24	26	14.508	17.223
Paraguay	2.781	2.723	1.487	6	8	138	200
Perú	2.312	2.328	1.526	23	23	3.047	3.326
Filipinas	1.945	1.953	1.517	35	35	13.161	14.550
Arabia Saudí ...	2.361	2.411	1.534	14	12	1.084	1.014
Senegal	2.229	2.181	1.526	25	25	981	1.053
Sierra Leona	2.311	2.254	1.498	20	21	529	596
Somalia	1.874	1.916	1.492	42	40	1.171	1.202
Sudán	2.096	2.067	1.526	30	30	4.709	5.153
Swazilandia	2.072	2.118	1.536	35	33	143	147
Siria	2.462	2.525	1.536	12	10	750	683
Tanzania	1.964	1.958	1.498	35	35	4.646	5.076
Tailandia	2.295	2.315	1.511	18	18	6.434	7.095 ·
Togo	2.164	2.167	1.498	24	24	470	510
Túnez	2.213	2.378	1.514	24	16	1.233	877
Turquía	2.833	2.830	1.577	7	7	2.466	2.655
Venezuela	2.405	2.399	1.536	7	7	739	806
Zaire	2.022	1.848	1.504	34	44	7.357	10.244
Zambia	1.980	2.016	1.517	35	34	1.503	1600

5. La situación actual

Los datos del informe de FAO sobre «El estado mundial de la agricultura y la alimentación, 1978» y una nota de prensa de junio de 1980 recogiendo un llamamiento de FAO en favor de los países en desarrollo permitirían hacerse una idea de la situación actual si no fuera porque quizá la FAO, compuesta en el fondo por labradores distinguidos, tampoco quiere, como nuestros campesinos, reconocer que las cosas le van bien, cuando le van bien, y así sus informes tienen siempre una de cal y otra de arena y al final la única conclusión que se saca es que las cosas podrían ir mejor y que hay que producir más y ayudar más y mejor a los países en desarrollo, conclusión nobilísima que este autor suscribe plenamente. El lector juzgará por lo que sigue, en que se extracta «El estado mundial de la agricultura...» en 1978.

«Las estimaciones preliminares hechas por la FAO indican que la producción alimentaria y agropecuaria mundial (agricultura y ganadería) aumentó en 1978 en casi 3 por 100. Si los datos que se recojan posteriormente confirman esta cifra, el aumento mundial resultaría ligeramente superior a la trayectoria registrada durante los años 70. La producción mundial de cereales aumentó en 5 por 100, aproximadamente, alcanzando una vez más cifras sin precedentes, y los remanentes han seguido aumentado.

Pero, al igual que otras veces en el pasado, tan alentador panorama mundial encubre muchos aspectos poco gratos. Uno de ellos es que en 1978, por primera vez desde 1973, el aumento de la producción no fue considerablemente mayor en los países en desarrollo que en los países desarrollados. En 1978, en efecto, los mayores aumentos de la producción se registraron en Oceanía (donde se trató ante todo de una recuperación respecto de las bajas cifras de producción del año anterior), Europa y la URSS.

Otra característica de 1978 fue el extraordinario número de situaciones de urgencia que se produjeron: graves inundaciones en países de Asia, asoladoras sequías en China, invasión de langostas del desierto en algunas partes de África y Asia, y brotes de peste porcina africana en el Mediterráneo y en América Latina.

Además de esas peculiaridades de 1978, tampoco a lo largo de dicho año se ha avanzado mucho hacia el logro de objetivos tan fundamentales como acelerar el aumento de la producción en los países en desarrollo, erradicar el hambre y la malnutrición, crear reservas alimentarias, mejorar las condiciones mundiales de intercambio y alcanzar los objetivos acordados internacionalmente para la asistencia al desarrollo y la ayuda alimentaria.

La inquietante situación nutricional revelada por la *Cuarta Encuesta Alimentaria Mundial* de la FAO ha mejorado poco, si es que ha mejorado algo. En la encuesta se calculó que los suministros de energía alimentaria por persona en las economías de mercado en desarrollo habían disminuido ligeramente entre 1969-71 y 1972-74 y que el número de personas subnutridas en esos países había aumentado de unos 400 millones durante el primer período a unos 450 millones en el segundo. Los datos parciales disponibles sobre años más recientes indican que los suministros de energía alimentaria por habitante en esos países volvieron a descender en 1975 a cifras inferiores a las de 1973, recuperándose luego en 1976 y retornando a las cifras máximas alcanzadas en 1971. Dado que la producción de alimentos por habitante de esos países no aumentó de nuevo en 1977, parece poco probable que se hayan producido grandes mejoras en la situación nutricional.

Los remanentes de cereales (con excepción de China y la URSS, sobre los que no se dispone de datos) se han ido acumulando rápidamente desde 1975-76 y se prevé que a finales de las campañas agrícolas de 1978-79 alcanzarán la cifra sin precedentes de unos 200 millones de toneladas, lo que representaría un 21 por 100 del consumo anual de los países correspondientes, porcentaje que puede considerarse estadísticamente suficiente para la seguridad alimentaria mundial.

En muchos países en desarrollo, el aumento de las necesidades de importación de alimentos, en especial cereales, ha reducido progresivamente sus posibilidades de importar bienes de capital, fertilizantes y otros medios de producción. Las importaciones netas de cereales de los países en desarrollo aumentaron de un promedio de 32 millones de toneladas en 1962-64 a 52 millones de toneladas en 1972-74, y en 1977-78 alcanzaron la cifra sin precedentes de 66 millones de toneladas. Si prosiguiera esa trayectoria, en 1985 superarían los 90 millones de toneladas.

Las asignaciones oficiales de asistencia exterior para el sector agrícola de los países en desarrollo experimentaron una notable recuperación en 1977, superando en términos reales la punta máxima de 12 por 100 alcanzada en 1975. Durante los 10 primeros meses de 1978, los préstamos y créditos del Grupo del Banco Mundial (la fuente más importante de fondos exteriores para el sector agrícola) fueron superiores en 50 por 100 a los del mismo período de 1977. A pesar de tan importantes mejoras, las asignaciones oficiales totales de asistencia exterior para la agricultura siguieron siendo poco más de la mitad del objetivo establecido por el Consejo Mundial de la Alimentación (CMA) y la Conferencia de la FAO[31]».

A fines de junio de 1980 la agencia EFE transmitía un despacho desde Roma dando cuenta de que la FAO denunciaba una grave situación de empeoramiento en el suministro de alimentos como consecuencia de las catástrofes naturales y políticas que habían producido en 25 de los países más pobres una pérdida de 14 millones de toneladas de cereales. La FAO estimaba que la cantidad precisa de productos básicos para satisfacer las necesidades urgentes antes de fin de año era de 1,9 millones de toneladas.

Lecturas ulteriores

FAO (Roma, 1963, 1965, 1968, 1970, 1971, 1973, 1974, 1975, 1976, 1977, 1979 y 1980).—STAMP (Barcelona, 1966).—SUKHATME (Londres, 1966).—BLYN, ACKERMAN, ZELINSKY y GONZÁLEZ (todos en DEMKO-ROSE-SCHNELL, Nueva York, 1970).—JACKSON (Bucarest, 1974).—CLARK (Madrid, 1977).—BERRY-CONKLING-RAY (1976).—ACKERMAN (1959, 1972, en HAUSER y DUNCAN).—GILLAND (Turnbridge Wells, 1978).—WEEKS (Belmont, 1978).—PABLO VI (Roma, 1970 y 1974).—FERRER-NAVARRO (Pamplona, 1975).—COMISIÓN ECONÓMICA PARA AMÉRICA LATINA (México, 1975).—FERRER REGALES (Madrid, 1975).—BEKELE (Roma, 1976).—BERRY A. (Madrid, 1977).—COCHRAN y O'KANE (Navarra, 1974).—REUTLINGER y SELOWSKY (Madrid, 1978).—ZELINSKY (Oxford, 1970; Barcelona, 1977).—ZIMMERMAN (Washington, 1957).—SALAS (Roma, 1976; Oxford, 1979).—CHENERY (Madrid, 1976).—LÉONTIEF (París, 1977; Barcelona, 1980).—RESEARCH GROUP ON LIVING AND SURVIVING (Boston, 1979).—LEJEUNE y otros (Madrid, 1980).—TANZER (Nueva York, 1980).—SCRIMSHAW-TAYLOR (Barcelona, 1980).—VITO (Milán, 1975).—COLE y otros (Sussex, 1974).—KUZNETS (París, 1972).—ROBIN (París, 1975).—OCDE (París, 1978 y 1979).—SAUVY-BROWN-LEFEBVRE (París, 1976).—SAUVY (Oxford, 1975).—LIVET (París, 1969).—CASTRO (Buenos Aires, 1950 y 1972; Madrid, 1975).—HATT (Nueva York, 1952).—CEPEDE (Barcelona, 1967).—WOYTINSKY-WOYTINSKY (Nueva York, 1953).—DUVIGNEAUD (Madrid, 1978).—SIMON (Connecticut, 1978; Princeton, 1977).—ELGOZY (París, 1974).—MUDD (1974).—BROWN (1981).—HICKS (1979-1980).—KLEINMAN.—LOWRY.—LOWENBERG.—ROSS B. TALBOT.—SMITH B. KERRY.—SIMON (1981).—WORTMAN.

El lector recuerda, sin duda, la bibliografía recomendada en el capítulo 3 a propósito de la polémica sobre los informes al Club de Roma.

---

[31] FAO, *El estado mundial de la agricultura y la alimentación, 1978,* págs. 1.1 y 1.2.

APÉNDICES

5.1.1. Suministro diario de calorías y proteínas por persona, por países determinados, 1961-63 y 1972-74.

5.1.2. Suministro diario de alimentos por persona. Todo el mundo. Todos los países desarrollados. Todos los países en desarrollo.

APÉNDICE 5.1.1

Suministro diario de calorías y proteínas por persona y países determinados, 1961-63 y 1972-74

	Calorías					Suministro de proteínas (gramos)	
	Suministro (kcals)		Necesidades (kcals)	Suministro como porcentaje de las necesidades			
	1961-63	1972-74		1961-63	1972-74	1961-63	1972-74
Países desarrollados							
Albania	2.340	2.503	2.410	97	104	70,2	71,9
Australia	3.245	3.339	2.660	122	126	95,8	99,4
Austria	3.331	3.474	2.630	127	132	85,7	86,9
Bélgica-Luxemburgo .	3.355	3.645	2.640	127	138	93,1	99,1
Bulgaria	3.183	3.465	2.500	127	139	95,0	101,2
Canadá	3.161	3.400	2.660	119	128	93,3	98,9
Checoslovaquia	3.375	3.492	2.470	137	141	91,0	96,6
Dinamarca	3.400	3.451	2.690	126	128	86,9	91,5
Finlandia	3.228	3.221	2.710	119	119	94,1	93,8
Francia	3.348	3.411	2.520	133	135	96,8	98,1
Alemania, Rep. Dem.	3.224	3.469	2.620	123	132	83,9	95,0
Alemania, Rep. Fed.	3.269	3.437	2.670	122	129	84,0	87,7
Grecia	2.815	3.247	2.500	113	130	85,0	101,4
Hungría	3.224	3.527	2.630	123	134	83,6	90,1
Islandia	3.121	2.999	2.660	117	113	125,0	114,1
Irlanda	3.448	3.545	2.510	137	141	101,6	104,4
Israel	2.869	3.182	2.570	112	124	89,2	102,1
Italia	3.032	3.524	2.520	120	140	83,1	98,2
Japón	2.526	2.842	2.340	108	121	72,9	86,4
Malta	2.670	3.080	2.480	108	124	79,0	88,8
Países Bajos	3.240	3.325	2.690	120	124	85,0	86,5
Nueva Zelanda	3.514	3.501	2.640	133	133	107,7	107,3
Noruega	3.118	3.210	2.680	116	120	89,7	92,4
Polonia	3.238	3.482	2.620	124	133	97,9	104,6
Portugal	2.828	3.446	2.450	115	141	77,7	94,3
Rumanía	2.878	3.264	2.650	109	123	84,9	96,7
Sudáfrica	2.785	2.866	2.450	114	117	76,4	78,0
España	2.879	3.187	2.460	117	130	82,0	91,5
Suecia	3.176	3.033	2.690	118	113	88,1	85,6
Suiza	3.536	3.535	2.690	131	131	91,2	89,7
Reino Unido	3.408	3.349	2.520	135	133	94,3	92,3
Estados Unidos	3.340	3.542	2.640	127	134	101,3	104,7
URSS	3.272	3.483	2.560	128	136	96,6	105,5
Yugoslavia	3.132	3.384	2.540	123	133	92,1	94,5
Países en desarrollo							
Afghanistán	2.107	2.000	2.440	86	82	65,2	61,5
Argelia	1.925	2.065	2.400	80	86	51,9	54,9

APÉNDICE 5.1.1 (continuación)	Calorías					Suministro de proteínas (gramos)	
	Suministro (kcals)		Necesidades (kcals)	Suministro como porcentaje de las necesidades			
	1961-63	1972-74		1961-63	1972-74	1961-63	1972-74
Angola	1.828	1.997	2.350	78	85	38,0	41,8
Antigua	2.102	2.071	2.350	87	86	58,7	53,9
Argentina	3.238	3.281	2.350	122	124	108,6	102,0
Bahamas	2.250	2.422	2.420	93	100	69,0	70,6
Bangladesh	1.953	1.949	2.310	85	84	42,7	43,0
Barbados	2.661	3.207	2.420	110	133	65,0	80,4
Belize	2.254	2.446	2.260	100	108	58,8	58,1
Benin	2.104	2.040	2.300	91	89	51,3	51,0
Bhután	1.992	2.074	2.310	86	90	42,7	44,5
Bolivia	1.631	1.860	2.390	68	78	44,9	48,5
Botswana	2.054	2.025	2.320	89	87	72,6	69,5
Brasil	2.382	2.538	2.390	100	106	61,7	63,4
Brunei	2.115	2.542	2.240	94	113	50,1	64,1
Birmania	1.920	2.131	2.160	89	99	50,2	56,0
Burundi	2.043	2.344	2.330	88	101	53,8	61,3
Camerún	2.094	2.382	2.320	90	103	51,1	59,3
Cabo Verde	1.751	2.224	2.350	74	95	42,6	54,7
Rep. Centroafricana .	2.094	2.320	2.260	90	103	51,1	59,3
Chad	2.325	1.765	2.380	98	74	79,3	60,1
Chile	2.552	2.736	2.440	105	112	66,2	73,9
China	1.942	2.282	2.360	82	97	53,3	62,8
Colombia	2.163	2.164	2.320	93	93	50,4	47,2
Comoras	2.061	2.275	2.340	88	97	35,8	39,6
Congo	2.018	2.274	2.220	91	102	34,6	41,9
Costa Rica	2.158	2.513	2.240	96	112	52,0	59,6
Cuba	2.414	2.732	2.310	104	118	57,7	70,4
Chipre	2.437	2.953	2.480	98	119	70,0	90,3
Dominica	2.048	2.109	2.420	85	87	51,2	56,9
Rep. Dominicana ...	1.875	2.158	2.260	83	95	39,7	44,7
Ecuador	1.845	2.087	2.290	81	91	46,0	47,4
Egipto	2.578	2.632	2.510	103	105	73,2	71,3
El Salvador	1.808	1.885	2.290	79	82	51,6	49,8
Etiopía	2.097	2.051	2.330	90	88	67,4	63,3
Fidji	2.487	2.647	2.280	109	116	52,0	57,1
Polinesia Francesa ..	2.399	2.734	2.280	105	120	62,9	71,3
Gabón	2.157	2.274	2.340	92	97	44,7	49,3
Gambia	2.184	2.307	2.380	92	97	53,1	58,0
Ghana	2.023	2.302	2.300	88	100	42,6	52,9
Grenada	1.915	2.145	2.420	79	89	49,4	57,0
Guadalupe	2.207	2.486	2.420	91	103	58,8	71.6
Guatemala	1.903	1.987	2.190	87	91	52,7	52,8
Guinea	1.867	1.994	2.310	81	86	40,1	43,3

APÉNDICE 5.1.1 (continuación)	Calorías					Suministro de proteínas (gramos)	
	Suministro (kcals)		Necesidades (kcals)	Suministro como porcentaje de las necesidades			
	1961-63	1972-74		1961-63	1972-74	1961-63	1972-74
Guinea-Bissau	2.070	2.324	2.310	90	101	40,8	48,5
Guyana	2.364	2.346	2.270	104	103	56,2	54,9
Haití	1.961	2.029	2.260	87	90	46,3	48,7
Honduras	1.936	2.052	2.260	86	91	52,1	52,1
Hong Kong	2.472	2.599	2.290	108	114	66,2	79,4
India	2.046	1.970	2.210	93	89	52,3	48,6
Indonesia	1.945	2.033	2.160	90	94	39,1	42,3
Irán	1.849	2.326	2.410	77	97	45,8	54,4
Irak	2.012	2.392	2.410	83	99	51,7	60,0
Costa de Marfil	2.236	2.626	2.310	97	114	50,8	63,1
Jamaica	1.993	2.641	2.240	89	118	54,3	68,9
Jordania	2.199	2.208	2.460	89	90	52,0	52,5
Kenia	2.298	2.137	2.320	99	92	69,8	60,6
Kampuchea Dem.	2.198	2.095	2.220	99	94	52,8	48,9
Corea Democrática	2.429	2.641	2.340	104	113	75,0	77,6
Rep. de Corea	2.081	2.749	2.350	89	117	53,2	73,7
Laos	1.845	2.076	2.220	83	94	51,0	57,6
Líbano	2.410	2.508	2.480	97	101	67,9	67,6
Lesotho	2.091	2.204	2.280	92	97	63,7	67,9
Liberia	1.920	1.976	2.310	83	86	32,3	35,9
Libia	1.788	2.698	2.360	76	114	45,7	68,1
Macao	1.819	1.915	2.290	79	84	39,8	57,4
Madagascar	2.354	2.350	2.270	104	104	59,4	56,5
Malawi	1.943	2.414	2.320	84	104	52,6	68,4
Sabah	2.448	2.792	2.230	110	125	46,0	60,3
Sarawak	2.388	2.514	2.230	107	113	43,2	51,8
Malasia Pen.	2.445	2.534	2.230	110	114	43,1	45,0
Maldivas	1.669	1.810	2.210	76	82	60,8	63,9
Malí	2.000	1.759	2.350	85	75	63,6	52,7
Martinica	2.296	2.496	2.420	95	103	62,9	71,8
Mauritania	2.006	1.867	2.310	87	81	74,3	63,2
Mauricio	2.332	2.438	2.270	103	107	48,5	53,4
México	2.537	2.693	2.330	109	116	62,7	65,6
Mongolia	2.309	2.477	2.430	95	102	97,7	92,8
Marruecos	2.258	2.593	2.420	93	107	58,8	70,0
Mozambique	2.008	1.989	2.340	86	85	39,4	37,3
Namibia	2.187	2.162	2.280	96	95	70,1	71,1
Nepal	2.023	2.015	2.200	92	92	49,8	49,2
Antillas Neerlandesas.	2.346	2.475	2.420	97	102	65,7	71,3
Nueva Caledonia	2.688	2.900	2.280	118	127	64,2	71,6
Nuevas Hébridas	2.063	2.341	2.280	90	103	51,0	62,3
Nicaragua	2.187	2.384	2.250	97	106	64,0	68,4

APÉNDICE 5.1.1 (continuación)	Calorías					Suministro de proteínas (gramos)	
	Suministro (kcals)		Necesidades (kcals)	Suministro como porcentaje de las necesidades			
	1961-63	1972-74		1961-63	1972-74	1961-63	1972-74
Níger	2.189	1.857	2.350	93	79	72,5	63,6
Nigeria	2.156	2.073	2.360	91	88	49,9	46,2
Pakistán	1.830	2.132	2.310	79	92	49,1	54,0
Panamá	2.317	2.332	2.310	100	101	57,3	57,4
Papúa-Nueva Guinea.	2.002	2.245	2.280	88	98	39,7	48,2
Paraguay	2.475	2.723	2.310	107	118	71,3	74,7
Perú	2.230	2.328	2.350	95	99	62,1	61,0
Filipinas	1.880	1.953	2.260	83	86	43,8	46,6
Rhodesia	2.481	2.477	2.390	104	104	73,4	72,2
Reunión	2.491	2.554	2.270	110	113	61,4	67,8
Rwanda	1.913	2.102	2.320	82	91	50,2	54,0
Santa Lucía	1.804	2.170	2.420	75	90	43,4	57,4
San Vicente	2.044	2.370	2.420	84	98	43,6	57,0
Santo Tomé	2.174	2.130	2.350	93	91	60,2	46,4
Samoa	2.334	2.275	2.280	102	100	55,4	52,7
Arabia Saudí	2.159	2.411	2.420	89	100	52,2	61,4
Senegal	2.068	2.181	2.380	87	92	58,9	61,7
Sierra Leona	1.962	2.254	2.300	85	98	43,7	50,5
Singapur	2.412	2.825	2.300	105	123	60,9	75,4
Islas Salomón	2.115	2.056	2.280	93	90	38,6	40,2
Somalia	1.900	1.916	2.310	82	83	63,3	59,2
Sri Lanka	2.140	2.078	2.220	96	94	43,8	41,5
Sudán	1.870	2.067	2.350	80	88	55,2	60,7
Surinam	2.008	2.381	2.260	89	105	51,3	53,5
Swazilandia	1.957	2.118	2.320	84	91	55,4	57,0
Siria	2.442	2.525	2.480	98	102	62,4	63,5
Tanzania	1.839	1.958	2.320	79	84	41,3	46,1
Thailandia	2.105	2.315	2.220	95	104	42,2	49,9
Togo	1.997	2.167	2.300	87	94	42,5	52,6
Tonga	2.443	2.574	2.280	107	113	37,2	45,4
Trinidad y Tobago ..	2.419	2.531	2.420	100	105	61,8	64,8
Túnez	1.965	2.378	2.390	82	99	50,4	65,6
Turquía	2.788	2.830	2.520	111	112	76,1	74,5
Uganda	2.066	2.141	2.330	89	92	48,0	54,5
Alto Volta	1.902	1.728	2.370	80	73	61,9	56,0
Uruguay	2.927	2.978	2.670	110	112	97,7	93,2
Venezuela	2.172	2.399	2.470	88	97	56,6	62,4
Vietnam	2.101	2.288	2.160	97	106	48,1	56,9
Rep. Árabe del Yemen	2.062	1.996	2.420	85	82	64,8	59,2
Yemen Democrático .	1.976	2.043	2.410	82	85	48,0	50,1
Zaire	1.931	1.848	2.220	87	83	30,6	31,2
Zambia	1.853	2.016	2.310	80	87	55,7	58,1

Procedencia: FAO, *Cuarta Encuesta Alimentaria Mundial*, págs. 81, 82, 83 y 84.

APÉNDICE 5.1.2

I. Suministro diario de alimentos por persona. Todo el mundo

Calorías (kcals)	1961-1963	1964-1966	1969-1971	1972-1974	1971	1972	1973	1974
Total general	2.414	2.460	2.536	2.548	2.562	2.536	2.541	2.567
Productos vegetales	1.996	2.038	2.093	2.106	2.116	2.093	2.102	2.122
Productos animales	417	421	443	443	446	443	439	446
Gran total excl. alcohol .	2.363	2.406	2.469	2.479	2.494	2.469	2.471	2.497
Cereales	1.212	1.231	1.253	1.260	1.268	1.255	1.251	1.272
Raíces y tubérculos	178	182	179	173	180	170	174	174
Azúcares y miel de abeja	205	213	231	237	234	234	237	239
Leguminosas	79	76	76	73	76	75	74	70
Nueces y semillas oleag. .	53	54	53	52	53	52	52	52
Hortalizas	36	38	39	40	39	39	40	40
Frutas	54	56	59	59	59	58	59	59
Carnes y despojos	175	179	190	192	194	193	189	195
Huevos	18	19	21	21	21	21	21	21
Pescado y mariscos	23	25	28	30	29	29	30	30
Leche	120	118	123	121	122	121	120	121
Aceites y grasas	200	206	216	221	218	219	222	221
Aceites grasas vegetales .	120	127	137	144	140	142	145	144
Aceites grasas animales .	79	79	79	77	78	77	77	77
Bebidas alcohólicas	51	54	58	61	59	59	61	62

Proteínas (gramos)	1961-1963	1964-1966	1969-1971	1972-1974	1971	1972	1973	1974
Total general	65,4	66,5	68,4	68,5	69,0	68,5	69,2	69,0
Productos vegetales	43,8	44,2	44,6	44,5	44,9	44,4	44,3	44,7
Productos animales	21,6	22,3	23,9	24,1	24,1	24,0	23,9	24,3
Gran total excl. alcohol .	65,0	66,1	68,0	68,2	68,5	68,0	69,0	68,7
Cereales	29,7	30,1	30,5	30,6	30,8	30,5	30,4	30,9
Raíces y tubérculos	2,7	2,7	2,6	2,5	2,6	2,5	2,5	2,5
Azúcares y miel de abeja	0,1	0,1	0,1	0,1	0,1	0,1	0,1	0,1
Leguminosas	5,0	4,8	4,8	4,6	4,8	4,7	4,6	4,4
Nueces y semillas oleag. .	2,9	2,9	2,9	2,9	2,9	2,9	2,9	2,9
Hortalizas	2,1	2,1	2,2	2,2	2,2	2,2	2,2	2,2
Frutas	0,6	0,7	0,7	0,7	0,7	0,7	0,7	0,7
Carnes y despojos	9,7	10,0	10,8	10,8	10,8	10,8	10,7	11,0
Huevos	1,5	1,5	1,7	1,7	1,7	1,7	1,7	1,7
Pescado y mariscos	3,4	3,8	4,2	4,4	4,3	4,4	4,4	4,5
Leche	6,9	6,9	7,2	7,1	7,1	7,1	7,1	7,1
Aceites y grasas	0,1	0,1	0,1	0,1	0,1	0,1	0,1	0,1
Aceites grasas vegetales .	0,0	0,0	0,0	0,0	0,0	0,0	0,0	0,0
Aceites grasas animales .	0,1	0,1	0,1	0,1	0,1	0,1	0,1	0,1
Bebidas alcohólicas	0,2	0,2	0,2	0,2	0,2	0,2	0,2	0,2

APÉNDICE 5.1.2 (continuación)

I. Suministro diario de alimentos por persona. Todo el mundo

Grasas (gramos)	1961-1963	1964-1966	1969-1971	1972-1974	1971	1972	1973	1974
Total general	56,6	57,7	60,5	61,1	61,2	61,0	60,8	61,4
Productos vegetales	24,1	25,1	26,3	26,9	26,8	26,8	27,0	27,0
Productos animales	32,4	32,6	34,2	34,1	34,4	34,2	33,8	34,4
Gran total excl. alcohol .	56,6	57,7	60,4	61,1	61,2	61,0	60,8	61,4
Cereales	5,1	5,2	5,3	5,3	5,4	5,3	5,2	5,4
Raíces y tubérculos	0,4	0,4	0,4	0,4	0,4	0,3	0,4	0,4
Azúcares y miel de abeja	0,0	0,0	0,0	0,0	0,0	0,0	0,0	0,0
Leguminosas	0,6	0,5	0,5	0,5	0,5	0,5	0,5	0,4
Nueces y semillas oleag. .	3,4	3,4	3,4	3,3	3,4	3,4	3,3	3,3
Hortalizas	0,3	0,3	0,4	0,4	0,4	0,4	0,4	0,4
Frutas	0,3	0,3	0,3	0,3	0,3	0,3	0,4	0,3
Carnes y despojos	14,9	15,0	16,0	16,2	16,3	16,2	15,9	16,4
Huevos	1,3	1,3	1,5	1,5	1,5	1,5	1,5	1,5
Pescado y mariscos	0,9	0,9	1,1	1,1	1,1	1,1	1,1	1,2
Leche	6,5	6,5	6,8	6,7	6,7	6,7	6,7	6,7
Aceites y grasas	22,5	23,3	24,3	24,9	24,6	24,7	25,1	25,0
Aceites grasas vegetales .	13,6	14,4	15,5	16,3	15,9	16,1	16,4	16,3
Aceites grasas animales .	8,9	8,8	8,8	8,7	8,7	8,6	8,7	8,6
Bebidas alcohólicas	0,0	0,0	0,0	0,0	0,0	0,0	0,0	0,0

II. Suministro diario de alimentos por persona. Todos los países desarrollados

Calorías (kcals)	1961-1963	1964-1966	1969-1971	1972-1974	1971	1972	1973	1974
Total general	3.168	3.205	3.328	3.378	3.348	3.356	3.387	3.391
Productos vegetales	2.240	2.255	2.283	2.310	2.287	2.294	2.328	2.307
Productos animales	927	950	1.044	1.068	1.060	1.062	1.059	1.084
Gran total excl. alcohol .	3.038	3.065	3.138	3.179	3.156	3.163	3.185	3.187
Cereales	1.144	1.115	1.058	1.036	1.048	1.045	1.036	1.027
Raíces y tubérculos	185	178	167	158	164	159	159	157
Azúcares y miel de abeja	364	377	416	436	423	429	441	440
Leguminosas	36	36	34	34	33	34	35	33
Nueces y semillas oleag. .	42	43	45	47	44	47	47	47
Hortalizas	52	54	57	60	58	57	61	61
Frutas	70	75	84	85	85	83	89	84
Carnes y despojos	364	382	433	453	451	453	442	464
Huevos	42	43	50	52	51	52	51	52
Pescado y mariscos	42	44	50	55	51	53	56	57
Leche	279	279	303	300	299	298	299	303
Aceites y grasas	403	421	454	473	460	465	480	474
Aceites grasas vegetales .	206	223	250	269	256	263	274	270
Aceites grasas animales .	197	198	204	204	203	202	206	204
Bebidas alcohólicas	129	141	158	168	161	161	171	172

APÉNDICE 5.1.2 (continuación)

II. Suministro diario de alimentos por persona. Todos los países desarrollados

Proteínas (gramos)	1961-1963	1964-1966	1969-1971	1972-1974	1971	1972	1973	1974
Total general	91,3	92,4	96,6	98,0	97,0	97,5	97,7	98,7
Productos vegetales	46,4	45,8	44,3	43,8	43,9	44,0	44,0	43,6
Productos animales	44,9	46,7	52,3	54,1	53,1	53,6	53,7	55,1
Gran total excl. alcohol .	90,1	91,2	95,2	97,1	95,6	96,1	97,0	98,0
Cereales	32,8	31,9	30,2	29,6	30,0	29,9	29,6	29,3
Raíces y tubérculos	4,2	4,0	3,9	3,7	3,8	3,7	3,7	3,7
Azúcares y miel de abeja	0,0	0,0	0,0	0,0	0,0	0,0	0,0	0,0
Leguminosas	2,3	2,3	2,2	2,2	2,2	2,2	2,3	2,2
Nueces y semillas oleag. .	2,0	2,0	2,2	2,2	2,1	2,3	2,2	2,2
Hortalizas	2,9	3,0	3,2	3,3	3,2	3,1	3,4	3,4
Frutas	0,9	0,9	1,1	1,1	1,1	1,1	1,2	1,1
Carnes y despojos	19,5	20,7	23,7	24,8	24,4	24,7	24,3	25,5
Huevos	3,3	3,5	4,0	4,1	4,1	4,1	4,1	4,1
Pescado y mariscos	5,9	6,2	6,8	7,4	6,9	7,1	7,5	7,5
Leche	16,0	16,2	17,6	17,6	17,5	17,5	17,7	17,8
Aceites y grasas	0,2	0,2	0,2	0,2	0,2	0,2	0,2	0,2
Aceites grasas vegetales .	0,1	0,1	0,1	0,1	0,1	0,1	0,1	0,1
Aceites grasas animales .	0,1	0,1	0,1	0,2	0,1	0,1	0,2	0,2
Bebidas alcohólicas	0,4	0,5	0,6	0,6	0,6	0,6	0,6	0,6

Grasas (gramos)	1961-1963	1964-1966	1969-1971	1972-1974	1971	1972	1973	1974
Total general	106,4	110,1	120,5	124,9	122,7	123,8	124,7	126,2
Productos vegetales	32,9	34,8	38,0	40,3	38,7	39,7	40,9	40,3
Productos animales	73,5	75,3	82,5	84,6	94,1	84,1	83,8	85,8
Gran total excl. alcohol .	106,4	110,1	120,5	124,9	122,7	123,8	124,7	126,2
Cereales	4,4	4,3	4,1	4,0	4,0	4,0	4,0	4,0
Raíces y tubérculos	0,3	0,3	0,2	0,2	0,2	0,2	0,2	0,2
Azúcares y miel de abeja	0,0	0,0	0,0	0,0	0,0	0,0	0,0	0,0
Leguminosas	0,2	0,2	0,2	0,2	0,2	0,2	0,2	0,2
Nueces y semillas oleag. .	2,9	3,0	3,2	3,3	3,1	3,3	3,3	3,3
Hortalizas	0,5	0,5	0,5	0,5	0,5	0,5	0,5	0,5
Frutas	0,4	0,5	0,5	0,5	0,5	0,5	0,6	0,5
Carnes y despojos	31,1	32,5	36,8	38,5	38,4	38,5	37,6	39,5
Huevos	2,9	3,0	3,5	3,6	3,6	3,6	3,6	3,6
Pescado y mariscos	1,8	1,9	2,3	2,5	2,3	2,4	2,6	2,6
Leche	15,6	15,6	17,0	16,9	16,8	16,8	16,9	17,2
Aceites y grasas	45,5	45,7	51,2	53,4	51,9	52,5	54,1	53,5
Aceites grasas vegetales .	23,3	25,1	28,2	30,4	29,0	29,7	30,9	30,5
Aceites grasas animales .	22,2	22,3	23,0	23,0	22,9	22,8	23,2	23,0
Bebidas alcohólicas	0,0	0,0	0,0	0,0	0,0	0,0	0,0	0,0

APÉNDICE 5.1.2 (continuación)

III. **Suministro diario de alimentos por persona. Todos los países en desarrollo**

Calorías (kcals)	*1961-1963*	*1964-1966*	*1969-1971*	*1972-1974*	*1971*	*1972*	*1973*	*1974*
Total general	2.061	2.122	2.201	2.212	2.235	2.199	2.198	2.239
Productos vegetales	1.882	1.940	2.012	2.023	2.045	2.010	2.010	2.048
Productos animales	179	182	189	189	190	189	188	191
Gran total excl. alcohol .	2.047	2.108	2.186	2.195	2.219	2.183	2.181	2.221
Cereales	1.243	1.283	1.335	1.350	1.359	1.341	1.338	1.371
Raíces y tubérculos	174	183	185	179	186	175	180	181
Azúcares y miel de abeja	131	139	153	156	156	154	154	159
Leguminosas	100	95	93	89	94	92	89	85
Nueces y semillas oleag. .	59	58	56	54	57	54	54	54
Hortalizas	29	31	32	32	32	32	32	32
Frutas	46	47	48	48	48	48	48	49
Carnes y despojos	87	87	88	87	87	87	86	87
Huevos	8	8	9	9	9	9	9	9
Pescado y mariscos	14	16	18	19	19	19	19	19
Leche	46	46	47	48	48	48	48	48
Aceites y grasas	105	109	115	119	118	118	118	120
Aceites grasas vegetales .	80	84	90	93	92	93	93	95
Aceites grasas animales .	25	25	25	25	26	26	25	26
Bebidas alcohólicas	14	15	16	17	16	16	17	18

Proteínas (gramos)	*1961-1963*	*1964-1966*	*1969-1971*	*1972-1974*	*1971*	*1972*	*1973*	*1974*
Total general	53,3	54,8	56,5	56,6	57,3	56,5	56,3	57,1
Productos vegetales	42,5	43,5	44,7	44,7	45,3	44,6	44,4	45,1
Productos animales	10,8	11,2	11,9	11,9	12,0	11,9	11,8	12,0
Gran total excl. alcohol .	53,2	54,7	56,5	56,6	57,2	56,4	56,2	57,0
Cereales	28,3	29,3	30,5	31,0	31,1	30,8	30,7	31,5
Raíces y tubérculos	2,0	2,1	2,1	2,1	2,2	2,0	2,1	2,1
Azúcares y miel de abeja	0,1	0,1	0,1	0,1	0,1	0,1	0,1	0,1
Leguminosas	6,2	5,9	5,8	5,6	5,9	5,7	5,6	5,3
Nueces y semillas oleag. .	3,3	3,4	3,2	3,1	3,2	3,1	3,1	3,2
Hortalizas	1,7	1,7	1,8	1,8	1,8	1,8	1,8	1,8
Frutas	0,5	0,6	0,6	0,6	0,6	0,6	0,6	0,6
Carnes y despojos	5,2	5,1	5,3	5,2	5,2	5,1	5,1	5,2
Huevos	0,6	0,6	0,7	0,7	0,7	0,7	0,7	0,7
Pescado y mariscos	2,3	2,8	3,1	3,2	3,3	3,2	3,2	3,2
Leche	2,7	2,7	2,8	2,8	2,8	2,8	2,8	2,9
Aceites y grasas	0,0	0,0	0,0	0,0	0,0	0,0	0,0	0,0
Aceites grasas vegetales .	0,0	0,0	0,0	0,0	0,0	0,0	0,0	0,0
Aceites grasas animales .	0,0	0,0	0,0	0,0	0,0	0,0	0,0	0,0
Bebidas alcohólicas	0,1	0,1	0,1	0,1	0,1	0,1	0,1	0,1

APÉNDICE 5.1.2 (continuación)

III. **Suministro diario de alimentos por persona. Todos los países en desarrollo**

Grasas (gramos)	1961-1963	1964-1966	1969-1971	1972-1974	1971	1972	1973	1974
Total general	33,3	34,0	35,1	35,2	35,5	35,1	35,0	35,5
Productos vegetales	20,1	20,7	21,4	21,5	21,8	21,5	21,4	21,7
Productos animales	13,2	13,3	13,7	13,7	13,7	13,7	13,6	13,8
Gran total excl. alcohol .	33,3	34,0	35,1	35,2	35,5	35,1	35,0	35,5
Cereales	5,5	5,7	5,8	5,8	6,0	5,8	5,7	5,9
Raíces y tubérculos	0,4	0,4	0,4	0,4	0,4	0,4	0,4	0,4
Azúcares y miel de abeja	0,0	0,0	0,0	0,0	0,0	0,0	0,0	0,0
Leguminosas	0,7	0,7	0,6	0,6	0,6	0,6	0,6	0,5
Nueces y semillas oleag. .	3,6	3,6	3,5	3,3	3,6	3,4	3,3	3,3
Hortalizas	0,3	0,3	0,3	0,3	0,3	0,3	0,3	0,3
Frutas	0,3	0,3	0,3	0,3	0,3	0,3	0,3	0,3
Carnes y despojos	7,2	7,1	7,2	7,1	7,1	7,1	7,1	7,2
Huevos	0,5	0,6	0,6	0,6	0,6	0,6	0,6	0,6
Pescado y mariscos	0,4	0,5	0,6	0,6	0,6	0,6	0,6	0,6
Leche	2,3	2,3	2,5	2,5	2,5	2,5	2,5	2,6
Aceites y grasas	11,8	12,3	13,0	13,4	13,3	13,3	13,3	13,6
Aceites grasas vegetales .	9,1	9,6	10,1	10,6	10,4	10,5	10,5	10,7
Aceites grasas animales .	2,7	2,7	2,8	2,8	2,8	2,8	2,8	2,9
Bebidas alcohólicas	0,0	0,0	0,0	0,0	0,0	0,0	0,0	0,0

Procedencia: FAO, *Cuarta Encuesta Alimentaria Mundial*, págs. 103, 111 y 112.

LA CUESTIÓN DEL DESFASE ENTRE POBLACIÓN Y RECURSOS

Introducción
1. Las fuentes de energía.
    1.1. El agua.
    1.2. Los combustibles fósiles.
        1.2.1. El carbón.
            1.2.1.1. Las reservas de carbón según el Informe de la Universidad de Sussex.
        1.2.2. Los combustibles líquidos.
        1.2.3. El gas natural.
    1.3. La electricidad.
    1.4. La energía nuclear.
2. Los metales.
3. Otros recursos no renovables.
4. La tecnología del incremento de la extracción y de la recuperación de recursos.
5. El deterioro de la calidad del medio ambiente.

Lecturas ulteriores

Introducción

Se ha visto en el capítulo anterior que hay alimentos para la población actual. No sólo esto, se ha visto que la producción de alimentos ha crecido a medida que lo hacía la población del mundo, aunque esta afirmación debe ser convenientemente matizada[1]. Se ha visto también que los alimentos producidos están desigual e injustamente repartidos y consumidos. Hay, pues, un problema de injusticia social y abuso de poder, no un problema de insuficiencia alimentos/población.

En este capítulo se trataría de ver en qué medida otros recursos, en especial los no renovables (combustibles, fósiles, minerales), podrán satisfacer, y por cuánto tiempo, a la creciente demanda que de ellos hace la población, asimismo, creciente.

De intento se ha escrito «se trataría de ver», en lugar de escribir «se trata de ver», porque evidentemente, al menos para mí, es prácticamente imposible calcular la duración de las reservas de cada recurso consumible, cuando el propio volumen de las reservas depende de las técnicas de prospección y extracción que se dominen en cada lugar y momento histórico, y de la demanda que en ese momento exista del recurso; la cual, a su vez, dependerá de su costo y de la accesibilidad y costos de otros recursos que puedan sustituirlo.

No es menos cierto que la demanda contribuirá también a fijar el precio, y es igualmente seguro que éste se moverá dentro de unos márgenes que procuren conciliar los costos de obtención con los precios que los consumidores están dispuestos a pagar. Es igualmente seguro que, si la demanda aumenta, se mejorarán las técnicas de obtención hasta límites hoy insospechados, o se ofertarán sustitutivos adecuados del producto natural escaso. Se puede temer también que la desigual distribución de los medios adquisitivos dará como resultado la desigual distribución del producto, y de nuevo los ricos tendrán más y los pobres menos o nada. Pero pretender saber cuándo se agotará un recurso natural importante no pasa de ser una presunción o un «divertimento».

Por supuesto los autores no están de acuerdo sobre el volumen de las *reservas*[2], y aún

---

[1] TINBERGEN *(Nord/Sud, du défi au dialogue?)* recuerda que en los primeros años de la década de los 70, la situación alimenticia mundial se agravó y en 1972 (a consecuencia de la sequía y el retraso de los monzones lluviosos) la producción mundial de alimentos disminuyó por primera vez en 20 años. La situación se agravó a consecuencia del incremento de las tasas de inflación en los países industriales de mercado, y la reducción, por parte de los mismos, de las exportaciones de abonos. A ellos vino a sumarse la equivocada política agraria de muchos países en desarrollo que prefirieron cultivos de exportación en lugar de producir cosechas destinadas al consumo de sus propios súbditos.

Algunos de estos problemas coyunturales ya han sido considerados brevemente antes; subrayemos que en el texto de TINBERGEN está también clarísima la injusta desigual distribución de alimentos a escala mundial: «El crecimiento de la producción alimentaria per cápita en el Tercer Mundo pasó de hecho de un 0,7 por 100 en los años 50 a un 0,2 por 100 en los años 60. Un coeficiente de 0,2 por 100 no representa en realidad más que un incremento de 400 gr por habitante. El incremento en los países desarrollados durante el mismo período fue casi 30 veces más elevado y alcanzó una media de 11.250 gramos» (pág. 26).

[2] «El concepto usual de *reserva* se aplica a aquella parte conocida de un depósito natural de una materia que puede ser explotada comercialmente, con la tecnología de que se dispone y en las condiciones económicas del momento» (BERRY-CONKLING-RAY).

pueden estarlo menos sobre el ritmo, más o menos acelerado, a que se consumen, porque, entre otras cosas, el futuro es previsible sólo a corto plazo y está sujeto a cambios bruscos muchas veces.

Es innegable, desde luego, que la tasa de consumo de las reservas crece cada día. Se dice que Estados Unidos ha consumido de 1/3 a 1/2 de los recursos consumidos por el mundo en los primeros setenta años del siglo XX, y se añade que este ritmo de consumo marca la pauta que seguirá al resto del mundo, pero no parece que los países subdesarrollados se acerquen a él, al menos a un paso que permita alcanzarlo pronto.

Tal vez lo más seguro que puede decirse es que, desde luego, los recursos naturales no renovables no durarán tan poco como creen muchos autores contemporáneos, ni, por supuesto, serán eternos, porque el propio mundo actual también tendrá fin.

Como, por otra parte, el *Primer Informe al Club de Roma,* y todos los que le han seguido, ha desencadenado una polémica en toda regla —que está muy lejos de haberse terminado—, con opiniones para todos los gustos, me ha parecido que, de momento al menos, no valía la pena entrar en disquisiciones sobre el futuro, y que bastaba presentar como muestra sobre el «estado de la cuestión» a autores tan significativos como Brian J. L. BERRY, Edgar C. CONKLING y Michel RAY[3] —que a su vez utilizan el material de MEADOWS con una devoción que desde luego no comparto— acompañando su información con algunos datos aportados por quienes opinan de otros modos.

Los puntos a tocar serían los referentes a disponibilidades de energía, metales, tecnologías, conservación de recursos y calidad del medio ambiente.

Por supuesto el enfoque de estas cuestiones no es aquí el clásico de la geografía económica, sino siempre en función de la población, de sus necesidades y de la consiguiente demanda de recursos —en este caso no renovables—. Las diferencias de criterios y las dificultades de valoración de las reservas son sobradamente conocidas y para obviarlas, hasta donde se puede, BERRY y sus colaboradores utilizan la tabla 4 de MEADOWS[4] en la que estos autores, para medir la duración de las reservas de 19 recursos no renovables, utilizan un *índice estático,* un *índice exponencial* —según el crecimiento de la tasa media de las tres de crecimiento proyectado que consideran— y aun otro *índice exponencial* calculado incrementando cinco veces los recursos conocidos. En su oportuno momento haremos uso de estos datos.

1.   Las fuentes de energía

La trágica desigualdad entre países desarrollados y subdesarrollados vuelve a ponerse de manifiesto en el terreno de la cantidad y clases de energía de que disponen unos y otros, globalmente y por habitante.

La revolución industrial se inició, y se continúa, con las tecnologías que supieron, y saben, disponer y manejar cantidades siempre crecientes de energía mecánica.

En los países subdesarrollados abundan, en cantidad inconcebible para un hombre de un país industrial, los criados, porteadores, artesanos y obreros manuales; son, en realidad, una manifestación del paro encubierto, del desempleo. Tal vez el ejemplo

---

[3] *The Geography of Economics Systems* (1976).
[4] *Los límites del crecimiento.*

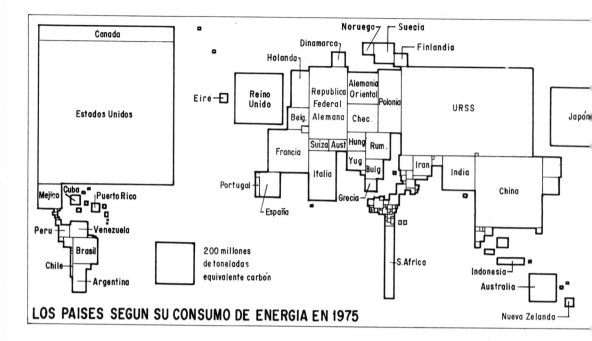

Fig. 5.2.1.—Según «The Times-Concise Atlas of the World».

más grandioso de este predominio de la energía humana lo dio China, cuando construyó sus grandes embalses casi exclusivamente con los brazos de los obreros de las comunas.

En los países industriales es casi un axioma que lo más caro, proporcionalmente, es la mano de obra; todo lo que puede hacer la máquina no lo hacen los hombres, el artesano llega así a ser casi un artista, una persona cuyo trabajo es altamente remunerado, lo mismo que el de los obreros especializados.

Se calcula —BERRY, CONKLING, RAY— que en la actualidad los Estados Unidos consumen más de un tercio de toda la energía que se produce en el mundo, y que su consumo, por habitante, de energía es más de seis veces mayor que la media del mundo. Canadá le sigue muy de cerca y la Unión Soviética consume a su vez casi el 16 por 100 de la energía total consumida por el mundo.

En cambio, en el otro extremo del cuadro, la totalidad de los países subdesarrollados consume tan sólo el 15 por 100 de la energía generada en el mundo, aunque su población equivale casi al 80 por 100 de la mundial[5].

Prescindiendo del uso de animales de tiro, del viento y la combustión de vegetales, aprovechados de antiguo, las fuentes de energía principales actualmente son: el agua (corriente y almacenada), los combustibles fósiles (carbón, crudos del petróleo, gas natural), la energía nuclear, y, en algunos lugares en que se explota comercialmente la

_____

[5] En el capítulo en que se habla de la población de los países desarrollados y en desarrollo se da una tabla de varios países seleccionados en que estas diferencias entre unos y otros se cuantifican en las cifras de consumo per cápita de energía en equivalencia Tm de carbón.

energía que procede del calor interno de la Tierra, la geotérmica. Están en una fase experimental la utilización de la energía implícita de las mareas y la directa del Sol. Obviamente la base de todas las fuentes de energía es la energía solar.

Obviamente, también muchos de estos recursos naturales no son sólo fuentes de energía, sino también materia prima de muchos bienes de consumo. Son casi innumerables los subproductos de la destilación de los crudos del petróleo, y hace muchos años que se dijo ya, avalando la importancia de la química orgánica, que el peor uso que se puede hacer del carbón es quemarlo.

Evidentemente en cada momento, después de la iniciación del revolución industrial, ha primado una fuente de energía: tras el carbón vino la electricidad, que aparte de darle un nuevo uso, exigió almacenar el agua para producir la hidroelectricidad; a ambos se sumó luego el petróleo, que apoyado en su bajos precios después de la Segunda Guerra Mundial, relegó al carbón a un segundo plano. Ahora la crisis del petróleo, desencadenada en 1973 y en plena fase paroxismal, hace volver los ojos de nuevo hacia el carbón y otras fuentes de energía menos utilizadas, en especial la nuclear.

A pesar de la crisis del petróleo, es previsible que el consumo de energía aumente vertiginosamente. Se estima que en lo que queda de nuestro siglo las necesidades de energía de los Estados Unidos se doblarán y las del mundo se multiplicarán por tres. Parece que la mitad de este incremento será debida al aumento del consumo de energía per cápita y la otra mitad al crecimiento de la población.

El problema es, como en el caso de los alimentos: ¿De cuánta energía podremos disponer? ¿De dónde la sacaremos? ¿En manos de quién estará? ¿Cómo se distribuirá?

Los autores, naturalmente, no están de acuerdo. En realidad, lo único cierto es que —humildemente, ¡hay que reconocerlo!— es muy difícil saber de cuánta energía podremos disponer, puesto que no sabemos qué pueden aportar las tecnologías futuras, ni qué curso tendrán los acontecimientos históricos. ¿Hubiera podido creer un cazador paleolítico que sobre los 100 Km² en que se movía prácticamente él solo, con su pequeña horda, surgiría una ciudad de más de un millón de habitantes, cada uno de los cuales come y vive infinitamente mejor que él?

1.1. *El agua*

El agua es mucho más que una fuente de energía y un camino —o la plataforma de infinitos caminos—: forma parte de nuestra biología, se integra en nuestra dieta, es imprescindible para nuestra vida; la industria moderna la consume en cantidades crecientes y muy grandes. Todo ello sin contar con que en sí misma constituye y alberga los ecosistemas más extensos de nuestro planeta.

Pero aunque ahora no se tenga en cuenta este importantísimo aspecto, el agua de que podemos disponer, la que toma parte en el *ciclo hidrológico* —38.000 Km³, el 1 por 100 de la cantidad total—, es un «bien escaso» —hay que tomar conciencia de ello— y su buena administración es uno de los problemas más importantes de nuestro tiempo. Por eso, aunque rebasa con mucho el tema de las fuentes de energía, considero que merece la pena subrayar ahora su importancia.

En el Informe al Club de Roma coordinado por TINBERGEN[6], dos de sus colaborado-

---

[6] Páginas 38 y 39 de la versión francesa.

res, Robert GRIBAT y Tetsuo NOGUCHI, han resumido el estado de la cuestión. El 1 por 100 disponible, el del «ciclo hidrológico del agua» —el resto se almacena en los océanos, los casquetes polares cubiertos de hielo y el subsuelo—, es suficiente para satisfacer las necesidades previsibles actualmente, pero está también desigualmente distribuido; por ejemplo: África sólo recibe el 12 por 100 de este agua, a pesar de la que cae en sus áreas tropicales húmedas y ecuatoriales.

El agua es el factor más importante para mejorar las condiciones de vida de las poblaciones atrasadas. Los autores que se acaban de citar[7] consideran que aproximadamente el 70 por 100 de la población mundial sufre de falta de agua, en cantidad o en calidad. Se calcula que las enfermedades de origen hídrico causan la muerte de 25.000 personas por día. Las *schistosomiasis y filariosis,* que están en la base de la mayor parte de los procesos de ceguera, afectan a 450 millones de seres humanos repartidos por más de 70 países. El agua contaminada es la causa próxima de muchas enfermedades tristemente famosas: malaria, fiebres tifoideas, cólera, disentería, hepatitis.

Por otra parte, algunos países industriales casi consumen más agua que la que el ciclo natural produce sobre su territorio. Desde 1970, en los países industrializados la industria consume más agua que la agricultura. Los tratamientos químicos de muchos productos y la refrigeración exigen cantidades enormes de «agua industrial», que en buena parte puede reciclarse y volverse a usar, pero que en muchos países, en España también, se devuelve a los ríos contaminada.

Se explica perfectamente que los ecologistas se preocupen cada vez más de la conservación y «defensa» de las aguas continentales y oceánicas.

1.2. *Los combustibles fósiles*

Todos los países industriales obtienen la mayor parte de la energía que consumen de los combustibles fósiles (sólidos, carbones; líquidos, crudos del petróleo, o gaseosos, gas natural). Tomando en cuenta su lentísimo proceso de formación los combustibles fósiles pueden perfectamente considerarse a la escala de tiempo humano como recursos esencialmente no renovables. Las tablas 5.2.1 y 5.2.2 nos dan una visión de conjunto.

La tabla 5.2.1 está extractada del Informe MEADOWS al Club de Roma, y junto a las discutidas cifras sobre «reservas globales conocidas», nos resume una situación que es muy sabida. Desde el punto de vista de las reservas y la producción del carbón los «tres grandes» son USA, URSS y China. En cuanto al gas natural, detentan también la hegemonía, tanto por las reservas como por la producción, USA y URSS. Las reservas de petróleo de Oriente Medio son mayoritarias, pero en cuanto al consumo, los dos primeros son Estados Unidos y la URSS de nuevo, y a ellos viene a sumarse Japón.

Lo más discutido de la tabla de MEADOWS son las «predicciones» sobre la duración de las reservas. Más adelante resumimos el parecer de A. J. SURREY y A. J. BROMLEY[8] en el informe de la Universidad de Sussex sobre «Los límites al crecimiento»[9].

---

[7] Resumiendo las comunicaciones de la *Conferencia Mundial del Agua,* celebrada en Buenos Aires, en marzo de 1977, por iniciativa de la Organización de Naciones Unidas.

[8] *Energy Resources,* págs. 90 a 107, de H. S. D. COLE y otros.

[9] H. S. D. COLE y otros, *Thinking about the Future. A critique of The Limits to growth.*

TABLA 5.2.1

Reservas de combustibles según «Los límites al crecimiento» (Informe al Club de Roma)

Combustibles fósiles	Reservas globales conocidas (1)	Índice estadístico (años) (2)	Tasa de crecimiento proyectada (% por año)			Índice expo-nencial (años) (4)	Índice expo-nencial (años) 1 × 5 (5)	Países con las mayores reservas (% del total mundial) (6)	Primeros productores (% del total mundial) (7)	Primeros consumidores (% del total mundial)	Consumo de USA (% del total mundial del consumo)
			Alta	Media (3)	Baja						
Carbón	5×10^{12} toneladas	2300	5,3	4,1	3,0	111	150	USA (32) URSS-China (53)	URSS (20) USA (13)		44
Petróleo	455×10^{9} barriles	31	4,9	3,9	2,9	20	50	Arabia Saudí (17) Kuwait (15)	USA (23) URSS (16)	USA (33) URSS (12) Japón (6)	33
Cas natural	$1,14 \times 10^{15}$ pies cúbicos	38	5,5	4,7	3,9	22	49	USA (25) URSS (13)	USA (58) URSS (18)		63

Datos extraídos del Informe MEADOWS.

(1) Según U.S. Bureau of Mines, «Mineral Facts and Problems», 1970.
(2) Número de años que durarían las reservas globales conocidas, si se consumieran al ritmo actual.
(3) Se trata del crecimiento del consumo de las reservas conocidas.
(4) Número de años que durarían las reservas globales conocidas si el consumo creciera exponencialmente según la tasa de crecimiento anual media. Se

ha calculado según la fórmula índice exponencial $= \dfrac{\ln\,[(r \cdot s) + 1]}{r}$ siendo r la tasa media de crecimiento proyectado medio y s el índice estadístico.

(5) Índice exponencial calculado considerando cinco veces mayores las reservas globales conocidas.
(6) La misma fuente que 1.
(7) NACIONES UNIDAS, Statistical Yearbook, 1969.

TABLA 5.2.2

Energía: producción y consumo

(Cantidades: En millones de toneladas métricas equivalencia hulla. Por habitante: kilos equivalencia hulla)

Mundo y regiones	Año	Producción de energía primaria comercial					Total energía		Consumo			
		Total energía primaria	Hulla y lignito	Crudos de petróleo y gas líquido	Gas natural	Electricidad hidráulica y nuclear	En conjunto	Por habitante	Combustibles sólidos	Combustibles líquidos	Gas natural	Electricidad hidráulica y nuclear
Mundo	1970	7.350	2.399	3.473	1.323	154	6.782	1.881	2.410	2.914	1.304	154
	1976	8.951	2.702	4.359	1.662	228	8.318	2.069	.696	3.733	1.662	228
África	1970	501	60	434	4	3	109	309	59	45	2	3
	1976	537	81	429	21	5	164	397	77	73	10	5
Norteamérica	1970	2.367	567	895	852	53	2.445	10.852	511	1.044	837	53
	1976	2.308	622	789	810	87	2.716	11.395	570	1.244	814	87
América Central	1970	396	5	351	36	4	138	1.126	6	93	35	4
	1976	328	9	275	39	5	185	1.265	10	130	39	5
Sudamérica	1970	72	5	52	10	7	110	702	8	86	10	7
	1976	101	5	68	14	13	158	868	10	120	15	13
Asia (Oriente Medio)	1970	1.064	7	1.028	28	1	81	776	7	47	27	1
	1976	1.688	8	1.624	54	2	144	1.169	9	92	42	2
Asia (sin Oriente Medio)	1970	251	133	87	15	16	546	492	179	338	13	16
	1976	351	142	152	34	23	704	557	200	449	32	23
Europa (sin Europa Oriental)	1970	557	381	29	99	47	1.368	3.862	448	771	101	47
	1976	680	330	65	226	60	1.573	4.289	394	868	251	60
Oceanía	1970	73	55	13	2	3	78	4.031	35	38	2	3
	1976	126	80	33	9	4	106	4.953	44	49	9	4
Países comunistas (1)	1970	2.071	1.187	584	277	22	1.907	1.641	1.156	451	278	22
	1976	2.832	1.424	925	454	29	2.570	2.030	1.383	708	450	29

(1) Comprende: Este de Europa, China, Mongolia, República Democrática de Corea, Vietnam y URSS.

Procedencia: NACIONES UNIDAS, Statistical Yearbook, 1977.

Mucho más completa y rica en información es la tabla 5.2.2 sobre «Producción y Consumo de Energía Primaria Comercial», tomada del *Anuario Estadístico* de las Naciones Unidas correspondiente a 1977.

Como la energía producida y consumida está referida a millones de toneladas «equivalencia hulla», resulta fácil comparar la producción y consumo de las distintas fuentes de energía, pero no debe olvidarse que el resto de las tablas que acompañan a este capítulo no se expresan en «equivalencia hulla», y así esta tabla no es comparable con las demás.

A escala del mundo resulta muy claro que la energía que se produce y consume de los combustibles líquidos y el gas natural es mucho mayor que la obtenida y consumida de los carbones.

Es también digno de subrayarse el poco peso que tienen aún la energía procedente de la hidroelectricidad y la electricidad de origen nuclear.

Dentro de la clasificación regional establecida por la ONU en esta tabla, se aprecia un claro contraste entre los países comunistas, Europa (sin Europa Oriental) y Norteamérica.

En los países comunistas se produce y consume más energía procedente del carbón que de los crudos de petróleo y gas, y su producción es siempre superior al consumo.

En Europa (sin Europa Oriental) la producción de energía primaria comercial obtenida del carbón es cinco veces superior a la producción de energía de origen en los crudos de petróleo y gas líquido. El consumo de combustibles líquidos, en cambio, es más del doble del de combustibles sólidos, y más de trece veces mayor que la cantidad que produce. América del Norte produce más energía a partir de los crudos de petróleo y gas líquido que de la hulla y los lignitos, pero consume más energía de la que obtiene procedente de combustibles líquidos, mientras la que consigue del carbón es ligeramente superior a la que consume.

La columna del consumo de energía por habitante vuelve a traernos la imagen del tremendo contraste entre regiones ricas y pobres. Un africano consumió 397 kilos equivalencia hulla en el año 1976, un norteamericano 11.395. Un asiático (no del Oriente Medio) consumió 557 kilos, un europeo (no oriental) 4.289. Los propios habitantes de los países petrolíferos de Oriente Medio no llegaron a consumir lo que es la cifra promedio del consumo del mundo.

1.2.1. *El carbón*

Las extensas tablas 5.2.3 y 5.2.4, con que se abre este apartado, nos informan, según cifras del *Anuario Estadístico* de la ONU para 1977, de las reservas en carbones duros (antracita y hulla) y en lignitos, así como de su producción por países en los años 1970 y 1975.

En un régimen de autarquía total sería fácil calcular —suponiendo que la producción de 1975 permaneciera constante y no se detectaran más reservas— cuánto tiempo tardaría un país en agotar sus reservas. Pero esto sería tanto como ignorar el importantísimo comercio internacional del carbón, así como los cambios en el volumen de la extracción y la siempre posible detección de nuevos yacimientos y mejora de las técnicas extractivas.

Conviene, para interpretar estos datos, recordar lo que en esta publicación entienden

TABLA 5.2.3

Hulla: Recursos y producción

País o zona	Año	Recursos (en millones de toneladas métricas)				Producción (miles de toneladas métricas)	
		Reservas económicas in situ conocidas		Recursos adicionales	Total recursos	1970	1975
		Total	De ellas, consideradas recuperables				
Austria	1972	1	0	3	4	—	—
Bélgica	1973	253	127	—	253	11.362	7.889
Bulgaria	1972	29	29	5	34	397	330
Checoslovaquia	1966	5.540	2.493	6.033	11.573	28.194	28.394
España	1970	1.272	907	1.099	2.370	10.751	10.817
Francia	1973	1.380	443	—	—	37.838	2.644
Rep. Dem. Alemana	1956	200	100	—	200	1.049	539
Alemania, Rep. Fed.	1971	44.001	30.000	186.303	230.304	116.341	96.755
Hungría	1966	450	225	264	714	4.151	3.021
Irlanda	1967	22	18	26	48	156	48
Italia	1973	1	—	—	1	295	2
Holanda	1955-73	3.705	1.843	—	3.705	4.334	—
Noruega	1972	2	2	150	152	461	389
Polonia	1967	32.425	17.800	13.316	45.741	140.101	171.625
Portugal	1972	15	8	—	—	271	222
Rumanía	1966	70	50	520	590	6.402	7.320
Suecia	1967	60	30	30	90	12	11
URSS	1971	165.802	82.900	3.827.555	3.993.357	432.715	484.675
Reino Unido	1973	98.877	3.871	63.937	162.814	147.109	128.676
Yugoslavia	1971	82	70	22	104	643	598
Afganistán	1965	—	—	—	85+	164	150
Bangladesh	1966	760	152	711	1.471	—	—
Birmania	1960	13	7	8	21	11	15
China	1913	300.000+	80.000+	711.000+	1.011.000+	360.000+	470.000
India	1972	21.365	10.683	59.588	80.953	73.694	95.890
Indonesia	1962-72	163	80	410	573	172	206
Irán	1972	385	193	—	385	1.050	1.000
Japón	1973	7.443	933	—	7.443	39.694	18.999
Corea (Rep. Democ.)	—	—	—	—	—	21.800+	35.000
Rep. de Corea	1974	890	544	560	1.450	12.394	17.585
Mongolia	—	—	—	—	—	85	171
Pakistán	1966	24	17	166	190	1.315	1.313
Filipinas	—	—	—	—	—	42	105
Turquía	1972	191	134	1.100	1.291	4.573	4.813
Vietnam	1952	200	—	800	1.000	2.990+	4.250+
Argelia	1957	9	5	11	20	13	8
Botswana	1961	506	506	—	—	—	71
Egipto	1965	25	13	—	—	—	—

TABLA 5.2.3 (continuación)

Hulla: Recursos y producción

País o zona	Año	Recursos (en millones de toneladas métricas)				Producción (miles de toneladas métricas)	
		Reservas económicas in situ conocidas		Recursos adicionales	Total recursos	1970	1975
		Total	De ellas, consideradas recuperables				
Madagascar	1963	60	30	—	—	—	—
Marruecos	1960	15	15	81	96	433	652
Mozambique	1963	—	—	—	700+	351	575
Nigeria	1963	359	180		—	59	237
África del Sur	1969	24.224	10.584	20.115	44.339	54.612	69.440
Rodesia del Sur	1960	1.760	1.390	4.853	6.613	3.171	2.493+
Swazilandia	1961	2.022	1.820	3.000	5.022	138	127
Rep. Unida de Tanzania	1967	309	180	61	370	3	1
Zaire	1920	720	720	—	—	102	90
Zambia	1973	74	51	80	154	623	814
Argentina	1972	155	100	400	555	616	502
Brasil	1972	3.256	1.790	—	—	2.361	2.817
Canadá	1970-73	8.463	5.080	88.578	97.041	11.598	21.710
Chile	1969-72	97	58	3.848	3.945	1.351	1.434
Colombia	1971	150	109	3.950	4.100	2.268	3.447
Méjico	1973	5.316	629	6.684	12.000	2.959	5.193
Perú	1966	211	105	2.123	2.334	156	0+
USA	1972	317.451	158.725	1.968.312	2.285.763	530.163	575.901
Venezuela	1953-72	14	11	831	845	40	60
Australia	1972	25.540	14.165	86.325	111.865	45.214	60.696
Nueva Caledonia	1952	5	3	10	15	—	—
Nueva Zelanda	1969	287	172	381	678	2.196	2.276
Mundo		1.076.661	430.101	7.063.288	8.134.374	2.143.189	2.366.137

FUENTE: UNITED NATIONS, *Statistical Yearbook, 1977*.
Elaboración: J.M.C.T.

TABLA 5.2.4

Lignito: Recursos y producción

| País o zona | Año | Recursos (en millones de toneladas métricas) | | | | Producción (miles de toneladas métricas) | |
| | | Reservas económicas in situ conocidas | | Recursos adicionales | Total recursos | 1970 | 1975 |
		Total	De ellas, consideradas recuperables				
Mundo		340.387	160.574	2.291.445	2.628.607	792.652	862.830
Austria	1972	147	64	26	173	3.670	3.397
Bulgaria	1972	4.358	4.358	840	5.198	28.854	27.515
Checoslovaquia	1966	8.234	3.870	1.623	9.857	81.783	86.272
Dinamarca	1970	20	20	—	20	135	—
España	1970	930	736	262	1.192	2.831	3.380
Francia	1973	27	15	—	—	2.785	3.186
Rep. Dem. Alemana	1966	30.000	25.200	—	30.000	261.482	246.706
Rep. Feder. Alemana	1972	55.521	9.571	330	55.851	107.766	123.377
Grecia	1961	908	680	667	1.575	8.081	18.408
Hungría	1966	2.900	1.450	2.779	5.679	23.679	21.867
Italia	1972	110	33	—	110	1.393	1.213
Polonia	1967	6.449	4.840	8.413	14.862	32.767	39.865
Portugal	1972	27	25	—	—	—	—
Rumanía	1966	1.367	1.100	2.533	3.900	14.129	19.771
URSS	1971	107.402	53.700	1.612.922	1.720.324	144.745	160.216
Yugoslavia	1971	17.894	16.800	3.753	21.647	27.779	34.939
Birmania	1951	—	—	265	—	—	—
India	1972	1.795	897	231	2.026	3.545	2.790
Indonesia	1920-50	1960	980	—	—	—	—
Japón	1973	1.185	93	—	1.185	197	61
Mongolia	—	—	—	—	—	1.915	2.555
Pakistán	1977	22	15	258	280	—	—
Filipinas	1973	91	46	—	—	—	—
Thailandia	1967	235	118	—	—	400	462
Turquía	1972	2.702	1.891	3.289	5.991	4.437	7.112
Madagascar	1963	18	9	14	32	—	—
Mozambique	1969	100	80	300	400	—	—
Nigeria	1957	90	45	—	—	—	—
Canadá	1970	571	457	11.165	11.736	3.465	3.549
Chile	1966	355	248	5.010	5.365	63	46
Perú	1966	—	—	4.630	4.630	—	—
USA	1972	46.112	23.056	592.634	638.746	5.409	17.979
Venezuela	1953	—	—	26	26	—	—
Australia	1973	48.801	10.160	37.901	86.702	24.175	28.177
Nueva Zelanda	1969	56	17	340	396	190	137

FUENTE: UNITED NATIONS: *Statistical Yearbook, 1976.*
Elaboración: J.M.C.T.

las estadísticas de las Naciones Unidas por: *Reservas económicas, in situ, conocidas; Reservas conocidas recuperables, y Reservas adicionales.*

Reservas económicas, in situ, conocidas.—Son estimaciones de los yacimientos considerados económicos, basados en el estudio de muestras, en la medición y en el conocimiento con cierto detalle de la calidad o grado de los depósitos. No se toman en cuenta como criterios para inclusión en esta categoría ni el espesor, ni la profundidad de las capas, sino más bien si los depósitos son o no económicamente explotables.

Reservas conocidas recuperables.—Son aquella porción de las reservas económicas *in situ conocidas* que, en las condiciones económicas y técnicas corrientes, pueden ser actualmente extraídas. Debe tenerse presente que una parte del carbón queda siempre en el yacimiento, precisamente por exigencias de la propia extracción del resto (muros, columnas, etc.).

Recursos adicionales.—Se consideran así aquellos depósitos conocidos que no se han incluido en la categoría *reservas económicas, in situ, conocidas,* así como estimaciones de recursos que es posible que existan en zonas no prospeccionadas, o en depósitos no descubiertos en regiones susceptibles de contenerlos. Es decir, abarcan las reservas cuya existencia es razonable suponer sobre la base de un conocimiento general de las condiciones geológicas favorables a ella. Las estimaciones se basan, pues: o en los resultados de informaciones geológicas y exploratorias sobre la zona, o sobre la evidencia del paralelismo en ella de las condiciones geológicas que se dan en áreas de depósitos conocidos.

1.2.1.1. *Las reservas de carbón según el informe de la Universidad de Sussex*

Lo que se pretende en este tema no es, ¡ni mucho menos!, llegar a conclusiones definitivas sobre las reservas reales de combustibles sólidos y cuándo van a terminarse. Creo

TABLA 5.2.5

Reservas mundiales de carbón estimadas (Tm $\times$ 10^9)

Área	Carbón duro			Carbón blando			Carbones duros y blandos		
	Medido	Total	% del total	Medido	Total	% del total	Medido	Total	% del total
Norteamérica	114,8	1.164,5	17,3	21,6	430,1	20,4	136,4	1.594,6	18,1
Sudamérica	3,9	26,2	0,4	0,4	10,0	0,5	4,3	36,2	0,4
África	41,7	85,5	1,3	—	0,1	—	41,7	85,6	1,0
Asia (sin China) ...	—	1.011	15,1	—	0,7	—	—	1.011,7	11,5
Europa Occidental .	88,3	96,8	1,4	64,3	67	3,2	152,6	163,8	1,8
Europa Oriental ...	39,1	60,1	0,9	27,3	89,5	4,3	66,4	149,6	1,7
URSS	145,1	4.121,6	61,4	104,4	1.406,4	66,8	249,5	5.528,0	62,7
Oceanía	3,3	16,8	0,2	48,4	96,0	4,6	51,7	112,8	1,3
Mundo	456,4	6.714,1	100	269,0	2.104,5	100	725,4	8.816,6	100

FUENTE: *World Power Conference Survey of Energy Resources,* 1968, tomado de SURREY y BROMLEY.
(En COLE y otros, pág. 99).

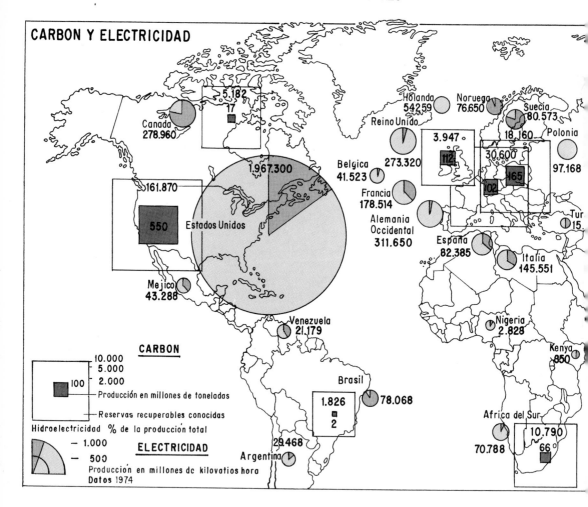

que ha quedado sobradamente repetido que esa pretensión es imposible, puesto que las técnicas nuevas, los sucedáneos, y las formas de explotación y de consumo cambian según la coyuntura.

Lo que realmente se quiere hacer ver es que todos estos cálculos, tan de moda ahora, ¡y tan complicados!, conducen a resultados diferentes según los principios de que se parta, la información de que se disponga, qué programa se les aplique... y lo que se pretenda con ellos.

En este sentido es muy ilustrativo el informe sobre el carbón que, contestando a los «Límites al crecimiento» de MEADOWS, publicaron SURREY y BROMLEY en *Thinking about the Future*[10].

---

[10] COLE, FREEMAN y otros, págs. 90 a 107.

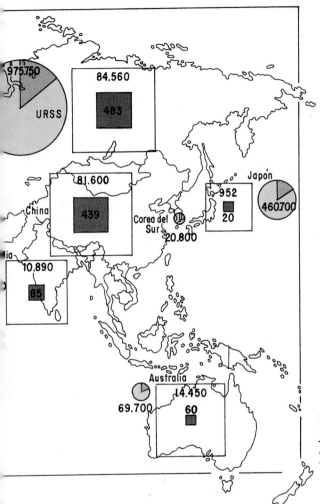

Mapa V.2.1.—*Carbón: Producción y reservas. Electricidad: Producción. Datos de 1974.* Base: «The Times - Concise Atlas of the World» (modificado).

Según estos autores existen «inventarios» mundiales de las reservas de carbón desde el año 1913, en que fueron evaluadas en 8.000×10^9 toneladas métricas. El más completo inventario de las reservas mundiales de carbón fue realizado para la Conferencia Mundial de la Energía de 1968; las condiciones técnicas acordadas señalaban un máximo de 1.200 metros de estéril sobre los yacimientos de carbón y un espesor mínimo de las capas de 30 centímetros. No debe perderse tampoco aquí de vista que no todas las reservas de carbón estimadas son comercialmente explotables a los costos y precios corrientes.

Redondeando las cifras, las reservas mundiales «medidas» de carbones duros (antracitas y hullas) son 460×10^9 Tm, y las de carbones blandos (lignitos) 270×10^9 Tm. Las proporciones de carbón recuperable cambian según los lugares y las técnicas empleadas. Teóricamente, los métodos de extracción a cielo abierto supondrían una recuperación al 100 por 100, pero los autores del informe de 1968 consideran que sólo el 50 por 100 de las reservas medidas puede económicamente ser extraído, lo cual significa, manteniendo las tasas de consumo actuales, una duración de las reservas medidas de 100 años para los carbones duros y 300 para los blandos. Es obvio que una más eficaz técnica de extracción —65 por 100 permiten las técnicas modernas— incrementaría proporcionalmente las reservas.

Utilizando la terminología aceptada por estos autores como más general, puede decirse que las reservas meramente *indicadas* —obtenidas de observaciones poco numerosas— e *inferidas* —basadas sólo en el conocimiento de las características geológicas de la región o los yacimientos— arrojan cifras mucho mayores que las reservas *medidas;* del orden de 15 veces mayores las de carbones duros y ocho veces las de los blandos.

La mayor autoridad mundial según SURREY y BROMLEY en la cuestión de las reservas de carbón, AVERIT, dio una estimación de las reservas mundiales, incluyendo en sus cálculos las reservas adicionales de depósitos no explorados, que no tomó en cuenta la Conferencia Mundial de la Energía de 1968, pero limitándose a su vez a evaluar tan sólo las reservas de carbón a una profundidad menor de 4.000 pies (1 pie = 0,305 m) y en capas de un espesor mayor de 12 pulgadas (1 cm = 0,394 pulgada).

Dentro de estos límites, AVERIT llegó a la conclusión de que los recursos mundiales de carbón son 15.240×10^9 Tm, en lugar de 8.816×10^9 Tm que calculó la Conferencia de 1968, o los 5.000×10^9 de MEADOWS.

Apoyándose en las estimaciones de AVERITT, KING HUBERT ha calculado que el carbón puede seguir siendo durante 340 años una de las grandes fuentes de energía del mundo. Las reservas físicas de carbón parece improbable, según estos autores, que supongan una limitación al crecimiento económico del mundo. El problema real está en los costos de extracción y transporte, así como en el deterioro medioambiental y paisajístico, y la creciente lógica repugnancia de los obreros a trabajar en minas profundas que no pueden ser automatizadas.

1.2.2. *Los combustibles líquidos*

Como consecuencia de la política de precios que practican los países productores y, sobre todo, del intensísimo uso que se hace de él como combustible y como materia prima de infinidad de productos, el petróleo es hoy el combustible fósil buscado con más avidez e intensidad en todo el mundo.

Bajo esta denominación se incluye el «crudo de petróleo» (un líquido) y el gas natural (principalmente metano) que suele ir asociado con el crudo. En realidad, el petróleo es una compleja mezcla de hidrocarburos —el oxígeno y el hidrógeno pueden combinarse de muchos modos—, y como resultado de ello hay muchas clases de petróleos, como puede verse en la tabla 5.2.6. Hay petróleos ligeros y petróleos pesados. Los ligeros son más ricos en gasolina, pero las refinerías modernas permiten obtener fracciones ligeras de los crudos pesados.

El problema para localizar el petróleo y el gas es que, a diferencia del carbón, es más móvil y forma bolsadas más pequeñas, en las que el gas está en parte disuelto en el líquido y en parte en el techo de la bolsa. El líquido es capaz de migraciones laterales importantes. El gas natural mucho más, hasta el extremo de que puede encontrársele totalmente separado y distante del crudo del petróleo.

A pesar de la importancia del carbón no puede negarse que nuestra civilización téc-

TABLA 5.2.6

Petróleo crudo (reservas y producción)

País o zona	Peso específico	Reservas en millones de Tm	Producción en miles de Tm	
		1976	1970	1975
Mundo		74.713	2.276.868	2.649.706
Albania	0,94	19	1.487	2.300+
Austria	0,90	23	2.798	2.037
Bulgaria	0,86	2	334	122
Checoslovaquia	0,93	2	203	142
Dinamarca	0,82	7	—	148
España	0,84	33	151	2.028
Francia	0,86	7	2.309	1.028
Rep. Democrática Alemana	0,86+	3	90+	56
Rep. Federal Alemana	0,87	44	7.535	5.741
Hungría	0,94	30	1.937	2.006
Italia	0,92	48	1.405	1.071
Holanda	0,92	13	1.919	1.419
Noruega	0,845	785	—	9.276
Rumanía	0,84	160	13.377	14.590
URSS	0,856	8.152	353.039	490.801
Reino Unido	0,86	1.373	83	1.223
Yugoslavia	0,85	47	2.854	3.696
Bahrain	0,858	36	3.825	3.050
Brunei	0,84	254	6.685	9.350+
Birmania	0,89	9	801	972
China	0,86+	2.461	23.930+	75.000+
India	0,83	396	6.809	8.283
Indonesia	0,848	1.547	42.598	64.138
Irán	0,862	6.596	191.296	267.623
Irak	0,846	4.735	76.457	111.168
Israel	0,87	0	5.019+	5.056+
Japón	0,86	4	770	606
Kuwait	0,862	10.029	150.636	105.232
Malasia	0,82	196	859	4.673
Omán	0,86	432	16.583	17.016
Pakistán	0,86	12	501	306
Qatar	0,83	674	17.373	21.102
Arabia Saudí	0,852	15.455	188.408	352.394
Thailandia	0,86	0	10	6+
Turquía	0,88	12	3.542	3.095
Emiratos Árabes Unidos	0,846	3.532	37.699	82.058
Argelia	0,806	1.231	48.970	47.662
Angola	0,851	179	5.065	7.840
Congo	0,84	64	19	1.789
Egipto	0,869	218	16.404	11.734

TABLA 5.2.6 (continuación)

Petróleo crudo (reservas y producción)

País o zona	Peso específico	Reservas en millones de Tm	Producción en miles de Tm	
		1976	1970	1975
Gabón	0,872	76	5.423	11.275
Libia	0,831	3.244	159.814	71.533
Marruecos	0,83	0	44	20
Nigeria	0,857	1.662	54.203	88.440
Túnez	0,82	299	4.151	4.609
Zaire	0,86+	19	—	26
Argentina	0,899	362	20.026	20.773
Bolivia	0,80	19	1.122	1.874
Brasil	0,837	110	7.980	8.352
Canadá	0,846	842	60.375	67.967
Chile	0,84	51	1.468	994
Colombia	0,89	129	11.327	8.102
Cuba	0,95	—	159	157+
Ecuador	0,873	183	193	8.155
Méjico	0,887	1.127	21.501	36.546
Perú	0,85	98	3.550	3.578
Trinidad y Tobago	0,89	92	7.222	11.216
USA	0,85	4.181	475.289	413.090
Venezuela	0,90	2.608	194.306	122.400
Australia	0,846	307	8.494	20.159
Nueva Zelanda	0,784	75	58	180

FUENTE: NACIONES UNIDAS, *Statistical Yearbook, 1977.*

nica se apoya fundamentalmente en el petróleo; tal vez los historiadores futuros identifiquen esta época como el corto período en la historia del mundo en que la humanidad tuvo en el petróleo su principal fuente de energía. Ya se ha dicho, no obstante, que el petróleo no es sólo un líquido del que se obtienen una importantísima serie de combustibles —gasolinas, keroseno, gas-oil, fuel-oil— y lubricantes, sino también la materia prima de infinidad de productos petroquímicos.

La tabla 5.2.6 nos da una pormenorizada información, pero siguiendo a SURREY y BROMLEY podemos tener una visión más esquemática de los recursos existentes y su posible duración.

Estos autores presentan la situación en 1971, antes de la crisis de 1973, que significa un «viraje» fundamental en la historia económica contemporánea, utilizando una información de la revista *World Oil* de 15 de agosto de 1972.

Estos datos están ya anticuados como puede verse comparándolos con los de 1975 que se han dado antes, los cuales, evidentemente, tampoco corresponderán a los del mo-

TABLA 5.2.7

Reservas comprobadas estimadas de petróleo crudo y gas natural en 31-XII-1971

Área	Reservas de petróleo crudo (barriles × 10⁹)	% del total de las reservas de petróleo crudo	Reservas de gas natural (pies cúbicos × 10¹²)
Norteamérica	49,2	8,6	345,3
de la cual USA	38,1		
Sudamérica	25,2	4,4	55,6
de la cual Venezuela	13,7		
Europa Occidental	6,8	1,2	161,1
de la cual Reino Unido	3,0		
de la cual Noruega	2,0		
Europa Oriental	62,1	10,9	653,4
de la cual URSS	60,0		
África	50,9	8,9	197,6
de la cual Libia	28,0		
de la cual Nigeria	10,0		
Oriente Medio	346,8	60,9	286,0
del cual Arabia Saudí	137,0		
del cual Kuwait	75,0		
del cual Irán	60,5		
del cual Irak	33,1		
Extremo Oriente	13,4	2,4	23,1
del cual China	12,5		
Oceanía	13,4	2,4	26,2
de la cual Indonesia	10,7		
Otras áreas	1,7	0,3	4,9
Mundo	569,5	100	1.753,2

FUENTE: *World Oil*, 15 de agosto de 1972. Tomado de SURREY y BROMLEY.

Nota: Aproximadamente, ya que depende del peso específico del crudo, siete barriles y medio equivalen a una tonelada métrica de petróleo crudo.

mento en que el lector está leyendo esto, pero esta misma acelerada transitoriedad de las cifras ilustra muy bien las características y dificultades del tema.

Los mismos autores a los que ahora resumo subrayan que la cifra de 570 mil millones de barriles de petróleo estimados como reserva comprobada a fines de 1971 significaban una cifra 5,7 veces más grande que la de las reservas comprobadas 20 años antes.

En estos 20 años la mayor detección de reservas comprobadas se efectuó en Oriente Medio, en donde se incrementaron más de seis veces las ya estimadas —de 52×10^9 a 347×10^9 barriles—. El Oriente Medio tenía en 1971 el 61 por 100 de las reservas comprobadas de crudo de petróleo del mundo. Es el mayor productor.

Las primeras estimaciones de las reservas totales parecen ser la de PRATT y la de LEVORSEN, en 1950, que las valoraron en 600×10^9 y 1.500×10^9 barriles, respectivamente. En la década de los 60 se dieron nuevas estimaciones: SHELL (1968), 1.800×10^9

barriles; WEEKS (1969), 2.200; HENDRICKS (1968), 2.480; KING HUBBERT (1969), entre 1.350 y 2.100×10^9 barriles, y WARMAN (1971), entre 1.200 y 2.000×10^9 barriles [11].

Estas estimables diferencias demuestran lo inseguro y difícil de las estimaciones basadas en las prospecciones realizadas, y las técnicas de extracción y precios de la época. Es cierto que en ellas se tenía en cuenta la posibilidad de descubrimientos imprevistos o casuales, así como las especulaciones que entonces se efectuaban sobre los posibles recursos por debajo de las aguas profundas, más allá de la plataforma continental, que exigirían técnicas casi completamente nuevas y costosísimas. Todo ello prueba qué poco margen de seguridad tenían todas estas estimaciones; pero aun aceptando las más bajas de HUBBERT y WARMAN (1.200 a 1.300×10^9 barriles) las reservas de petróleo serían siempre casi el triple de la estimación de MEADOWS (455×10^9 barriles).

Parece que la opinión de los geólogos prospectores de petróleo se inclinaba en 1974 a considerar que las reservas aún sin descubrir se localizarían: 1/3 de ellas en la URSS y China, 1/7 en Oriente Medio, 1/5 en Norteamérica, incluida Alaska, y 1/10 en Latinoamérica.

Oriente Medio, en cuanto a productor de petróleo, ocupa en el mundo una posición realmente singular y primerísima. La opinión de la mayoría de los geólogos es que no es posible encontrar en ninguna otra parte reservas de petróleo de tan grandiosas dimensiones. Esta circunstancia, dadas las características de nuestra tecnología, tan vinculada a los combustibles líquidos, convierte al Oriente Medio en el punto neurálgico más importante del mundo.

Lo que nos pueden durar las reservas de crudo de petróleo depende, como en otros casos, de la intensidad de la demanda futura, las dimensiones de las reservas y la eficacia de las técnicas de extracción. Como las reservas conocidas se agotarán en pocos años, si la tasa de crecimiento de la extracción se mantiene, el problema es evidentemente localizar nuevas reservas que permitan mantener el suministro. Parece que en los próximos 25 años una gran parte de las reservas adicionales conocidas se habrá consumido; todo dependerá, pues, en ese caso de las nuevas reservas que se localicen y del ritmo del consumo. Evidentemente, la necesidad obligará a obtener petróleo por métodos más costosos: alquitranes, pizarras bituminosas...

Una noticia de prensa [12] nos permite comprobar la actualidad y urgencia de este problema: el 30 de junio de 1980 el presidente Carter firmó una ley asignando 20.000 millones de dólares para préstamos del gobierno y garantía de los precios con objeto de acelerar la producción de petróleo y gas sintéticos, utilizando las vastas reservas de carbón y pizarras de los Estados Unidos. En el programa se pretende alcanzar una producción del equivalente a 500.000 barriles de petróleo por día en 1987. En esa fecha, si los problemas económicos, medioambientales y sociales del empleo en gran escala de los combustibles líquidos sintéticos han sido dominados, el programa prevé una aportación más del triple (68.000 millones de dólares) del gobierno con objeto de llegar a obtener dos millones de barriles de combustibles sintéticos al día en 1992, lo cual, aunque no liberaría a los Estados Unidos de la necesidad de importar, supondría un cierto alivio. Según datos del *Herald Tribune* de 2-VII-1980, la «dependencia de Estados Unidos del petróleo importado totaliza más de 6,5 millones de barriles al día» [13].

---

[11] Todos estos autores son citados por SURREY y BROMLEY.
[12] *International Herald Tribune,* 2 de julio de 1980, pág. 3.
[13] Es interesante recoger aquí que, en 1973, SURREY y BROMLEY, utilizando datos de «*US*

1.2.3.   El gas natural

Completo la información sobre el crudo de petróleo con los datos facilitados por el *Anuario Estadístico* de las Naciones Unidas sobre las reservas mundiales y producción de gas natural. El uso comercial de las enormes reservas de gas natural es todavía pequeño; sólo los EE.UU. han desarrollado hasta ahora una tecnología que hace un gran uso de este combustible, aunque ya todos los países industriales están incrementando su consumo, porque los altos precios de otros combustibles y las mejoras técnicas aplicadas al gas —gaseoductos, transporte de gas licuado en tanques, almacenamiento subterráneo refrigerado— permiten su creciente utilización como fuente de energía.

TABLA 5.2.8

Gas natural (reservas y producción)

País o zona	Kilocalorías por metro cúbico	Reservas (miles de millones de metros cúbicos) 1976	Producción (teracalorías) 1970	1975
Mundo	—	63.301	9.257.825	11.127.900
Albania	9.320	12	913	1.445
Austria	9.770	15	18.410	23.054
Bélgica	8.400	—	449	425
Bulgaria	8.400	14	3.978	929
Checoslovaquia	8.000	16	8.946	7.189
Dinamarca	—	57	—	—
España	10.045	11	367	11
Francia	9.100	117	64.666	68.926
República Dem. Alemana ..	3.120	89	4.880	22.686
República Fed. Alemana ...	8.400	296	109.721	160.068
Hungría	9.020	120	30.080	42.099
Italia	9.150	198	120.202	133.380
Holanda	8.465	1.759	266.618	763.163
Noruega	10.145	725	—	1.932
Polonia	8.280	139	44.410	50.020
Rumanía	9.520	163	233.845	302.990
URSS	8.330	22.116	1.598.402	2.406.795
Reino Unido	9.485	809	104.654	342.162
Yugoslavia	9.900	40	9.670	342.162
Afganistán	9.320+	—	24.074	27.624
Bahrein	9.320+	249	3.262	19.374
Bangladesh	8.675+	-	-	4.416
Birmania	9.320+	5	80	47

Energy Outlook, An Initial Appraisal, 1971-85». An Interim Report of the National Petroleum Council, vol. 2, tabla III, pág. XXVII, según citan en su estudio, decían que «si las tendencias y políticas continúan, los Estados Unidos importarán de 10 a 11 millones de barriles por día en 1980, lo cual representará aproximadamente el 50 por 100 del consumo USA de petróleo proyectado para ese año».

TABLA 5.2.8 (continuación)

Gas natural (reservas y producción)

País o zona	Kilocalorías por metro cúbico	Reservas (miles de millones de metros cúbicos) 1976	Producción (teracalorías) 1970	1975
China	9.320+	595+	15.845+	32.620+
India	9.320+	99	4.548	8.509
Indonesia	9.320+	510	28.631	58.660
Irán	9.400	10.619	115.018	205.240
Irak	9.320+	772	7.307	15.415
Israel	9.250	—	1.240	555
Japón	9.600	24	24.838	26.493
Kuwait	9.320	1.329	37.662	48.510
Malasia	9.320	340	699	741
Omán	—	64	—	—
Pakistán	8.675	421	30.232	44.598
Qatar	9.320+	1.309	9.339	20.588
Arabia Saudí	9.320+	2.075	21.073	52.783+
Emiratos Árabes Unidos	9.320+	587	2.126+	7.390+
Argelia	9.450	3.271	26.827	56.195
Angola	—	42	401+	606+
Congo	9.320+	28	93	158
Egipto	9.320+	62	792	10.400+
Gabón	9.320+	51	205	438
Libia	9.320	803	—	31.391
Marruecos	9.320+	—	440	707
Nigeria	9.320+	1.456	1.035	3.747
Ruanda	9.320+	—	—	—
Túnez	11.000	187	55	2.358
Zaire	—	2	—	—
Argentina	8.300	202	49.924	64.412
Barbados	9.320+	—	31	19
Bolivia	8.300	110	307	14.340+
Brasil	10.500	27	786+	5.882
Canadá	8.900	1.650	504.614	667.547
Chile	8.900	69	11.500+	10.950+
Colombia	9.730	181	13.177	17.483
Cuba	9.320+	—	—	158
Ecuador	11.570	44	160+	192+
Méjico	8.572	581	104.451	123.454
Perú	8.900	36	3.811	4.000+
Trinidad y Tobago	9.300	227	17.383	14.084+
USA	9.050	6.117	5.460.005	4.949.838
Venezuela	10.145+	1.220	91.204	113.565
Australia	8.900	813	13.375	44.731
Nueva Zelanda	10.160	170	1.085	3.282

FUENTE: UNITED NATIONS, *Statistical Yearbook, 1977.*

En realidad, antes de que las reservas de combustibles líquidos den físicamente claras muestras de agotamiento, ya parece tender a reducirse la tasa de incremento del consumo por varias razones: *a)* la reiterada subida de los precios del petróleo por parte de los países productores (OPEP); *b)* la política de sustitución de los crudos por otras fuentes de energía (el propio gas natural, la nuclear); *c)* las políticas gubernamentales tanto de países productores como consumidores para frenar el incremento del consumo.

Tal vez el hecho más destacable es la actual división del mundo en países excedentarios y países deficitarios de crudos y gas. Entre los primeros están los de Oriente Medio y la URSS, entre los segundos se encuentran la Comunidad Económica Europea, el Japón y los mismos Estados Unidos de América. Se comprende muy bien la ávida búsqueda de nuevas reservas, aunque sea en lugares lejanos de difícil acceso (Alaska, Mar del Norte) y se comprende también, aunque es muy triste y doloroso, que cualquier movimiento de tropas o de escuadras en Oriente Medio ponga en peligro la paz mundial.

1.3. La electricidad

La electricidad no es una fuente primaria de energía, sino derivada, puesto que tiene que haber una fuente primaria —el agua que salta, el carbón, el petróleo, el gas, la energía nuclear o la geotérmica— que haga marchar el generador que la produce.

Por otra parte, tiene la característica de un recurso que fluye, es muy difícil de almacenar, y excepto la que se pierde en la transmisión, se la consume a medida que se produce. A cortas distancias se transmite bien. Hacerlo a grandes distancias implica altos costos e importantes pérdidas. La dificultad de almacenar la producción enfrenta a los suministradores con la dificultad de prever una demanda que cambia: estacionalmente, día a día y hora a hora [14]

TABLA 5.2.9

Energía eléctrica: Producción

(En miles de millones de KWH)

Región	1965	1970	1975	1978	% crecimiento anual 1965-78
Mundo	3.382	4.923	6.481	7.617	6,45
Europa	999	1.407	1.785	2.044	5,66
URSS	507	741	1.039	1.191	6,79
Asia	363	612	904	1.151	9,28
África	58	87	131	155	7,86
Norteamérica	1.302	1.845	2.277	2.656	5,64
América Latina*	104	160	246	302	8,71
Oceanía	49	70	99	112	6,57

* América Latina incluye además de Sudamérica a México, América Central e islas del Caribe; cuando se la cita con Norteamérica, esta última, lógicamente, excluye a México en los datos que ofrece.

---

[14] Sigo ahora, en este elemental resumen, a BERRY, CONKLING y RAY.

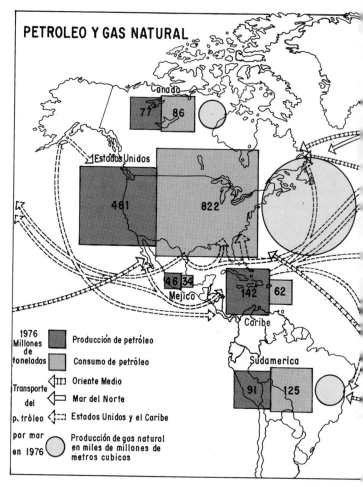

Mapa V.2.2.—*Producción y consumo de petróleo. Producción de gas natural.* Base: «The Times - Concise Atlas of the World» (simplificado).

Hay varias razones que explican por qué de todas las formas convencionales de energía es la que ha experimentado un rápido aumento de la demanda: *a)* su fácil transporte, su movilidad, que deja en libertad de elegir —dentro de ciertos límites— la localización del usuario, sobre todo en el caso de la industria ligera; *b)* el hecho de que es una fuente de energía «limpia» para el que la emplea; *c)* que se la puede consumir exactamente en la medida que se la necesita, y *d)* sus infinitas aplicaciones y usos posibles. En Estados Unidos —según BERRY, CONKLING y RAY—, una quinta parte de la electricidad consumida lo es en los hogares y establecimientos comerciales, una cuarta parte se consume en el transporte y el resto va a la industria. Los motores eléctricos industriales, la electrometalurgia y la electroquímica consumen enormes cantidades de electricidad en todo el mundo.

Las tablas 5.2.9 y 5.2.10 dan un resumen de la producción y potencia instalada por grandes regiones mundiales —según la división que acostumbra a emplear la ONU—, así

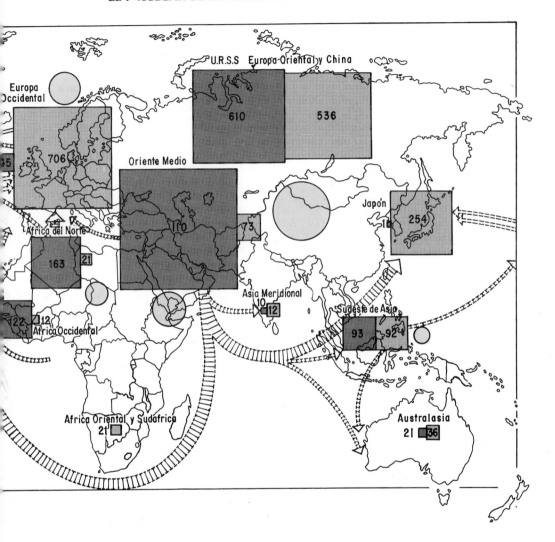

como la lista de los diez primeros países por uno y otro concepto. En ambos casos, USA, URSS, Japón y Alemania Federal ocupan los primeros lugares. África, Latinoamérica y Oceanía ocupan el extremo opuesto. También aquí, como no podía dejar de ser, el desarrollo y el subdesarrollo se dibujan nítidamente en la producción y potencia instalada de las distintas regiones del mundo.

El consumo de electricidad per cápita refleja el mismo contraste, como se hace notar en el capítulo dedicado a las características de las poblaciones desde el punto de vista del desarrollo y subdesarrollo económicos. Pero como recuerdan BERRY y sus compañeros, como medida del desarrollo la tasa de consumo por persona de energía eléctrica no es tan útil como la tasa del consumo total de energía. Por ejemplo, aunque Estados Unidos produce y consume un tercio de toda la producción mundial de electricidad, no tiene la tasa de consumo per cápita más alta, Canadá la tiene mayor y Noruega consume casi el doble por persona que USA; pero mientras Noruega, gracias a sus grandes instalaciones

TABLA 5.2.9 (continuación)

Energía eléctrica: Producción

(En miles de millones de KWH)

Países productores principales	1965	1978
USA	1.158	2.328
URSS	507	1.191
Japón	190	565
Alemania Federal	172	352
Canadá	144	327
Reino Unido	196	289
China	71	225
Francia	101	218
Italia	83	173
Polonia	44	115

FUENTE: NACIONES UNIDAS, *World Statistics in Brief,* 1979.

TABLA 5.2.10

Energía eléctrica: Capacidad instalada

(En miles de millones de KWH)

Región	1965	1970	1975	1978	% crecimiento anual 1965-78
Mundo	773,5*	1.121,6	1.598,3	1.829,0	6,30**
Europa	254,6	331,8	448,9	498,9	5,31
URSS	115,0	166,2	217,5	247,7	6,08
Asia	64,0*	134,5	218,7	262,0	8,69**
África	15,0	23,5	30,8	36,8	7,15
Norteamérica	283,9	403,3	588,9	674,0	6,88
Latinoamérica	29,2	42,6	65,9	80,2	8,08
Oceanía	11,7	19,6	27,6	29,5	7,37

FUENTE: NACIONES UNIDAS, *World Statistics in Brief,* 1979.
   * Excluidas China, Corea Popular y República Democrática de Vietnam.
   ** Promedio de la tasa de crecimiento anual de 1970-78.

hidroeléctricas, puede exportar hidroelectricidad, a Canadá no le basta para sus necesidades toda la hidroelectricidad que produce y tiene que completar con electricidad de origen térmico —de carbón y nuclear— casi la cuarta parte de lo que necesita.

Así, hay países desarrollados que se apoyan fundamentalmente en la hidroelectrici-

TABLA 5.2.10 (continuación)

Energía eléctrica: Capacidad instalada

(En miles de millones de KWH)

Países de mayor capacidad instalada	1965	1978
USA	254,5	602,0
URSS	115,0	247,7
Japón	41,0	127,4
Alemania Federal	40,6	81,0
Reino Unido	49,4	72,0
Canadá	29,3	71,8
Francia	28,2	55,1
China	20,0***	50,1
Italia	25,4	43,2
España	10,2	28,4

*** 1970.

dad —Suiza, 95 por 100; Suecia, 75 por 100; Nueva Zelanda, 78,8 por 100— y otros igualmente desarrollados que apenas tienen hidroelectricidad —Holanda, Dinamarca, Reino Unido, Alemania occidental—. Por supuesto, los dos colosos, Estados Unidos y la URSS, disponen en grandes cantidades de electricidad de uno y otro origen, térmico e hidráulico. En los países pobres, no obstante lo dicho, el consumo de electricidad per cápita se correlaciona muy bien con otros indicadores de subdesarrollo, como el PNB por persona, ya que las instalaciones generadoras de electricidad son muy costosas, requieren grandes inversiones de capital y, para ser rentables, exigen también una capacidad de producción que no es la demandada por los países pequeños o pobres.

Encontramos aquí de nuevo un claro ejemplo del «círculo vicioso del subdesarrollo»: los países industriales están casi al 100 por 100 de sus posibilidades de instalaciones hidroeléctricas; los países subdesarrollados, en cambio, podrían producir mucha hidroelectricidad si se equiparan convenientemente —África tiene el 27 por 100 del potencial hidroeléctrico del mundo, el Sudeste de Asia el 16 por 100, Sudamérica el 20 por 100—, pero no tienen dinero para ello ni, en la actualidad, mercado para la electricidad que generasen.

Pero aunque se completaran las instalaciones, la capacidad hidráulica total del mundo es insuficiente para sustituir a la energía suministrada por los combustibles fósiles.

1.4. *La energía nuclear*

El hecho de que el uranio se empleara para fabricar las primeras bombas atómicas, y su carácter de mineral estratégico durante los años de la guerra fría, le han dado mala prensa y, lo que es peor, han sido probablemente la causa de que los países comunistas no den información sobre las reservas que poseen.

Pero la energía de origen nuclear es una de las fuentes de energía que permiten «producir» electricidad, ya que ésta, como sabemos, no es una energía primaria, sino derivada. Las dos maneras de obtener energía del átomo son la *fisión* nuclear —el procedimiento usado en la bomba atómica— y la *fusión* nuclear —el método de la bomba de hidrógeno.

El primero exige la «captura» de la energía liberada por la fisión de los elementos radiactivos, proceso que puede ser controlado, para liberar cantidades constantes de energía-calor para generar electricidad. Una libra (1 kgr = 2,205 libras) de combustible nuclear puede producir tanta energía eléctrica como 5.900 barriles[15] de petróleo. Ese «combustible nuclear» es el uranio 235, que es escaso y costoso.

La *fusión* nuclear puede hacerse empleando materias primas más abundantes y baratas, pero la reacción de la *fusión* es difícil de controlar, y este procedimiento está aún en una fase de investigación que avanza sólo muy lentamente. En la fase actual los países industriales buscan en la *fisión* nuclear el medio de obtener la electricidad que necesitan. Canadá, Estados Unidos, la Unión Soviética, Alemania Federal, Suecia, Francia, Japón, etcétera, se orientan francamente hacia la energía nuclear, a pesar de las campañas en contra y de las polémicas desatadas sobre la cuestión.

Los datos recogidos en la tabla 5.2.11 no corresponden a la totalidad del mundo, ya que por principio los países comunistas no facilitan información sobre sus reservas de uranio.

Los datos sobre reservas (razonablemente ciertos) facilitados por la ONU se refieren al contenido en U de minerales a un precio de mercado inferior a 30 dólares USA la libra de U_3O_8.

La ONU dispone también de datos sobre recursos a un precio de mercado entre 30 y 50 dólares USA la libra de U_3O_8, correspondientes (en Tm) a los países que se mencionan: Argentina, 24.000 Tm; Australia, 7.000; Canadá, 15.000; Groenlandia, 5.800; Finlandia, 1.900; Francia, 14.800; Corea del Sur, 3.000; Portugal, 1.500; África del Sur, 42.000; Estados Unidos, 120.000; Yugoslavia, 2.000.

Como se sabe, el uranio debe ser sometido a un complicado proceso de tratamiento antes de que pueda ser utilizado en las plantas nucleares. Como este proceso sólo se realiza en los Estados Unidos, este país tiene prácticamente el monopolio del uranio enriquecido para todos los países occidentales.

De todas formas, por el momento al menos, la energía nuclear no puede sustituir a los combustibles líquidos en varios importantes usos, y son también los «combustibles nucleares» un recurso no renovable que se consume por el uso. Parece que cuando se consiga dominar las reacciones de la *fusión nuclear* se habrá dado un gran paso, pero de momento no se ha llegado a ello, y los problemas técnicos son de difícil solución.

Por otra parte, aunque las medidas de seguridad adoptadas en los reactores nucleares son mucho más grandes y eficientes de lo que imaginamos, es difícil saber las consecuencias reales de todo tipo que podría tener un accidente o fallo en gran escala, y por último la difusión de los reactores nucleares —especialmente los reactores rápidos alimentados con plutonio— acentúa la dificultad de restringir la proliferación de armas nucleares y el manejo y disposición por muchas gentes y gobiernos de materiales radiactivos (SURREY y BROMLEY).

---

[15] Ya se ha dicho en la tabla 5.2.7 que aproximadamente —ya que depende del peso específico del crudo— siete barriles y medio equivalen a una tonelada métrica de petróleo crudo.

TABLA 5.2.11

Uranio: Recursos y producción
(Toneladas métricas)

País o zona	Recursos en 1.° enero 1977	Producción		
		1968	*1970*	*1975*
TOTAL	1.562.000	17.448	18.201	19.080
Austria	1.800	—	—	—
Francia	37.000	1.018	1.136	1.742
Alemania, Rep. Federal ...	1.500	—	—	57
Italia	1.200	—	—	—
Portugal	6.800	81	—	115
España	6.800	46	51	136
Suecia	1.000	59	14	—
Reino Unido	1.800	—	—	—
Yugoslavia	4.500	—	—	—
Turquía	4.100	—	—	—
Japón	7.700	—	—	3
India	29.800	—	—	—
Argelia	28.000	—	—	—
Rep. Centroafricana	8.000	—	—	—
Gabón	20.000	450	400	800
Níger	74.000	—	—	1.306
África del Sur	306.000	2.987	3.167	2.488
Zaire	1.800	—	—	—
Argentina	17.800	36	45	23
Brasil	18.200	—	—	—
Canadá	167.000	2.847	3.234	3.510
Méjico	4.700	—	—	—
USA	523.000	9.670	9.900	8.900
Australia	289.000	254	254	—

FUENTE: NACIONES UNIDAS, *Statistical Yearbook, 1977.*

2. Los metales

El problema de fondo, del capítulo anterior y de éste, es el de si las reservas bastarán siempre para satisfacer las necesidades de la creciente población mundial o si llegará un momento en que se agoten. La contestación no es sencilla porque ya hemos visto que el uso de las reservas disponibles depende de la intensidad y calidad de las técnicas con que se las explote y tampoco son previsibles los acontecimientos futuros. Es cierto que todo lo creado —el mundo, por supuesto, también— ha de tener un fin, pero no sabemos cuándo ni cómo ocurrirá, y la experiencia pasada enseña que la humanidad ha salido adelante siempre, resolviendo unos problemas para enfrentarse con otros, aunque siempre trabajando dura y encarnizadamente, desde luego. Se ha visto también que casi siempre el problema no es principalmente de existencia de reservas, sino de injusta distribución de los recursos.

Por supuesto, estando las cosas así no es de esperar que cesen los cálculos, las estimaciones y las polémicas sobre el manido problema de la adecuación población/recursos, pero es muy de temer que unos y otros vuelvan a equivocarse en sus cuentas y en sus previsiones y que los que nos sucedan, a la vista de lo que realmente ocurra, se pregunten cómo pudimos escribir tanto y con tanto aplomo sobre unas cuestiones de las que realmente sabíamos tan poco.

Esto se dice a modo de resumen de todo lo anterior y porque a propósito de los metales, como —aunque con grandes diferencias y matizaciones— parece que sus reservas no hacen temer un agotamiento inmediato, ello permite reducir lo esencial a pocas páginas.

Los metales, como es sabido, son elementos duros, pesados, opacos, «lustrosos», dúctiles, maleables, conductores de electricidad y calor, que funden a determinadas temperaturas. Como recuerdan BERRY, CONKLING y RAY, cada metal posee estas cualidades en diferentes combinaciones y grados y, por tanto, tiene usos para los que es especialmente adecuado. Muchos, además, pueden combinarse con otros (aleaciones). Hay una estrecha relación entre los metales y el consumo de energía mecánica: en realidad son indispensables en todos los sectores de la economía.

La sociedad actual necesita un continuo aporte de metales; y aquí está el quid: las condiciones y volumen de ese aporte difieren de unos metales a otros. BERRY, CONKLING y RAY dicen que de los llamados «metales comunes» sólo el hierro y el aluminio se encuentran entre los primeros diez elementos que forman parte de la corteza terrestre, y que estos diez elementos constituyen el 99 por 100 del peso total de la misma corteza.

En términos *relativos* —en comparación con estos diez elementos, no por el volumen real de cada uno de los otros que es mucho mayor de lo que pueda parecer— los otros metales comercialmente importantes existen sólo en «pequeñas» cantidades. Con esta precisión, se admite que los elementos metálicos más abundantes son : hierro, aluminio, manganeso, magnesio, cromo y titanio; y en cambio entre los «menos abundantes» se incluyen el cobre, plomo, zinc y níquel. Esto no impide el que a pesar de que sus reservas conocidas son limitadas se extraigan grandes cantidades de alguno de estos elementos «menos abundantes».

Algunos metales están mucho más difusamente distribuidos sobre la superficie de la Tierra que otros. En algunos casos se debe a que son más abundantes, en otros depende de las características del mineral —de la mena— del que son extraídos —la eficacia de la extracción es a su vez problema de la tecnología que se aplica—. Algunos minerales, como los que contienen hierro, aluminio y cobre, tienen contenidos metálicos que pueden oscilar entre muy ricos y muy tenues.

Otros metales son discontinuos en su concentración, como ocurre con el plomo, zinc, estaño y níquel.

La localización de los yacimientos no coincide siempre, ni mucho menos, con los lugares del consumo, pero éste no es un problema que nos interese ahora.

Mapa V.2.3.—*Fuentes principales de minerales económicos (excluyendo los lubricantes).* Base: «The Times - Concise Atlas of the World» (muy simplificado).

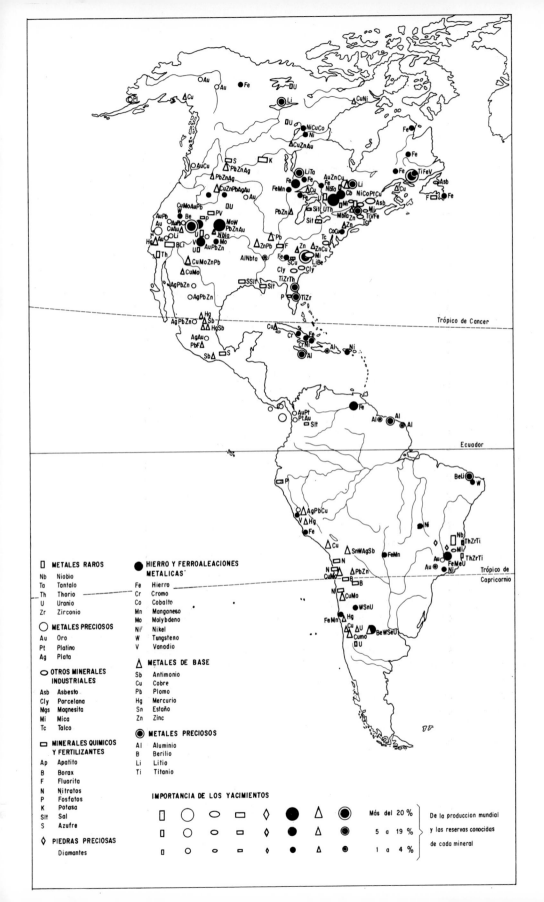

IMPORTANCIA DE LOS YACIMIENTOS

METALES RAROS

Nb	Niobio
Ta	Tantalo
Th	Thorio
U	Urania
Zr	Zirconio

METALES PRECIOSOS

Au	Oro
Pt	Platino
Ag	Plata

OTROS MINERALES INDUSTRIALES

Asb	Asbesto
Cly	Porcelana
Mgs	Magnesita
Mi	Mica
Tc	Talco

MINERALES QUIMICOS Y FERTILIZANTES

Ap	Apatito
B	Borax
F	Fluorita
N	Nitratos
P	Fosfatos
K	Potasa
Slt	Sal
S	Azufre

PIEDRAS PRECIOSAS

Diamantes

HIERRO Y FERROALEACIONES METALICAS

Fe	Hierro
Cr	Cromo
Co	Cobalto
Mn	Manganeso
Mo	Molybdeno
Ni	Nikel
W	Tungsteno
V	Vanadio

METALES DE BASE

Sb	Antimonio
Cu	Cobre
Pb	Plomo
Hg	Mercurio
Sn	Estaño
Zn	Zinc

METALES PRECIOSOS

Al	Aluminio
B	Berilio
Li	Litio
Ti	Titanio

Trópico de Cancer

Ecuador

Trópico de Capricornio

Más del 20 % De la produccion mundial

5 a 19 % y las reservas conocidas

1 a 4 % de cada mineral

3. Otros recursos no renovables

Las poblaciones actuales necesitan también, en cantidades siempre crecientes, fertilizantes, productos químicos y materiales de construcción.

Hemos visto en el capítulo anterior, en que se trata de la alimentación de la población mundial, que una reducción en la importación de fertilizantes puede condenar al hambre a los habitantes de un país en vías de desarrollo. Aunque cada planta tiene sus peculiares exigencias, todas necesitan nitrógeno, fósforo, potasio, calcio y azufre, que son partes constituyentes del suelo. Los modos tradicionales —barbecho, rotación, abonos orgánicos— de devolver al suelo estos nutrientes no bastarían hoy en la mayor parte de los casos y es necesario recurrir a los fertilizantes manufacturados.

Los minerales que se emplean para fabricar fertilizantes son también materia prima de muchos otros productos químicos, pero la fabricación de abonos químicos es la que demanda la mayor cantidad de estos recursos.

Los nitratos naturales de Chile sólo representan hoy el 3 por 100 de las necesidades mundiales de *nitrógeno*. El resto del nitrógeno se obtiene directamente de la atmósfera, empleando grandes cantidades de energía eléctrica y combinándolo con hidrógeno para producir un compuesto de amoníaco soluble en el agua, que las plantas pueden asimilar. Se obtiene también como un subproducto de las operaciones de coquización.

La principal fuente del *fósforo* son los fosfatos (apatito) tratados con ácido sulfúrico. El fósforo es un elemento abundante, pero, como es sabido, las formaciones de rocas fosfatadas de calidad y dimensiones explotables comercialmente se encuentran en muy pocos lugares.

El *potasio* es también un elemento ampliamente difundido por todo el mundo. En cuanto al *calcio,* es uno de los elementos más abundantes.

El *azufre* es la materia prima química más fundamental, pues tiene muchísimas aplicaciones en la industria química. La mayor de todas, sin embargo, es la fabricación de fertilizantes —superfosfatos, sulfato amónico—, en la que se utilizan dos quintos de la producción total. Además, muchos de los consumos que la industria química hace del ácido sulfúrico se destinan al servicio de la agricultura —insecticidas y herbicidas.

El azufre es muy abundante y en la naturaleza aparece unido con muchos otros elementos.

Las reservas de materias primas de fertilizantes son, pues, cuantiosas y no es previsible una escasez o agotamiento a pesar del crecimiento de la demanda. Los problemas no vienen directamente de ellas, sino del empleo de otras reservas que son necesarias para obtener los fertilizantes y transportarlos donde son necesarios —combustibles fósiles, energía eléctrica, etc.—, lo cual requiere, además, disponer de grandes capitales, precisamente de lo que carecen los países subdesarrollados que, por otra parte, son quienes más necesitan mejorar los rendimientos de su agricultura, con el empleo masivo de los fertilizantes que producen los países desarrollados.

De nuevo estamos ante un problema de distribución —y de precios—, no de falta de abonos.

Los minerales no metálicos empleados como materiales de construcción son tan abundantes y accesibles que no se repara en su importancia, pero, como recuerdan BERRY, CONCLING y RAY, por su volumen de producción preceden a todos los demás minerales y por su valor van sólo detrás de los combustibles fósiles. El problema, como en el caso de las materias primas de los fertilizantes, es su repercusión sobre otros recursos: su transporte exige un gran consumo de energía, puesto que son pesados y voluminosos, y en ocasiones en su tratamiento hay que disponer también de una gran cantidad de energía calorífera.

4. La tecnología del incremento de la extracción y de la recuperación de recursos

La creciente y formidable demanda de recursos de la población mundial, el empobrecimiento de algunas reservas —acusado inmediatamente en el alza de precios—, el interés estratégico de otras, las desigualdades en su distribución, las especulaciones económicas, la evidencia de que muchas de las reservas lo son de recursos no renovables (evidencia que se puede considerar un descubrimiento reciente en la sociedad industrial) han llevado a los gobiernos, los hombres de negocios y los científicos a buscar un mejor aprovechamiento de los recursos disponibles. (Si no hubieran muchas otras pruebas ésta bastaría para convencernos de que la «sociedad industrial» ha envejecido.)

En realidad, todo se reduce a: *a)* mejorar las técnicas de extracción y utilizar nuevas «menas» minerales despreciadas hasta ahora por pobres; *b)* conservar mejor las reservas y utilizarlas más exhaustivamente; *c)* recuperarlas y volverlas a usar; *d)* buscarles sustitutivos más baratos.

Evidentemente, la tecnología actual ha conseguido grandes éxitos en estos campos y es muchísimo más aún lo que promete y se vislumbra ya. Evidentemente también, el incremento de los costos de obtención ha sido en muchos casos el techo del proceso. En la actualidad, como dijo Hans CAROL hace ya 30 años, obtener un determinado producto no es un problema tecnológico, sino económico.

Así, la futura electricidad se espera obtenerla en cantidades inconcebibles de los «breeder reactors» (reactores de alimentación) y de la fusión nuclear. Según esta esperanza habrá tanta electricidad y será tan barata que podrá aplicarse a extraer y tratar minerales de materiales considerados ahora «no comerciales».

Se espera también que grandes cantidades de metales puedan obtenerse del agua del mar. Una milla cúbica (1 milla cúbica = 4,16 Km^3) de agua marina contiene en disolución (BERRY, CONKLING, RAY) 160 millones de Tm de sólidos, de los cuales el 99,5 por 100 son sal, magnesio, azufre y potasio, pero también contiene 47 Tm de zinc, 14 de cobre, 14 de estaño, 1 Tm de plata y 40 libras (1 libra= 453,6 gramos) de oro. Ahora ya se extraen del agua del mar, electrolíticamente, radio, clorina, magnesio y bromina.

Los problemas que estos proyectos llevan consigo están a tono con su ambición: habría que evacuar enormes masas de desechos, tendrían que tratarse gigantescas cantidades de agua y, sobre todo, serían necesarias ingentes cantidades de energía.

Sin llegar tan lejos, es muy probable que el empleo de mejoras técnicas y mejor instrumental conduzca a hallazgos importantes de nuevas reservas minerales.

Es indudable también que una utilización más cuidadosa de las reservas ya conocidas permitirá una mejor explotación, y que se recuperen las importantes cantidades de minerales útiles desperdiciadas en ocasiones anteriores. En las minas abandonadas es frecuente que los pilares y muros contengan valiosos minerales. Los primitivos métodos de extracción del petróleo dejaban en el interior de la formación una gran cantidad de crudo sin extraer que ahora, con nuevas técnicas, es recuperable.

Hoy se hace también un uso más cuidadoso de los metales. Se sabe muy bien que el cálculo de la resistencia de materiales, si está bien hecho, ahorra mucho dinero en una construcción, precisamente porque evita que se utilicen más de los necesarios. Ahora una tonelada de acero da 43 por 100 más soporte estructural que hace 15 años —BERRY, CONKLING, RAY.

También el uso de combustibles es más completo, y lo será cada vez más dados los precios al consumidor. Los fabricantes de automóviles introducen constantemente mejoras en sus motores para reducir el consumo sin perder potencia. También en el uso del carbón para generar electricidad se han conseguido importantes economías.

En la recuperación de metales se han logrado también notables avances: aproximadamente el 40 por 100 del cobre consumido anualmente es recuperado; casi la misma cantidad se recupera de estaño y plomo, y es muy normal ya que el acero de los automóviles dados de baja vuelva de nuevo a la fundición.

La escasez y la subida de precios de determinadas materias ha llevado a buscar su sustitución por otras más abundantes y baratas. El aluminio se emplea cada vez más para sustituir al cobre en usos eléctricos, y al acero para contenedores, y los plásticos desplazan a los metales en muchos usos.

5. El deterioro de la calidad del medio ambiente

En este momento, importantes sectores de la opinión pública de todos los países manifiestan una seria preocupación por la contaminación del medio ambiente y su evidente deterioro. Motivos desde luego no les faltan, porque la sociedad industrial se encuentra metida de lleno en unas condiciones medioambientales muy desfavorables, a consecuencia de las características de sus propias fuentes de energía y de sus industrias, pero no debe olvidarse tampoco que esas diferencias son corregibles si se actúa con energía sobre las causas, aunque ello evidentemente encarece los costos. Los ejemplos de Pittsburgo, en Estados Unidos, y, mucho más cerca de nosotros, de Londres, demuestran sin lugar a dudas que es posible recuperar y mantener la buena calidad del medio ambiente.

La contaminación atmosférica tiene muchos aspectos, no es el menos importante el estético, pero no hay duda de que es más grave el que puede llegar a ser una amenaza a la totalidad del ecosistema del que, biológicamente, formamos parte.

Los compuestos de mercurio y plomo que se incorporan a la atmósfera y al agua son peligrosos contaminantes y suponen también la pérdida de una parte del stock mundial de estos metales.

Los elementos contaminantes se difunden sobre la superficie del planeta hasta grandes distancias del lugar de origen y se acumulan en sitios imprevisibles. El DDT evaporado de las tierras donde se empleó recorre grandes distancias en la atmósfera, se precipita luego, entra en la cadena alimentaria y persiste en el tejido de los seres vivos.

En realidad ese es todo el mecanismo de la contaminación atmosférica: los gases y las partículas sólidas entran en la atmósfera y se desparraman. El «smog» (humo más niebla) es un compañero inseparable de las grandes ciudades industriales. Bilbao lo padece como una enfermedad crónica. El uso de combustibles fósiles por los vehículos en las grandes ciudades —autobuses, camiones, aviones, coches de turismo— libera grandes cantidades de gases tóxicos: dióxido de carbono, monóxido de carbono, óxidos de nitrógeno, óxido sulfúrico, hollín y tetraetilo de plomo.

Las mayores contaminantes industriales —si no se las equipa convenientemente para evitarlo— son las fábricas de celulosa, «papeleras», acererías, refinerías de petróleo, las fundiciones y las industrias químicas.

Las instalaciones termoeléctricas son también un poderoso contaminante. Y a todo ello se suman las calefacciones domésticas.

Es innegable que esta contaminación perjudica la salud y afecta muy gravemente a los ancianos, enfermos y niños sometidos a ella.

No faltan autores que creen también que no sólo afecta a los microclimas locales, sino que puede por el progresivo recalentamiento de la atmósfera cambiar el clima de nuestro planeta.

Hay, por último, una forma más terriblemente humana de «contaminación» de la sociedad industrial, a la que se han referido muchos autores, entre ellos TAMAMES. Es lo que los tratadistas ingleses han bautizado con el nombre de «vandalismo»: la destrucción causada por el hombre, sin otra razón que el placer de destruir, el gamberrismo, y con el «vandalismo» los delitos sociales: la ruptura de la familia, el aborto, la droga, el asesinato..., tan frecuentes en nuestro tiempo. Pero aquí entramos en el terreno de lo espiritual, esa «contaminación», esa «degradación», es el precio que paga una sociedad cuando en su vida prescinde de Dios.

Lecturas ulteriores

Además de las referencias a pie de página, pueden consultarse las obras recomendadas en el capítulo anterior.

BIBLIOGRAFÍA UTILIZADA

MANUALES Y TRATADOS

Trewartha, Glenn T., *A Case for Population Geography*. Discurso presidencial ante la Asociación de Geógrafos Americanos, en su 49 reunión anual, en 1953. En: Demko, Rose y Schnell: páginas 5-26.
—, *A Geography of Population: World Patterns*. Nueva York —John Wiley & Son, Inc.— 1969. 186 págs.
—, *The Less Developed Realm: A Geography of its Population*. Nueva York —Wiley— 1972. 450 págs.
—, *The More Developed Realm. A Geography of its Population*. Oxford —Pergamon— 1978. 273 páginas.
—, *Geografía de la Población*. Buenos Aires —Marymar— 1973. 225 págs.
Beaujeu-Garnier, J., *Demogeografía*. Los grandes problemas de la población mundial. Barcelona —Labor— 1972. 420 págs. (En francés: *3 Milliards d'hommes. Traité de démogéographie*. París, Hachette.)
—, *Géographie de la Population*. 2 vols. París —Genin-Medicis— 1956. 1.º, 433 págs.; 2.º, 575.
Sauvy, A., *La Població*. En el mismo volumen: E. Lluch y Giral, E., *La població catalana*. Barcelona —Edicions 62— 1964. 206 págs.
—, *General Theory of Population*. Londres —Methuen— 1974. 550 págs.
Dudley Stamp, L., *Población mundial y recursos naturales*. Barcelona —Oikos-tau— 1965 (1.ª edición inglesa, 1960). 235 págs.
Clarke, J. I., *Population Geography*. Oxford —Pergamon Press— 1972 (1.ª edición 1965). 176 págs.
Demko, G. J.; Rose, H. M., y Schnell, G. A., *Population Geography: A Reader*. Nueva York —Mc Graw Hill— 1970. 526 págs.
Pitié, J., *Géographie de la Population Mondiale*. París —Sirey— 1973. 143 págs.
—, *Géographie de la Population Mondiale. Documents (Travaux pratiques)*. París —Sirey— 1973; 27 ejercicios.
Hauser, Ph. M. Dudley, y Duncan, D., *The Study of Population*. The University of Chicago Press (4.ª ed., 1964) (1.ª ed., 1959). 7.ª ed., 1972. 865 págs.
Kuls, W., *Bevölkerungsgeographie*. Stuttgart —B. G. Teubner— 1980. 240 págs.
Jones, R. Huw., *A Population Geography*. Londres —Harper, Row— 1981. 330 págs.
Zelinsky, W., *A Prologue to Population Geography*. Londres —Prentice Hall International, Inc.— 1970 (1.ª ed. en U.S.A., 1966). 150 págs. Hay versión española en: Ed. Vicens Vives (Barcelona, 1971. 188 págs.).

Noin, D., *Géographie de la Population*. París —Masson— 1979. 320 págs.

Hornby, W. F., y Jones, M., *An introduction to population geography*. Cambridge University Press, 1980. 168 págs.

Clark, Colin, *Population Growth and Land Use*. Londres —MacMillan— 1977 (2.ª ed.). 416 págs.

Scientific American, *Man and the Ecosphere*. San Francisco —Freeman and C.°— 1971 (1.ª ed., 1956). 307 págs.

—, *The Human Population*. San Francisco —Freeman and C.°— 1974. 147 págs.

Matras, J., *Introduction to Population. A Sociological Approach*. Englewodd Cliffs —Prentice Hall— 1977. 451 págs.

Vidal de la Blache, P., *Principios de Geografía Humana*. Lisboa —Cosmos— 1954. 390 págs., 61 láms. XXXI.

Sorre, Max, *L'Homme sur la Terre*. París —Hachette— 1961. 365 págs. Versión castellana en Editorial Labor (Barcelona).

Derruau, Max, *Géographie Humaine*. París —Colin— 1976. 432 págs.

United Nations, *The Determinants and Consequences of Population Trends*. Vol. I. Nueva York, 1973. 661 págs. Vol. II. Bibliography and Index. Nueva York, 1978. 151 págs.

Naciones Unidas, *Factores determinantes y consecuencias de las tendencias demográficas*. Nueva York, 1978. 690 págs. (Es esencialmente la traducción española del libro del mismo título en inglés, publicado en 1973.)

Glass, D. V., y Eversley, D. E. C. (editor), *Population in History*. «Essays in Historical Demography». Londres —Arnold— 1974 (1.ª ed. 1965). 692 págs.

Reinhard, M., y Armengaud, A., *Historia de la Población Mundial*. Barcelona —Ariel— 1965. 744 págs. Apéndice: «Historia de la Población Española», por Jorge Nadal.

Stanford, Q. (editor), *The World's Population. Problems of Growth*, Toronto/Nueva York —Oxford University Press— 1972. 346 págs.

Hardesty, D. L., *Antropología ecológica*. Barcelona —Ed. Bellaterra— 1979. 295 págs.

Blunden, J., y otros (editores), *Fundamentals of Human Geography: A Reader*. Londres —Harper and Row— 1978, en asociación con la Open University Press. 382 págs.

Poursin, Jean Marie, *La population mondiale*. París —Ed. du Seuil— 1971-1976. 252 págs.

U.G.I., 21 Congreso Geográfico Internacional, *Symposium on Population Geography*. Calcuta, 1971. 154 págs.

I.G.U.'76, XXIII International Geographical Congress, *Geography of Population*. Moscú, 1976. 375 págs.

English, Paul Ward, y Mayfield, Robert C. (editores), *Man, Space and Environment*. Londres/ Nueva York —Oxford Univ. Press— 1972. 623 págs.

DEMOGRAFÍA

Gini, Corrado, *Teorías de la población*. Madrid —Aguilar— 1952. 278 págs.

Mouchez, Philippe, *Demografía*. Barcelona —Ariel— 1966. 238 págs.

Sauvy, Alfred, *Théorie Générale de la Population*. París —P.U.F.— 1966. 3.ª ed. francesa. Dos volúmenes. Por no disponer más que del segundo volumen de la edición francesa, se ha utilizado preferentemente la versión inglesa ya citada: *General Theory of Population*. Londres —Methuen and C.° Ltd.— 1974. 551 págs.

Bogue, D. J., *Principles of Demography*. Nueva York —J. Wiley— 1969. 917 págs.

Pressat, R., *Dictionnaire de Démographie*. París —P.U.F.— 1979. 295 págs.

Spiegelman, M., *Introducción a la Demografía*. México —F.C.E.— 1972. 492 págs. (1.ª ed. inglesa, 1955. Harvard).

Ackerman, E. A., *Geography and Demography*. En: Demko-Rose y Schnell. Págs. 26-35.

Henry, Louis, *Population. Analysis Models*. Londres —Arnold— 1976. 301 págs. En francés: *Démographie*, 1972.

—, *Demografía*. Barcelona —Labor— 1976. 350 págs.

Bourgeois-Pichat, Jean, *La démographie*. París —Gallimard— 1970. 187 págs. Versión española en Ariel, 1978. 180 págs.

—, *Main trends in demography*. Londres —Allen and Unwin— 1973 (Unesco, 1970). 79 págs.

Bureau of the Census. U.S. Department of Commerce, *The Methods and Materials of Demography*. Washington, D.C. —Fourth Printing (rev.) Issued— junio 1980. Vols. 1 y 2. 1.038 págs.

Leguina, Joaquín, *Fundamentos de Demografía*. Madrid —Siglo XXI— 1976 (1.ª ed., 1973). 372 págs.

Petersen, William, *La población. Un análisis actual*. Madrid —Tecnos— 1968. 578 págs. Traducción de José Cazorla Pérez.

—, *Population*. Third edition. Nueva York-Londres —MacMillan— 1975. 784 págs.

Sauvy, A.; Brown, E., y Lefebvre, A., *Eléments de Démographie*. París —P.U.F.— 1976. 391 páginas.

Cox, Peter R., *Demography*. Cambridge University Press (5.ª ed.), 1976 (1.ª ed., 1950). 393 páginas.

Weeks, J. R., *Population. An Introduction to Concepts and Issues*. Belmont (California) —Wadsworth— 1978. 366 págs.

Bowen, Ian, *Population*. Cambridge —University Press— 1960 (1.ª ed., 1954). 256 págs.

—, *Economics and Demography*. Londres —Allen and Unwin— 1976. 167 págs.

Pressat, Rolland, *Introducción a la demografía*. Barcelona —Ariel— 1977. 210 págs.

—, *La práctica de la Demografía*. Madrid —Fondo de Cultura Económica— 1977 (1.ª ed., París, 1967). 386 págs.

—, *Démographie sociale*. París —P.U.F.— 1971. 192 págs.

—, *Demografía Estadística*. Barcelona —Ariel— 1979. 205 págs.

Audroing, J. F., *Démographie, le cas français*. París —Económica— 1978. 158 págs.

Gerard, H., y Wunsch, G., *Demografía*. Madrid —Pirámide— 1975 (1.ª ed. belga, 1973). 192 páginas.

Barclay, G. W., *Techniques of Population Analysis*. Nueva York —J. Willey— 1958. 312 págs.

Borrie, W. D., *Historia y Estructura de la Población Mundial. Iniciación a la Demografía*. Madrid —Istmo— 1972 (1.ª ed. inglesa, 1970). 386 págs.

Buquet, Léon, *Démographie*. París —Masson— 1974. 181 págs.

Carrier, Norman, y Hobcraft, John, *Demographic Estimation for Developing Societies*. Londres —Population Investigation Committee— 1971. 204 págs.

Gillaume, P., y Poussou, J. P., *Demographie historique*. París —Colin— 1970. 415 págs.

Landry, Adolphe, *Traité de Démographie*. París —Payot— 1945. 615 págs.

Roussel, Louis, y Gani, Léon, *Analyse démographique. Exercices et problèmes*. París —Colin— 1973. 217 págs.

Centre National de la Recherche Scientifique (Vᵉ Colloque Nationale de Démographie du...), *L'Analyse démographique et ses applications*. París, 20-22 octubre 1975. París, 1977. 549 págs.

Naciones Unidas, *Diccionario Demográfico Plurilingüe*. Nueva York, 1959. 108 págs.

ESTADÍSTICA

G. Barbancho, Alfonso, *Estadística Elemental Moderna*. Barcelona —Ariel— 1978 (5.ª ed.). 461 págs.

Alcaide Inchausti, A., *Estadística aplicada a las Ciencias Sociales*. Madrid —Pirámide— 1979. 478 págs.

Moroney, M. J., *Introducción a la Estadística*. Pamplona —Eunsa— 1979. 2 vols.: I, 357 págs.; II, 268 págs.

Downie, N. M., y Heath, R. W., *Métodos estadísticos aplicados*. Madrid —Ediciones del Castillo, S. A.— 1971 (1.ª ed. USA, 1959). 373 págs.

Spiegel, Murray R., *Estadística. Teoría y problemas de...* Serie de Compendios Schaum. Madrid —Gráficas Elica— 1975. 357 págs.

Pollard, A. H., *Mathematical models for the growth of human populations.* Cambridge Univ. Press, 1975. 186 págs.

—, y otros, *Demographic Techniques.* Oxford —Pergamon— 1974. 161 págs.

Smith, David M., *Paterns in Human Geography.* Penguin Book, 1977 (1.ª ed., 1975). 373 págs.

Rogers, Andrei, *Matrix Analysis of Interregional Population Growth and Distribution.* Berkeley y Los Angeles —Univ. of California Press— 1968. 119 págs.

Theakstone, W. H., y Harrison, C., *The Analysis of Geographical Data.* Londres —Heinemann— 1975 (1.ª ed., 1970). 132 págs.

Cole, John P., *Situations in Human Geography. A practical approach.* Oxford —Blackwell— 1975. 238 págs.

—, y King, A. M., *Quantitative Geography,* Londres —John Wiley— 1969. 692 págs.

Naciones Unidas, *Hacia un sistema de estadísticas sociales y demográficas.* Nueva York, 1975. 209 págs.

—, *Evaluación y análisis demográficos de los datos de los censos de población: Aspectos de Cooperación Técnica.* Nueva York, 1980. 31 págs.

—, *Estudio sobre la integración de estadísticas sociales y demográficas: Informe técnico.* Nueva York, 1979. 209 págs.

PUBLICACIONES PERIÓDICAS

«Population Newsletter». Publicada por la Population Division of the Department of Economic and Social Affairs. United Nations. Nueva York.

Naciones Unidas, «Boletín de población de las Naciones Unidas». Nueva York. Se publica en varios idionas.

«Asian-Pacific Population Programme News». Publicada por U. N. Population Division y Economic and Social Commission for Asia and Pacific (ESCAP).

«Population Studies. A Journal of Demography». Publicada por The Population Investigation Committee, de la London School of Economics (tres números al año).

«Population et Famille». Bélgica. La publica el Ministerio de Sanidad Pública y Familia.

«Population». Publicada por el Institut National d'Études Démographiques. París (bimestral).

I.N.E.D. (Institut National d'Études Démographiques. París):

— Cahiers de «Travaux et Document».

— «Population et Sociétés» (boletín mensual).

I.N.S.E.E. (Institut National de la Statistique. París), «Economie et Statistique» (Mensual).

«Demography» (trimestral). Publicada por la Population Association of America.

«Population Geography». A Journal of the Association of Population Geographers of India. Panjab University. Chandigarh (India).

«Populi». Journal of the United Nations Fund for Population Activities. Nueva York.

«Population Reports» (bimensual), publicada por Population Information Program de la Universidad de John Hopkins.

«Population Research and Policy Review». Elsevier Scientific Publishing Company. Amsterdam.

«Population Index» (trimestral), publicada por Office of Population Research, de la Universidad de Princeton.

«CDC Newsletter», publicada por Cairo Demographic Center.

«Population Bulletin», publicado por Population Reference Bureau, Inc. Washington (bimensual). Cada número publica una sola monografía.

«World Population Data Sheet», publicado por Population Reference Bureau, Inc. Washington (anual).

Instituto Nacional de Estadística (Madrid), «Estadística Española».
Instituto «Balmes» de Sociología del C.S.I.C., «Estudios Demográficos».
El Colegio de México, «Demografía y Economía» (cuatrimestral).
Dechesne, Jean-Louis, *Bibliography of IUSSP Conference Proceeding from 1947 to 1973*. Lieja —IUSSP— 1974. 363 págs.

FUENTES Y REFERENCIAS

United Nations-Nations Unies, *1974. Demographic Yearbook. Annuaire Démographique*. Nueva York, 1975. 1.109 págs. Tema especial: Estadísticas de la mortalidad.
—, *1975. Demographic Yearbook*. Nueva York, 1976. 1.118 págs. Tema especial: Estadísticas de la natalidad.
—, *1976. Demographic Yearbook*. Nueva York, 1977. 984 págs. Tema especial: Estadísticas de la nupcialidad y de la divorcialidad.
—, *Demographic Yearbook, 1977*. Nueva York, 1978. 1.024 págs. Tema especial: Estadísticas de las migraciones internacionales.
—, Department of International Economic and Social Affairs. Statistical Office, *Demographic Yearbook, 1978*. Thirtieth Issue United Nations. Nueva York, 1979. 463 págs.
—, Department of International Economic and Social Affairs. Statistical Office, *Demographic Yearbook. Historical Supplement*. Special Issue. Nueva York, 1979. 1.171 págs.
—, *World Statistics in Brief*. Nueva York, 1978. 242 págs.
—, Statistical Pocketbook, *World Statistics in Brief*. 6.ª edición. Nueva York, 1981. 98 págs.
— —, Fourth Edition, *World Statistics in Brief. 1979*. Nueva York, 1979. 242 págs.
—, *1976. Statistical Yearbook,* Nueva York, 1977. 909 págs.
—, Department of International Economic and Social Affairs. Statistical Office, *Statistical Yearbook. Annuaire Statistique. 1978*. Nueva York, 1979. 966 págs. Último aparecido en septiembre de 1981.
—, *Statistical Yearbook, Annuaire Statistique, 1977*. 29.ª edición. Nueva York, 1978, 958 págs.
Fondo Monetario Internacional, *Informe Anual 1978*. Washington, D.C. 185 págs.
Banco Mundial, *Informe Anual 1978*. Washington. 190 págs.
The Statesman's Yearbook. Statistical and Historical Annual of the States of the World. Londres —MacMillan—. Editor: Paxton, J. Volúmenes utilizados: 113: 1976-1977, 1.556 págs.; 115: 1978-1979, 1.696 págs.; 116: 1979-1980, 1.700 págs.; 117: 1980-1981, 1.684 págs.; 118: 1981-1982, 1.696 págs.
Ministerio de Economía. Instituto Nacional de Estadística, *España. Anuario Estadístico*. Madrid —Sucs. de Rivadeneyra.
—, *España. Anuario Estadístico*. Edición manual. Madrid —Imprenta del B.O.E.
Unesco, *Repertoire mondial des institutions de sciences sociales. World directory of social science institutions*. París, 1977. 262 págs.
—, *Liste mondiale des periodiques specialisés dans les sciences sociales. World list of social science periodicals*. París, 1976. 382 págs.
United Nations Fund for Population Activities. 1979, *A Bibliography of United Nations Publications on Population*. 251 págs.
Zelinsky, Wilburg, *A Bibliographic Guide to Population Geography*. Chicago, 1962. 257 págs.
O.E.C.D., *Population and Development*. París, 1972. 56 págs. (Se trata de una guía bibliográfica importante.)
United Nations, *The determinants and consequences of populations trends*. Vol. II: Bibliography and Index. Nueva York, 1978. 155 págs.
—, Library - Geneva, *Directory of Libraries and Documentation Centres in the United Nations System*. Ginebra, 1979. 71 págs.

Istituto Geografico de Agostini, *Calendario Atlante De Agostini.* Novara.

United Nations, *Population and Vital Statistics Report. Data available as of 1 January 1981.* Nueva York, 1981. Statistical Paper. Series A. Vol. XXXIII, núm. 1, 21 págs.

Conseil de l'Europe, *Evolution démographique recente dans les États membres du Conseil de l'Europe.* Estrasburgo, 1980. 134 págs.

Eurostat (Instituto Estadístico de la Comunidad Europea), *Demographic Statistics 1960-1976.* Bruselas, 1977. 120 págs.

—, *1975 Statistiques règionales. Population, Emploi, Conditions de vie.* Bruselas, 1977. 363 páginas (y muchas otras publicaciones en esta línea).

Vinuesa Angulo, Julio; Olivera Poll, Ana, y Abellán García, Antonio, *Bibliografía temática general* (Anexo 1); *Inventario de estudios y trabajos demográficos sobre la población española* (Anexo 2). En: Ministerio de Obras Públicas y Urbanismo. Centro de Estudios de Ordenación del Territorio y Medio Ambiente, *Análisis Territorial. Estudio y valoración de efectivos demográficos.* Serie Monografías 14. Madrid, 1981. 292 págs. (entre las págs. 235 a 291).

I.N.E., *Panorámica demográfica. (Análisis, estructura y proyecciones de la población española.)* Madrid, 1976. 245 págs. Anexos: volumen I, Madrid, 1977. 420 págs.; volumen II, Madrid, 1977. 812 págs.

BIBLIOGRAFÍA UTILIZADA: ÍNDICE ALFABÉTICO POR AUTORES

A

Abel, W., *History of Agriculture*. En: *International Encyclopedia of the Social Sciences*. The MacMillan Company and The Free Press. Edición de 1968. Vol. 1. Págs. 215 y ss.

Acción Católica Española, *Colección de Encíclicas y Documentos Pontificios (Concilio Vaticano II)*. 7.ª ed. Traduc. e índices por Mons. Pascual Galindo. Dos volúmenes. Madrid, 1967. I, 1.876 págs.; II, 1.877 a 3.296 págs. Más tabla de índices, 334 págs., e índices del Concilio Vaticano II. Encíclicas y documentos. 127 págs.

Ackerman, E. A., *Population and Natural Resources*. En: Hauser y Duncan, *The Study of Population*, págs. 621-650.

Alcaide Inchausti, A., *Estadística aplicada a las Ciencias Sociales*. Madrid —Pirámide— 1979. 478 págs.

Alimen, M. H., y Steve, M. J., *Prehistoria*. Madrid —Historia Universal S. XXI— 1978. 379 págs.

Almagro Basch, Martín, *Prehistoria*. Madrid —Espasa-Calpe— 1970. 2.ª ed. 910 págs.

The American Assembly, *The Population Dilema*. 2.ª ed. Edited by Philip M. Hauser. Englewood Cliffs, N. J. —Prentice Hall— 1969. 214 págs.

Andorka, R., *Determinants of fertility in advanced Societies*. Londres —Methuen— 1978. 431 páginas.

Anell, L., y Nygren, B., *The Developing Countries and the World Economic Order*. Londres —Methuen— 1980. 217 págs.

Anes, Gonzalo, *El Antiguo Régimen: Los Borbones*. En: *Historia de España. Alfaguara IV*. Madrid —Alianza Universidad— 1975. 515 págs.

APLIC (Association for Population Family Planning Libraries and Information Centers - International), *Proceedings of the Twelfth Annual Conference. Philadelphia, Pennsylvania, april 23-26, 1979*. Nueva York, 1979. 211 págs.

—, *Proceedings of the Thirteenth Annual Conference. Denver Colorado, abril 8-10, 1980*. Nueva York, 1980. 157 págs.

—, Shipman, P. E., y Turner, C., *Tools for population information: indexing and abstracting services*. Clarion, Pennsylvania, 1979. 24 págs.

Arango, J., y Espinosa, *La venganza de Malthus. Ciclos económicos e historia*. En: «Revista de Occidente», 1980, núm. 1. Págs. 43 a 66.

Aristóteles, *La Política*. Traducción de Patricio de Azcárate. Madrid —Espasa-Calpe— 1978. 246 págs.

Armengaud, André, *Les français et Malthus*. París —P.U.F.— 1975. 142 págs.

—, *La población europea, 1900-1914.* En: Cipolla, Carlos M., *Historia económica de Europa* (3). *La Revolución industrial.* Barcelona —Ariel— 1979. 641 págs. Entre las págs. 22-79. Dadas las numerosas erratas de imprenta de esta edición, se recomienda manejar la versión inglesa: *The Fontana Economic History of Europe.* Glasgow —William & Collins Sons and C.°— 1978. Págs. 22-76.

Artola, Miguel, *La burguesía revolucionaria (1808-1874).* En: *Historia de España Alfaguara V.* Madrid —Alianza Editorial— 1973. 440 págs.

Arvill, R., *Man and Environment. Crisis and the Strategy of Choice.* 3.ª ed. Harmondsworth —Penguin Books— 1974. 384 págs.

Ashton, T. S., *La revolución industrial. 1760-1830.* México —Fondo de Cultura Económica— 1979 (8.ª ed.) (1.ª ed. inglesa, 1948). 197 págs.

Asociación de Científicos Alemanes, *La amenaza mundial del hambre.* Madrid —Alianza Editorial— 1970. 199 págs. (1.ª ed. alemana, 1968).

Atlas de l'homme. París —Éditions Robert Laffont— 1978. 208 págs. Se trata de la versión francesa del *Atlas of the Body and Mind,* de Mitchell Beazley Publishers Ltd. Londres, 1976.

Atlas Mundial Emesa, 2.ª ed., Madrid —Magisterio Español— 1980. 303 págs. (Edición al cuidado de Pedro Plans, Juan Córdoba y J. M. Casas Torres.)

Aubert, J. M., *Ley de Dios, leyes de los hombres.* Barcelona —Herder— 1979. 2.ª ed. 306 págs.

Audroing, J. F., *Démographie, le cas français.* París —Economica— 1978. 158 págs.

Aznar, Severino, *La institución de la familia vista por un demógrafo,* En: *Estudios Demográficos, V.* Consejo Superior de Investigaciones Científicas. Instituto «Balmes» de Sociología. Madrid, 1962. 242 págs.

B

Bailly, Antoine S., *La géographie du bien-être.* París —P.U.F.— 1981. 240 págs.

Bairoch, P., *El Tercer Mundo en la encrucijada.* Madrid —Alianza— 1973. 340 págs.

The World Bank, *Population Policies and Economic Development.* Londres —John Hopkins University Press— 1974. 214 págs.

Banco Mundial, *Políticas de población y desarrollo económico.* Madrid —Tecnos— 1975, 223 páginas.

World Bank Atlas, *Population, per capita product, and growth rates.* Publicado por el World Bank, 1977. 32 págs.

Banco Mundial, *Informe Anual, 1978.* Washington, 190 págs.

The World Bank, *World atlas of the child.* Washington, 1979. 41 págs.

Banco Mundial, *Informe sobre el Desarrollo Mundial, 1978.* Washington, D.C. Agosto 1978. 133 págs.

The World Bank Staff Working Paper núm. 328, *Nutrition and Food Needs in Developing Countries.* Washington, 1979. 75 págs.

Banco Mundial, *Informe Anual, 1980.* Banco Mundial, Washington, D.C. 215 págs.

World Bank, *Meeting Basic Needs: An overview. Poverty and Basic Needs Series.* Septiembre, 1980. 28 págs.

World Bank Staff Working Paper núm. 408, *Economic Growth and Human Resources.* Washington, 1980. 38 págs. (Preparado por Norman Hicks asistido por Jahangir Boroumand.)

The World Bank, *World Development Report 1981.* Oxford University Press, 1981. 192 págs.

G. Barbancho, ver García Barbancho.

Barcia, Luciano, *La dignidad de la persona humana en la doctrina de la Iglesia católica (Análisis de un tópico).* En: *Persona y Derecho,* II. Págs. 441-464.

Barclay, G. W., *Techniques of Population Analysis.* Nueva York —J. Wiley— 1958. 312 págs.

Barnett, H. J., y otros, *Population, resources and the future: non-malthusian perspectives*. Utah —Brigham Young University Press— 1972. 352 págs.

Barnett, S. A. (editor), *Un siglo después de Darwin*. Dos volúmenes: 1.º *La evolución*. 248 págs. 2.º *El origen del hombre*. 226 págs. Madrid —Alianza Ed.— 1979 (4.ª ed.).

Barratt, J., y Louw, M., *International Aspects of over Population*. Londres —MacMillan— 1972. 334 págs.

Bataillon, C., *État, pouvoir et espace dans le Tiers Monde*. París —P.U.F.-I.E.D.E.S.— 1977. 288 págs.

Beaujeu-Garnier, J., *Demogeografía. Los grandes problemas de la población mundial*. Barcelona —Labor— 1972. 420 págs. (En francés: *3 Milliards d'hommes - Traité de démogéographie*. París —Hachette—.)

—, *Géographie de la Population*. Dos volúmenes: 1.º, 435 págs.; 2.º, 575 págs. París —Genin-Medicis— 1956.

Bauer, P. T., y Yamie, B. S., *The Economics of Under-developed Countries*. Cambridge Univ. Press., 1963 (1.ª ed., 1957). 271 págs.

Bauer, G., y Roux, J. M., *La rururbanisation ou la ville éparpillée*. París —Ed. du Seuil— 1976. 192 págs.

Becker, Gary S., *The Economic Approach to Human Behavior*. The University of Chicago Press, 1976. 314 págs.

Bekele, Maaza, *Una explosión en el vacío*. En «Estudios de la FAO sobre los alimentos y la población», Roma, 1976. 249 págs. Págs. 167 a 176.

Berry, Adrian, *Los próximos diez mil años (1974)*. Madrid —Alianza Editorial— 1977. 282 págs.

Berry, Brian J. L., *City classification handbook: methods and applications*. Nueva York, 1972. 394 págs.

—, *The Human Consequences of Urbanisation*. Londres —MacMillan— 1973. 205 págs.

—, *Consecuencias humanas de la urbanización*. Madrid —Pirámide— 1975. Trad. Julio Gómez Recio. 287 págs.

—, Simmons, J. W., y Tennant, R. J., *Urban population densities structure and change*. En: Demko, Rose y Schnell. Págs. 181-193.

—, Conkling, Edgard C., y Ray, D. Michael, *The Geography of Economics Systems*. Englewood Cliffs —Prentice Hall Inc.— 1976. 529 págs.

—, *Urbanization and Counter-Urbanization*. Beverly Hill, 1976. 334 págs.

—, y Kasarda, John D., *Contemporary Urban Ecology*. Nueva York —MacMillan— 1977. 497 págs.

—, y Gillard, Q., *The Changing Shape of Metropolitan America. Commuting Patterns, Urban Fields and Decentralization Processes, 1960-1970*. Cambridge, Mass., 1977. 697 págs.

Sagrada Biblia. Versión directa de las lenguas originales por E. Nácar Fuster y A. Colunga. Cueto, O.P. Trigésima octava edición. Biblioteca de Autores Cristianos. Madrid, 1978. 1.642 págs.

Birdsall, Nancy, *Population Growth and Poverty in the Developing World*. En: «Population Bulletin». Vol. 35, núm. 5, diciembre 1980. 48 págs.

Blaug, Mark, *Malthus, Thomas Robert*. En: «International Encyclopedia of the Social Sciences». Volumen 9. Págs. 549-552.

Blázquez, N., *Los derechos del hombre*. Madrid —BAC— 1980. 264 págs.

Blunden, J., y otros, *Fundamentals of Human Geography: A Reader*. Londres —Harper and Row— 1978, en asociación con la Open University Press. 382 págs.

Boerma, A. H., *El derecho a los alimentos*. FAO. Roma, 1976. 194 págs.

Bogue, D. J., *Principles of Demography*. Nueva York —J. Wiley— 1969. 917 págs.

—, *The Theory of Demographic Regulation*. En Stanford, 66-69.

Bondestam, L., y Bergströmm, S. (editores), *Poverty and Population control*. Londres —Academic Press— 1980. 227 págs.

Borrie, W. D., *Historia y estructura de la Población Mundial*. Madrid —Istmo— 1970. 386 págs.

Boserup, Ester, *Évolution agraire et pression démographique*. París —Flammarion— 1970. 221 págs.

—, *Population and Technology*. Oxford —Blackwell— 1981. 255 págs.

Botella Llusiá, J., *Esquema de la vida de la mujer*. Madrid —Espasa— 1975. 241 págs.

—, *La contracepción*. Madrid —Cupsa Ed.— 1977. 227 págs.

Bourcier de Carbon, L., *Démographie Géo-Economique*. Tomo I. *Situation et Technique*. 418 páginas. Tomo II. *La variable population dans l'économie*. 421 págs. París —Le Cours de Droit— 1976.

Bourgeois-Pichat, Jean, *Main trends in demography*. Londres —Allen & Unwin— 1973. 79 páginas. Publicado primero como Cap. V. de *Tendances principales de la recherche dans les sciences sociales et humaines*. Mouton-Unesco. París, La Haya, 1970. Versión francesa: *La démographie*. En: «Idées nrf». Gallimard, 1971; versión castellana: *La demografía*, en Ariel, 1978.

—, *The economic and social implications of demographic trends in Europe up to and beyond 2000*. En: «Population Bulletin of the United Nations». Núm. 8, 1976. Págs. 34-89.

Bowen, Ian, *Population*. Cambridge Univ. Press, 1960. 256 págs. (1.ª ed., 1954).

—, *Economics and Demography*. Londres —Allen and Unwin— 1976. 167 págs.

Bradford, M. G., y Kent, W. A., *Human Geography. Theories and their applications*. Oxford University Press, 1977. 178 págs. Para el modelo de Malthus, cap. 10. Págs. 144 a 157.

Braidwood, Robert, J., *El hombre prehistórico*. México —Fondo de Cultura Económica— 1975. 270 págs.

—, *The Food-Producing Revolution*. En: *International Encyclopedia of the Social Science*. Edicion de 1968. Vol. 4. Págs. 245 y ss.

Braudel, Ferdinand, *Civilisation matérielle, Economie et Capitalisme XV-XVIII s*. Vol. I., *Les structures du quotidien*. París, 1979. 543 págs. Vol. II, *Les jeux de l'échange*. París, 1979. 600 págs. Vol. III, *Le temps du monde*. París, 1979. 607 págs.

Breese, Gerald, *La ciudad en los países en vías de desarrollo*. Madrid —Tecnos— 1974. 690 págs.

Houghton Brodrick, A., *El hombre prehistórico*. Breviarios del Fondo de Cultura Económica. México, 1976 (2.ª reimpresión en español). 422 págs. Primera inglesa, 1948. Título: *Early Man Survey of Humans Origins*.

Brown, L. R., *World Food Resources and Population: The Narrowing Margin*. En: «Population Bulletin». Vol. 36, núm. 3, septiembre 1981. 44 págs.

Buchanan, R. A., *History and Industrial Civilisation*. Londes —MacMillan Press— 1979. 200 páginas.

Buquet, Léon, *Démographie*. París —Masson— 1974. 181 págs.

Bureau of the Census. U. S. Department of Commerce, *The Methods and Materials of Demography*. Vols. 1 y 2. Washington, D.C., junio 1980. Fourth Printing (rev.). 1.038 págs.

Buytendijk, F. J. J., *Sobre la diferencia esencial entre el animal y el hombre*. En: «Revista de Occidente», núm. 154. Madrid, 1936. Citado por Palafox.

C

«Les Cahiers Français», núm. 167. Septiembre-octubre 1974. Nueva edición 1977. *Le Tiers Monde et Nous*. París —La Documentation Française— 1977. 64 págs. Con ocho suplementos en encartes. 32 págs.

—, Núm. 168. Noviembre-diciembre 1974. Reimpresión, junio 1976. *Le tiers monde face à lui-même*. París —La Documentation Française— 1975. 64 págs. Más 8 suplementos. 32 págs.

The Cambridge Ancient History. Parte I. «Prolegomena and Prehistory». Editado por: I.E.S. Edwards, C. J. Gadd, y N. G. L. Hammond. Cambridge University Press, 1970 (1974 y 1976). 758 págs.

Cambridge (Universidad de), *Historia Económica de Europa*. Tomo VI. Parte I, *Las revoluciones industriales y sus consecuencias: renta, población y cambio tecnológico*. Dirigido por H. J. Habakkuk y M. Postan. Madrid —Editorial Revista de Derecho Privado— 1977. 754 págs. Tomo VI. Parte II. Págs. 755 a 1.259.

Del Campo, Salustiano, *Cambios sociales y formas de vida*, Barcelona —Ariel— 1968. 282 págs.

—, *La política demográfica en España*. Madrid —Cuadernos para el Diálogo— 1974. 238 págs.

—, *Análisis de la población de España*. Barcelona —Ariel— 1975. 192 págs.

Carbajo, A., y Rojo, Luis A., *Los determinantes del crecimiento económico*. En: «Investigación y Ciencia», núm. 50. Barcelona, noviembre 1980. Págs. 16 a 27.

Cardona Sandoval, Rafael, *México y el Club de Roma*. México —Fondo de Cultura Económica— 1975. 100 págs.

Carfatan, J. Y., y Condamines, C., *Qui a peur du tiers monde? Rapports Nord-Sud: les faits*. París —Seuil— 1980. 298 págs.

Caro Baroja, Julio, *Los pueblos de España*. Dos volúmenes. Madrid —Istmo— 1976. Vol. I, 231 págs.; Vol. II, 218 págs.

Carozzi, C.; Longhi, G., y Rozzi, R., *Populazione, Suolo, Abitazioni. Introduzione alla analisis dei fenomeni urbani*. Padua. Cedam. Milán, 1978. 288 págs.

Carr-Saunder, A. M., *Población Mundial*. México —Fondo de Cultura Económica— 1939 (1.ª edición inglesa, 1937). 350 págs.

Carretero Alba, E.; Alonso Fernández, A.; Fuentes Bodelón, F., y Lleó de la Viña, J., *La calidad de la vida en el proceso de humanización*. Madrid —Medio Ambiente— 1981. 328 págs.

Carrier, Norman, y Hobcraft, John, *Demographic Estimation for Developing Societies*. Londres —Population Investigation Committee— 1971. 204 págs.

Carter, H., *The Study of Urban Geography*. Londres —Arnold— 1981. 3.ª edición, con nuevos capítulos. 434 págs.

De las Casas, Fray Bartolomé, *Del único modo de atraer a todos los pueblos a la verdadera religión*. Advertencia preliminar de Agustín Millares Carlo; Introducción de Lewis Hanke. México —Fondo de Cultura Económica— 1975 (1.ª ed. en el Fondo, 1972). 478 págs.

Casas Torres, José Manuel, *Informe sobre el movimiento demográfico de Zaragoza (1900-1950)*. Zaragoza, 1954. 59 págs.

—, *Un plan para el estudio de la geografía de la población*. En: «Rvta. Geographica», 1956. Año III. núms. 9-12. Págs. 30-46.

—, *El campo en «Mater et Magistra»*. En: «Nuestro Tiempo», núms. 97-98. Julio-agosto 1962. Páginas 29 a 47.

—, *La vivienda y los núcleos de población rurales de la Huerta de Valencia*. Madrid —Rivadeneyra— 1944. 321 págs.

—, *Curso de Geografía de la Población*. Vol. II. En prensa.

—, (director), *Geografía Descriptiva. I. Europa y los países del Mediterráneo no europeos*. Madrid —Emesa— 1979. 400 págs.; II. *África, Asia, Australia y Nueva Zelanda*. Madrid —Emesa— 1979. 389 págs.; III. *América*. Madrid —Emesa— 1979. 366 más 55 págs.

—, Higueras Arnal, A., y Miralbes Bedera, M. R., *Algunos aspectos de los desequilibrios regionales españoles en 1967*.En: *Aportación española al XXI Congreso Geográfico Internacional*. Madrid, 1968. Págs. 31-71.

—, Miralbes Bedera, M. R., y Torres Luna, M. P., *Galicia. Mapa é Índices de Localización Geográfica de sus Parroquias*. Madrid —Santiago-Universidad— 1976. 165 págs.

—, *Los movimientos migratorios en la Historia y en la actualidad mundial*. Semanas Sociales de España. XVIII Semana. Vigo-Santiago, 1958.

—, *La población del Valle Medio del Ebro*. En: «Información Comercial Española», septiembre 1964. Págs. 55-71.

—, *Mapa de Población de España a escala 1:1.000.000*. Zaragoza, 1960, en colaboración con C. Chueca Diago.

—, *Mapa de densidad de población de España en 1950.* Escala 1:1.000.000. En colaboración con M.ª Asunción Martín Lou, M.ª Carmen Ruiz Meliveo, Begoña Arriola y Manuela Solans Castro.

—, *Mapas de aumento y disminución de la población de España.* Entre: 1) 1900-1950, 2) 1950-1960, 3) 1960-1965 y 4) 1965-1970. Escala 1:1.000.000. En colaboración con los autores del mapa anterior.

Casasass i Simó, L., *Barcelona i l'espai català.* Barcelona —Curial— 1977. 330 págs.

Castán Lacoma, Laureano, *La indisolubilidad del matrimonio y el derecho natural.* Madrid —Mundo Cristiano— 1980. 30 págs.

Castro, Josué de, *Geopolítica del hambre.* Madrid —Guadarrama— 1975. 2 vols.: I, 325 págs.; II, 320 págs.

—, *Ensayos sobre el subdesarrollo.* Buenos Aires —Siglo XX— 1972. 175 págs.

—, *Geografía del hambre.* Buenos Aires —Peuser— 1950. 334 págs.

Centre National de la Recherche Scientifique, *Les aspects économiques de la croissance démographique.* París, 1976. Coloquio Internacional en San Rafael, del 3 al 8 de septiembre de 1973. 377 págs.

—, (Vᵉ Colloque National de Démographie du...), *L'Analyse démographique et ses applications.* París, 20-22 de octubre de 1975. París, 1977. 549 págs.

—, *Les disparités démographiques régionales,* Niza, 14-16 de abril de 1976. París, 1978. 614 págs. (preferentemente para Francia).

Centro de Estudios Sociales de la Santa Cruz del Valle de los Caídos, *Problemas de los movimientos de población de España.* Madrid, 1965. 279 págs.

—, *La familia española,* Madrid, 1967. 333 págs.

—, *La concentración urbana en España. Problemas demográficos, sociales y culturales.* Madrid, 1969. 262 págs.

CEOTMA-ASELCA-ASITEMA, *La calidad de la vida en el proceso de humanización.* Conferencias y coloquios de las Primeras Jornadas Científico-Humanistas. Madrid —Medio Ambiente— 1981. 350 págs.

Comisión Económica para América Latina (CEPAL), *Conferencia mundial de la población.* México —Fondo de Cultura Económica— 1975. 339 págs.

—, *Población y Desarrollo en América Latina.* México —Fondo de Cultura Económica— 1975. 320 págs.

Cepede, M.; Houtart, F., y Grond, L., *La población mundial y los medios de subsistencia.* Barcelona —Nova Terra— 1967 (redactado en 1962-1963). 432 págs.

A CIBA Foundation Report, *Immigration. Medical and Social Aspects.* Londres —Churchill— 1966. 124 págs.

Cipolla, C. M., *Historia Económica de la Población Mundial.* Barcelona —Crítica— 1978. 170 páginas.

—, (editor), *The Fontana Economic History of Europe.* Glasgow —Collins— 1978 (2.ª ed.). 9 volúmenes.

—, *Historia económica de Europa. (3) La revolución industrial.* Barcelona —Ariel— 1979. 641 páginas. Traducción de José Carreras y Rosa Vaccaro. Con abundantes erratas.

—, *Historia económica de la población mundial.* Barcelona —ed. Crítica— 1978. 170 págs. Traducción de Jorge Beltrán.

Clark, Colin, *The conditions of economic progress.* Londres —MacMillan— 1957. 3.ª ed. 720 páginas.

—, *Population Growth and Land Use.* 2.ª ed., 1977. Londres —MacMillan Press Ltd.—. 416 páginas. Versión española: *Crecimiento demográfico y utilización del suelo.* Madrid —Alianza— 1968. 469 págs.

—, *The History of Population Growth.* Cap. III de *Population Growth and Land Use.* 2.ª edición. Págs. 59-122.

—, *El mito de la sobrepoblación.* Caracas —Monte Avila ed.— 1975. 156 págs. Versión castellana en *El aumento de la población* de Emesa.

—, *El aumento de la población.* Madrid —Emesa— 1977. 277 págs. Prólogo de Manuel Ferrer Regales.

Clark, Robert L., y Spengler, Joseph J., *The economics of individual and population aging.* Cambridge University Press, 1980. 211 págs.

Clarke, John I., *Population Geography.* 2.ª ed. Oxford —Pergamon Press— 1972 (reimpresión 1976). 176 págs.

—, *Population Geography.* En: *Progress in Human Geography.* Vol. I, núm. I, 1977. Páginas 136-141.

—, *Population Geography and the Developing Countries.* Oxford —Pergamon— 1971 (1.ª ed.). Reimpresiones 1974-1977. 282 págs.

—, *Population in movement.* En: *Studies in Human Geography.* Editado por M. Chisholm y B. Rodgers. Págs. 85 a 125.

—, *World Population and Food Resources: a Critique.* The Institute of British Greographers Trans. and Paper 1968. Publicación núm. 45. Págs. 53-70. Citado por Trewartha.

Comité Executif du Club de Rome, *Le Rapport de Tokio sur l'homme et la croissance.* París —Ed. du Seuil— 1973. 85 págs.

Coale, Ansley J., *The History of the Human Population.* En: *A Scientific American Book. The Human Population.* San Francisco —Freeman and C.º— 1974. 148 págs. En las págs. 15 a 29.

—, y Hoover, Edgar M., *Population Growth and Economic Development in low Income Countries. A Case Study of India's Prospects.* Princeton University Press, 1972 (6.ª ed.). 389 págs. Versión castellana en, *Crecimiento de Población y Desarrollo Económico.* México —Limusa-Wiley— 1965. 438 págs. Preferentemente sobre la India.

—, *The Demographic Transition Reconsidered.* En: *International Union for the Scientific Study of Population.* International Population Conference. Lieja, 1973. Vol. I. Págs. 53 a 72.

—, *Keynote address: Malthus and the population trends in his day and ours.* En APLIC. Philadelphia, 1979. Págs. 9-22.

Coates, B. E.; Johnston, R. J., y Knox, P. L., *Geography and Inequality.* Oxford University Press, 1977. 292 págs.

Cochran, L. T., y O'Kane, J. M., *The myth of a population explosion in American Society.* En: «Persona y Derecho (Revista de la Facultad de Derecho de la Universidad de Navarra)». Volumen I, 1974. Págs. 363-375.

Cole, Sonia, *The Neolithic Revolution.* British Museum (Natural History). Londres, 1970. 72 páginas (1.ª ed., 1959).

Cole, H. S. D.; Freeman, C.; Jahoda, M., y Pavitt, K. L. R., *Thinking about the future. A critique of the Limits to Growth.* Sussex University Press, 1974. 218 págs.

Colombo, V., y Gabor, D., *Sortir de l'ère du gaspillage. Les grandes alternatives technologiques du demain.* Quatrième rapport au Club de Rome. París —Sned/Dunod/Bordas— 1978. 230 páginas.

Comby, Bernard, *La planificatión régionale dans les pays andins. Le cas de la Colombie.* Friburgo, Suiza —Editions Universitaires— 1973. 320 págs.

Comellas, José Luis, *Historia de España Moderna y Contemporánea.* Madrid —Rialp— 1967. 671 págs.

Comisión Económica para América Latina, *Conferencia Mundial de Población (Bucarest).* México —Fondo de Cultura Económica— 1975. 340 págs.

Comisión Permanente de la Conferencia Episcopal Española, *Declaración de la Comisión Permanente de la Conferencia Episcopal Española sobre el proyecto de ley de modificación de la regulación del matrimonio en el Código Civil.* Aprobada en la LXXXIII Reunión de la Comisión Permanente de la Conferencia Episcopal Española (3 de febrero de 1981). Texto en: «Documentos Palabra», págs. 34 a 36 en la revista «Palabra», núm. 187. Marzo 1981. Madrid.

Comisión Episcopal de Apostolado Social, *Doctrina social de la Iglesia. Desde la «Rerum novarum» a la «Mater et Magistra»*. Madrid, 1963. 693 págs.

Comité Executif du Club de Rome, *Le Rapport de Tokyo sur l'Homme et la croissance*. París —Ed. du Seuil— 1973. 86 págs.

Commitee on Economics and Demography, *Agrarian change and population growth: an interim report*. C.E.D. Lieja IUSSP, 1974. 32 págs. (Col. IUSSP paper, núm. 6.)

Committee on Resources and Man, *Resources and Man*. San Francisco —Freeman— 1969. 259 páginas.

Committee of the Bishops, Conference of England and Wales. *Marriage and the Family*. Londres —Catholic Truth Society— 1979. 43 págs.

Confederación Española de Cajas de Ahorro, *Estructura Social Básica de la Población de España y sus Provincias*. Estudio realizado por DATA, S. A. Madrid —Gráficas España— 1973. 317 págs.

Conseil de l'Europe, *Evolution demographique récente dans les États membres du Conseil de l'Europe*. Estrasburgo, 1980. 134 págs.

—, *Seminaire sur les incidences d'une population stationnaire ou decroissante en Europe*. Lieja —Ordina Ed.— 1978. 349 págs. En versión inglesa, *Population Decline in Europe. Implications of Declining or Stationary Population*. Londres —Arnold— 1978. 254 págs.

Consejo Nacional de Población (CONAPO). México, *Manual de la Familia*. México, 1980. 120 páginas.

—, *México demográfico. Breviario 1979*. México, 1981. 127 págs.

—, *Política demográfica nacional y regional. Objetivos y metas 1978-1982*. México, s/f (hacia 1981). 162 págs.

Constitución Pastoral «Gadium et Spes», sobre la Iglesia en el Mundo actual. En: *Documentos del Vaticano II*. Madrid —BAC— 1975. 30.ª edición. 723 págs. Págs. 177-297.

Coontz, Sidney H., *Population theories and the economic interpretation*. Londres y Henley. Routledge —Kegan— 1979 (1.ª ed., 1957). 200 págs. Traducción mexicana en F.C.E.

Cottier, Georges M., *Regulación de la natalidad. Problemas sociológicos y morales*. Edición al cuidado de José López Navarro. Madrid —Rialp— 1971. 202 págs.

Cox, Peter, *Demography*. 5.ª edición. Cambridge University Press, 1976. 393 págs.

Craig, J., *Population density and concentration in Great Britain 1951 —1961— and 1971*. Studies on Medical and Population Subjects, núm. 42. Londres —H.M.S.O— 1980. 46 págs.

Crouzet, Maurice (director), *Historia General de las Civilizaciones*. Vol. IV. *Los siglos XVI y XVII. El progreso de la civilización europea y la decadencia de Oriente (1492-1715)*, por Roland Mousnier. Barcelona —Destino— 1974. 674 págs.

—, *Historia General de las Civilizaciones*. Vol. V. *El siglo XVIII. Revolución intelectual, técnica y política (1715-1815)*. Por Roland Mousnier y Ernest Lagrousse, con la colaboración de Marc Bouliseau. Versión española de David Romano. Revisión y adaptación de Juan Reglá. Barcelona —Destino— 1975 (4.ª ed. española). 630 págs.

Crusafont, M.; Meléndez, B.; Aguirre, E., y otros colaboradores, *La Evolución*. Madrid —BAC— 1976 (3.ª ed.). 1.159 págs.

Ministerio de Cultura. Subdirección General de la Familia, *Documentos sobre tercera edad y Constitución*. Madrid, 1980. Cuatro volúmenes: I. *Síntesis de los Informes y Propuestas elaborados en las Jornadas provinciales sobre «Familia y Constitución»*. 230 págs; II. *Estudio sectorizado. Tetuán (Madrid)*. 240 págs.; III. *Datos para un libro blanco*. 203 págs., y IV. *Bibliografía*. 76 págs.

CH

Chabot, Georges, *Les villes*. París, 1948. C. Armand Colin. Pág. 224.

Chamberlain, Neil W., *Beyond Malthus. Population and Power,* Englewood Cliffs —Prentice Hall— 1972 (1.ª ed., 1970). 214 págs.

Chandrasekjara, G. S.; Sundaram, K. V., y Satish Chander, *Growth Changes in India's Urban Population*. En 21 Cong. G. Int. Symposium on Population Geography. Págs. 78-82.

Chaunu, Pierre, *La mort à París*. 16ᵉ, 17ᵉ, 18ᵉ siècles. París —Fayard— 1978. 544 págs.

—, y otros, *Le defi demographique*. París —Club de l'Horloge— 1979. 156 págs.

—, *El rechazo de la vida*. Madrid —Espasa-Calpe— 1979. 331 págs. (1.ª ed. francesa, 1973).

—, y Suffert, G., *La peste blanche. Comment éviter le suicide de l'Occident*. París —Gallimard— 1976. 265 págs.

—, *La civilización de la Europa clásica*. Barcelona —Juventud— 1976. 748 págs.

—, *La civilisation de l'Europe des lumières*. París —Arthaud— 1971. 665 págs.

Chenery, H.; Ahluwalia, M. S.; Bell, C. L. G.; Dulox, J. H., y Jolly, R., *Redistribución con crecimiento*. Publicado, para el Banco Mundial, por Editorial Tecnos. Madrid —Tecnos— 1976. 350 págs. Versión inglesa, en Oxford University Press, 1981. 4.ª ed. (1.ª ed., 1974). 304 págs.

—, y Syrquin, Moisés, *La estructura del crecimiento económico. Un análisis para el período 1950-1970*. Publicado, para el Banco Mundial, por Editorial Tecnos. Madrid, 1978. 257 págs.

—, *Cambio estructural y política de desarrollo*. Publicado, para el Banco Mundial, por Editorial Tecnos. Madrid, 1980. 470 págs.

Chiao-Min, Hsieh, *Changing pattern of urbanization in mainland China*. En: *21st Int. Geographical Congress. Symposium on Population Geography*. Calcuta, 1971. 154 págs. Pág. 67.

Chisholm, Michael, y Rodgers, Brian (editores), *Estudies in Human Geography*. Londres —Heinemann— 1973. 305 págs.

—, *Rural Settlement and Land use*. Londres —Hutchinson— 1973 (1.ª ed., 1962). 183 págs.

—, *Human Geography. Evolution or Revolution?* Penguin Books, 1975. 207 págs.

Chorley, Richard J., *Directions in Geography*. Londres —Methuen— 1973. 331 págs. Versión española en Instituto de Estudios de Administración Local. *Nuevas tendencias en Geografía*. Madrid, 1975. 506 págs.

—, y Hagget, Peter, *Models in Geography*. Londres —Methuen— 1967. 816 págs.

Chung, R., *Space-Time. Diffusion of the Transition Model: The Twentieth Century Patterns*. En: Blunden (Londres, 1978). Págs. 64 a 75. Y también en Demko, Rose, Schnell. Págs. 220-239.

D

Dalton, G., *Sistemas económicos y sociedad. Capitalismo, comunismo y el Tercer Mundo*. Madrid —Alianza Penguin— 1979. 264 págs.

Damman, Erik, *The future on our hands*. Oxford —Pergamon— 1979. 171 págs.

Darlington, C. D., *The Evolution of Man and Society*. Londres —Allen y Unwin— 1971 (3.ª ed.) (1.ª ed., 1969). 753 págs.

Daus, Federico A., *El Subdesarrollo Latinoamericano*. Buenos Aires —El Ateneo— 1971. 204 páginas.

Davis, Kingsley (1965), *The Urbanization of the Human Population*. En: *Scientific American. Man and the Ecosphere*, 1971. Págs. 266-279.

—, *Apreciación crítica de Malthus*. En la edición del Fondo de Cultura Económica del *Ensayo sobre el principio de la población,* de T. R. Malthus. Págs. VII a XLI.

Day, Lincoln H., *What will a ZPG Society be like?* En: «Population Bulletin». Vol. 33, núm. 3. Junio 1978. 44 págs.

Deane, Phyblis, *La primera revolución industrial*. Barcelona —Península— 1977 (4.ª ed.) (1.ª ed., 1968). 336 págs.

Debavalya, Nibhon, *Patterns of fertility decline in Asia with special reference to Thailand*. En: IUSSP. International Population Conference. Manila, 1981. Vol. I. Págs. 55-70.

Debré, Robert, *Venir al Mundo*. Madrid —Emesa— 1978, 188 págs.

Dechesne, Jean-Louis, *Bibliography of IUSSP. Conference Proceeding from 1947 to 1973*. Lieja —IUSSP— 1976. 363 págs.

Deevey, Jr., y Edward, S., *The Human Population*. Septiembre 1960. En: *Man and the Ecosphere. Readings from Scientific American*. San Francisco —Freeman and C.º— 1971. 308 págs. En las páginas 49 a 55.

Delaunay-Lederberg-Alimen, *La aparición de la vida y del hombre*. Madrid —Guadarrama— 1969. 295 págs.

Demko, G. I.; Rose, H. M., y Schnell, G. A., *Population Geography: A Reader*. Nueva York —McGraw-Hill— 1970. 526 págs.

Denzinger, Enrique, *El Magisterio de la Iglesia*. Barcelona —Ed. Herder— 1963. 617 más 99 págs.

Derruau, Max, *Géographie Humaine*. París —Colin— 1976. 432 págs.

Derry, T. K., y Williams, T. J., *Historia de la tecnología*. Vol. I. *Antigüedad a 1750*. Vol. II. *1750 a 1900 (I)*. Vol. III. *1750-1900 (II)*. Madrid —Siglo XXI— 1977 (1.ª ed. inglesa, 1960).

Dhanis, E.; Visser, J., y Fortmann, H. J. (delegados, respectivamente, de la Comisión cardenalicia y del Episcopado holandés, en cumplimiento del Dictamen de la Comisión cardenalicia), *Las correcciones al Catecismo holandés. Suplemento al Nuevo Catecismo*. Prólogo del doctor don Laureano Castán Lacoma. Complementos a la edición española por Cándido Pozo. Madrid —BAC— 1969. 266 págs.

Díaz, Diego, *La última edad*. Pamplona —Eunsa— 1976. 154 págs.

Dicken, Peter, y Lloyd, Peter E., *Modern Western Society. A geographical perspective on work, home, and well-being*. Londres —Harper and Row— 1981. 396 págs.

Dickinson, G. C., *Statistical mapping and the presentation of statistics*. Londres —Arnold— 1973. 2.ª edición. 196 págs.

Diercke Weltatlas, *Bearbeitung und Kartographie:* doctor Ferdinand Mayer. Braunschweig —Westermann— 1980. 200 láminas de mapas. 20 págs. de índices.

Díez Nicolás, Juan (Secretario general del Instituto de la Opinión Pública), *Desarrollo y crecimiento de la población en Madrid*. Copia en microfilm.

—, *Algunos problemas de información de la población española*. En: *El lenguaje en los medios de comunicación social*. Publicaciones de la Escuela Superior de Periodismo. Madrid, 1969.

—, *La jerarquía de las ciudades*. Copia en microfilm.

—, *Tamaño, densidad y crecimiento de la población en España. 1900-1960*. «Revista Internacional de Sociología». Enero-junio 1968.

—, *Influencia de las definiciones administrativas en el análisis de conceptos sociológicos: el municipio como unidad de análisis en el estudio del grado de urbanización*. «Revista Internacional de Sociología». Enero-junio 1968, núms. 97-98.

—, *La medida de la concentración provincial de la población en España. 1900-1960*. Madrid —Instituto «Balmes» del C.S.I.C.— 1968.

—, *Mesa redonda sobre indicadores sociales*. Aportación escrita de... Fundación Foessa. Julio 1969. Copia en microfilm.

—, *Especialización funcional y dominación en la España urbana*. Madrid —Guadarrama— 1972. (Fundación «Juan March».) 246 págs.

Djukanovic, V., y Mach, E. P., *Distintos medios de atender las necesidades fundamentales de salud en los países en desarrollo*. Ginebra —Unicef O.M.S.— 1976. 132 págs.

«La Documentation Française Illustrée». Junio 1964, *L'évolution démographique et la croissance urbaine*. 32 págs.

«La Documentation Photographique». Núms. 5.296 y 5.297. Junio-julio 1969. (Realisée par «La

Documentation Française» et par l'Institut Pédagogique National), *La première révolution industrielle*. Fichas A a L. Láminas 26.

—, *Tiers Monde et Sous-Developpement*. Abril 1974.

Drewnowski, Jan, *On Measuring and Planning the Quality of Life*. Institute of Social Studies. The Hague. París —Mouton— 1974. 148 págs.

Dupaquier, Jacques, *Avez-vous lu Malthus?* En: «Population», 2, 1980. Págs. 279-290.

Dupuis, Jacques, *Asia Meridional*. Barcelona —Ariel— 1975 (1.ª ed. francesa, 1969). 312 págs.

Durand, John D., *World Population: Trend and Prospects. 1958*. En: Demko, G. I.; Rose, H. M., y Schnell, G. A., *Population Geography: A Reader*. Nueva York —McGraw-Hill B. C.º— 1970. 526 págs. En las págs. 38 a 43.

—, *The Modern Expansion of World Population*. En: «Proceedings of the American Philosophical Society». Vol. III, núm. 3, 22 de junio de 1967. Pág. 137. Citado por Rostow.

Duvigneaud, D., *La síntesis ecológica*. Madrid —Alhambra— 1978 (1.ª ed. francesa 1974). 306 págs.

Dwyer, D. J. (editor), *The city in the Third World*. Londres —MacMillan— 1974. 254 págs.

—, *China now*. Londres —Longman— 1974. 510 págs. Es una selección de artículos sobre China.

—, *People and Housing in Third World Cities*. En: *Perspectives on the problem of spontaneous settlements*. Londres —Longman— 1975 (1.ª ed., 1979). 286 págs.

E

East-West Population Institute, *The Value of children. A cross-national study*. Vol. I: *Introduction and comparative analysis*. 251 págs. Vol. II: *Philipines-Rodolfo Z. Bulatao*. 222 páginas. East-West Center, Honolulu, Hawaii.

«The Economist» (11 de marzo de 1972), *Limits to Misconception. How seriously should we all take the forecast from the Club of Rome of impending world doom?* En: Blunden (Londres, 1978). Págs. 84 a 86.

Editor, *The Process of Demographic Transition*. En: Stanford, *The World Population*. Pág. 70.

Edwards, J. E. S., *The Cambridge Ancient History*. Parte I. *Prolegomena and Prehistory*. Cambridge Univ. Press, 1976. 758 págs.

Elgozy, Georges, *Le bluff du futur*. París —Calmann Levy— 1974. 250 págs.

Atlas Mundial Emesa (*Goode's World Atlas*. 15.ª ed.). Madrid —Magisterio Español— 1980. 303 págs.

English, Paul Ward, y Maifiel, Robert C. (editores), *Man, Space, and Environment*. Londres, Nueva York —Oxford Univ. Press— 1972. 623 págs.

Episcopado Español, *Instrucción colectiva sobre el divorcio civil*. XXXII Asamblea Plenaria (Madrid, 23 de noviembre de 1979). En: *Divorcio, Enseñanza y Misiones*. Madrid —P.P.C.— 1980. Págs. 9-12.

Conferencia Episcopal Italiana, *El Aborto*. Madrid —P.P.C.— 1979. 46 págs.

Conferencia Episcopal Española, *Matrimonio y familia, hoy* (6 de julio de 1979). Madrid —P.P.C.— 1979. 62 págs.

Documentos del Episcopado de Gran Bretaña y de Francia, *Aborto y derecho a vivir*. Madrid —P.P.C.— 1980. 44 págs. Contiene: *Declaración conjunta de los obispos de Gran Bretaña* («Ecclesia», núm. del 1 de marzo de 1980). *Declaración del Consejo Permanente del Episcopado frances* (23 de abril de 1979).

Errasti, Francisco, *Retos actuales de la revolución industrial*. Pamplona —Eunsa— 1979. 217 págs.

Escrivá de Balaguer, Josemaría, *Es Cristo que pasa. Homilías*. Madrid —Rialp— 1976 (12.ª ed.). 423 págs.

—, *Amigos de Dios. Homilías*. Madrid —Rialp— 1977. 467 págs.

—, *Conversaciones con Monseñor Escrivá de Balaguer*. Madrid —Rialp— 1977 (12.ª ed.). 244 páginas.

Espenshade, Thomas J., *The Value and Cost of Children*. En: «Population Bulletin». Vol. 32, número 1. Abril 1977. 48 págs.

Del Estal, Gabriel, *Derecho a la vida e institución familiar*. Madrid —Eapsa— 1979. 247 págs.

Esteva Fabregat, C., *La población del mundo*. Badalona —Promoción Cultural, S. A.— 1973. 158 págs.

Eurostat (Instituto Estadístico de la Comunidad Europea), *Demographic Statistics. 1960-1976*. Bruselas, 1977. 120 págs.

—, *1975 Statistiques régionales. Population, Emploi, Conditions de vie*. Bruselas, 1977. 363 págs.

Eyre, S. R., y Jones, G. R. J., *Geography as Human Ecology*. Londres —Arnold— 1966. 308 páginas.

F

F.A.O., *Seis mil millones de bocas*. Roma, 1963. 44 págs.

—, *Congreso Mundial de la Alimentación*. Washington, 4-18 de junio de 1963. Roma, 1963. Volumen I. 170 págs. Vol. II. 126 págs.

—, *Informe sobre el Programa Mundial de Alimentos por el Director Ejecutivo*. Roma, 1964. 118 págs.

—, Estudios sobre nutrición, núm. 20, *Estudiemos la nutrición*. Un segundo estudio, sobre sistemas y técnicas, por Jean A. S. Ritchie. Del Departamento de Nutrición Humana de la London School of Hygiene and Tropical Medicine. Roma, 1968. 287 págs.

—, *Informe del Segundo Congreso Mundial de la Alimentación*. La Haya. 16-30 de junio de 1970. Volumen I. Roma, 1970. 152 págs. Vol. II. Roma, 1971. 222 págs.

—, *Energy and protein requirements*. Report of a Joint FAO/WHO Ad Hoc Expert Committee. Roma, 1973. 118 págs.

—, Estudios sobre *Los alimentos y la población*. Roma, 1976. 249 págs.

—, *La cuarta encuesta alimentaria mundial de la FAO*. Roma, 1977. 132 págs.

—, *Production Yearbook*. Roma, 1979. 287 págs.

—, *Manuel sur le besoins nutritionnels de l'homme*. Roma, 1974. 64 págs.

—, *El estado mundial de la agricultura y la alimentación, 1978. Análisis mundial. Problemas y estrategias en las regiones en desarrollo*. Roma, 1979. 130 págs. y anexos.

—, *El estado mundial de la agricultura y la alimentación, 1979. Análisis mundial. La silvicultura y el desarrollo rural*. Roma, 1980. 250 págs.

—, *Planificación alimentaria y demografía*. Roma, 1978. 66 págs.

—, *El estado mundial de la agricultura y la alimentación, 1976*. Roma, 1977. 158 págs.

—, *Productos agrícolas básicos. Proyecciones: 1975-85*. Roma, 1979. 142 págs.

—, *Hojas de Balance de Alimentos. Promedio 1975-1977. Suministros de alimentos por persona. Promedio 1961-1965 y 1961-1965 a 1977*. Roma, 1980. 1.010 págs.

Ferrer, M.; Navarro, A. M., y D'Entremont, A., *Las políticas demográficas*. Pamplona —Eunsa— 1975. 205 págs.

Ferrer Regales, M., *La población entre la vida y la muerte*. Madrid —Prensa Española y otros— 1975. 156 págs.

—, Cochran, L. J., y O'Kane, J. M., *The Urbanization-Industrialization Sequences in Historical Perspective: A re-interpretation of Demographic Transition Theory*. 24 págs., 1981 (copia xerográfica).

—, *Presente y futuro de la población mundial*. En: «Rev. Médica de la Univ. de Navarra», XIV, 1970. Págs. 197 a 209.

—, y Fernández Rodríguez, F., *Demographical and ecological aproximation to the spanish econo-mic space*. En: Polish Academy of Sciences: International Conference, *Demography Regional Policy - Socioeconomic Development*. Białowieza. Sep. 3-7, 1979. 25 págs.

—, *Planificación familiar y regresión demográfica*. En: «Revista de Medicina de la Universidad de Navarra», vol. XXIII, núm. 2-147, 1979. Págs. 67-76.

Foessa (Fundación), *Estudios sociológicos sobre la situación social de España, 1975*. Madrid —Euromérica— 1976. 1.408 págs.

Föhlen, Claude, *La revolución industrial*. Barcelona —Vicens Vives— 1978. 254 págs.

Fondo Monetario Internacional, *Perspectivas de la Economía Mundial*. Mayo 1980. Washing-ton, D. C. 141 págs.

—, *Dinámica demográfica y desarrollo económico*. En el Boletín del 16 de marzo de 1981.

Freeman, C., *Malthus with a computer*. En: Cole, *Thinking about the future*. Págs. 5 a 13.

G

Gabor, Dennis, y Colombo, Umberto, *Sortir de l'ère du gaspillage*. París —Dunod— 1978. 229 pá-ginas.

Gaisie, Samuel, *Mediating mecanism of fertility change in Africa. The role of the post-partum variables in the process of change: the case of Ghana*. En IUSSP - Congrès International de la Population. Manila, 1981. Vol. I. Págs. 95-114.

García Barbancho, Alfonso, *Estadística Elemental Moderna*. Barcelona —Ariel— 1978 (5.ª ed.). 461 págs.

García Fernández, J., *La emigración exterior de España*. Barcelona —Ariel— 1965. 302 págs.

Gentelle, Pierre, *La China*. Barcelona —Ariel, Col. Elcano— 1977. 305 págs. (1.ª ed. francesa, 1974). Trad. Joan Baraldés.

Gerard, H. y Wunsch, G., *Demografía*. Madrid —Pirámide— 1975 (1.ª ed. belga, 1973). 192 págs.

Gervasy, Tom, *Arsenal of Democracy*. Nueva York —Grove Press— 1981. 300 págs.

Gibson, Ch., *Population*. B. Blackwell Publisher, 1980. 64 págs.

Gilland, B., *The next 70 years. Population, food and resources*. Turnbridge Wells —Abaco Press— 1979. 133 págs.

Gilson, E., *De Aristóteles a Darwin (y vuelta). Ensayo sobre algunas constantes de la biofilosofía*. Pamplona —Eunsa— 1976. 346 págs.

Ginsburg, Norton, *Atlas of Economic Development,* with a foreword by Bert F. Hoselitz and part VIII. *A Statistical Analysis,* by Brian J. L. Berry. Chicago —The University of Chicago— 1961. 119 págs.

Glass, D. V., y Revelle, R. (editores), *Population and Social Change*. Londres —Arnold— 1972. 520 págs. Versión castellana en Tecnos. Madrid, 1978. 519 págs.

—, y Eversley, D. E. C., *Population in History. Essays in Historical Demography*. Londres —Ar-nold— 1974 (1.ª ed., 1965). 692 págs.

—, *La población mundial (1800-1950)*. En: Habakkuk y Postan. Tomo VI. Parte 1. Págs. 77 a 172.

Gómez Pérez, Rafael, *Problemas morales de la existencia humana*. Madrid —Emesa— 1980. 232 págs.

Goodenough, Stephanie, *Population Growth and the Environment*. En: *The Open University. Social Sciences: a Second level course. Fundamentals of Human Geography. Section 1. Man and Environment. Units 708*. The Open University Press —Walton Hall Milton Keynes— 1977. 96 págs. En las págs. 7 a 51.

Gordon Childe, V., *Los orígenes de la civilización*. México —Fondo de Cultura Económica— 1979 (10.ª reimpresión). 291 págs.

—, *De la prehistoire à l'histoire*. París —Gallimard— 1963. 370 págs.

—, *Nacimiento de las civilizaciones orientales*. Barcelona —Península— 1976 (2.ª ed.). 313 págs.

Grauman, John V., *Population growth*. En: *International Encyclopedia of the Social Sciences*. Volumen 12. Págs. 376-381. Edición de 1968.

Grotelüschen, W.; Otremba, E., y Puls, W. W., *Unsere Welt, Atlas- Grosse Ausgabe*. Berlín —Velhagen, Klasing und Schroedel— 1970. 179 págs.

Guernier, Maurice, *Tiers-monde: trois quarts du monde*. Rapport au Club de Rome. París —Bordas Dunod— 1980. 174 págs.

Guerra, M., *El enigma del hombre*. Pamplona —Eunsa— 1978. 277 págs.

Guillaume, P., y Poussou, J. P., *Démographie Historique*. París —Colin— 1970. 415 págs.

Gürkaynak, Mehmet R., y Le Compte, W. Ayham (editores), *Human consequences of crowding*. NATO Conferences Series. Serie III: Human Factors, 1979. Plenum Press. Nueva York. 331 págs.

H

Habakkuk, H. J., *Population growth and economic development since 1750*. Leicester Univ. Press, 1971 (3.ª ed., 1973). 110 págs.

—, y Postan, M., Universidad de Cambridge, *Historia Económica de Europa*. Tomo VI. Parte I. *Las revoluciones industriales y sus consecuencias: Renta, población y cambio tecnológico*. Jaén —Editorial de Derecho Privado— 1977. 754 págs. Tomo VI. Parte II. Páginas 755 a 1.279. Traducción de José Miguel Muro Martínez.

Hägerstrand, T., *The Propagation of Innovation Waves*. The Royal University of Lund, 1952. Dep. of Geography. 20 págs.

Hagget, P., *Geography: A Modern Synthesis*. Nueva York —Harper— 1972-1975. 620 págs.

Hall, P. (editor), *Europe 2000*. Londres —Duckworth— 1978 (2.ª ed.). 274 págs.

—, *Las grandes ciudades y sus problemas*. Madrid —Guadarrama— 1965. 256 págs.

«Handbook on Population», *A Life Quality Bestseller*, por Robert Sassone, 1973. 203 págs.

Hankinson, R., *Population and Development. A Summary Information Guide*. París —Development Centre of OECD— 1972. 52 págs.

Haq, Mahbub Ul, *The poverty curtain. Choices for the Third World*. Columbia University Press, Nueva York, 1976. 247 págs.

Harrison, P., *The Third World Tomorrow*. Penguin Books, 1980. 380 págs.

Harrison Church, R. J., *West Africa. A study of the environment and of man's use of it*. Londres —Longman— 1974 (7.ª ed.). 526 págs.

—, *Africa and the Islands*. Londres —Longman— 1973 (3.ª ed., 2.ª impr.). 542 págs.

Harmer, Jérôme, *El Magisterio y los fundamentos doctrinales de la ética sexual*. En: I Simposio Internacional de Teología. Págs. 601-620.

Hatt, Paul K., *World Population and Future Resources*. Proceedings of the Second Centennial Academic Conference of Northwester University. Nueva York —American Book C.º— 1952. 262 págs.

Haupt, A., y Kane, T. T., *Population Handbook*. Washington, D. C. Population Reference. Bureau, 1978 (2.ª ed.). 64 págs.

Hauser, Ph. M., y Duncan, O. D. (editores), *The Study of Population. An Inventory and Appraisal*. Chicago y Londres —The University of Chicago Press— 1959 (7.ª reimpresión, 1972). 864 páginas.

—, *World Population Growth*. En: *The American Assembly. The Population Dilemma*. Páginas 12-33.

Heer, David M., *Sociedad y población*. México —Trillas— 1973. 180 págs.

Henry, Louis, *Perspectivas demográficas*. Barcelona —Vicens Vives— 1971. 139 págs.

—, *Population. Analysis and Models*. Londres —Arnold— 1976. 301 págs. En francés, *Démographie,* 1972.

—, *Demografía*. Barcelona —Labor— 1976. 350 págs.

Hernando Ochoa, L., *Patterns of fertility decline in Latin America with special reference to Colombia*. En: International Union for the Scientific Study of Population. International Population Conference. Manila, 1981. Vol. I. Págs. 25-54.

Herrera, L., y Pecht, W., *Crecimiento urbano de América Latina*. Banco Interamericano de Desarrollo. Centro Latino Americano de Demografía (CELADE). Santiago de Chile, 1976. 549 págs.

Hicks, Norman L., *Growth us. Basic Needs: Is There a Trade-off?* World Bank Reprint Series, número 139. Reproducido de *World Development*. Vol. 7 (1979). Págs. 985-994.

—, y Boroumand, J., *Economic Growth and Human Resources*. World Bank Staff Working Paper, núm. 408. Washington, 1980. 38 págs.

Himmelfarb, M., y Baras V., *Zero population growth for whom?* Westport. 214 págs. Editado por The American Jewish Committee.

Hirsch, F., *Social limits to growth*. Londres —Routledge and Kegan— 1977. 208 págs.

Hollingsworth, T. H., *Historical Demography*. Cambridge University Press, 1976. 448 págs.

Hooson, J. M., *The Distribution of Population as the Essential Geographical Expression*. En: «Canadian Geographer», núm. 17 (1960). Págs. 10-20.

Hornby, W. F., y Jones, M., *An introduction to population geography*. Cambridge Univ. Press, 1980. 166 págs.

Hovells, W., *Más allá de la Historia*. Barcelona —Labor— 1962. 420 págs.

Hoyos Sainz, Luis, *La densidad de población y el acrecentamiento en España*. Madrid —I. Elcano— 1952. 305 págs.

Hubner Gallo, J. I., *El mito de la explosión demográfica*. Madrid —Ateneo— 1967. 40 págs.

I

Presidencia del Gobierno. Instituto Nacional de Estadística, *Panorámica demográfica. (Análisis, estructura y proyecciones de la población española.)* Madrid, 1976. 245 págs. y 2 vols. de Anexos.

International Geographical Union: véase U.G.I. (Unión Geográfica Internacional).

«Investigación y Ciencia». Edición en español de *Scientific American*. Número monográfico sobre *Desarrollo económico,* núm. 50. Noviembre 1980. Barcelona.

International Union for the Scientific Study of Population (IUSSP): véase en U: Union International pour l'Étude Scientifique de la Population.

J

Jackson, Roy J., *Discurso pronunciado ante la Conferencia Mundial de Población*. Bucarest, agosto 1974. En: *Estudios de la FAO sobre los alimentos...* Págs. 221-228.

James, Patricia, *Population Malthus. His Life and Times*. Londres —Boston— 1979. Citado por Dupaquier. Pág. 281.

Jameson, K. P., *Supply-side Economics: for Richs and Poor*. En: «Economic Impact», núm. 34/ 1981-1982. Washington. Págs. 54-58.

Jiménez Vargas, J., y López García, G., *Aborto y contraceptivos*. Pamplona —Eunsa— 1973. 124 págs.

Jones, D. B. (Advisory editor), *Oxford Economic Atlas of the World.* Oxford University Press, 1972 (4.ª ed.). 239 págs.

Jones, Emrys, *Towns and Cities.* Londres —Open University— 1970 (1.ª ed., 1966). 152 págs. Versión argentina en Buenos Aires —Eudeba— 1973.

—, y Eyles, John, *An Introduction to Social Geography.* Oxford University Press, 1977. 273 págs.

—, *Readings in Social Geography.* Oxford University Press, 1975. 328 págs.

Wojtyla, Karol (Juan Pablo II), *Amor y responsabilidad.* Madrid —Razón y Fe, S. A.— 1978 (11.ª ed.) (1.ª ed. en castellano, 1969). 347 págs.

Juan Pablo II, *Redemptor Hominis.* Primera Carta Encíclica. Madrid —Ediciones Paulinas— 1979. 86 págs. (Traducción castellana de la Políglota Vaticana.)

—, *A las familias.* Pamplona —Eunsa— 1980. 233 págs.

—, *Heraldo de la Paz. Irlanda, O.N.U., Estados Unidos.* Madrid —BAC— 1979. 477 págs.

—, *Peregrinación apostólica a Polonia.* Madrid —BAC— 1979. 257 págs.

—, *La famille.* París —Col. du Laurier— 1980. 28 págs.

—, *Situación y problemas del Continente africano. Discurso al Cuerpo Diplomático acreditado en Nairobi. 6 de mayo de 1979.* En: *Viaje pastoral a África.* Madrid —BAC— 1980. Págs. 141 a 156.

—, *«Laborem exercens». Carta Encíclica.* Castelgandolfo. 14 de septiembre de 1981. Texto completo en «Ya». Madrid, 16 de septiembre de 1981.

—, *«Familiaris consortio». Exhortación apostólica sobre la misión de la familia cristiana en el mundo (22 de noviembre de 1981).* Madrid —Mundo Cristiano— 1982. 143 págs.

K

Kamarck, A. M., *Los trópicos y el desarrollo económico. Reflexiones sobre la pobreza de las naciones.* Madrid —Tecnos, Bco. Mundial— 1978. 144 págs.

Keller, Werner, *Y la Biblia tenía razón.* Barcelona —Omega— 1977 (15.ª ed.). 448 págs.

King, Alexander, *La situación de nuestro planeta.* Madrid —Taurus— 1978. 146 págs.

—, *The State of the Planet. A report prepared for the International Federation of Institutes for Advanced Study (FIAS), Stockholm.* Oxford —Pergamon Press— 1980 (1.ª ed., enero 1976). 130 págs.

King, T. (coordinador), *Políticas de población y desarrollo económico.* Informe del Banco Mundial. Madrid —Tecnos— 1975. 223 págs.

Kleinman, D. S., *Human Adaptation and Population Growth. A Non-Malthusian Perspective.* Nueva York —Universe Book— 1980. 282 págs.

Kuls, W., *Bevolkerungsgeographie.* Stuttgart —B. G. Teubner— 1980. 240 págs.

Kuznets, S., *Croissance et structure économiques.* Calmann-Lévy, 1972 (1.ª edición americana, 1965). 444 págs.

L

Ediciones Robert Laffont, S. A., *Atlas de l'Homme.* París, 1978. 208 págs. Este atlas, en la línea del evolucionismo darwinista, es la versión francesa del *Atlas of the Body and Mind,* concebido y realizado bajo la dirección de Mitchell Beazley Publishers Ltd. Londres, 1976.

Landes, D. S., *Progreso tecnológico y Revolución Industrial.* Madrid —Tecnos— 1979. 604 págs.

Landry, Adolphe, *Traité de Démographie.* París —Payot— 1945. 651 págs.

De Launay-Lederberg-Alimen, *La aparición de la vida y del hombre.* Madrid —Guadarrama— 1969. 295 págs.

Le Gros Clarke, W. E., *History of the Primates. An Introduction to the study of Fossil Man*. Londres —British Museum (Natural History)— 1970. 127 págs.

—, *The Antecedents of Man*. Edimburgo —Univ. Press— 1978. 394 págs.

Lebret, L.-J., *Manual de Encuesta Social*. Tomo II. Madrid —Rialp— 1962. 510 págs.

—, *Dynamique concrète du développement contre la faim*. París —Les Editions ouvrières— 1963. 550 págs.

Leguina, Joaquín, *Fundamentos de Demografía*. Madrid —Siglo XXI— 1976 (1.ª ed., 1973). 372 págs.

Lejeune, J.; Chauchard, D.; Tremblay, Z., y otros, *Laissez-les vivre*. Ed. Lethielleux, 1975. 351 páginas. Versión española, *Dejadlos vivir*. Madrid —Rialp— 1980. 296 págs.

—, *Le début de l'être humain*. En: *Laissez-les vivre. Non au génocide*. Editions P. Lethielleux, 1975. Págs. 9 a 20.

—, *El hombre nace hombre*. Istmo, 91. México, 1974.

Léontief, W.; Carter, A. P., y Petri, P., *1999: l'expertise de Wassily Léontief. Une étude de l'O.N.U. sur l'économie mondiale future*. Demain, Dunod, París —Bordas— 1977. 255 páginas. Versión original en inglés, *The future of the world economy*. Oxford University Press, 1977.

—, *La economía mundial en el año 2000*. En: «Investigación y Ciencia», núm. 50. Barcelona, noviembre 1980. Págs. 140 a 154.

—, *Crecimiento demográfico y desarrollo económico*. En: «Boletín de Población de las Naciones Unidas», núm. 12, 1979. Nueva York, 1980. Págs. 83 a 99.

Lery, F., *La alimentación*. Barcelona —Ediciones Martínez Roca— 1968. 190 págs. (obra de divulgación).

Lesourd, J. A., y Gerard, G., *Historia Económica Mundial Moderna y Contemporánea*. Barcelona —Vicens Vives— 1976 (4.ª ed.) (1.ª ed. francesa, 1963 [Colin]). 562 págs.

Livet, R., *Géographie de l'alimentation*. París —Les Editions Ouvrières— 1969. 317 págs.

Livi Bacci, Massimo, *La transformazione demografica delle societá europee*. Turín, 1980. 439 páginas.

Lobo Méndez, Gonzalo, *Persona, Familia, Sociedad*. Madrid —Emesa— 1973. 375 págs.

Longone, P., *Espace, population, production*. En: «Population et Sociétés», núm. 78, marzo 1975 (París).

López Navarro, J., *Matrimonio y paternidad responsable*. Madrid —Mundo Cristiano— 1967. 65 págs.

—, *Aspectos médico-pastorales de la paternidad responsable*. En: *I Simposio Internacional de Teología*. Págs. 621 a 632.

Lowenberg-Todhunter-Wilson-Savege-Lubawski, *Food and People*. Nueva York —John Wiley and Soas— 1979. 382 págs.

Lowry, J. H., *World Population and Food Supply*. Londres —Arnold— 1970. 122 págs.

Luchaire, F., *L'aide aux pays sous-developpés*. París —P.U.F.— 1967. 127 págs. (versión española en Oikos-tau, 1971).

M

Mahler, H., *Población* (de los países desarrollados y subdesarrollados). En núm. 50 de «Investigación y Ciencia». Barcelona, noviembre 1980. Págs. 28-48.

Maier, J., y otros, *Sozialgeographie*. Braunschweig-Westerman, 1977. 187 págs. Versión española de J. Gutierrez Puebla. En impresión (Rialp).

Malthus, Thomas Robert, *An Essay on the Principle of Population* y *A Summary view of the Principle of Population*. Edición e introducción por Anthony Flew. Penguin Books, 1976. 292 páginas (Primeras eds., 1798 y 1830).

—, *Primer ensayo sobre la población.* Madrid —Alianza Editorial— 1968 (2.ª ed.), 317 páginas. Contiene: *Robert Malthus (1766-1834). El primer economista de Cambridge,* por John Maynard Keynes.

—, *Ensayo sobre el principio de la población.* Londres, 1803. Introducción de Kingsley Davis. México —Fondo de Cultura Económica— 1977 (1.ª reimpresión, 1.ª ed. en español, 1951). 620 págs.

Maluquer de Motes, Juan, *La humanidad prehistórica.* Barcelona —Montaner y Simón— 1971 (reimpresión, 1975). 363 páginas.

Marcilio, M.ª L., y Charbonneau, N., *Démographie Historique.* Publications de l'Université de Rouen. París —P.U.F.— 1979. 222 págs.

Masifern, Esteban, *La calidad de vida, fin del desarrollo económico.* Madrid —Magisterio, Prensa Española— 1977. 157 págs.

Mathias, P., *The Transformation of England.* Londres —Methuen— 1979. 324 págs.

Matras, Judah, *Introduction to Population. A sociological approach.* Englewood Cliffs —Prentice Hall— 1977. 552 págs.

Mauldin, W. P., *The determinants of fertility decline in LDC's: an overview of the available empirical evidence.* En: International Union for the Scientific Study of Population. International Population Conference. Manila, 1981. Vol. I. Págs. 5-24.

Mayer, Ferdinand, *Diercke Weltatlas.* Braunschweig-Westermann, 1980. 200 láminas de mapas. 20 págs. de índices.

McEvedy, Colin, y Jones, Richard, *Atlas of World Population History.* Penguin Books, 1978. 368 págs.

McGlashan, N. D. (editor), *Medical Geography. Techniques and Field Studies.* Londres —Methuen— 1972. 336 págs.

Mc Keown, Thomas, *El crecimiento moderno de la población.* Barcelona —Bosch ed.— 1978. 205 págs. Traducción de J. Soler Llusá.

Mc Namara, R. S., *Cien países. Dos mil millones de seres. La dimensión del desarrollo.* Madrid —Tecnos— 1973. 172 págs.

Mc Neil, William H., *Le temps de la peste. Essai sur les épidemies dans l'histoire.* París —Hachette— 1978. 301 págs.

Meadows, D. H., y D. L.; Randers, J., y Behrens III, W. W., *Los límites del crecimiento. Informe al Club de Roma.* México —Fondo de Cultura Económica— 1975 (1.ª ed. española, 1972; 1.ª ed. inglesa, 1972). 253 págs.

Von der Mehden, Fred R., *Política de las naciones en vías de desarrollo.* Madrid —Tecnos— 1970. 165 págs.

Mellart, James, *Earliest Civilizations of the Near East.* Norvich —Jarrold and Sons— 1978. 143 páginas.

Mesarovic, M., y Pestel, E., *La humanidad en la encrucijada. Segundo Informe al Club de Roma.* México —Fondo de Cultura Económica— 1975. 261 págs. (1.ª ed. inglesa, 1974).

Messner, J., *Ética social, política y económica a la luz del Derecho natural.* Madrid —Rialp— 1967. 1.576 págs.

—, *La cuestión social.* Madrid —Rialp— 1976 (1.ª ed. en alemán, 1956). 723 págs.

Millán Puelles, Antonio, *Sobre el hombre y la sociedad.* Madrid —Rialp— 1976. 285 págs.

—, *Persona humana y Justicia social.* Madrid —Rialp— 1978, 164 págs.

Monkhouse, F. J., y Wilkinson, H. R., *Mapas y diagramas. Técnicas de elaboración y trazado.* Barcelona —Oikos-tau— 1968. 533 págs.

Moulik, Moni, *Más miles de millones que alimentar.* 45 págs. Editado por la F.A.O., sin fecha (probablemente 1975).

Colegio Mayor Monterols, *Población y Desarrollo.* Barcelona, 1974. 191 págs.

Mountjoy, A. B. (editor), *The Third World. Problems and Perspectives.* Londres —MacMillan— 1978. 165 págs.

—, *Developing the Underdeveloped Countries*. Londres —MacMillan— 1979 (1.ª ed., 1971). 270 págs.

Mudd, Stuart (editor), *The population crisis and the use of world resources*. Holland —Junk Publisher— 1964. 563 págs. (World Academy of Art and Science, núm. 2).

Museo de África del Sur, *Los Bosquimanos*. Ciudad del Cabo, 1976. 38 págs.

Myrdal, Gunnar, *Teoría económica y regiones subdesarrolladas*. México —Fondo de Cultura Económica— 1979 (1.ª ed. inglesa, 1957). 188 págs.

—, *Asian Drama. An inquiry the Poverty of Nations*. Abridged in one volume by Seth S. King. Pelikan Books. 1977. 388 págs.

—, *Procès de la croissance*. París —P.U.F.— 1978 (1.ª ed. francesa, 1972). 278 págs.

N

United Nations. Nations Unies. *1977 Statistical Yearbook. Annuaire statistique*. Nueva York, 1978. 958 págs.

Naciones Unidas, *Crecimiento de la población urbana y rural del Mundo, 1920-2000*. Nueva York, 1970. 134 págs.

—, *Informe conciso sobre la situación demográfica en el mundo en 1970-1975 y sus repercusiones a largo plazo*. Nueva York, 1974. 73 págs.

—, *The United Nations and Population. Major Resolutions and Instruments*. Publicado en cooperación con el United Nations Fund for Population Activities. Nueva York, Leiden —Oceana Publications— 1974. 212 págs.

—, *The determinants and consequences of populations trends. New Summary of Finding on Interaction of Demographic, Economic and Social Factors*. Vol. I. Nueva York, 1973. 661 páginas. Vol. II. Bibliography and Index. Nueva York, 1978. 155 págs.

—, *Report of the United Nations. World Population Conference, 1974. Bucharest, 19-30 de agosto de 1974*. Nueva York, 1975. 148 págs.

—, *Economic and Social Commission for Asia and the Pacific*. Country Monograph Series número 2. *Population of the Republic of Korea*. Bangkok, 1975. 274 págs.

—, Departamento de Asuntos Económicos y Sociales. Estudios sobre población, núm. 50. *Factores determinantes y consecuencias de las tendencias demográficas*. Vol. I. Nueva York, 1978. Número de venta S. 71-XIII-5. 690 págs.

—, Manual VIII. *Métodos para hacer proyecciones de la población urbana y rural*. Nueva York, 1975. 129 págs.

—, *World Population Trends and Policies, 1977*. Monitoring Report. Vol. I. *Population Trends*. Nueva York, 1979. 278 págs.

—, *Estudio Económico Mundial, 1976. Tendencias actuales de la economía mundial*. Nueva York, 1977. 111 págs.

—, *Estudio Económico Mundial, 1979-1980*. Nueva York, 1980. 122 págs.

—, *Estudios sobre la integración de estadísticas sociales y demográficas: Informe técnico*. Nueva York, 1979. 209 págs.

—, *Informe conciso sobre la situación demográfica en el mundo en 1977. Nuevos principios y fines inciertos*. Nueva York, 1979. 128 págs.

—, *Concise Report on the World Population. Situation in 1979*. Nueva York, 1980. 115 págs.

—, *Patterns of Urban and Rural Population Growth*. Nueva York, 1980. 175 págs.

—, Nueva York, 1979. *Selected World Demographic and Population Policy Indicators, 1978*. Encarte de *0,725 m. × 1,120 m*. En: «Boletín de Población de las Naciones Unidas», núm. 12, 1979 (Nueva York, 1980).

—, (Secretaría), *Informe sucinto sobre la observación de las tendencias demográficas*. En: «Boletín de Población de las Naciones Unidas», núm. 12, 1979 (Nueva York, 1980). Págs. 1 a 26.

—, *1978 Report on the World Social situation.* Nueva York, 1979. 54 págs.

—, *Population and Development Modelling. Proceedings of the United Nations/UNFPA Expert Group Meeting. Geneva, 24-28 de septiembre de 1979.* Nueva York, 1981. 129 págs.

—, *Population Distribution Policies in Development Planning. Papers of the United Nations/ UNFPA Workshop on Population Distribution Policies in Development Planning. Bangkok, 4-13 de septiembre de 1979.* Nueva York, 1981. 206 págs.

—, Fondo de las Naciones Unidas para Actividades en Materia de Población, *Informe 1980.* Nueva York, 1981. 196 págs.

—, *Review and appraisal of the World Population Plan of Action.* Nueva York, 1979. 60 págs.

—, *Interrelations: Resources, Environment, Population and Development. Proceedings of a U.N. Symposium held at Stockholm from 6 a 10 de agosto de 1979.* Nueva York, 1980. 106 páginas.

—, *Demographic Aspects of Manpower. Report 1 Sex and Age Patterns of Participation in Economic Activities.* Nueva York, 1962. 81 págs.

—, *Population Policy and Development Planning: Aspects of Technical Cooperation.* Nueva York, 1980. 54 págs.

—, *Social Welfare and Family Planning: Concepts, Strategics and Methods. Report of a United Nations Project, 1971-1978.* Nueva York, 1979. 107 págs.

—, *World Population Prospects as Assessed in 1980.* Nueva York, 1981. 101 págs.

United Nations Library. Geneva. *Directory of Libraries and Documentation Centres in the United Nations System.* Ginebra, 1979. 71 págs.

—, (Secretaría), *Informe conciso de la observación continua de las políticas en materia de población.* En: «Boletín de Población de las Naciones Unidas», núm. 12, 1979 (Nueva York, 1980). Páginas 27 a 50.

—, (Secretaría), *La situación demográfica en los países desarrollados.* En: «Boletín de Población de las Naciones Unidas», núm. 12, 1979 (Nueva York, 1980). Págs. 51 a 82.

—, *Demographic Transition and Socio-Economic Development. Proceedings of the United Nations/UNFPA Expert Group Meeting Istanbul, 27 de abril-4 de mayo de 1977.* Nueva York, 1979. 153 págs.

—, Informes Estadísticos. Serie M, núm. 67. *Principios y recomendaciones para los censos de población y habitación.* Nueva York, 1980. 335 págs.

—, *Evaluación y análisis demográficos de los datos de los censos de población: aspectos de cooperación técnica.* Nueva York, 1980. 31 págs.

—, *Population and Vital Statistics Report. Data available as of 1 January 1981.* Nueva York, 1981. Statistical Paper. Series A. Vol. XXXIII, núm. 1. 21 págs.

—, *Informe de la Conferencia Mundial de Población de las Naciones Unidas, 1974.* Nueva York, 1975. 152 págs.

—, Fund for Population Activities, 1979, *A Bibliography of United Nations Publication on Population.* 254 págs.

—, Comisión Económica para América Latina. *Población y Desarrollo en América Latina.* Dos volúmenes. 398 págs. mecanografiadas (28 de febrero de 1974).

—, *El envejecimiento: tendencias políticas.* Nueva York, 1975. 116 págs.

—, *Étude sur la situation économique de l'Europe en 1974. Deuxième partie: L'évolution démographique de l'Europe depuis la guerre, et les perspectives jusqu'a l'an 2000.* Nueva York, 1976. 260 págs.

Nadal, Jordi, *La población española, S. XVI a XX.* Barcelona —Ariel— 1976 (4.ª ed.). 283 págs.

National Academy of Sciences. National Research Council. Committee on Resources and Man, *Resources and Man.* San Francisco —Freeman and C.°— 1969. 259 págs.

—, *In Search of Population Policy. Views from the Developing World.* Washington, 1974. 110 páginas.

Navarro de Ferrer, Ana María, *Planificación familiar e ideología.* En: «Rev. de Medicina de la Univ. de Navarra». Vol. XXIII, núm. 2, junio 1979. Págs. 77-79.

—, *Feminismo, familia, mujer.* Pamplona —Eunsa— 1982. 195 págs.

Nazareth, J. Manuel, *O envelhecimento da populaçao portuguesa.* Lisboa —Presença— 1979. 237 págs.

—, *Explosâo demográfica e planeamento familiar. Subsidios para una política de defesa da vida en Portugal.* Lisboa —Presença— 1982. 235 págs.

Noah Kramer, Samuel, *La historia empieza en Summer.* Barcelona —Aymasa— 1978. 332 págs.

Noin, D., *Géographie de la Population.* París —Masson— 1979. 324 págs.

Nort, L., y Karon, B. P., *Demographic transition reexamined.* En: «The American Sociological Review», núm. 20, 1955. Se cita por referencias.

Nougier, Louis René, *Géographie Prehistorique.* En: *Géographie générale* dirigida por A. Journaux, P. Deffontaines y M. Bruhnes-Delamarre. Brujas —Encyclopédie de la Pléiade— 1966. Páginas 891 a 916.

O

Oakley, K., *Cronología del hombre fósil.* Barcelona, 1968. Citado por Palafox.

Obermaier, H.; García Bellido, A., y Pericot, L., *El hombre prehistórico y los orígenes de la humanidad.* Madrid, 1963.

O.C.D.E., *Food consumption statistics, 1970-1975.* París, 1978. 298 págs.

—, *Population and Development.* París, 1972. 56 págs. (Se trata de una guía bibliográfica importante.)

—, *Facing the future. (Mastering the probable and managing the unpredictable.)* París, 1979. 425 págs.

Oltmans, W. L. (compilador), *Debate sobre el crecimiento.* México —Fondo de Cultura Económica— 1975. 551 págs. (1.ª ed. en holandés, 1973).

Ominde, S. H., y Ejiogu, C. N., *Population growth and Economic development in Africa.* Londres, Nairobi, 1974. 421 págs.

Ong Tsui, Amy, y Bogue, Donald J., *Declining World Fertility: Trends, Causes, Implications.* En: «Population Bulletin». Vol. 33, núm. 4, octubre 1978. 55 págs.

The Open University, *Social Sciences: A second level course. Fundamentals of Human Geography. Section 1. Man and Environment.* Units 7-8. Walton Hall, Milton Keynes, 1977. 96 págs.

Ordeig, M., *Dossier sobre Fe y Evolucionismo.* En: «Palabra», núm. 189, mayo 1981. Págs. 27 a 33.

Organización Mundial de la Salud (O.M.S.), World Health Organization (W.H.O.), *Annuaire de Statistiques sanitaires mondiales.* Vol. I: *Mouvement de la population et causes de décés.* 719 págs.; Vol. II: *Infectius deseases: causes and deaths.* 150 págs. Ginebra, 1977 (en inglés y francés).

—, *Fifth report on the world health situation, 1969-1972.* Ginebra, 1975. 322 págs.

Orozco Delclós, A., *El valor sagrado de la vida humana (Paternidad responsable).* Madrid —Mundo Cristiano— 1980. 38 págs.

Overhage, P., y Rahner, C., *El problema de la hominización. Sobre el origen biológico del hombre.* Madrid —Aldus— 1973. 358 págs.

Oxford Geography Project, *Contrasts in development.* Oxford University Press, 1976 (3.ª ed.) (1.ª ed., 1975). 164 págs.

P

Pablo VI, *Carta Encíclica sobre la necesidad de promover el desarrollo de los pueblos («Populorum progressio»)*. En: *Ocho grandes mensajes*. Madrid —BAC— 1976 (9.ª ed.). Págs. 317-366.

—, *Encíclica «Humanae Vitae»*. Roma, 25 de julio de 1968. Versión castellana en Soria, J. L., *Paternidad responsable*. Págs. 105 a 129.

—, *Discurso pronunciado ante la Conferencia Mundial de la Alimentación*. Roma, 1974. En: *Estudios de la FAO sobre los alimentos y la población*. Págs. 229 a 239.

—, *Discurso pronunciado ante la Conferencia Conmemorativa General de la FAO*. Roma, noviembre 1970. En: *Estudios de la FAO sobre los alimentos y la población*. Págs. 159 a 166.

Page, W., *Population forecasting*. En: Cole, *Thinking about the future*. Págs. 159 a 174.

Page, H., Lesthaeghe, R., y Shah, Igbal H., *Compensating changes in intermediate fertility variables and the onset of marital fertility transition*. En: IUSSP. International Population Conference. Manila, 1981. Vol. I. Págs. 71-94.

Pailhé, Joël, *Sur l'objet de la Géographie de la Population*. En: «L'Espace géographique», núm. 1, 1972. Págs. 54-62.

Palacio Atard, Vicente, *La España del siglo XIX, 1808-1898*. Madrid —Espasa-Calpe— 1978. 668 págs.

Palafox Marqués, Emilio, *Hacia una síntesis de la evolución*. En: «Istmo», 1. México, 1959.

—, *Nueva visión del origen del hombre*. En: «Istmo», 73. México, 1971.

—, *Aclaraciones sobre la evolución biológica*. En: «Documentos SEDS». México, 16 de junio de 1975. Págs. 1 a 5.

—, *El hombre, ¿un mono cultivado?* Dossier de «Palabra», núm. 131. Madrid, julio 1976.

—, *On the biological origin of Man*. En: XVI Congreso Internacional de Filosofía. Dusseldorf, 1978.

—, *Sobre el origen biológico del hombre*. En: «Istmo», núm. 121. México, 1979. Págs. 32 a 41. Buena bibliografía.

Palomares, J. M.; Almuiña, C.; Helguera, J.; Martínez, M, y Rueda, G., *Historia del Mundo Contemporáneo*, Madrid —Anaya— 1978.

Parry, H. B. (editado por —), *Population and its problems: A plain man's guide*. The Wolfson College Lectures, 1973. Oxford —Clarendon Press— 1974. 422 págs.

Pavitt, K. I. R., *Malthus and other economists. Some doom-days revisited*. En: Cole, *Thinking about the future*. Págs. 137-158.

Pawley, W. H., *El abastecimiento mundial: posibilidades de aumento*. FAO. Roma, 1963. 250 páginas.

Paxton, J. (editor), *The Statesman's Year-book. Statistical and Historical Annual of the States of the World*. Londres —MacMillan—. Volúmenes utilizados: Vol. 113: 1976-1977. 1.556 páginas.; Vol. 115 1978-1979. 1.696 págs.; Vol. 116: 1979-1980. 1.700 págs.; Vol. 117: 1980-1981. 1.684 págs., y Vol. 118: 1981-1982. 1.696 págs.

Pennington, D. H., *Europa en el siglo XVII*. Madrid —Aguilar— 1973 (1.ª ed. inglesa, 1970). 533 págs.

Pericot, Luis, y Maluquer de Motes, Juan, *La Humanidad Prehistórica*. Madrid —Salvat-Alianza— 1979. Libro RTV, 25. 187 págs.

Petersen, W., *La población. Un análisis actual*. Madrid —Tecnos— 1968. 578 págs.

—, *Population*. Nueva York —MacMillan— 1975 (3.ª ed.). 784 págs.

—, *Malthus*. Cambridge, Mass. Harvard Univ. Press, 1979. Citado por Dupaquier. Pág. 281.

Piettre, A., *La economía en los países socialistas y en el Tercer Mundo*. Madrid —Rialp— 1981. 323 págs.

Pío XII, *Encíclica «Humani Generis», de 12 de agosto de 1950*. En: Acción Católica Española, *Colección de Encíclicas y Documentos Pontificios (Concilio Vaticano II)* (7.ª ed.). Traducción e índices por Mons. Pascual Galindo. Tomo I. Madrid, 1967. Págs. 1.123 a 1.134.

—, *Mystici Corporis Christi. Carta Encíclica de 29 de junio de 1943.* En: *Colección de Encíclicas y Documentos Pontificios.* Vol. I. Págs. 1.026 a 1.060.

Pirenne, J., *Civilizaciones antiguas.* Barcelona —Caralt— 1976. 379 págs.

Pitié, Jean, *Géographie de la Population Mondiale.* París —Sirey— 1973. Vol. I. 141 págs. Vol. II. Documents. Travaux pratiques. 27 ejercicios.

Platón, *Obras completas.* Madrid —Aguilar— 1979. Traducción de María Araujo y otros. Introducción a Platón de José Antonio Míguez. 1.715 págs.

Pohlman, E., *Population: a clash of prophets.* Nueva York Scarborough, Ontario —New American Library— 1973. 492 págs.

Pokshisheyskiy, V. V., *Geography of Population and its tasks.* En: «Investiya Akademii Nauk SSRR, seriya geograficheskaya», 1962, núm. 4. Págs. 3-11.

Pollard, A. H., *Mathematical models for the growth of human populations.* Cambridge University Press, 1975. 186 págs.

—, *Demographic Techniques.* Oxford —Pergamon— 1974. 161 págs.

Population Reference Bureau Inc., *1981 World Population Data Sheet of the...; World's Women Data Sheet of the...; Los niños del mundo en cifras, 1980,* por... (cuadro estadístico en varios idiomas); *World Fertility,* por... Tabla de 120 países, enero 1981; *Fertility and Status of Women; Population Dynamics of the World.* Abril 1981. Mapas murales; *Resources, environment and population. The nature of future limits.* En: «Population Bulletin». Vol. 34, núm. 3. 23 págs.

Potts, M., y Selman, P., *Society and Fertility.* Estover (Plymouth) —Mac Donald-Evans— 1979. 374 págs.

Poursin, Jean Marie, *La population mondiale.* París —Ed. du Seuil— 1971-1976. 252 págs.

—, y Dupuy, G., *Malthus.* Buenos Aires —Siglo XXI Argentina— 1975. 188 págs. (1.ª ed. francesa: Ed. du Seuil, 1972).

Pressat, Roland, *Démographie sociale.* París —P.U.F.— 1978 (2.ª ed.). 192 págs. Versión española en Ariel, Barcelona.

—, *Demografía Estadística.* Barcelona —Ariel— 1979. 215 págs.

—, *El análisis demográfico. Métodos, resultados, aplicaciones.* México —Fondo de Cultura Económica— 1973 (1.ª ed. francesa, 1961; 1.ª ed. en español, 1967). 435 págs.

—, *A workbook in demography.* Londres —Methuen— 1974. 292 págs. (1.ª ed. francesa, 1966). Versión española en Fondo de Cultura Económica. México, 1977 con el título: *La práctica de la demografía. Treinta problemas.* 368 págs.

—, *Dictionnaire de Démographie.* París —P.U.F.— 1979. 295 págs.

Pyke, Magnus, *El hombre y su alimentación.* Madrid —Guadarrama— 1970. 253 págs.

R

Raiz, Erwin, *General Cartography.* Londres, 1930. 370 págs.

Rees, Ph., y Wilson, A. G., *Spatial population analysis.* Londres —Arnold— 1977. 356 págs.

Research Group on Living and Surviving, *Inhabiting the earth as a finite world.* Boston —Nijhoff Publ.— 1979. 163 págs.

Reutlinger, Sh., y Selowsky, M., *Desnutrición y pobreza.* Madrid —Tecnos-Bco. Mundial— 1977. 88 págs.

Rey Balmaceda, R. C., *Distribución geográfica de la población argentina según una nueva aplicación del diagrama triangular.* Buenos Aires —Imprenta de la Universidad— 1968. 29 págs.

Ridker, R. G., y Celeiski, E. W., *Resources Environment and Population: The Nature of Future Limits.* En: «Population Bulletin». Vol. 34, núm. 3, agosto 1979. 43 págs.

Ritchie, J. A. S., *Estudiemos la nutrición.* Roma —FAO— 1968. 287 págs.

Rivoire, Jean, *L'économie mondiale depuis 1945.* París —P.U.F.— 1980. 127 págs.

Robin, Jacques, *De la croissance économique au développement humain.* París —Du Seuil— 1975. 160 págs. Club de Roma.

Rogers, Andrei, *Matrix Analysis of Interregional Population Growth and Distribution.* Berkeley y Los Angeles —Univ. of California Press— 1968. 119 págs.

Rolfe, J.; Dearden, R.; Kent, A.; Rowe, O., y Grenyer, N., *Oxford Geography Project. Book 3. Contrasts in development.* Oxford University Press, 1975 (3.ª impresión 1976). 164 págs.

Ross, B. Talbot, *The World Food Problem and U.S. Food Politics and Policies: 1979-1980. A Reading Book.* The Iowa State University Press. 172 págs.

Rostow, W. W., *The World Economy. History and Prospect.* Londres —MacMillan— 1978. 833 págs.

Roussel, Louis, y Gani, Léon, *Analyse démographique. Exercices et problèmes.* París —Colin— 1973. 217 págs.

Royal Commission on Population, *Report Presented to Parliament... Junio 1949.* Londres —H.M.S.O.— 1971 (reprinted). 260 págs.

Royo Marín, Antonio, *Dios y su obra.* Madrid —BAC— 1963. 656 págs.

S

Salas, Rafael M., *Política demográfica no es sinónimo de control de la natalidad.* En: FAO, «Los alimentos y la población». Págs. 201 a 207.

—, *People: An International choice. The Multilateral Approach to Population.* Oxford —Pergamon Press— 1977. 154 págs.

—, *International population assistance: the first decade: A look at the concepts and policies which have guided the UNFPA in its first ten years.* Oxford —Pergamon— 1979. 456 págs.

Sanguineti, J. J., *La hipótesis evolucionista.* En: *Cuestiones y Respuestas,* VII. Madrid —Obisa— 1978. Págs. 173-183.

Saranyana, José Ignacio, *Introducción a la Historia de las Doctrinas Económicas sobre Población.* Madrid —Conf. Esp. de Cajas de Ahorros— 1973. 167 págs.

—, *Presupuestos para una teoría económica de la población.* En: *Persona y Derecho.* Páginas 307-320.

—, *Significación teológica del crecimiento demográfico.* En: I Simposio Internacional de Teología. Ética y Teología ante la crisis contemporánea. Pamplona —Ediciones Universidad de Navarra—. Págs. 567-580.

Sassone, Robert, *Handbook on Population. A Life Quality Bestseller,* 1973. 203 págs.

The Statesman's Year-book. Statistical and Historical Annual of the States of the World. Londres —MacMillan—. Editor: Paxton, J. Volúmenes utilizados: 113: 1976-1977, 1.556 págs.; 115: 1978-1979, 1.696 págs.; 116: 1979-1980, 1.700 págs.; 117: 1980-1981, 1.684 págs.; 118: 1981-1982, 1.696 págs.

Sauvy, Alfred, *El problema de la población en el mundo. De Malthus a Mao-Tse-Tung.* Madrid —Aguilar— 1961, 364 págs. Traducción de José Antonio Fontanilla.

—, *Population Theories.* En: *International Encyclopedia of the Social Sciences.* Vol. 12. Págs. 350 a 358.

—, *Theorie générale de la population.* Vol. II, *La vie des populations.* París —P.U.F.— 1966. 401 págs.

—, *General Theory of Population.* Londres —Methuen— 1969. 551 págs.

—, *Malthus et les deux Marx. Le problème de la faim et de la guerre dans le monde.* Evreux-Denöel, 1963. 350 págs. Versión española, *El hambre, la guerra y el control de natalidad. Ensayo sobre el malthusianismo y las teorías marxistas.* Barcelona —Vicens Vives— 1965. 302 págs. Traducción de A. Abad.

—, *Zero growth?* Oxford, 1975. 266 págs.

—, Brown, E., y Lefebvre, A., *Eléments de Démographie.* París —P.U.F.— 1976. 391 págs.

—, *La Population.* París —P.U.F.— (1.ª ed., 1944) (12.ª ed., 1975). 128 págs.

—, *La población. Sus movimientos y sus leyes.* Buenos Aires, 1960 (1976). 140 págs.

—, *La Població.* Incluye: Lluch, E., y Giral, E., *La Població Catalana.* Barcelona —Ediçions 62— 1964. 206 págs.

Schenll, G. A., *Demographic Transition: Threat to Developing Nations.* En: Stanford: *The World Population.* Págs. 73-83.

Schneider, Mark, y Kraft, Michael, *Population Policy Analysis.* Toronto —Lexington books— 1978. 204 págs.

Schnerb, Robert, *El siglo XIX. El apogeo de la expansión europea (1815-1914).* En: Crouzet, M., *Historia General de las Civilizaciones.* Vol. VI. Barcelona —Destino— 1969 (4.ª ed. española). 720 págs.

Schooyans, M., *L'avortement. Approche politique.* Lieja —Janssens— 1980 (2.ª ed.). 144 págs.

Schumacher, E. F., *Lo pequeño es hermoso. Por una sociedad y una técnica a la medida del hombre.* Madrid —Blume, ed.— 1978. 310 págs.

Schumpeter, *Historia del Análisis económico.* Barcelona —Ariel— 1971 (ed. inglesa, 1954). 1.371 páginas.

Scientific American, *Conditions for Life.* San Francisco —Freeman and C.°— 1976 (1.ª ed., 1954). 256 págs.

—, *Hunters, Farmers, and Civilizations. Old World Archaelogy.* San Francisco —Freeman and C.°— 1979 (1.ª ed., 1953). 306 págs.

—, *Progress in Arms Controls.* San Francisco —Freeman and C.°— 1979 (1.ª ed., 1969). 238 páginas.

—, *The Human Population.* San Francisco —Freeman and C.°— 1974. 148 págs. Versión española. Barcelona, 1976.

Scrismshaw, N. S., y Taylor, L., *Alimentación (países desarrollados y subdesarrollados).* En: «Investigación y Ciencia», núm. 50. Barcelona, noviembre 1980. Págs. 48-64.

Shipman, P. E., y Turner, C., *Tools for population information: indexing and abstracting services.* En: APLIC-International-Clarion-Pennsylvania, 1979, 24 págs.

Smith, David M., *Human Geography. A welfare approach.* Londres —Arnold— 1977. 402 págs.

—, *Where the Grass is Greener. Living in an Unequal World.* Penguin Books, 1979. 386 págs.

Smith, V. Kerry (editor), *Scarcity and Growth Reconsidered. A Book from Resources for the Future.* Baltimore y Londres —The Johns Hopkins University Press— 1979. 298 págs.

Smith Woodbury, Robert, *Technology, History of.* En: *Encyclopaedia Britanica.* Edición de 1969. Volumen 21. Págs 705 a 750.

Simon, Julian L. (editor), *Research in population economics: An Annual Compilation of Research.* Connecticut —Jai Press Inc.— 1978. Vol. I. 356 págs.

—, *The Economics of Population Growth.* Princeton —Univ. Press— 1977. 555 págs.

—, *The Ultimate Resource.* Princeton —Univ. Press— 1981. 415 págs.

Singer, P., *Dinámica de la población y desarrollo.* Madrid —Siglo XXI— 1976 (2.ª ed.). 233 páginas (1.ª ed. en portugués, 1970). Enfoque meramente económico.

Soria, José Luis, *Paternidad responsable.* Madrid —Rialp— 1980 (4.ª ed.). 167 págs. Traducción de Juan Carlos Beascoechea. En Apéndices: Encíclica «Humanae Vitae». Discurso de Pablo VI sobre la elaboración de la Encíclica. Bibliografía sobre: matrimonio, natalidad y progestágenos, por José López Navarro.

Sorre, M., *L'homme sur la Terre.* París —Hachette— 1961. 365 págs.

South African Institute of International Affairs, *International Aspects of Over-Population.* Londres —MacMillan— 1972. 334 págs.

Spengler, Joseph I., *Facing zero population growth: reactions and interpretations, past and present.* Duke University Press, 1978. 288 págs.

Spiegelman, M., *Introducción a la Demografía*. México —Fondo de Cultura Económica— 1972. 492 págs. (1.ª ed. inglesa, 1955, Harvard).

Srinivasan, K., y Pathak, K. B., *The nature of stable high fertility and the determinants of its destabilisation: process in selected countries of Asia*. En: IUSSP. International Population Conference. Manila, 1981. Vol. I. Págs. 115-138.

Srinivasan, T. N., *Malnutrition: Some Measurement and Policy Issues*. World Bank Reprint Series: Number 178. Reproducido de «Journal of Developments Economics». Vol. 8 (1981). Páginas 3-19.

Stamp, L. Dudley, *Población mundial y recursos naturales*. Barcelona —Oikos-tau— 1966. 240 páginas (1.ª ed. inglesa, *Our developing World*, 1960).

—, *The Geography of Life and Death*. Londres —Fontana— 1964. 154 págs.

Stanford, Q. H. (editor), *The world's Population. Problemes of Growth*. Oxford Univ. Press, 1972. 346 págs.

Starr, Ch. G., *Early Man. Prehistory and the Civilizations of the Ancient Near East*. Oxford University Press, 1973. 206 págs.

Stolnitz, G. J., *The Demographic Transition: From High to Low Birth Rates and Death Rates*. En: Demko y otros. Págs. 71-78.

Sukhatme, P. V., *La provisión mundial de alimentos*. Discurso en la Royal Statistical Society. Londres, 1966. En: *Estudios de la FAO sobre los alimentos y la población*. Págs. 111 a 139.

T

Tabah, Leon (editor), *Population growth and economic development in the Third World*. 2 vols. Ordina, 1975. Vol. I., 389 págs. Vol. II., 391 págs.

—, *New emphases in demographic research after Bucharest?* En: «Population Bulletin of the United Nations», núm. 8, 1976. Págs. 1-16.

Tamames, Ramón, *Ecología y desarrollo. La polémica sobre los límites al crecimiento*. Madrid —Alianza Editorial— (1.ª ed., 1977; 2.ª ed., 1979). 207 págs.

Tanzer, M., *The Race for Resources*. Nueva York —Montly R. Press— 1980. 285 págs.

Tapinos, G., y Piotrow, Ph., *Six Billion People. Demographic Dilemmas and World Politics*. Nueva York —McGraw-Hill— 1980. 218 págs.

Termier, H. y G., *Trama geológica de la historia humana*. Barcelona —Labor— 1973. 208 págs.

Thibon, G., *Entre el amor y la muerte*. Madrid —Rialp— 1977. 144 págs.

—, *Sobre el amor humano*. Madrid —Rialp— 1978 (5.ª ed.). 200 págs.

Thomlinson, Ralph, *Demographic Problems. Controversy over Population Control*. Encino —California— 1975. 244 págs.

Thompson, Allan, *La dinámica de la revolución industrial*. Barcelona —Oikos-tau— 1976. 240 páginas.

The Times, *Concise Atlas of the World*. Edimburgo. Times Books Ltd, 1979. 148 láminas de mapas. 84 páginas de índices.

Tinbergen, Jan, *Planificación del desarrollo*. Madrid —Guadarrama— 1967. 254 págs.

—, (coordinador), *Nord/Sud. Du défi au dialogue. Troisième Rapport au Club de Rome. Demain*. Sned/Dunod, 1978 (1.ª ed. inglesa, 1976). Traducción del inglés de Nadia Jazairy. 469 págs.

—, (coordinador), *Reestructuración del Orden Internacional*. México —Fondo de Cultura Económica— 1977. 526 págs. Es la versión española del Tercer Informe al Club de Roma. Por desgracia la traducción es muy deficiente.

Torelló, Joan Baptista, *Sexo y Personalidad*. Pamplona —Eunsa— 1975. 31 págs.

Trewartha, Glenn T., *A Geography of Population: World patterns*. Nueva York —J. Wiley— 1969. 186 págs. (Traducción castellana en Buenos Aires. Marymar, 1973.)

—, *The Less Developed Realm: A Geography of its Population.* Nueva York —John Wiley and Sons— 1972. 449 págs.

—, (editor), *The More Developed Realm. A Geography of its Population.* Oxford —Pergamon— 1978. 274 págs.

U

UNESCO, *Liste Mondiale des periodiques specialises dans les sciences sociales. World list of social science periodicals.* París, 1976. 382 págs.

—, *Human rights aspects of population programmes.* París, 1977. 154 págs.

—, *Répertoire mondial des institutions de sciences sociales. World directory of social science institutions.* París, 1977.

—, *La carrera armamentista y el desarme: consecuencias sociales y económicas* (Tendencias de la investigación y bibliografía). París, 1958. 50 págs.

Union International pour l'Étude Scientifique de la Population, *Congrès International de la Population. International Population Conference.* Londres —UIESP— 1969. Vol. I. 843 páginas.; Vol. II. 845-1.455 págs.; Vol. III. Págs. 1.459 a 2.296; Vol. IV. Págs. 2.297 a 3.050.

—, *Conferencia Regional Latinoamericana de Población.* Actas —1— (México, 1970). 1.ª ed., 1972. 648 págs. Actas —2—. 516 págs.

—, *Congrès International de la Population. México, 1977.* Lieja —IUSSP— 1978. 678 págs.

—, *International Population Conference. Manila, 1981. Solicited Papers.* Lieja, 1981. Tres volúmenes: I. A) *Fertility: Trends, determinants and consequences.* B) *Fertility and its regulation.* C) *Nuptiality and family.* 506 págs. II. D) *Mortality.* E) *Migration and Population-Distribution.* 556 págs. III. F) *Income distribution and population.* G) *Data collection and Methodology.* H) *Projections.* I) *Specific issues to the demography of particular groups.* 697 págs.

U. G. I., Conferencia Regional Latinoamericana, *La Geografía y los Problemas de Población.* Tomo I. México, 1966. 702 págs.

—, XXI Congreso Geográfico Internacional. *Symposium on Population Geography.* Calcuta, 1971. 154 págs.

—, Commission on Population Geography, *Population and Scale. 1. Micro-populations.* Edmonton, 1975. 48 págs.

—, Commission on Population Geography, *Population and Scale. 2. Macro-populations.* Edmonton, 1977. 59 págs.

—, Commission on Population Geography, *Population redistribution policies.* Edmonton, 1978. 29 págs.

—, Commission on Population Geography, *Development and population redistribution in South Asia: a Symposium.* Edmonton, 1980. 50 págs.

I.G.U'76. XXIII International Geographical Congress, *Geography of Population.* Moscú, 375 págs.

Universidad de Cambridge, *Historia económica de Europa (Las revoluciones industriales y sus consecuencias: rentas, población y cambio tecnológico).* Parte I. 754 págs. Parte II, 1.279 páginas. Jaén —Editoriales de Derecho Reunidas— 1977.

Universidad de Navarra, *Ética y teología ante la crisis contemporánea.* I Simposio Internacional de Teología. Pamplona —Eunsa— 1980. 663 págs.

—, *El matrimonio, ¿tópico social o institución permanente?* En: «Persona y Derecho (Revista de la Facultad de Derecho)». Vol. I, 1974.

V

Documentos del Vaticano II. Madrid —BAC— 1975 (30.ª ed.). 723 págs.

Vázquez de Prada, Valentín, *Historia Económica Mundial*. Vol. I. *De los orígenes a la Revolución industrial*. Madrid —Rialp— 1976. 5.ª ed. 446 págs. Vol. II. *De la Revolución industrial a la actualidad*. Madrid, 1978. 5.ª ed. 531 págs.

Vidal Bendito, Tomás, y Plana Castellví, Josep A., *Atlas Sòcio-econòmic de Catalunya*. Barcelona —Caixa d'Estalvis de Catalunya, Servei d'Estudis del Banco Occidental i Servei d'Estudis a Barcelona del Banco Urquijo— 1980.

Vidal de la Blache, *Principios de Geografía Humana*. Lisboa —Cosmos— 1954. 393 más XXXI páginas. Traducción y notas de Fernándes Martins.

Vinuesa Angulo, Julio; Olivera Poll, Ana, y Abellán García, Antonio, *Análisis territorial. Estudio y valoración de efectivos demográficos*. Madrid —Ministerio de Obras Públicas y Urbanismo— 1981. 292 págs. Centro de Estudios de Ordenación del Territorio y Medio Ambiente. Serie Monografías, 14.

Vito, Francesco, *Il problema della fame nel mondo*. A cura di Milano —Vita e Pensiero— 1965. 234 págs.

Vogel, Ch., *Nuevos resultados de la investigación en torno a la evolución del hombre*. En: «Universitas». Stuttgart, s/a. Págs. 147-154. Es el resumen de un trabajo más extenso preparado para «Natur-Wissenschaftliche Rundschau».

W

Waldron, Ingrid, y Riclefs, Robert, *Environment and Population. Problems and Solution*. Nueva York, 1973. 232 págs.

Walle, Etienne van de, y Knodel, John, *Europe's Fertility Transition: New Evidence and Lessons for today's Developing World*. En: «Population Bulletin». Vol. 34, núm. 6, febrero 1980. 44 págs.

Ward, R. H., y Weis, K. M., *The Demographic Evolution of Human Populations*. Londres —AP Academic Press— 1976. 158 págs.

Ward, Barbara, *The Rich Nations and the Poor Nations*. 1961 CBC Massey Lectures, Toronto.

—, y Dubos, R., *Only One Earth. The Care and Maintenence of a Small Planet*. A Pelican Book, 1976 (1.ª ed., 1972). 304 págs.

Weeks, J. R., *Population. An introduction to Concepts and Issues*. Belmont (California) —Wadsworth P. C.°— 1978. 366 págs.

W.H.O. Ver O.M.S. Organización Mundial de la Salud.

Willcox, Walter F., 1931, *Increase in the Population of the Earth and of the Continents Since 1650*. Vol. 2. En: National Bureau of Economic Research, International Migrations. Nueva York: The Bureau. Citado por Grauman. IESS, 12. Pág. 381.

Witt, W., *Bevölkerungskartographie*. Hannover —Jänecke, Verl.— 1971. VIII. 190 págs. Citado por Noin, 1979.

Woods, Robert, *Population analysis in geography*. Londres —Longman— 1979. 278 págs.

Wortman, Sterling, y Cummings, Ralph Jr., *To feed this world. The challenge and the strategy*. Baltimore —The Johns Hopkins Univ. Press— 1978. 440 págs.

Woytinsky, W. S., y Woytinsky, E. S., *World Population and Production. Trends and outlook*. Nueva York —The Twentieth Century Fund— 1953. 1.268 págs.

Wrigley, E. A., *Historia y Población. Introducción a la demografía histórica*. Madrid —Guadarrama— 1969. 255 págs.

Z

Zalba, Marcelino S. I., *La regulación de la natalidad. Texto bilingüe de la encíclica «Humanae vitae» y fuentes del Magisterio*. Madrid —BAC— 1968. 253 págs.

Zelinsky, W.; Kosinski, L. A., y Prothero, R. M. (editores), *Geography and a Crowding World. A Symposium on Population Pressures upon Physical and Social Resources in the Developing Lands*. Oxford University Press, Nueva York, Londres, Toronto, 1970. 601 págs.

—, *Introducción a la Geografía de la Población*. Barcelona —Vicens Vives— 1977 (2.ª ed.). 188 páginas.

—, *A Bibliographic Guide to Population Geography*. Chicago, 1962. 257 págs.

Zimmerman, Anthony F., *Overpopulation. A Study of Papal Teaching on the Problem, with Special Reference to Japan*. Washington, D. C. —The Catholic University of America Press— 1957. 327 págs. (4.ª ed., 1960).

ÍNDICE ALFABÉTICO

A

Aborto:
— Es siempre inadmisible, 198, 207
— Cifras de algunos países, 199, 200
Ackerman, 341
Adelman, 127
Agricultura:
— Estado mundial de la, en 1978, 391
— Tierra disponible para la, 343
Agua, 409
Aguirre, E., 266
Ahluwalia, 127
Aird, John S., 59, 60
Alarma ante la reducción de la natalidad en Europa, 210
Alimen, 266
Alimentación:
— Diferencias entre ciudad y campo, 380
— Estado mundial de la, en 1978, 391
— de bebés, 381
— y madres lactantes, 381
— y niños pequeños, 381
Alimentos:
— Hay para todos, pero están mal distribuidos, 385
— Producción de, y población, 366
— Suministros de, por persona, 369 a 377
— diario de, por persona, 400 a 403

Amenaza nuclear, 209
Amor conyugal, 202
Anemias nutricionales, 386
Ashton, T. S., 307
Atlas Geográfico Universal, de Rand McNally, Magisterio Español, 7
Atlas of Economic Development, de Ginsburg, 117
Atlas de l'Homme, 267
Australopitécidos, 276
Averit, 420
Ayuda a países subdesarrollados, 181, 182

B

Balandier, G., 194
Banco Mundial, 128, 160, 194
Baras, V., 216
Bartaletti, 57
Beascoechea, J. C., 206
Bebés y alimentación, 381
Behrens, W. W., 198
Bekele, Maaza, 206, 363, 364
Beloch, 305
Bennet, 305
Berelson, 216
Beriberi, 384
Berry, B. J. L., 17, 18, 73, 117, 118, 178,

225, 229, 233, 340, 406, 407, 428, 429, 434, 436, 438

Bielza de Ory, V., 56, 57

Billig, 332

Biológico:
— Origen, del hombre, 264, 266

BMR (Índice del metabolismo basal), 386

Boas, M., 307

Bocio endémico, 386

Bodega Fernández, María Isabel, 55

Bogue, D., 236, 326, 330

Boughey, 229, 230, 231

Boulding, 233

Boyd-Orr, 361

Braidwood, R. J., 290

Bromley, A. J., 410, 418, 420, 422, 424 432

Brown, 355

Bureau of Census (USA), 58

Butterfield, 307

C

Calorías:
— Consumo de, 357, 358
— Suministro de, por persona y número de individuos malnutridos en países seleccionados, 390, 391
— Suministro diario de, por persona y países determinados, 386 a 399

Camón Aznar, 279

Campbell, 284

Campo:
— Diferencia con la ciudad en materia de alimentación, 380

Carbajo, A., 113

Carbón, 413 a 420
— Reservas mundiales de, estimadas, 417

Carol, Hans, 437

Carr Saunders, 304, 305, 307, 308, 310, 311

Carretero Alba, E., 110

Carter, A. P., 193

Carter, H., 40

Carter, Presidente, 424

Casas, Fray Bartolomé de las, 197

Casas Torres, J. M., 127, 196

Cipolla, C. M., 268, 275, 276, 279, 292 305, 307

Ciudad:
— Diferencias con el campo en materia de alimentación, 380

Clark, C. M., 177, 178, 225, 290, 304, 305, 306, 308, 310, 311, 330, 338, 358, 359, 360, 361, 362

Clark, W., 290

Clarke, J. I., 111, 114, 116, 178, 223, 224

Club de Roma, 199, 231, 341

Coeficiente de sustitución, 322

Cole, A. J., 225, 227, 228

Cole, H. S. D., 198, 410, 418

Colombo, V., 199

Colonial:
— Anverso y reverso de la herencia, 180

Colunga, A., 266

Combustibles fósiles, 410 a 427

Combustibles líquidos, 420 a 425

Conkling, 17, 340, 406, 407, 428, 434, 436, 438

Consejo de Europa, 210

Consumo de calorías, 357, 358

Control de natalidad, 200, 201, 363

Coppens, 276

Costa, 57

Cox, P. R., 290, 305, 306, 308

Crecimiento de población:
— Tasa de, anual, 24
— Cifras estimadas de la población mundial desde hace un millón de años, 225 a 228
— Complejidad del tema, 260 a 262
— Considerado regionalmente, 310 a 314
— Curvas que lo expresan, 228
— Diferencias regionales y por países, 236, 248
— Refleja la diferencia entre países desarrollados y subdesarrollados, 236, 248
— Desigual crecimiento de la población entre países desarrollados y subdesarrollados, 341, 342
— Durante el Peleolítico, 289
— Entre los siglos I y el XVIII, 304, 305, 306
— (Macrorregiones y regiones de la ONU). Tasas de crecimiento anual, 240
— Tasas de 141 países, 244, 245

— De 158 países. Tasa de, 252 a 255
— Regional de la, mundial. Tasa de, 321
— y revoluciones científico-industriales, 306
— mundial, 219 a 235
— en los tres últimos siglos es el más acelerado de la historia del mundo, 304
— paleolítica. Causas, 293, 294
Crecimiento demográfico y crecimiento económico, 314 a 318
— entre 1650 y 1980, 309
Crecimiento económico:
— Escenario X de Leontief, 138
Crouzet, 307
Crusafont, M., 266
Curtright, 127
Curvas de crecimiento de la población, 228

CH

Chao Kang, 60
Chaunu, P., 210, 248, 306
Chenery, 127
Childe, Gordon, 268, 275, 279, 280
China, 57 a 61, 154, 155
Chung, Ray, 330

D

Damman, E., 199
Danvila, Joaquín, 384
Da Pozzo, 57
Dart, 276, 285
Darwin, 263, 326
Darwinismo:
— Su modelo de evolución humana está en contradicción con las modernas dataciones de restos fósiles del Homo Sapiens, 267, 270
— Sigue siendo insuficiente para explicar la evolución biológica y el origen del hombre, 302
Davis, K., 305
Deane, 307
Deevey, Jr., Ed. S., 225, 226, 227, 228, 231, 268, 274, 289, 291, 293.
Demko, 290, 330

Densidad de población:
— de las macro-regiones y regiones de la ONU, 24
— de cada país, 29 a 34
— Mapas de, 6, 7
— Países de la más alta, 9, 12
— de las regiones de la ONU, 240
Denzinger, 263, 266
Desarrolladas:
— Regiones, según Leontief, 137
Desarrollados:
— Países, planificación de Leontief, 140 a 142
— Países, 13, 21, 76, 103 a 218, 131 a 138
— El crecimiento de su población —cuando lo hay— es muy inferior al de la de los países subdesarrollados, 341, 342
— Clasificación de los países, según su grado de, establecida por Naciones Unidas, 172 a 176
— «desde el lado de la oferta», 127, 128 a 130
— Dificultad de precisar su significado, 177
— Efectivos demográficos envejecidos, 209
— El verdadero implica pasar a condiciones de vida más humanas, 183
— Estrategia del, con equidad, 128 a 130
— Índice general de, 119
— Injusta distribución de la riqueza, 194-196
— La diferencia entre países desarrollados y subdesarrollados es el hecho más trascendental de la historia de este siglo, 193
— Las diferencias en el crecimiento de la población ponen de nuevo de relieve los contrastres entre países desarrollado y subdesarrollados, 236, 248
— Variables indicadoras de distintos grados de, en 15 países seleccionados, 187 a 189
— Clasificación de los países según el Banco Mundial, 160 a 163
— Indicadores básicos según el Banco Mundial, 167 a 172

Desequilibrio económico internacional, 180, 181
Desequilibrios económicos. Precisiones cuantitativas, 194
Desmond, 228
Dickinson, 7
Distribución espacial de la población del mundo, 1 a 34
— Desigualdad de la, 7, 8
— Algunos modos de considerarla, 10 a 18
— A escala mundial, 10, 11
— Focos principales de concentración, 11, 18
— Zonas menos pobladas y vacías, 18
— Causas, 21, 22.
Drewnowski, 110, 116, 118, 119, 120 a 125
Dubois, 227
Duncan, 332, 341
Durand, J. D., 225, 226, 227, 290, 291, 305, 307, 308, 310, 321
Dwyer, 60

E

Edades:
— Porcentaje población menor de 15 años, en 158 países, 252 a 255
— Porcentaje población entre 15-64 años, en 158 países, 252 a 255
Ehrlich, 362
Electricidad, 427 a 431
— Producción, 427, 430
— Capacidad instalada, 430, 431
Energía, fuentes de, 407
Energía nuclear, 431 a 433
Envejecimiento de la población occidental, 210
Epipaleolítico o Mesolítico, 274
Equilibrio población recursos, 337 a 439
Escándalo:
— De las disparidades en el disfrute de bienes y en el ejercicio del poder, 181
Escenario X de Leontief:
— Aproximación regional al crecimiento, 138
Espenshade, T. J., 210

Esperanza de vida al nacer, de la población de 158 países, 252, 255
— durante el Paleolítico, 291
Eutanasia, 210
Evolución de la humanidad. Precisiones del doctor Palafox, 269
Evolucionismo y neodarwinismo, 262

F

Familia, 107
Fanon, 111
FAO, 187, 343, 358, 360, 361, 362, 365, 366, 377, 384, 385, 386, 391, 392
— Su clasificación de los países y regiones por clases económicas, 353, 354
Ferrer Regales, M., 76
Fertilidad de 158 países, 252 a 255
Filariosis, 410
Ford, Fundación, 355
Fórmula de la División de Población de la ONU para calcular la tasa de crecimiento anual de la población, 222
Freeman, C., 198, 418
Fuentes de energía, 407
Futuro:
— Demográficamente será muy distinto de la actualidad, 209, 210

G

Gabor, D., 199
García Barbancho, A., 71
García Cordero, M., 266
Gas natural, 425 a 427
— Reservas y producción, 425, 426
Gentelle, P., 59
«Geografía del bienestar», 116
Gilson, E., 266
Gini, 127
Ginsburg, 117
Glass, 58, 308
Goldscheider, 216
Goldstein, 216
Goodenough, S., 229, 235
Grauman, 308, 310
Gribat, R., 410
Grotelüschen, 7

Guernier, 199
Guerra Mundial de 1939-45:
— Su trascendencia, 145
— Después de ella gran número de países han obtenido la independencia, 146
Guerra nuclear, 209
Guilland, 199
Guillaume, 71
Gurley, J., 128
Gutiérrez Ronco, Sicilia-III

H

Habakkuk, 326
Haeckel, 263
Hagget, P., 229, 233, 235
Hall, Peter, 39, 210
Hambre y malnutrición, 357
ul Haq, 128, 130
Harrison Church, R. J., 49
Hartwell, 307
Hauser, 332
Hendricks, 424
Higueras Arnal, A., 127
Himmelfarb, M., 216
Hollingsworth, 306
Hombre:
— Primacía del, 145, 198
— Origen biológico del, 264
— ¿Cuándo apareció sobre la Tierra?, 271 a 275
— de Cro-Magnon, 284
— de Neanderthal, 279
— El, no es un producto casual, sino buscado por la evolución, 302
— Posible nueva genealogía del, actual, 297, 302
Hominización, 264, 266
Homo erectus, 278
Homo habilis, 276
Homo Sapiens, sapiens, 268
— Modernas dataciones de sus restos más antiguos invalidan el modelo darwinista, 269
— es tan antiguo como el Australophitecus, y más que el Homo erectus y el de Neanderthal, 269
Hoselitz, 71

Howell, 278
Hubert K., 420, 424
Hudson, 126
Hulla, recursos y producción, 414, 415
«Humanae vitae» (Enc.), 202 a 206
«Humani generis» (Enc.), 263
Humboldt, Wiron, 280
Huxley, 263

I

Índice general de desarrollo del UNRISD, 119
Índice de niveles de vida de Drewnowski, 120 a 125
Índice del Metabolismo Basal, BMR, 386
Infantil:
— Mortalidad, en 158 países, 252 a 255
Injusticia en la distribución de la riqueza, 194, 196

J

Jackson, 356, 363
Jahoda, M., 198
Jameson, K. P., 127 a 130
Jenner, 322
Jiménez Vargas, J., 198
Johnson, Lyndon B., 199
Jones, 267, 268, 277
Juan XXIII, 106, 178, 198
Juan Pablo II, 105, 106, 145, 178, 183, 198

K

Keely, 216
Keratomalaria, 386
Keyfitz, 71
King, A., 199
King, 125
Klatt, 58, 59
Koch, 322
Krzywicki, 292
Kuczynski, 223
Kuznetz, 126, 127
Kwashiorkor, 383

L

Labasse, 177
Laffont, R., 267
Landes, D. A., 307
Lartet, L., 284
de Launay, 266
Leakey, 276, 278
Lebret, 114, 179
Lederberg, 226
Lejeune, 248
Leontief, 131
Lesourd, 307
Levorsen, 423
Lewis, A., 128
«Ley de protección eugenésica» en Japón, 199
Liberalismo, 180
Lignito. Recursos y producción, 416
Lleó de la Viña, J., 110
López García, G., 198
López Navarro, J., 206

M

Mac Arthur, Margaret, 358, 359
Macro-regiones, según la ONU
— Población, tasa de crecimiento anual, natalidad, mortalidad, superficie y densidad, 24
— Países que las integran, 25 a 28
Madres lactantes y alimentación, 381
Magisterio Español, S. A., 7
Malnutrición, 357 a 366, 377,
— PEM, 377, 386
Malnutridos:
— Número de individuos, en países seleccionados, 390, 391
Malthus, 199, 231, 326, 339
Maluquer de Motes, 267
Mantoux, 307
Mapas de población:
— Su interés, 4
— De población absoluta, 5, 6
— Densidad, 6, 7
Marasmo, 383
Marco Polo, 182
Martín Lou, M.ª A., 18, 55
Mathias, P., 307
Matrimonio, 106, 202

McEvedy, 267, 268, 277
McGranahan, 118, 119
McKeown, 224
McNeill, 306
Meadows, D. H., y D. L., 198, 407, 410, 418, 420
M.G.A. (Más gravemente afectados):
— Países, 367, 368
Medio ambiente:
— Deterioro de su calidad, 438, 439
— físico, 120
— social, 120
Meléndez, B., 266
Mesarovic, M., 199
Mesolítico o Epipaleolítico, 274
Mesolítico europeo, 288
Metabolismo basal:
— Índice de, BMR, 386
Metales, 433 a 436
Migraciones internacionales, 21
Miralbés Bedera, R., 127
Modelo darwinista. Está en contradicción con las modernas dataciones de los restos antiguos del *Homo sapiens,* 267, 270
Modelo de Leontief, 131 a 136, 137, 138
Monkhouse-Wilkson, 7
Monogenismo y poligenismo, 264
Monopolios comerciales, 181
Morris, 127
Mortalidad, 21, 24
— durante el Paleolítico, 291
— infantil de 158 países, 252, 255
— Tasas de las regiones y macrorregiones de la ONU, 240
Moulik, 358
Mouterde, R., 266

N

Natalidad, 21, 24
— Alarma ante la reducción de la, en Europa, 210
— Control de, 200-201
— durante el Paleolítico, 291
— Tasas de las regiones y macrorregiones de la ONU, 240
Navarro Rubio, E., 263
Neordarwinismo y evolucionismo, 262, 264

Neolítico, 274
Neomalthusianismo, 198
Neomalthusianos y vitalistas, 338
Net Reproduction Rate, 322
NEW (Net Economic Welfare), 343
Newton, 241
Niño
— Defensa del, 106
Niños pequeños y alimentación, 381
Niveles de vida
— Índice de Drewnowski, 120 a 125
Noguchi, Tetsuo, 410
Nougier, 226, 290

O

Oakley, 279
Ohlin, 290, 308
Oltmans, W., 199
Óptimo de población, 338
Organización Mundial de la Salud, 381, 385
Origen biológico del hombre, 264, 266, 295, 303.
Orleans, Leo A., 59
Otremba, 7
Overhage, 264, 266
Oxford Economic Atlas of the World, 6

P

Pablo VI, 106, 163, 178, 179, 183, 197, 198, 202, 206, 208, 209, 304, 364, 365
Países desarrollados. Véase: desarrollados, 103-218
Países subdesarrollados. Véase: subdesarrollados, 103, 218
Palafox, E., 269, 276, 280, 294, 295, 303
Paleolítico, 267 y sig.
— Crecimiento de la población, 289
— Causas del crecimiento de su población, 293, 294
— Esperanza de vida al nacer, 281
— Mortalidad durante el, 291
— Natalidad durante el, 291
Palewski, 362
Palomares, 307
Pasteur, 322

Paternidad responsable, 201 a 206, 339
Pavitt, K. L. R., 198
Peccei, A., 199
Pelagra, 384
PEM (Malnutrición proteicoenergética), 377
Penguin World Atlas, 39
Pericot, L., 193, 267, 268, 273, 276, 277, 278, 280, 284, 285, 288
Pestel, E., 199
Petersen, 328
Petri, P., 193
Petróleo:
— Crudo. Reservas y producción, 421
— Reservas comprobadas ensayadas, 423
Peyrefitte, Alain, 59, 154
Pío XI, 180
Pío XII, 178, 263, 264, 266
Pitecantrópidos, 277
PNB por persona de 158 países, 252 a 255
Población:
— absoluta por países, 29 a 34
— total de 151 países, 81 a 89
— total del mundo, 3
— del mundo entre 1650-2000, según distintos autores, 308
— entre 15 y 16 años de 158 países, 252 a 255
— menor de 15 años de 158 países, 252 a 255
— mundial por regiones, 340
— total agrícola y económicamente activa: continentes, macrorregiones y regiones, 350
— y producción de alimentos, 366
Pobreza
— de la tierra y de las gentes, 179 y 377
Pontificia Comisión Bíblica, 263
Population Reference Bureau, 58
Poursin, G., 10
Poussou, 71
Pratt, 423
Precedo, Andrés, 55
Prehistoria:
— Etapas de la, en el Occidente de Europa, 273
Pressat, 305, 308, 310

Producto Interior Bruto:
— Países con, anual per cápita inferior a 1.000 dólares USA, 147 a 156
— Países con, anual per cápita superior a 1.000 dólares USA en 1975, 156
Proteínas:
— Suministro diario de, por persona y países determinados, 396 a 399
Puffer, R. R., 385
Puls, 7
Putnam, 305

R

Rad, D. A., 380
Rand McNally, 7
Randers, J., 198
Ratios población/recursos y tecnologías, según Ackerman, 341
Ray, D. M., 17, 340, 406, 407, 428, 434, 436, 438
Recursos
— Tipos de, 342
— alimenticios. Producción en 1978, 351, 352
— no renovables, 436
Red, Ch., 290
Regiones: Clasificación de Leontief, 140 a 142
— Crecimiento de su población, 310 a 314
— Objeciones a la división regional de Naciones Unidas, 237
— Población mundial por, 340
— Según la ONU:
— Población, tasa de crecimiento anual, natalidad, mortalidad. Superficie. Densidad, 24.
— Países que las integran, 25 a 28
— y macrorregiones de la ONU:
— Tasas de crecimiento anual de la población. Tasas de natalidad. Tasas de mortalidad. Densidades, 240
— y macrorregiones: población total, agrícola y económicamente activa, 350
— del mundo. Clasificación de Ackerman, según las ratios población/recursos y tecnologías, 341

— y países. Clasificación de la FAO, según características económicas, 353, 354
Reinhardt, 305
Renta nacional total y por persona de 151 países, 81 a 89
Reproducción:
— Tasa bruta de, 223
— Tasa neta de, 223
Restos fósiles humanos y prehumanos:
— Cronología y lugar de hallazgo, 270
— Esquema que invalida las representaciones clásicas de la evolución humana, 270
Revolución:
— industrial, 322
— neolítica, 274
— vital o ciclo demográfico, 327
— «verde», 354 a 357
— científico-industriales y crecimiento de la población, 306
— Las, del Paleolítico, 267 y sig.
— La, del Paleolítico superior, 282
— La, de los Pitecantrópidos, 277
Riqueza:
— Injusta distribución de la, en países subdesarrollados, 126
Rockefeller III, 362
Rockefeller:
— Fundación, 355
Rojo Duque, Luis A., 113, 147
Roma:
— Club de, 199
Rose, 280
Rostow, 321, 323
Royo Marín, 262, 266
Rueda, 307
Rural: Población, 35 a 101
— Criterios «oficiales» para definir el concepto, 38 a 41
— Más del 60 % de la población del mundo es rural, 42, 43
Russell, 305

S

Samuelson, 343
San Pablo, 106
Santiago, Apóstol, 105
Santos Ruiz, A., 300
Satyanarayana, K., 380

Sauvy, A., 110, 113, 178, 194, 199, 224, 304, 308, 310
Scheild, 115
Schistosomiasis, 410
Schnell, 290
Schrnerb, 308
Schultz, J., 128
Sen, B. R., 362
Sen Dou Chang, 60
Serow, W. J., 210
Serrano, C. V., 385
Shell, 423
Simpson, D., 179
Smith, D. M., 116, 117, 118, 126, 127
Soláns Castro, M., 55
Soria, J. L., 205, 206, 339
Stamp, 71, 110, 343, 348
Staszewski, 11
Stearns, R., 307
Stolnitz, 327, 328
Subdesarrolladas:
— Regiones, según Leontief, 137
Subdesarrollados:
— Países, 13, 21, 76, 103 a 218
— Indicadores más utilizados, 112 a 131, 131 a 139
— Países, clasificación de Leontief, 140 a 142
— Su población crece con tasas muy superiores a las de los países desarrollados, 341, 342
— Su civilización y cultura son a veces tan ricas como las de los países desarrollados, 182
Subdesarrollo:
— No es exclusivamente un problema económico, 110, 196
— Anverso y reverso de la herencia colonial, 180
— Efectivos demográficos jóvenes, 209
— Injusta distribución de la riqueza, 126
— La ayuda a los países subdesarrollados debe ser más generosa y respetando su independencia, 181, 182
— Lacras del, 145
— La pobreza no puede ser pretexto para un genocidio, 198, 200, 207
— Los datos del problema, 179
— Nada justifica el aborto, la esterili-

zación ni los contraceptivos, 198, 199
— Países con productos interiores brutos per cápita inferiores a 1.000 dólares USA, 147 a 156
— Transcendencia del tema en la actualidad, 146
— Clasificación de los países según el Banco Mundial, 160 a 163
— Indicadores básicos según el Banco Mundial, 167 a 172
Subpoblación, 338
Suffert, G., 210
«Suicidio de la *raza* blanca», 237
Sukhatme, 358, 359, 361, 362
Sundaborg, 308
Superficie emergida de la Tierra y su utilización, 344
Superficie en km²
— Macrorregiones y regiones de la ONU, 24
— Países, 29 a 34
Superpoblación, 338
Surrey, A. J., 410, 418, 420, 424, 432

T

Taeuber, Irene, 58
Tamames, 439
Tasas: de crecimiento anual, 24
— de crecimiento anual de 158 países, 252 a 255
— de crecimiento natural anual de los 64 países de tasas más altas (promedio 1970-1975), 256-257
— bruta de reproducción, 223
— neta de reproducción, 223
— de crecimiento anual de la población (macrorregiones y regiones de la ONU), 240
— de crecimiento anual de la población (promedio 1970-1975) de 141 países, 244, 245
— de crecimiento regional de la población mundial, 321
— de natalidad de las regiones de la ONU, 240
— de mortalidad de las regiones de la ONU, 240
Taylor, 126, 305

Tecnología del incremento de la extracción y recuperación de recursos, 437
Teoría de la regulación demográfica, 326
Teoría de la transición demográfica, 320 a 333, 326
Tercer Mundo, 43 a 50, 77, 110, 111, 128, 194, 206, 363
Tierra disponible para la agricultura, 343
Tinbergen, 131, 199, 406, 409
Tobías, 276
Torelló, J. B., 301
Transición demográfica, 320 a 333
— Críticas al modelo, 332
— Fases, 328
Trewartha, 6, 10, 13, 114 a 116, 178, 268, 277, 293, 304, 307, 308, 327, 328, 332
Truman, 110

U

Unión de Bancos Suizos, 69, 157
UNRISD, 118, 119
Uranio:
— Recursos y producción, 433
Urbana, población, 35 a 101
— Criterios «oficiales» administrativos para definirla, 38 a 41
— Incremento constante de la población urbana, pero aún menos del 40 % de la total del mundo, 42
— Nueve grupos de países segun su, 42, 43
— Los casos de España, 54; República Federal Alemana, 55; Italia, 57 y China, 59 a 61
— Definiciones del término urbana, referidas a la residencia de una población. Para los países miembros de la ONU, 90 a 96
— Población de residencia, de 151 países, 81 a 89
— Porcentajes de población, en junio de 1981, 61 a 69.

— ¿Hay una relación entre riqueza y población, de un país?, 69
Usher, 305
Usos del suelo. Cifras en miles de has., 345
— Superficie emergida de la Tierra, 344

V

Valentei, 332
Valéry, Paul, 12
Vallois, 292
Vázquez de Prada, 307
Vida:
— Carácter sagrado de la, antes del nacimiento, 106
— Niveles de, Índice de Drewnowski, 120 a 125
Vidal Benito, Tomás, 20
Vila, Pau, 105
Villegas, 360
Vitalistas y neomalthusianos, 338

W

van de Walle, 216
Ward, B., 206, 364
Warman, 424
Warren, B., 128
Weeks, 355, 356
Weidenreich, 277, 292
Weis, Luisa, 237, 248
Willcox, 58, 304, 307, 308, 310
Williamson, 126
Wojtyla, Karol (véase Juan Pablo II)
Wolfe, 292
Wrigley, 309

Z

Zelinsky, 136, 178

ÍNDICE DE TABLAS, MAPAS
Y GRÁFICOS

TABLAS

Págs.

1.1.	Población del mundo en 1975	3
1.2.	Países de mayor población del mundo en 1975	8
1.3.	Países de alta densidad de población. Año 1975	9
2.1.	Grupos de países según su población urbana	42
2.1 (bis).	Grupos de países según su población urbana en 1981	61
3.1.1.	Indicadores fundamentales empleados en el Índice de Desarrollo para 1960, del UNRISD	119
3.1.2.	Índice de niveles de vida: tabla de computación, según Drewnowski (1974)	122
3.1.3.	Indicadores del progreso social	125
3.1.4.	Los grandes grupos regionales, según Leontief	137
3.1.5.	Aproximación regional al crecimiento. Escenario X de Leontief. Tasas de crecimiento y partes del PIB por región	138
3.2.1.	PIB per cápita de 136 países pertenecientes a la ONU en 1975	149
3.2.2.	PIB per cápita de 86 países que en 1975 no alcanzaban los 1.000 dólares	150
3.2.3.	Indicadores básicos del grado de desarrollo según el Banco Mundial	167
3.2.4.	Población en 1960, 1970 y 1975 y promedio de crecimiento demográfico anual en 24 regiones y ocho zonas principales del mundo	176
3.3.1.	Indicadores del grado de desarrollo para seis países representativos	195
3.3.2.	Estimaciones de la población total de las principales regiones del mundo. Variante media según el Departamento de Asuntos Económicos y Sociales de las Naciones Unidas	212
4.1.1.	Población estimada del mundo, entre un millón de años antes del comienzo de la Era Cristiana y el año 2000	227
4.1.2.	Tasas de crecimiento anual de la población, cifras absolutas, tasas de natalidad y mortalidad y densidades de las grandes regiones y regiones del mundo, según la ONU	240
4.1.3.	Tasa de crecimiento anual (promedio 1970-75), porcentaje sobre el total de la población	244

4.2.1. La subespecie Homo Sapiens Sapiens, dentro del orden de los Primates. Según don Luis Pericot (1969) 268

4.2.2. Distribución de algunos restos fósiles humanos y prehumanos, con su cronología y lugar de hallazgo, según E. Palafox 270

4.2.3. Etapas de la Prehistoria en el Occidente de Europa 273

4.3.1. Población del mundo y los continentes en distintas fechas entre los años 14 y 1800 . 305

4.3.2. Estimaciones de la población mundial entre los años 1650 y 2000 307

4.3.3. Población total del mundo (en millones de habitantes), según distintos autores 308

4.3.4. Tasas de crecimiento anual de la población mundial (porcentaje) 310

4.3.5. Población (millones de habitantes) del mundo y los continentes, y tanto por ciento de la población de cada continente sobre la total del mundo en cada año considerado 311

4.3.6. Crecimiento anual promedio (porcentaje) 312

4.4.1. Tasas de crecimiento aproximado de la población mundial 320

4.4.2. Tasas de crecimiento regional (aproximado), 1750-2000 321

4.4.3. Tasas netas de reproducción de varios países industriales, en distintas épocas 323

4.4.4. Grandes regiones del mundo, según la clasificación de la ONU (promedios 1965-1977), que crecen muy de prisa 324

5.1.1. Población mundial por regiones. Estimaciones y proyecciones, 1940-2000 (variante intermedia de la ONU) 340

5.1.2. Superficie emergida de la Tierra y su utilización. Año de las cifras: 1975 344

5.1.3. Usos del suelo. Cifras en miles de hectáreas 345

5.1.4. Porcentajes de la tabla 5.1.3 y relación de habitantes con cifras para ellos de 1978 (tabla 5.1.5) 347

5.1.5. Población: total, agrícola y económicamente activa. Cifras en miles. Fecha de los datos: 1978 350

5.1.6. Producción de recursos alimenticios en 1978 351

5.1.7. Tasas anuales medias de crecimiento de la producción de alimentos en relación con la población: total mundial y regiones, 1961-65 a 1970 y 1970-76 366

5.1.8. Suministro diario de alimentos por persona en términos de calorías. Cifras absolutas y como porcentaje de las necesidades 370

5.1.9. Suministro diario de alimentos por persona en términos de proteínas (totales y de origen animal) 371

5.1.10. Contribución porcentual de diversos grupos de alimentos al suministro diario de calorías por persona en los países desarrollados y en desarrollo, y en todo el mundo 375

5.1.11. Contribución porcentual de diversos grupos de alimentos al suministro diario de proteínas por persona en los países subdesarrollados y en desarrollo, y en todo el mundo 376

5.1.12. Disponibilidad media de calorías y proteínas por unidad de consumo en los hogares, por grupos de gastos, India, 1971-72 378

5.1.13. Disponibilidad diaria de calorías por persona por grupos de ingresos. Brasil 379

5.1.14. Porcentaje de recién nacidos vivos con peso inferior a 2.500 gramos 381

5.1.15. Ingesta de calorías por persona en el hogar, y peso corporal de los niños en edad preescolar (0-5 años) por clase económica (distrito rural de la India) 382

5.1.16. Ingresos familiares, ingesta de alimentos y estado nutricional de los niños (de 6 a 24 meses de edad) en las zonas rurales de la India (Punjab) 384

5.1.17. Número estimado de personas con una ingesta de alimentos inferior al límite mínimo crítico: regiones en desarrollo (sin incluir las economías asiáticas de planificación centralizada) 389

5.1.18. Suministro de calorías por persona y porcentaje y número de individuos malnutridos en países seleccionados, 1969-71 y 1972-74 390

5.2.1. Reservas de combustibles, según «Los límites al crecimiento» (Informe al Club de Roma) 411

5.2.2. Energía: producción y consumo 412

5.2.3. Hulla: recursos y producción 414

5.2.4. Lignito: recursos y producción 416

5.2.5. Reservas mundiales de carbón estimadas (Tm $\times$ 10^9) 417

5.2.6. Petróleo crudo (reservas y producción) 421

5.2.7. Reservas comprobadas estimadas de petróleo crudo y gas natural en 31-XII-1971 .. 423

5.2.8. Gas natural (reservas y producción) 425

5.2.9. Energía eléctrica: producción 427

5.2.10. Energía eléctrica: capacidad instalada 430

5.2.11. Uranio: recursos y producción 433

MAPAS Y GRÁFICOS

Mapa con ordenador de los principales usos del suelo de Londres 2

Mapa I.1. Mapa de población absoluta confeccionado por el sistema de puntos y círculos . 8

Mapa I.2. Densidades de población en el Hemisferio Oriental 13

Mapa I.3. Densidades de población en América 17

Mapa I.4. España: Densidad de población y núcleos urbanos superiores a 50.000 habitantes en 1970 18

Mapa I.5. Densidad de población de Cataluña 20

Mapa I.6. Países que integran las Macro-regiones y Regiones de la División de Población de las Naciones Unidas 27

Mapa II.1. Países con un porcentaje de población de residencia urbana inferior al 30,1, según los datos del Apéndice 2.1 46

Mapa II.2. Países con porcentajes de población de residencia urbana entre el 30,1 y el 60, según los datos del Apéndice 2.1 52

Mapa II.3. Países con porcentajes de población de residencia urbana superiores al 60,1, según los datos del Apéndice 2.1 56

Mapa II.4. Países con un porcentaje de población de residencia urbana inferior al 30,1, según los datos del Apéndice 2.3 que da lugar a los de la Tabla 2.1 (bis) 62

Mapa II.5. Países con porcentajes de población de residencia urbana entre el 30,1 y el 60, según los datos del Apéndice 2.3 64

Mapa II.6. Países con porcentajes de población de residencia urbana superiores al 60,1, según los datos del Apéndice 2.3 67

Histograma 2.1. Porcentajes de la población total de cada grupo con respecto a la total mundial 68

Histograma 2.2. Porcentajes de la población urbana de cada grupo con respecto a la población urbana mundial 68

Diagrama 2.1. Diagrama de dispersión de los países reseñados en el Apéndice 2.1, según el porcentaje de su población urbana (yi) y la renta por persona (xi) en dólares USA 72

Diagrama 2.2. Diagrama de dispersión de los países reseñados en el Apéndice 2.1 sobre una retícula cuadrada 75

Civilizaciones urbanas y comunidades campesinas, en el Neolítico y otras culturas de Europa y el Próximo Oriente 80

Págs.

Desarrollo y subdesarrollo. Colegio en Maisons - Lafitte (Francia). Escuela en un «bidonvi-lle» de Calcuta 121

Benarés (India). Un rincón del área reservada a los baños rituales, en la orilla del Ganges ... 129

Índices de Calidad Física de la Vida (ICFV) 144

Gráfico 3.2.1. Producto Interior Bruto por habitante de 136 países en 1975 148

Gráfico 3.2.2. Producto Interior Bruto por persona de los 86 países que en 1975 no llega-ban a 1.000 dólares USA 151

Croquis 3.2.1. Croquis (3.2.1-3.2.2 y 3.2.3) comparativos de las superficies, poblaciones y productos interiores brutos de los países, en 1973 164-165   166

Contrastes del subdesarrollo. Un aspecto de Makati, el nuevo CBD de Metro-Manila, y Tondo, uno de sus suburbios más pobres 169

— Trabajo de los niños: 1911 y 1980 173

— Países petrolíferos. Mingote los vio así 174

— Barrios de Girardot, a orillas del río Magdalena (Colombia) 175

— Tradición y actualidad entre los visitantes del templo Senso-ji, en Asakusa (Tokyo) 192

— De «We're on your side, Charlie Brown!» 208

— Ginza (Tokyo), la réplica japonesa de la Avenida de la Américas de Manhattan 211

Fig. 4.1.1. Crecimiento de la población mundial, según Desmond 229

Fig. 4.1.2. Crecimiento de la población del mundo entre los años 10000 a. C. y 1960 d. C., según Deevey, Jr. 232

Fig. 4.1.3. Etapas del crecimiento de la población mundial, expresadas con una escala logarítmica, según Deevey, Jr. 232

Figs. 4.1.4-4.1.5-4.1.6. Modos de ajuste de una curva de población al nivel de saturación de un medio ambiente. Según Hagget 234

Fig. 4.1.7. Ajuste de una curva de población a su nivel de saturación, según Hagget 235

Mapa IV.1.1. Promedios de las tasas de incremento anual (porcentaje) de la población entre 1965-67, en las grandes regiones y regiones del mundo, según la división de Nacio-nes Unidas 238

Mapa IV.1.2. Países de tasa de crecimiento anual del 3 por 100 y superior al 3 por 100 del total de su población (promedio 1970-75) 243

Mapa IV.1.3. Países con tasas de crecimiento anual entre 2,9 por 100 y 2 por 100 del total de su población (promedio 1970-75) 243

Mapa IV.1.4. Países con tasas de crecimiento anual entre 1,9 por 100 y —0,2 por 100 (promedios de 1970-75) 246

Contrastes urbanísticos de una gran ciudad: Madrid 250

Fig. 4.2.1. Un ejemplo del modelo de evolución humana ahora rechazado por muchos autores 272

Mapa IV.2.1. Lugares de hallazgos prehistóricos importantes 282

Fig. 4.2.2. El gran bisonte de Altamira 286

Fig. 4.2.3. Altamira. El bisonte encogido 287

Distribución geográfica de los primeros animales domesticados 297

Fig. 4.3.1. Porcentaje promedio del crecimiento anual del mundo y los continentes, 1650-1977 313

Fig. 4.4.1. El modelo de la transición demográfica (Trewartha) 326

Figs. 4.4.2 y 4.4.3. Esquema del crecimiento de la población en un país desarrollado y en otro subdesarrollado 329

Fig. 4.4.4. Fases del modelo teórico «clásico» de la transición demográfica 330

Mapas IV.4.1 y IV.4.2. Difusión en el espacio del modelo de transición demográfica en 1905-09 y 1960 331

Págs.

Focos de dispersión de los principales cereales 334
Gráfico 5.1.1.   Usos del suelo 346
Gráfico 5.1.2.   Usos del suelo en países desarrollados y subdesarrollados 348
Gráfico 5.1.3.   Usos del suelo, población y extensión de siete grandes «regiones» 349
Aldea en las cercanías de los Baños (Luzón-Filipinas) 355
Estación experimental (para la mejora de rendimientos del arroz) de la Fundación Rocke-
feller, en los Baños (Luzón-Filipinas) 357
Gráfico 5.1.4.   Comparación de los suministros de calorías entre dos grupos de países, 1963   360
Mapa V.1.1.   Países M.G.A. 368
Mapa V.1.2.   Países por encima del 100 por 100 de suministro de calorías por persona,
como porcentaje de las necesidades. Promedio 1972-74 372
Mercado en Pisac (Andes peruanos) 373
Mapa V.1.3.   Países por debajo del 100 por 100 de suministro de calorías por persona,
como porcentaje de las necesidades. Promedio 1974-75 375
Nigeria: izquierda, niño víctima del Kwashiorkor (dos años y medio); centro, niño sano (dos
años); derecha, niño que padece de marasmo (cuatro años) 382
Venezuela: niña de cinco años enferma de marasmo y la misma niña al cabo de diez meses de
tratamiento y adecuada alimentación 383
Mapa V.1.4.   Países con poblaciones de ingesta de calorías inferior a 1,2 BMR. Porcen-
tajes en 1972-74 386
La «oncocercosis» o «ceguera de los ríos» en el Chad 388
Fig. 5.2.1.   Los países según su consumo de energía en 1975, según «The Times, Concise
Atlas & the World» 408
Mapa V.2.1.   Carbón: producción y reservas. Electricidad: producción. Datos de 1974 419
Mapa V.2.2.   Producción y consumo de petróleo. Producción de gas natural 428
Mapa V.2.3.   Fuentes principales de minerales económicos (excluyendo los lubricantes) ... 435
Mapa V.2.4.   Fuentes principales de minerales económicos (excluyendo los lubricantes) . 434-35

Este libro, publicado por Ediciones Rialp, S. A., Preciados, 34, Madrid, se terminó de imprimir en Arquillos, Sociedad Anónima, Alcorcón (Madrid), el día 10 de diciembre de 1982.